Szkolny atlas
GEOGRAFICZNY

Budowa Wszechświata

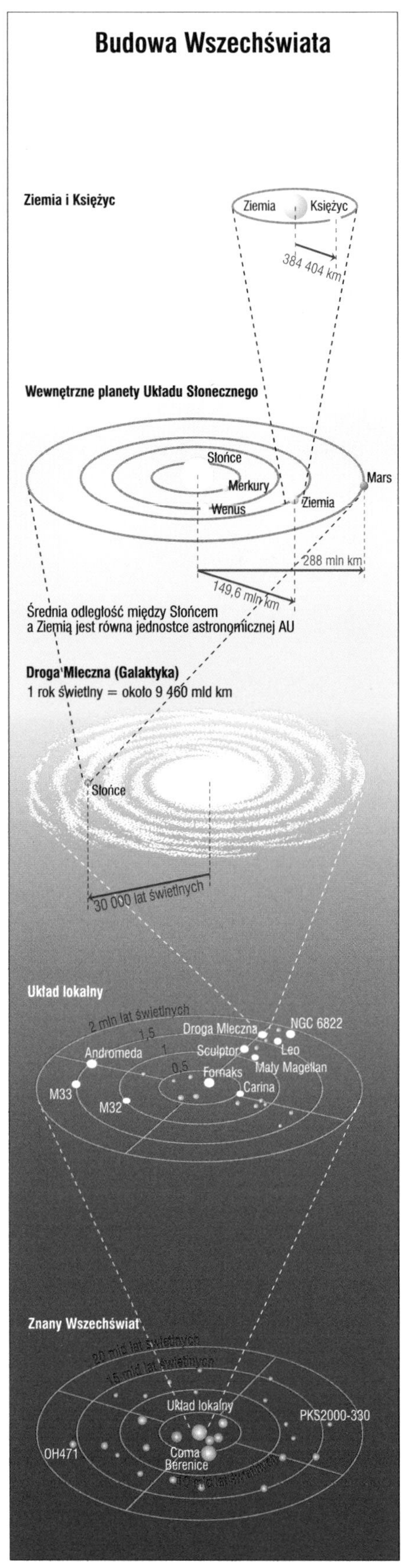

Ziemia i Księżyc

Ziemia — Księżyc
384 404 km

Wewnętrzne planety Układu Słonecznego

Słońce
Merkury
Wenus
Ziemia
Mars
288 mln km
149,6 mln km

Średnia odległość między Słońcem a Ziemią jest równa jednostce astronomicznej AU

Droga Mleczna (Galaktyka)
1 rok świetlny = około 9 460 mld km

Słońce
30 000 lat świetlnych

Układ lokalny
2 mln lat świetlnych
1,5
1
0,5
Andromeda
Droga Mleczna
NGC 6822
Sculptor
Leo
Fornaks
Mały Magellan
Carina
M33
M32

Znany Wszechświat
20 mld lat świetlnych
15 mld lat świetlnych
Układ lokalny
PKS2000-330
OH471
Coma Berenice

Planety Układu Słonecznego

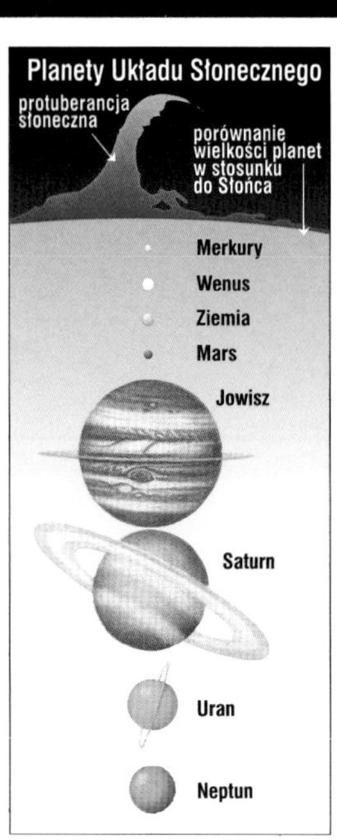

protuberancja słoneczna
porównanie wielkości planet w stosunku do Słońca
Merkury
Wenus
Ziemia
Mars
Jowisz
Saturn
Uran
Neptun

Widoczna strona Księżyca

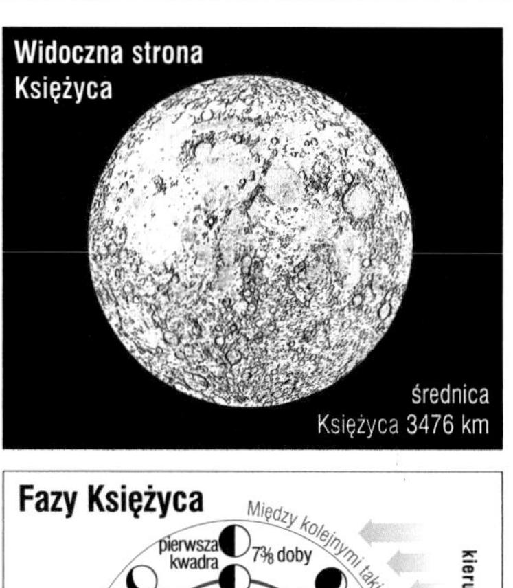

średnica Księżyca 3476 km

Fazy Księżyca

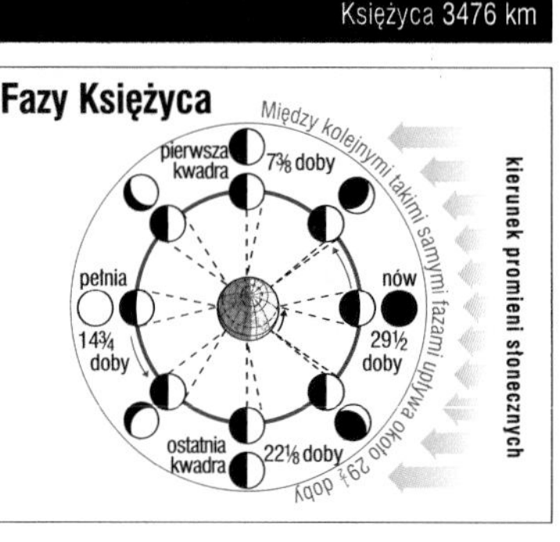

Między kolejnymi takimi samymi fazami upływa około 29½ doby
pierwsza kwadra
7⅜ doby
pełnia
14¾ doby
nów
29½ doby
ostatnia kwadra
22⅛ doby
kierunek promieni słonecznych

Zaćmienie Słońca i Księżyca

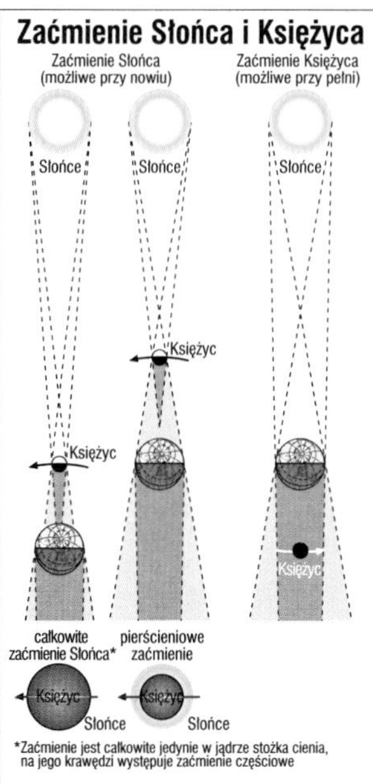

Zaćmienie Słońca (możliwe przy nowiu)
Zaćmienie Księżyca (możliwe przy pełni)
Słońce
Słońce
Słońce
Księżyc
Księżyc
Księżyc
całkowite zaćmienie Słońca*
pierścieniowe zaćmienie
Księżyc
Słońce
Księżyc
Słońce

*Zaćmienie jest całkowite jedynie w jądrze stożka cienia, na jego krawędzi występuje zaćmienie częściowe

Ruch Księżyca wokół Ziemi

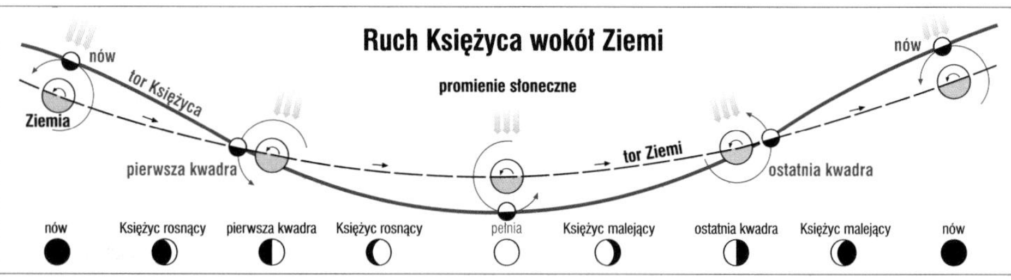

nów
tor Księżyca
promienie słoneczne
nów
Ziemia
pierwsza kwadra
tor Ziemi
ostatnia kwadra

nów — Księżyc rosnący — pierwsza kwadra — Księżyc rosnący — pełnia — Księżyc malejący — ostatnia kwadra — Księżyc malejący — nów

Ruch Ziemi wokół Słońca

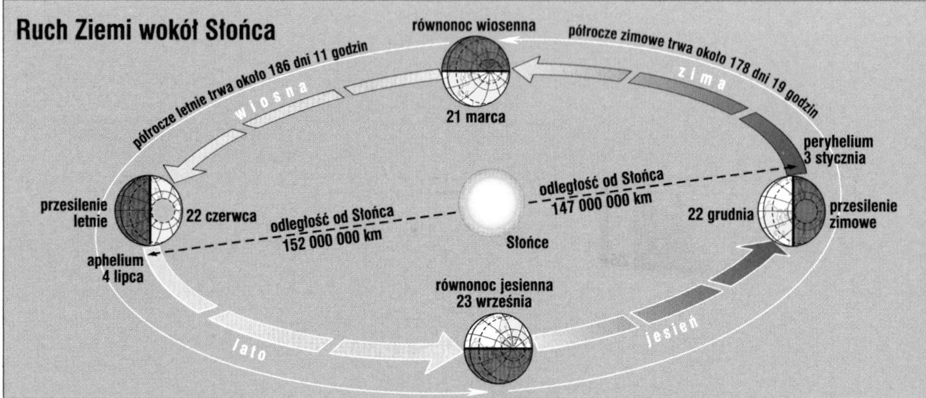

równonoc wiosenna 21 marca
półrocze zimowe trwa około 178 dni 19 godzin
półrocze letnie trwa około 186 dni 11 godzin
wiosna
zima
przesilenie letnie 22 czerwca
odległość od Słońca 152 000 000 km
Słońce
odległość od Słońca 147 000 000 km
peryhelium 3 stycznia
przesilenie zimowe 22 grudnia
aphelium 4 lipca
lato
równonoc jesienna 23 września
jesień

Oświetlenie Ziemi

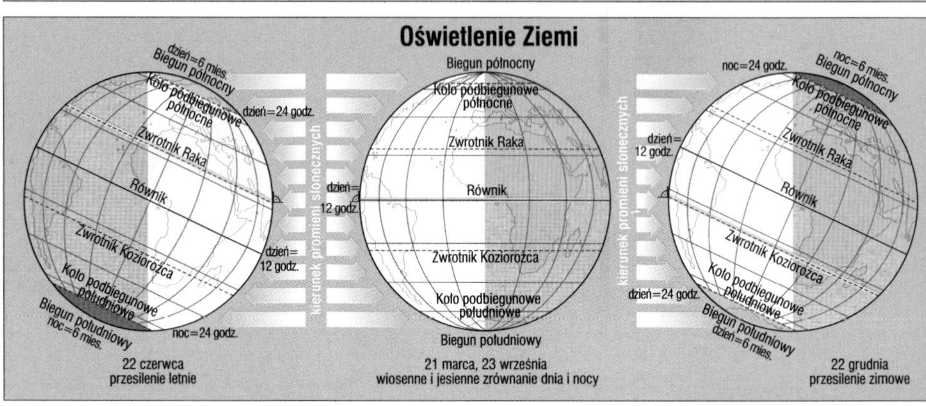

dzień=6 mies.
Biegun północny
Koło podbiegunowe północne
dzień=24 godz.
Zwrotnik Raka
Równik
dzień=12 godz.
Zwrotnik Koziorożca
Koło podbiegunowe południowe
Biegun południowy noc=6 mies.
noc=24 godz.

Biegun północny
Koło podbiegunowe północne
Zwrotnik Raka
Równik
dzień=12 godz.
Zwrotnik Koziorożca
Koło podbiegunowe południowe
Biegun południowy

noc=6 mies.
Biegun północny
Koło podbiegunowe północne
Zwrotnik Raka
dzień=12 godz.
Równik
Zwrotnik Koziorożca
Koło podbiegunowe południowe
dzień=24 godz.
Biegun południowy dzień=6 mies.

kierunek promieni słonecznych

22 czerwca przesilenie letnie
21 marca, 23 września wiosenne i jesienne zrównanie dnia i nocy
22 grudnia przesilenie zimowe

Droga Mleczna (Galaktyka) – rzut z boku

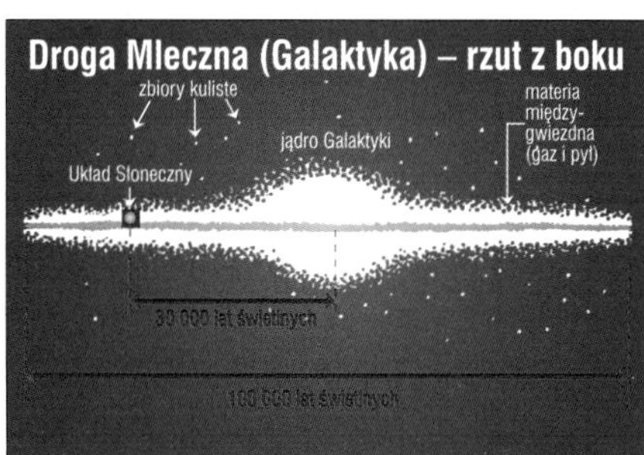

zbiory kuliste
materia międzygwiezdna (gaz i pył)
jądro Galaktyki
Układ Słoneczny
30 000 lat świetlnych
100 000 lat świetlnych

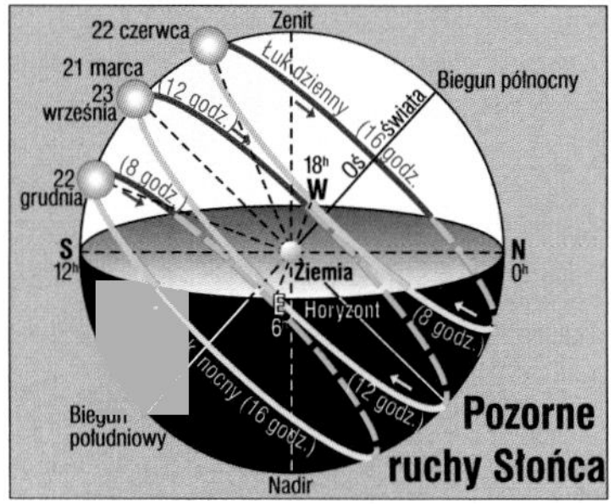

22 czerwca
21 marca
23 września
22 grudnia
Zenit
Łuk dzienny
Biegun północny
12 godz.
W
S
N
Ziemia
Horyzont
Biegun południowy
Nadir
Pozorne ruchy Słońca

Kształt Ziemi

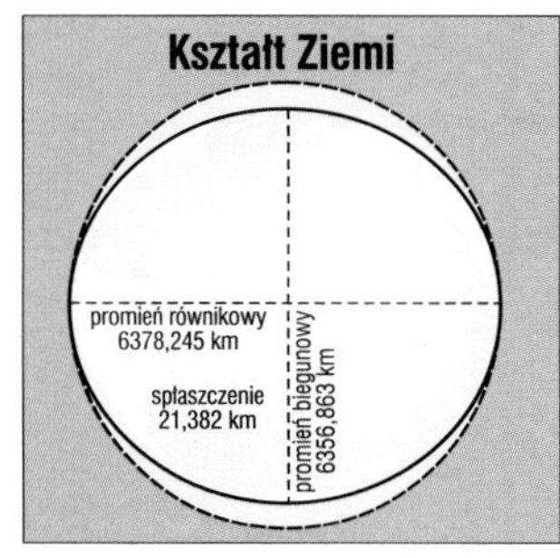

promień równikowy 6378,245 km
spłaszczenie 21,382 km
promień biegunowy 6356,863 km

Widok Ziemi z Księżyca

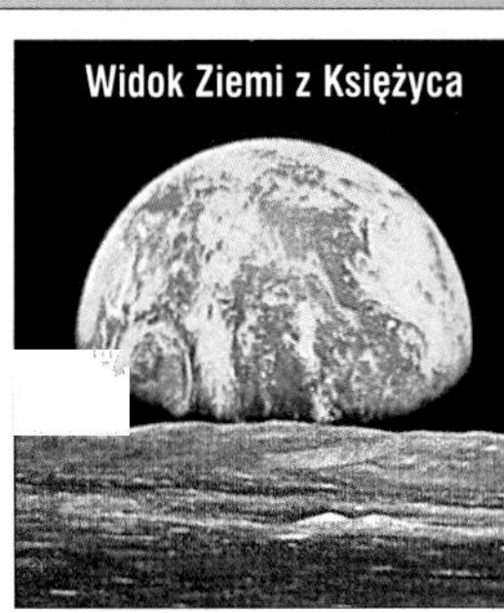

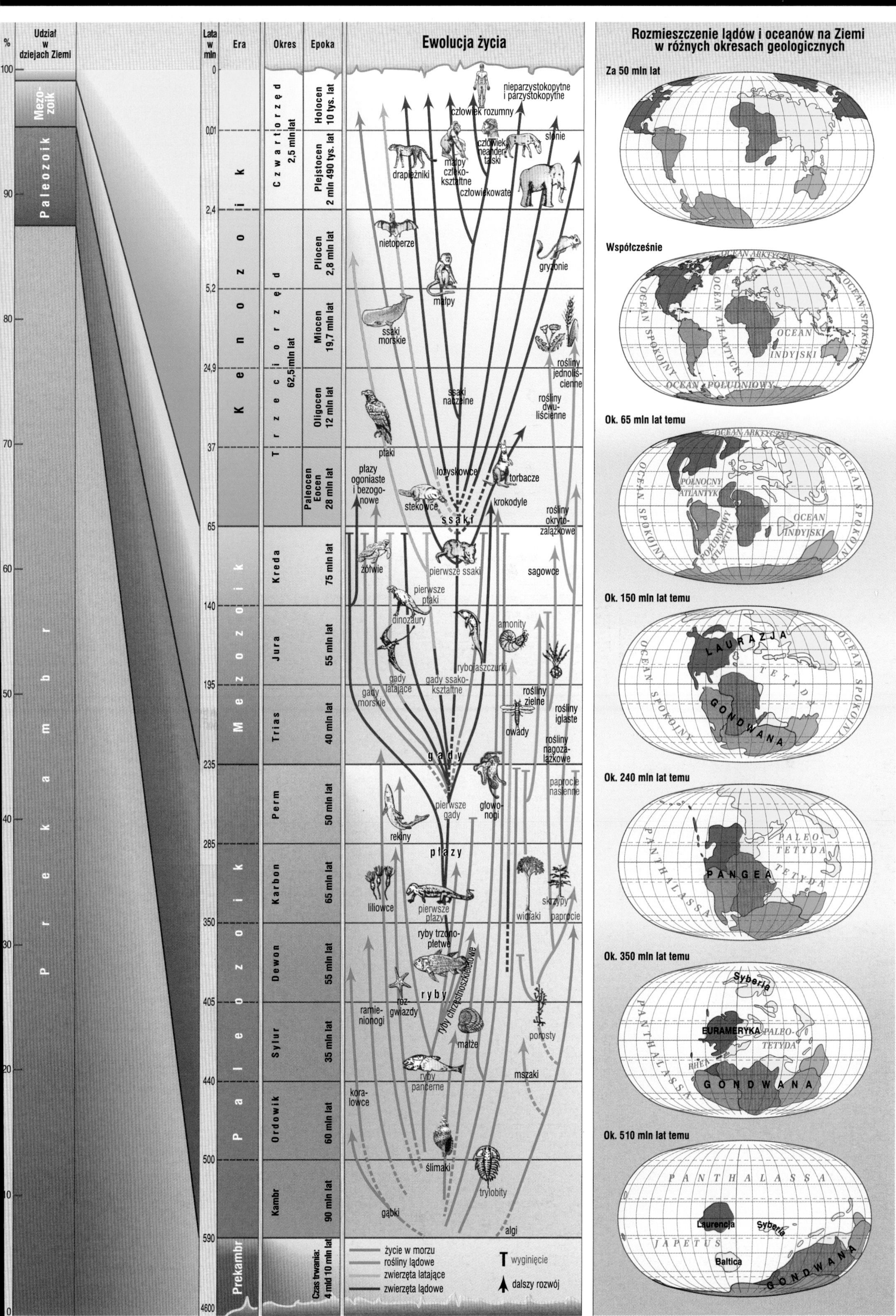
%
Udział w dziejach Ziemi
Mezozoik
Paleozoik
Prekambr
Lata w mln
Era
Okres
Epoka
Ewolucja życia
Kenozoik
Czwartorzęd 2,5 mln lat
Trzeciorzęd 62,5 mln lat
Holocen 10 tys. lat
Plejstocen 2 mln 490 tys. lat
Pliocen 2,8 mln lat
Miocen 19,7 mln lat
Oligocen 12 mln lat
Paleocen Eocen 28 mln lat
Mezozoik
Kreda 75 mln lat
Jura 55 mln lat
Trias 40 mln lat
Paleozoik
Perm 50 mln lat
Karbon 65 mln lat
Dewon 55 mln lat
Sylur 35 mln lat
Ordowik 60 mln lat
Kambr 90 mln lat
Prekambr
Czas trwania: 4 mld 10 mln lat
0
0,01
2,4
5,2
24,9
37
65
140
195
235
285
350
405
440
500
590
4600
100
90
80
70
60
50
40
30
20
10
0
nieparzystokopytne i parzystokopytne
człowiek rozumny
człowiek neandertalski
słonie
małpy człekokształtne
człowiekowate
drapieżniki
nietoperze
małpy
gryzonie
ssaki morskie
rośliny jednoliścienne
ssaki naczelne
rośliny dwuliścienne
ptaki
płazy ogoniaste i bezogonowe
łożyskowce
torbacze
stekowce
krokodyle
ssaki
rośliny okrytozalążkowe
żółwie
pierwsze ssaki
sagowce
pierwsze ptaki
dinozaury
amonity
rybojaszczurki
gady latające
gady ssakokształtne
gady morskie
rośliny zielne
owady
rośliny iglaste
rośliny nagozalążkowe
gady
paprocie nasienne
pierwsze gady
głowonogi
rekiny
płazy
liliowce
pierwsze płazy
widłaki
skrzypy
paprocie
ryby trzonopłetwe
ryby chrzęstnoszkieletowe
ryby
rozgwiazdy
ramienionogi
małże
porosty
ryby pancerne
mszaki
koralowce
ślimaki
trylobity
gąbki
algi
życie w morzu
rośliny lądowe
zwierzęta latające
zwierzęta lądowe
wyginięcie
dalszy rozwój
Rozmieszczenie lądów i oceanów na Ziemi w różnych okresach geologicznych
Za 50 mln lat
Współcześnie
OCEAN ARKTYCZNY
OCEAN SPOKOJNY
OCEAN ATLANTYCKI
OCEAN INDYJSKI
OCEAN POŁUDNIOWY
Ok. 65 mln lat temu
PÓŁNOCNY ATLANTYK
POŁUDNIOWY ATLANTYK
Ok. 150 mln lat temu
LAURAZJA
TETYDA
GONDWANA
Ok. 240 mln lat temu
PANTHALASSA
PALEOTETYDA
PANGEA
Ok. 350 mln lat temu
Syberia
EURAMERYKA
RHEA
Ok. 510 mln lat temu
Laurencja
Baltica
JAPETUS

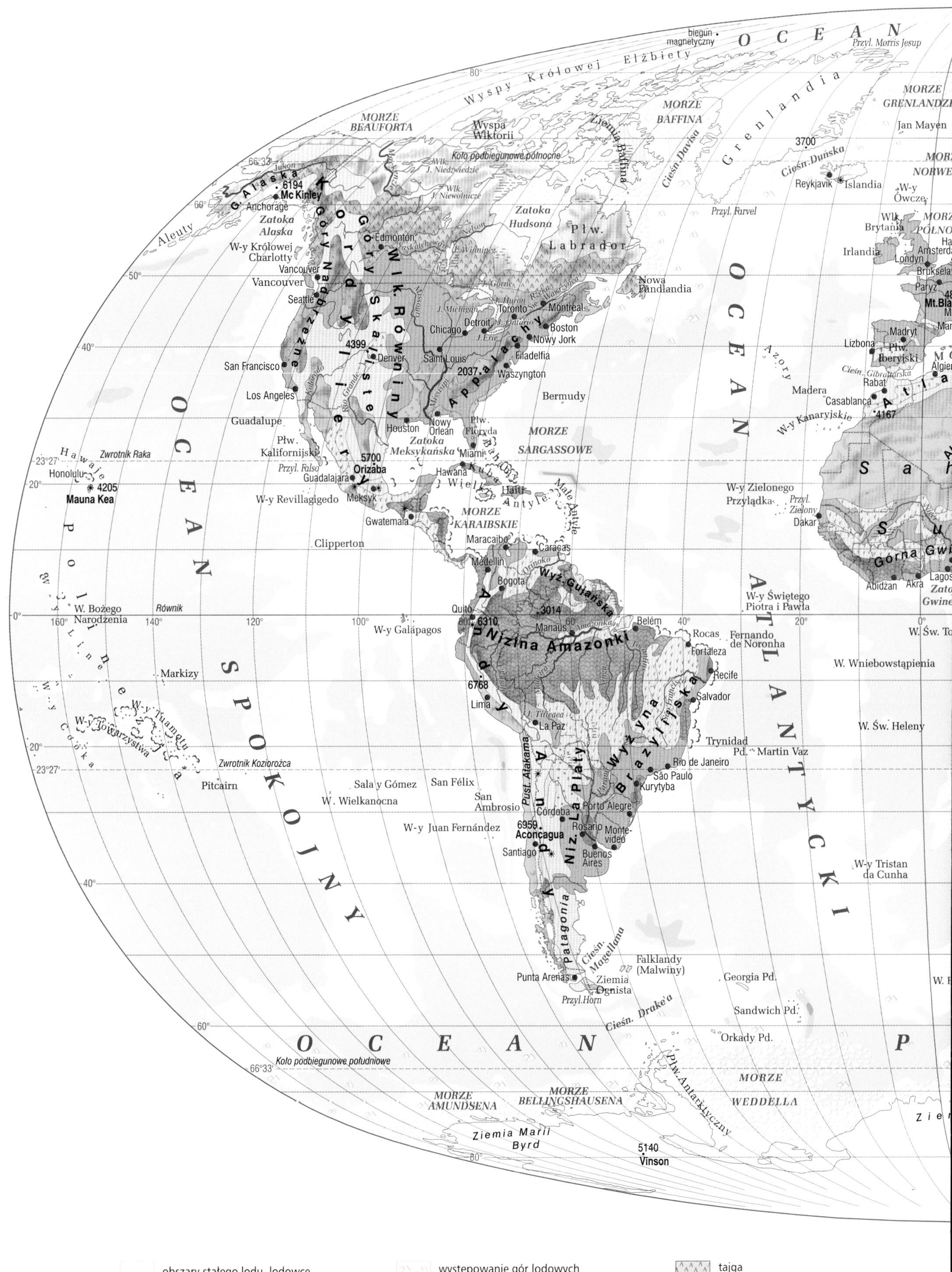

OCEAN

biegun magnetyczny
Przyl. Morris Jesup

Wyspy Królowej Elżbiety

MORZE
BEAUFORTA

Wyspa
Wiktorii

Ziemia Baffina

MORZE
BAFFINA

Grenlandia

MORZE
GRENLANDZK

Jan Mayen

Koło podbiegunowe północne

Wlk.
J. Niedźwiedzie

3700

Cieśn. Duńska

MORZE
NORWE

Reykjavik • Islandia

Wlk.
J. Niewolnicze

Zatoka
Hudsona

Pł w.
Labrador

Przyl. Farvel

W-y
Ówcze

Wlk.
Brytania

MORZ
PÓŁNC

Irlandia

Londyn

Amsterd

Bruksela
Paryż

M

Nowa
Fundlandia

Montréal

Boston
Nowy Jork

Filadelfia

Madryt

Lizbona
Płw.
Iberyjski

Ma

Cieśn. Gibraltarska

Rabat

Algier

Al

Madera
Casablanca

4167

W-y Kanaryjskie

S
Sa
h

Bermudy

MORZE
SARGASSOWE

W-y Zielonego
Przylądka

Przyl.
Zielony

S
Górna Gw

Dakar

Lagos
Abidżan Akra

Zato
Gwine

Góry Nadbrzeżne

6194
Mc Kinley

Anchorage

Zatoka
Alaska

Aleuty

W-y Królowej
Charlotty

Vancouver

Vancouver

Seattle

Edmonton

Góry Skaliste

Wlk. Równiny

Appalachy

Detroit
Chicago

Toronto
Saint Louis

Denver
4399

2037

San Francisco

Los Angeles

Guadalupe

Plw.
Kalifornijski

Przyl. Falso
Guadalajara

Honolulu
Mauna Kea

4205

Zwrotnik Raka

Hawaje

Houston
Nowy
Orlean

Zatoka
Meksykańska

Plw.
Floryda

Miami

Hawana
Wielkie

Kuba

MORZE
KARAIBSKIE

Haiti

Małe Antyle

Wielkie Antyle

MORZE
SARGASSOWE

5700
Orizaba

Meksyk

W-y Revillagigedo

Gwatemala

Maracaibo

Caracas

Medellin

Bogota

Wyż. Gujańska

3014

Manaus

Belém

Rocas

40°

Fernando
de Noronha

Fortaleza

W. Wniebowstąpienia

Clipperton

Quito

6310

Nizina Amazonki

Markizy

Równik

W. Bożego
Narodzenia

OCEAN SPOKOJNY

W-y Galápagos

6768

Lima

La Paz

Titicaca

Recife

Salvador

W. Św. Heleny

Trynidad

Rio de Janeiro

Pd. Martin Vaz

W-y Tuamotu

W-y Towarzystwa

Zwrotnik Koziorożca

Sala y Gómez

San Félix

Pitcairn

W. Wielkanocna

San
Ambrosio

W-y Juan Fernández

Wyżyna Brazylijska

Pust. Atakama

Córdoba

6959
Aconcagua

Santiago

Rosario

Niz. La Platy

Monte-
video

Buenos
Aires

São Paulo
Kurytyba

Porto Alegre

W-y Tristan
da Cunha

OCEAN ATLANTYCKI

Andy

Patagonia

Cieśn.
Magellana

Falklandy
(Malwiny)

Georgia Pd.

W. F

Punta Arenas

Ziemia
Ognista

Przyl. Horn

Cieśn. Drake'a

Sandwich Pd.

Orkady Pd.

OCEAN

Koło podbiegunowe południowe

MORZE

Płw. Antarktyczny

Zie

MORZE
AMUNDSENA

MORZE
BELLINGSHAUSENA

MORZE
WEDDELLA

Ziemia Marii
Byrd

5140
Vinson

80°

60°

50°

40°

23°27'
20°

0°
160°   140°   120°   100°

20°
23°27'

40°

60°
66°33'

80°

obszary stałego lodu, lodowce	występowanie gór lodowych	tajga
lodowce kontynentalne i górskie	krajobrazy wysokogórskie, skały	lasy stref umiarkowanych i podzwrotnikowych
obszary zlodzone zimą	tundra	lasy suche, makia, busz

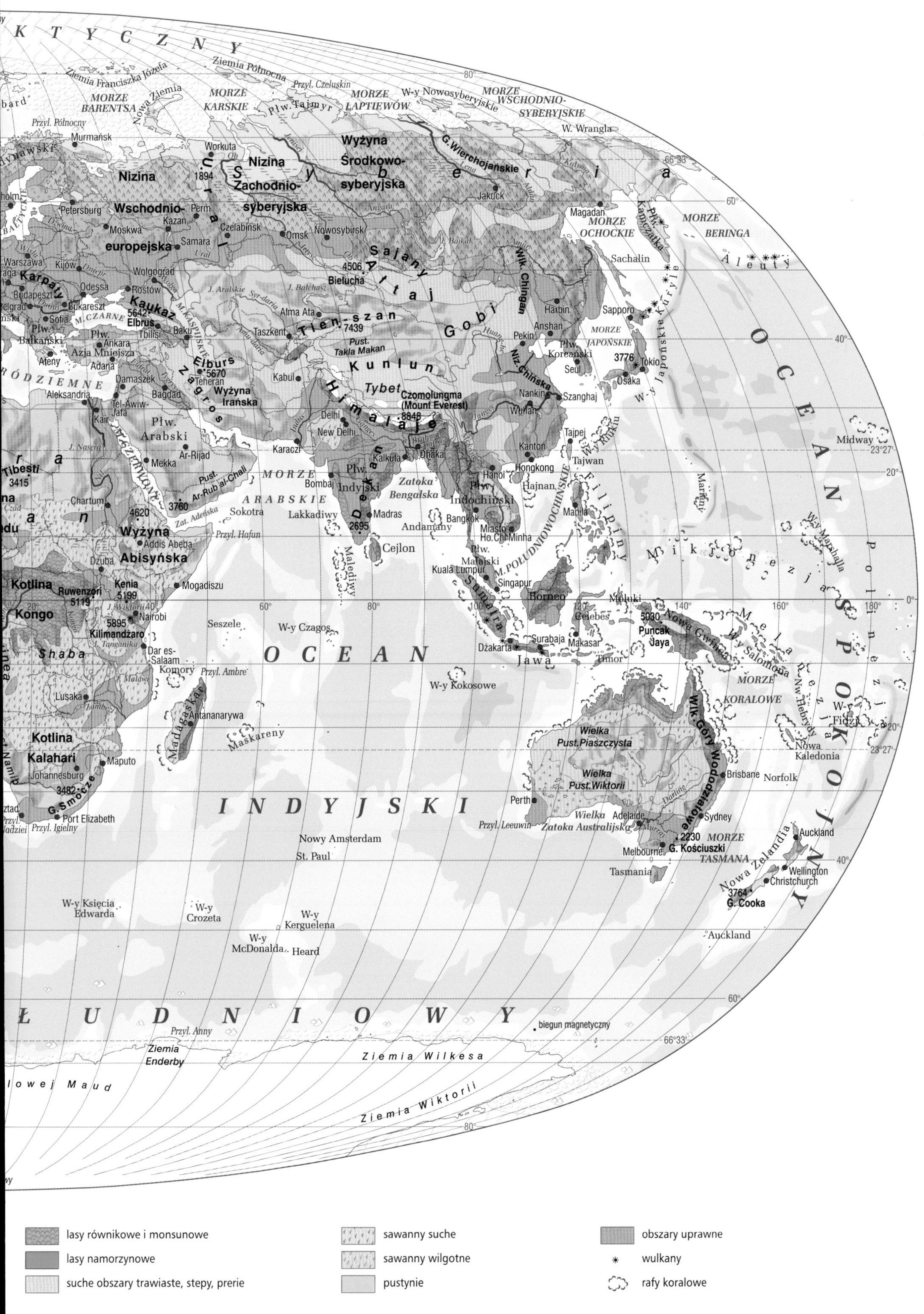

K T Y C Z N Y

Ziemia Franciszka Józefa   Ziemia Północna
bard   Przyl. Czeluskin   80
MORZE   MORZE   MORZE   W-y Nowosyberyjskie   MORZE
BARENTSA   KARSKIE   LAPTIEWÓW   WSCHODNIO-
Przyl. Północny   Plw. Tajmyr   SYBERYJSKIE
Murmańsk   W. Wrangla
Workuta   Wyżyna   66°33'
holm   1894   Środkowo-   G. Wierchojańskie   60°
Nizina   Nizina   syberyjska   Magadan   MORZE   MORZE
Zachodnio-   Jakuck   OCHOCKIE   BERINGA
Petersburg   Perm   syberyjska   Sachalin   Aleuty
Moskwa   Kazań   Magadan
europejska   Samara   Czelabińsk   Omsk   Nowosybirsk   Bajkał   40°
Warszawa   Wołgograd   4506   Sajany   Harbin   Sapporo
aga   Kijów   Dniepr   Biełucha   Altaj   Wik. Chingan   Anshan   MORZE
Karpaty   Odessa   Rostów   Tien-szan   Gobi   Pekin   JAPOŃSKIE
Budapeszt   Bukareszt   Kaukaz   5642   7439   Niz. Chińska   3776   Tokio
Sofia   M. CZARNE   Elbrus   Taszkent   Pust.   Plw.   Seul   Osaka
Bałkański   Ankara   Tbilisi   Takla Makan   Koreański
Ateny   Azja Mniejsza   Baku   Kunlun   Nankin
ŚRÓDZIEMNE   Adana   *5670   Tybet   Czomolungma   Szanghaj
Damaszek   Teheran   (Mount Everest)   Wuhan
Aleksandria   Tel-Awiw-   Wyżyna   Himalaje   8848
Kair   Jafa   Bagdad   Irańska   Delhi   Tajpej
ia   Plw.   Kabul   New Delhi   Kanton   23°27'
Tibesti   Arabski   Karaczi   Tajwan   Midway
3415   J. Naserą   Mekka   Pust.   Kalkuta   Dhaka   Hongkong   20°
Czad   Ar-Rub al-Chali   MORZE   Plw.   Hanoi   Hajnan
du   Chartum   Ar-Rijad   ARABSKIE   Bombaj   Indyjski   Zatoka   Plw.   Filipiny
4620   3760   Sokotra   Madras   Bengalska   Indochiński   Manila
Wyżyna   Zat. Adeńska   Lakkadiwy   Bangkok
Addis Abeba   Przyl. Hafun   2695   Andamany   Miasto
Dżuba   Abisyńska   Cejlon   Ho Chi Minha
Kotlina   Kenia   Mogadiszu   Malediwy   Plw.   Moluki
Ruwenzori   5199   Kuala Lumpur   5030   Nowa Gwinea
Kongo   5119   J. Wiktorii   Seszele   Singapur   Celebes   Puncak   0°
5895   Nairobi   W-y Czagos   Borneo   Jaya
Shaba   Kilimandżaro   O C E A N   Sumatra   Surabaja   Mela
J. Tanganika   Dar es-   Makasar   W-y Salomona   MORZE
Salaam   Dżakarta   Timor   KORALOWE
Lusaka   J. Malawi   Komory   Przyl. Ambre   Jawa   Nw Hebrydy
Zambezi   Antananarywa   W-y Kokosowe   W-y   20°
Kotlina   Wielka   Fidżi
Kalahari   Madagaskar   Maskareny   Pust. Piaszczysta   Nowa
Johannesburg   Brisbane   Norfolk   Kaledonia
3482   Maputo   Wielka   23°27'
G. Smoczy   Pust. Wiktorii   Wik. Góry Wododziałowe
ztad   Perth   Wielka   Adelaide   Sydney
Przyl.   Port Elizabeth   I N D Y J S K I   Przyl. Leeuwin   Zatoka Australijska   2230   MORZE
adziej   Przyl. Igielny   Nowy Amsterdam   Melbourne   G. Kościuszki   TASMANA
St. Paul   Tasmania   Wellington   40°
W-y Księcia   W-y   W-y   3764   Christchurch
Edwarda   Crozeta   Kerguelena   G. Cooka   Nowa Zelandia
W-y   Auckland
McDonalda   Heard   Auckland
60°
Ł U D N I O W Y   biegun magnetyczny   66°33'
Przyl. Anny   Ziemia   Ziemia Wilkesa
lowej Maud   Enderby   Ziemia Wiktorii   80°

Legenda:

lasy równikowe i monsunowe	sawanny suche	obszary uprawne
lasy namorzynowe	sawanny wilgotne	* wulkany
suche obszary trawiaste, stepy, prerie	pustynie	rafy koralowe

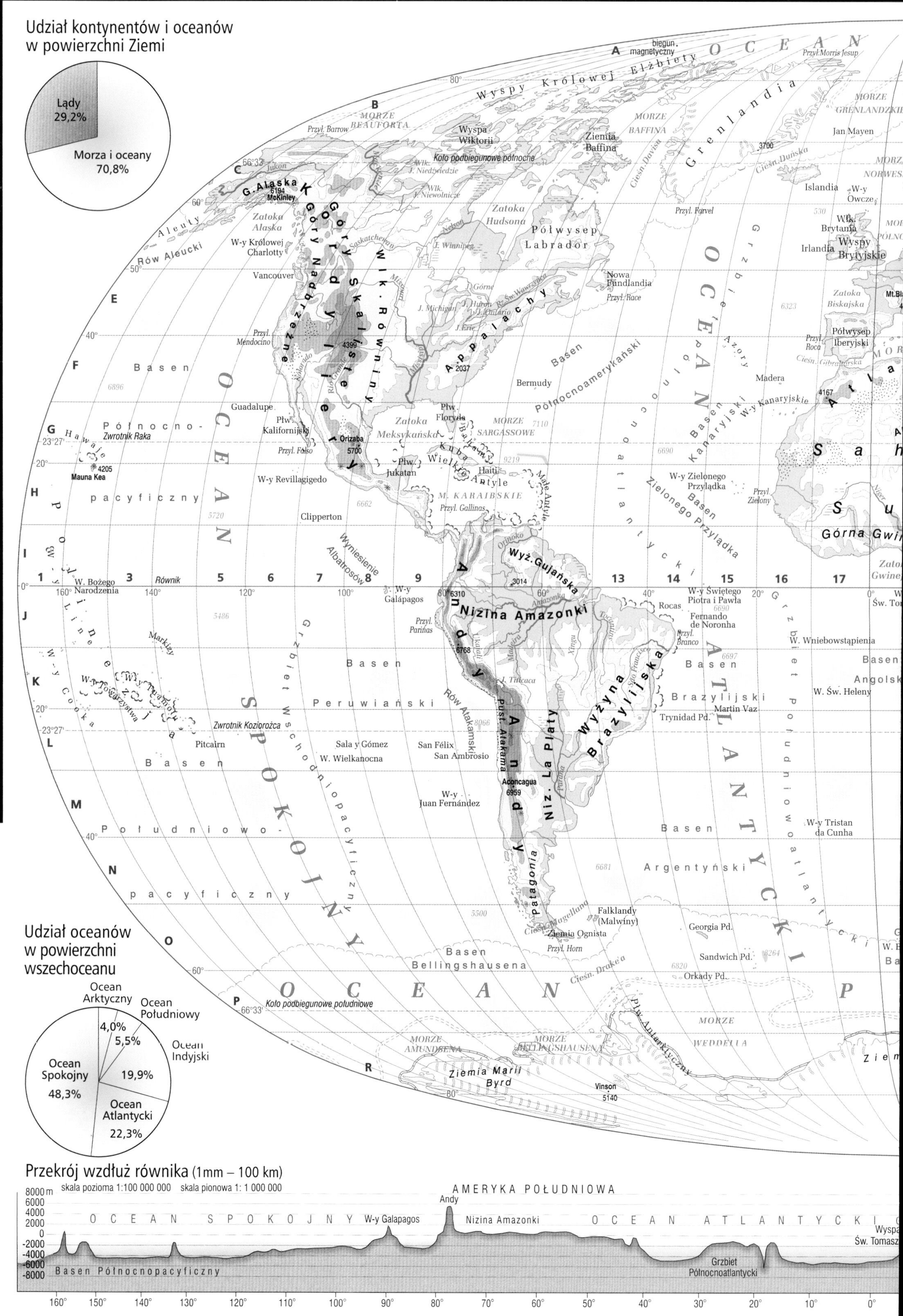

Udział kontynentów i oceanów w powierzchni Ziemi

Lądy 29,2%
Morza i oceany 70,8%

Udział oceanów w powierzchni wszechoceanu

Ocean Arktyczny 4,0%
Ocean Południowy 5,5%
Ocean Indyjski 19,9%
Ocean Spokojny 48,3%
Ocean Atlantycki 22,3%

Przekrój wzdłuż równika (1mm – 100 km)
skala pozioma 1:100 000 000   skala pionowa 1: 1 000 000

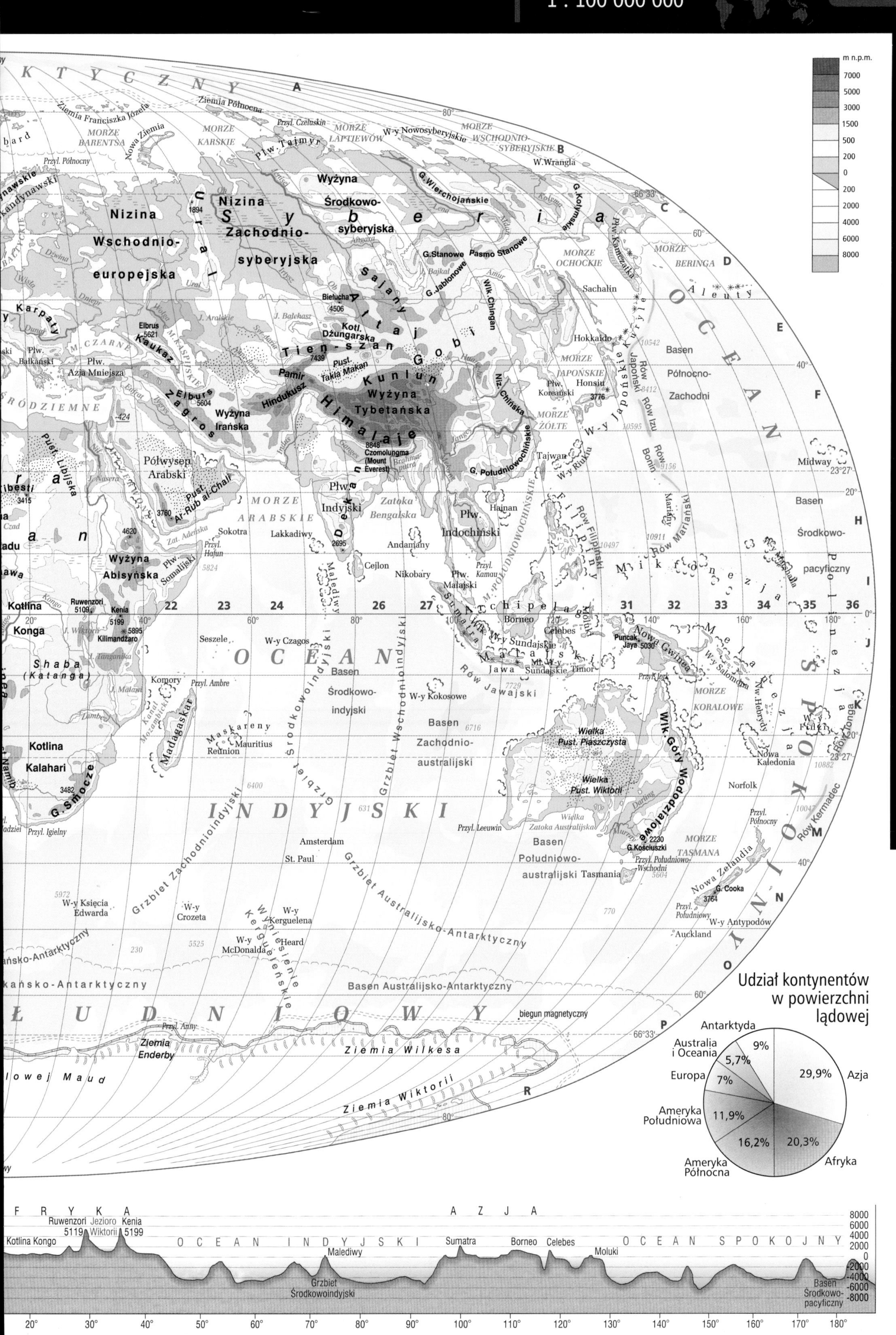
Udział kontynentów w powierzchni lądowej
Azja 29,9%
Afryka 20,3%
Ameryka Północna 16,2%
Ameryka Południowa 11,9%
Europa 7%
Australia i Oceania 5,7%
Antarktyda 9%
m n.p.m.
7000
5000
3000
1500
500
200
0
200
2000
4000
6000
8000
Nizina Wschodnioeuropejska
Nizina Zachodniosyberyjska
Wyżyna Środkowosyberyjska
Syberia
Tien-szan
Kunlun
Wyżyna Tybetańska
Himalaje
Pamir
Hindukusz
8848 Czomolungma (Mount Everest)
Półwysep Arabski
Wyżyna Irańska
Wyżyna Abisyńska
Płw. Indyjski
Płw. Indochiński
OCEAN INDYJSKI
OCEAN SPOKOJNY
Wielka Pust. Piaszczysta
Wielka Pust. Wiktorii
Wlk. Góry Wododziałowe
Ziemia Wilkesa
Ziemia Wiktorii
Ziemia Enderby
Basen Australijsko-Antarktyczny
biegun magnetyczny
AFRYKA
AZJA
Ruwenzori 5119
Jezioro Wiktorii
Kenia 5199
Kotlina Kongo
Sumatra
Borneo
Celebes
Moluki
Malediwy
Grzbiet Środkowoindyjski
Basen Środkowopacyficzny

Klimaty Ziemi

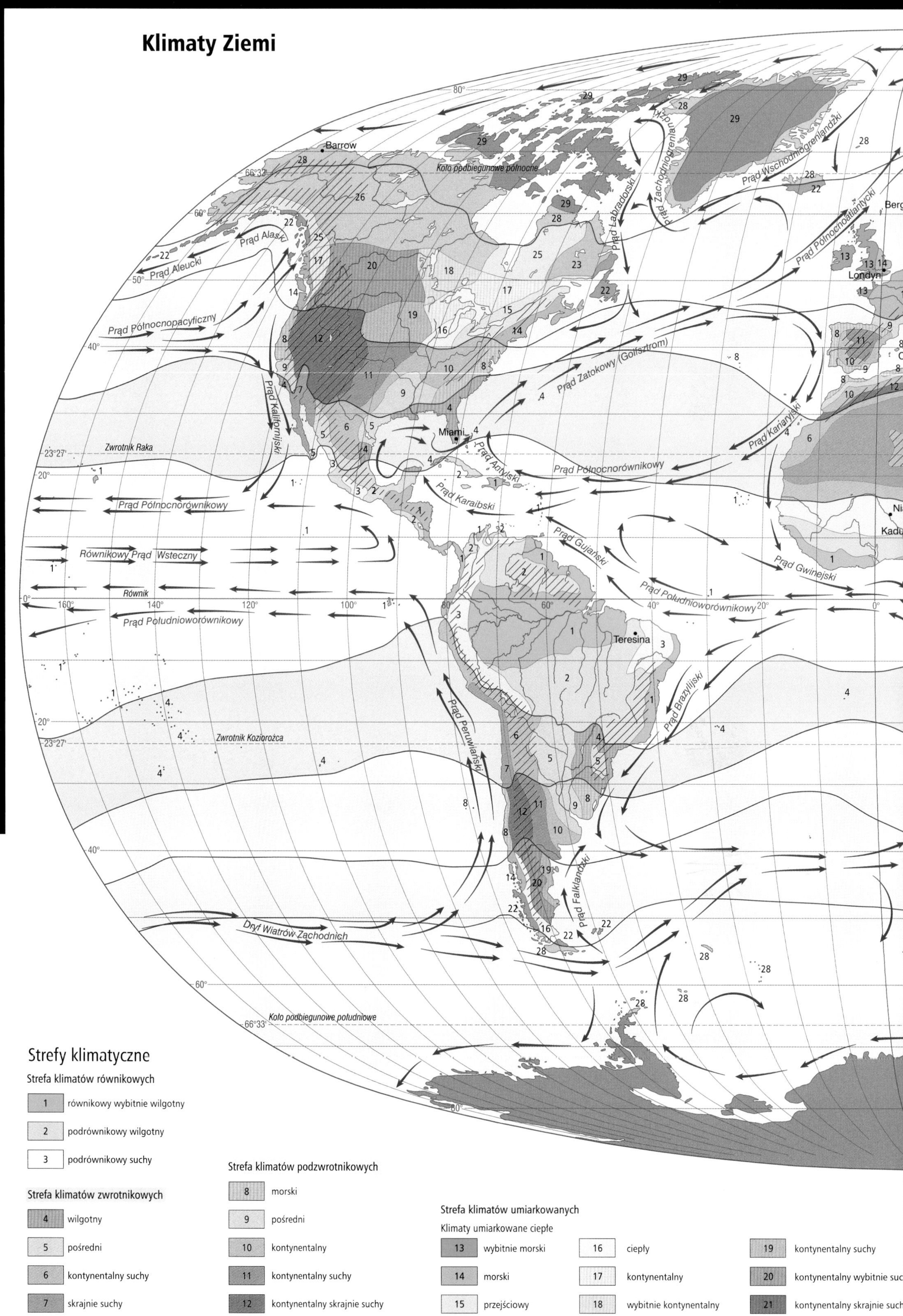

Strefy klimatyczne

Strefa klimatów równikowych

1	równikowy wybitnie wilgotny
2	podrównikowy wilgotny
3	podrównikowy suchy

Strefa klimatów zwrotnikowych

4	wilgotny
5	pośredni
6	kontynentalny suchy
7	skrajnie suchy

Strefa klimatów podzwrotnikowych

8	morski
9	pośredni
10	kontynentalny
11	kontynentalny suchy
12	kontynentalny skrajnie suchy

Strefa klimatów umiarkowanych

Klimaty umiarkowane ciepłe

13	wybitnie morski	16	ciepły	19	kontynentalny suchy
14	morski	17	kontynentalny	20	kontynentalny wybitnie such
15	przejściowy	18	wybitnie kontynentalny	21	kontynentalny skrajnie such

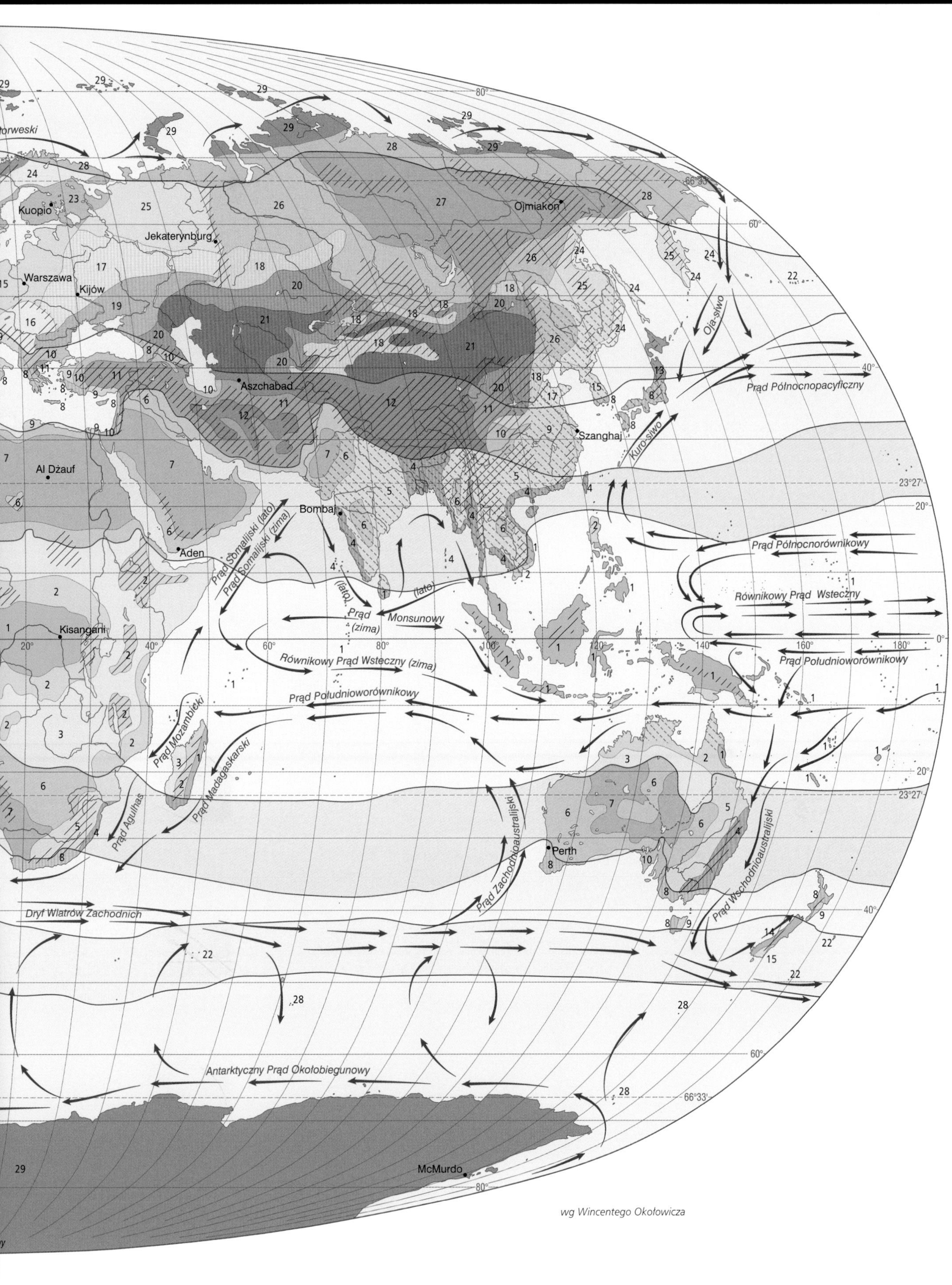

wg Wincentego Okołowicza

klimaty umiarkowane chłodne

22 morski	**25** kontynentalny	**Strefa klimatów okołobiegunowych**	**Astrefowe odmiany klimatów**	**Prądy morskie***
23 przejściowy	**26** wybitnie kontynentalny	**28** subpolarny	klimaty górskie i wyżynne	ciepłe
24 chłodny	**27** skrajnie kontynentalny	**29** polarny	klimaty monsunowe	zimne

Kuopio • stacja meteorologiczna

* pory roku podano w odniesieniu do półkuli północnej

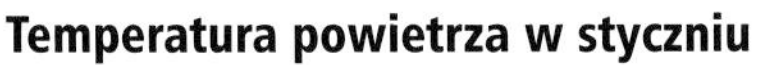

Temperatura powietrza w styczniu

| -50 | -40 | -30 | -20 | -10 | 0 | +10 | +20 | +30 | °C |

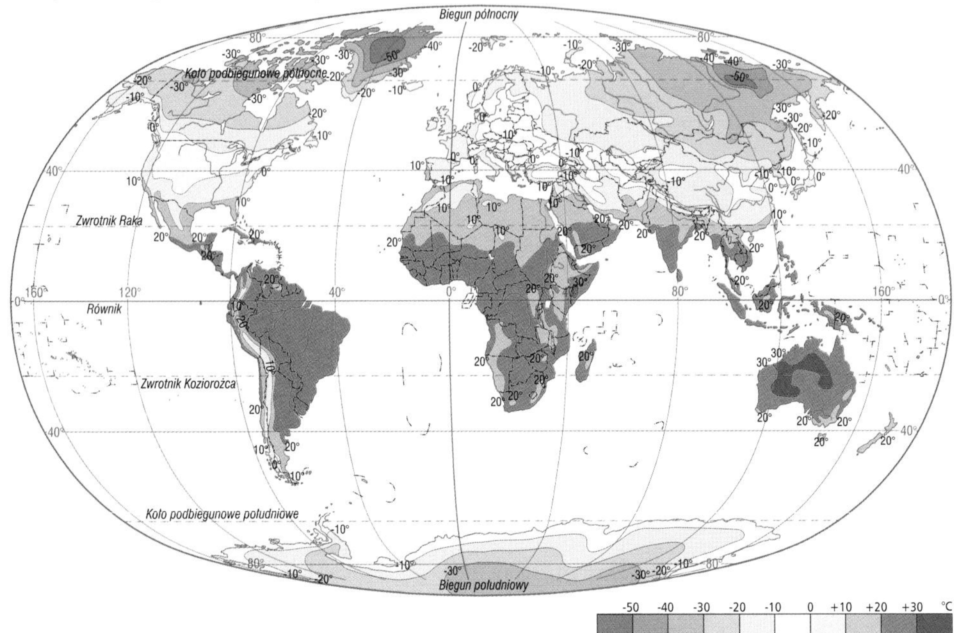

Temperatura powietrza w lipcu

| -60 | -50 | -40 | -30 | -20 | -10 | 0 | +10 | +20 | +30 | °C |

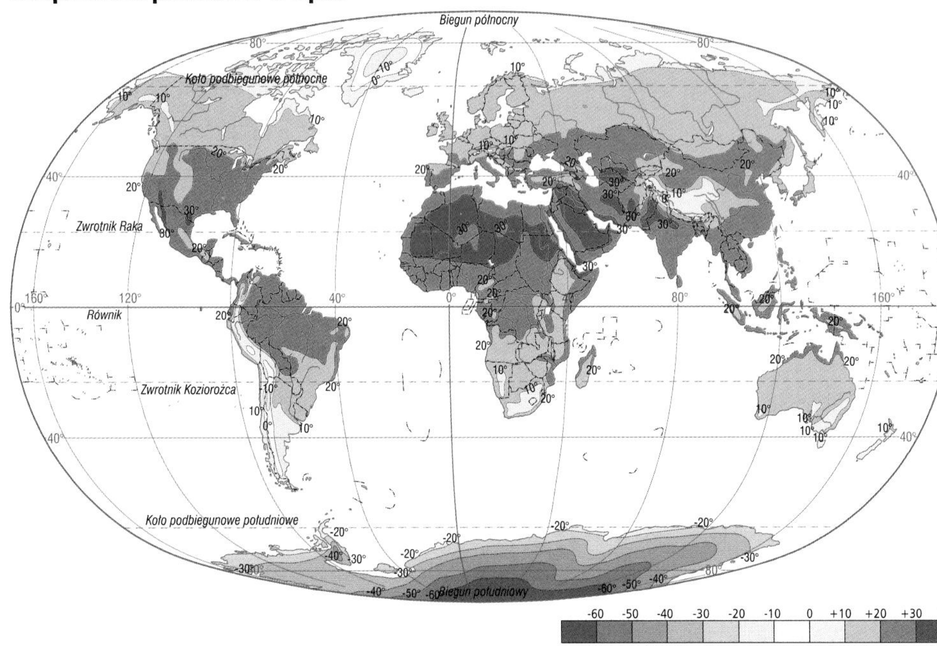

Opady roczne

| 250 | 500 | 1000 | 2000 | mm |

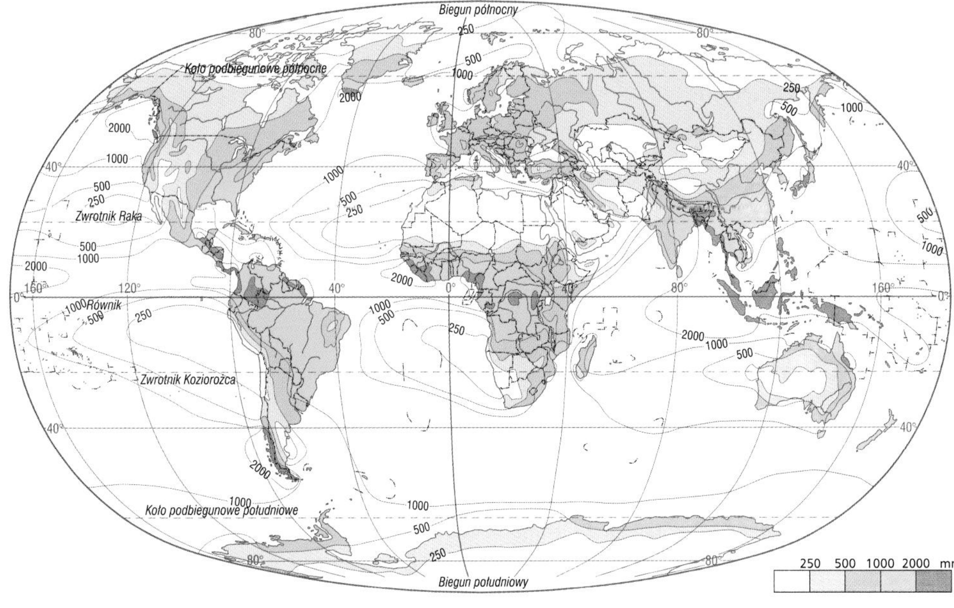

Strefa klimatów równikowych

równikowy wybitnie wilgotny — Kisangani (Dem. Rep. Konga) 0°N — 418 m n.p.m. 25,3°C 1705 mm

podrównikowy wilgotny — Kaduna (Nigeria) 10°N — 244 m n.p.m. 25,1°C 1278 mm

podrównikowy wilgotny — Teresina (Brazylia) 5°S — 50 m n.p.m. 27,3°C 1293 mm

podrównikowy suchy — Niamey (Niger) 13°N — 230 m n.p.m. 29,0°C 582 mm

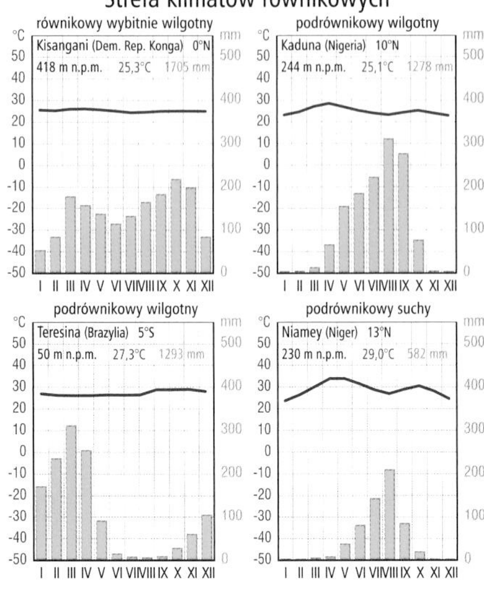

Strefa klimatów zwrotnikowych

wilgotny — Miami (USA) 26°N — 4 m n.p.m. 24,0°C 1447 mm

wilgotny (odmiana monsunowa) — Bombaj (Indie) 19°N — 11 m n.p.m. 26,8°C 1810 mm 616

kontynentalny suchy — Aden (Jemen) 13°N — 7 m n.p.m. 27,8°C 58 mm

skrajnie suchy — Al Dżauf (Libia) 24°N — 382 m n.p.m. 22,7°C 9 mm

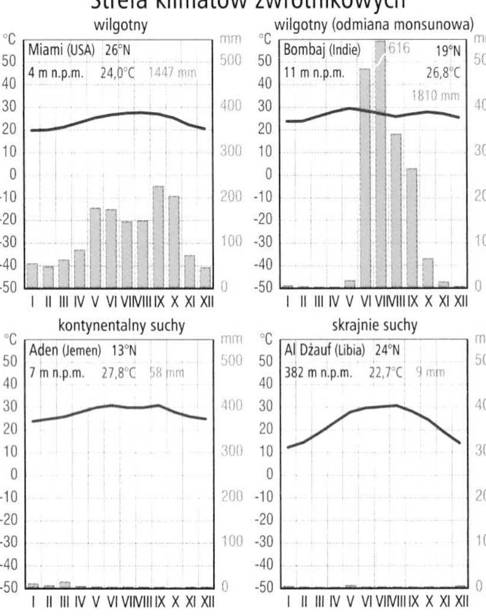

Strefa klimatów podzwrotnikowych

morski — Perth (Australia) 32°S — 60 m n.p.m. 18,1°C 889 mm

pośredni — Cagliari (Włochy) 39°N — 18 m n.p.m. 16,9°C 463 mm

pośredni (odmiana monsunowa) — Szanghaj (Chiny) 31°N — 7 m n.p.m. 15,2°C 1128 mm

kontynentalny skrajnie suchy — Aszchabad (Turkmenistan) 38°N — 230 m n.p.m. 16,2°C 210 mm

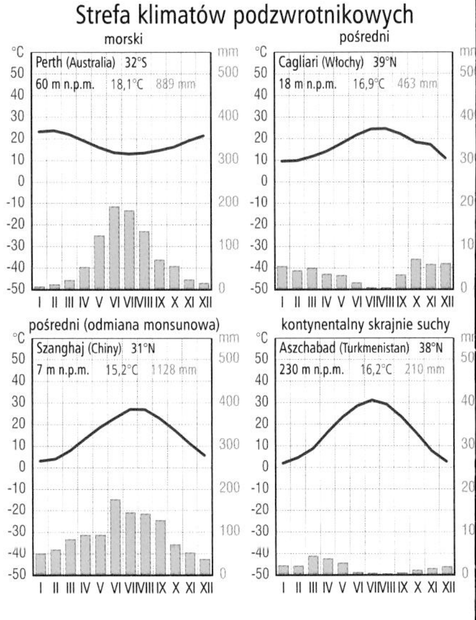

Strefa klimatów umiarkowanych
Klimaty umiarkowane ciepłe

wybitnie morski — Bergen (Norwegia) 60°N — 43 m n.p.m. 7,2°C 1944 mm

morski — Londyn (Wielka Brytania) 51°N — 46 m n.p.m. 9,9°C 1123 mm

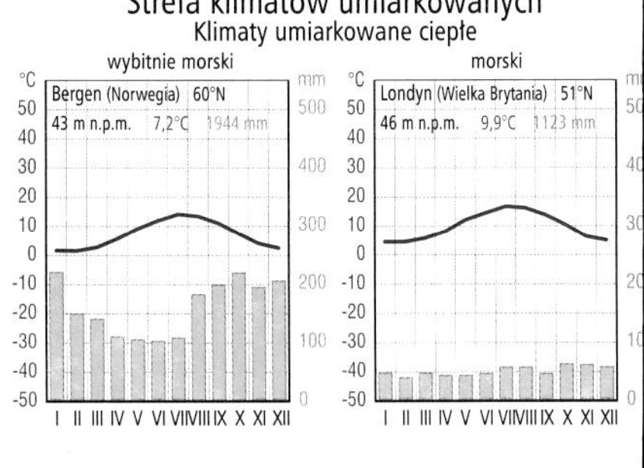

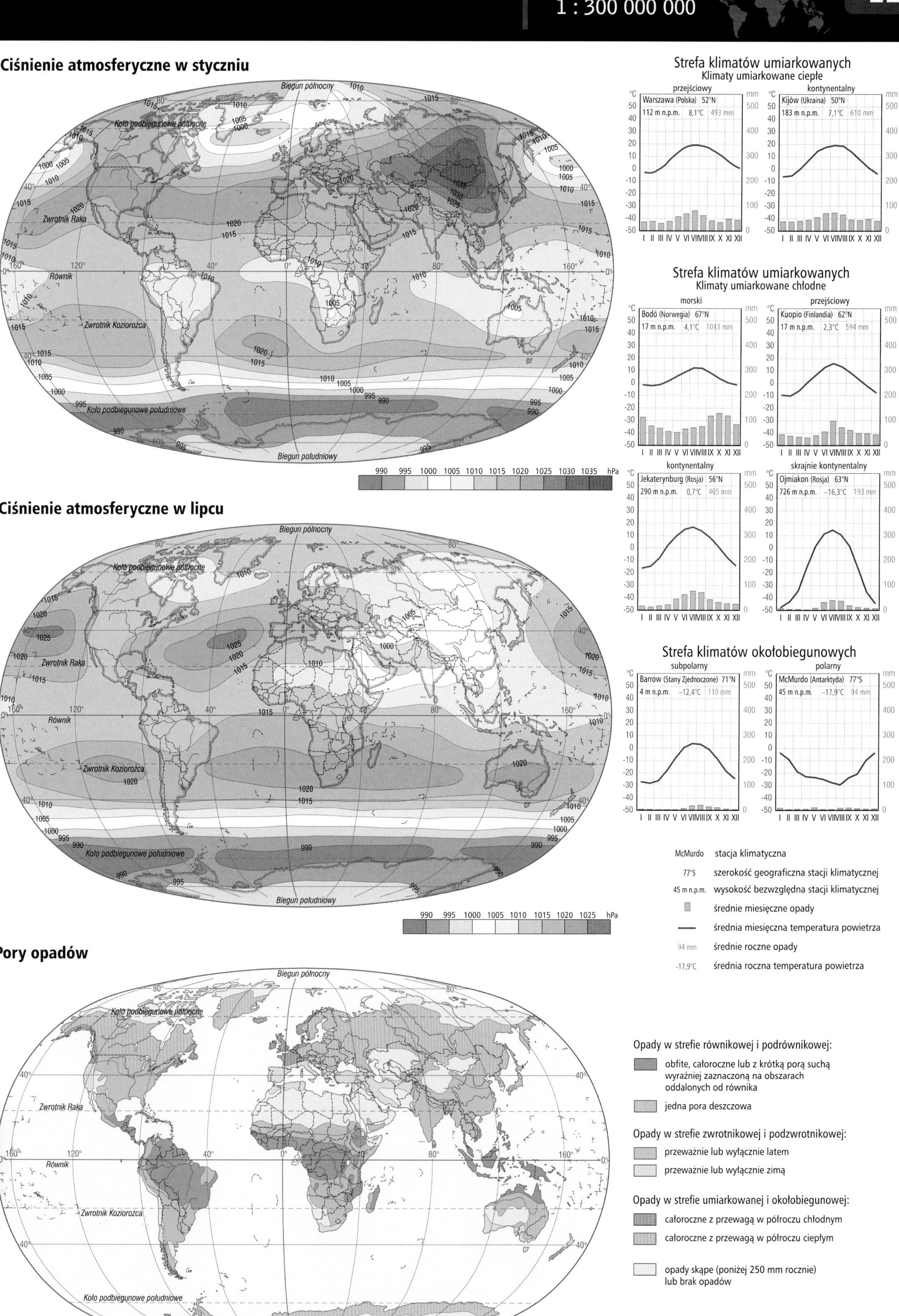

Ciśnienie atmosferyczne w styczniu

990 995 1000 1005 1010 1015 1020 1025 1030 1035 hPa

Ciśnienie atmosferyczne w lipcu

990 995 1000 1005 1010 1015 1020 1025 hPa

Pory opadów

Strefa klimatów umiarkowanych
Klimaty umiarkowane ciepłe

przejściowy — Warszawa (Polska) 52°N, 112 m n.p.m., 8,1°C, 493 mm

kontynentalny — Kijów (Ukraina) 50°N, 183 m n.p.m., 7,1°C, 610 mm

Strefa klimatów umiarkowanych
Klimaty umiarkowane chłodne

morski — Bodö (Norwegia) 67°N, 17 m n.p.m., 4,1°C, 1043 mm

przejściowy — Kuopio (Finlandia) 62°N, 17 m n.p.m., 2,3°C, 594 mm

kontynentalny — Jekaterynburg (Rosja) 56°N, 290 m n.p.m., 0,7°C, 465 mm

skrajnie kontynentalny — Ojmiakon (Rosja) 63°N, 726 m n.p.m., −16,3°C, 193 mm

Strefa klimatów okołobiegunowych

subpolarny — Barrow (Stany Zjednoczone) 71°N, 4 m n.p.m., −12,4°C, 110 mm

polarny — McMurdo (Antarktyda) 77°S, 45 m n.p.m., −17,9°C, 94 mm

McMurdo — stacja klimatyczna
77°S — szerokość geograficzna stacji klimatycznej
45 m n.p.m. — wysokość bezwzględna stacji klimatycznej
■ — średnie miesięczne opady
— — średnia miesięczna temperatura powietrza
94 mm — średnie roczne opady
-17,9°C — średnia roczna temperatura powietrza

Opady w strefie równikowej i podrównikowej:

obfite, całoroczne lub z krótką porą suchą wyraźniej zaznaczoną na obszarach oddalonych od równika

jedna pora deszczowa

Opady w strefie zwrotnikowej i podzwrotnikowej:

przeważnie lub wyłącznie latem

przeważnie lub wyłącznie zimą

Opady w strefie umiarkowanej i okołobiegunowej:

całoroczne z przewagą w półroczu chłodnym

całoroczne z przewagą w półroczu ciepłym

opady skąpe (poniżej 250 mm rocznie) lub brak opadów

Oceany

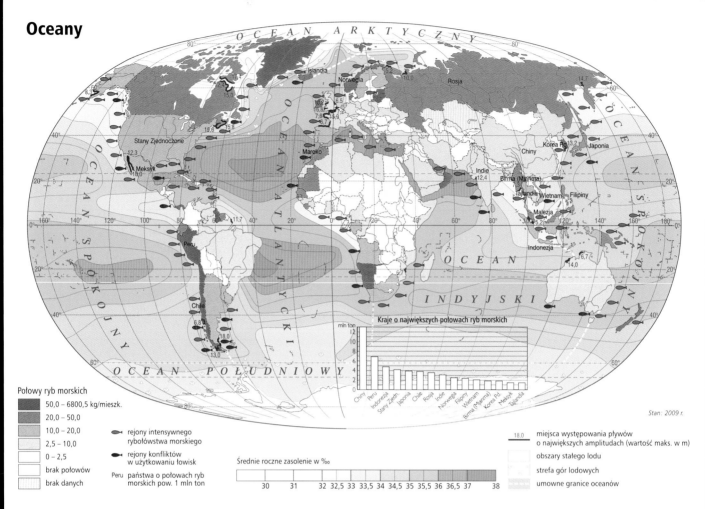

Połowy ryb morskich

- 50,0 – 6800,5 kg/mieszk.
- 20,0 – 50,0
- 10,0 – 20,0
- 2,5 – 10,0
- 0 – 2,5
- brak połowów
- brak danych

- rejony intensywnego rybołówstwa morskiego
- rejony konfliktów w użytkowaniu łowisk
- Peru — państwa o połowach ryb morskich pow. 1 mln ton

Średnie roczne zasolenie w ‰

30 31 32 32,5 33 33,5 34 34,5 35 35,5 36 36,5 37 38

18,0 — miejsca występowania pływów o największych amplitudach (wartość maks. w m)
- obszary stałego lodu
- strefa gór lodowych
- umowne granice oceanów

Kraje o największych połowach ryb morskich

Stan: 2009 r.

Leśnictwo

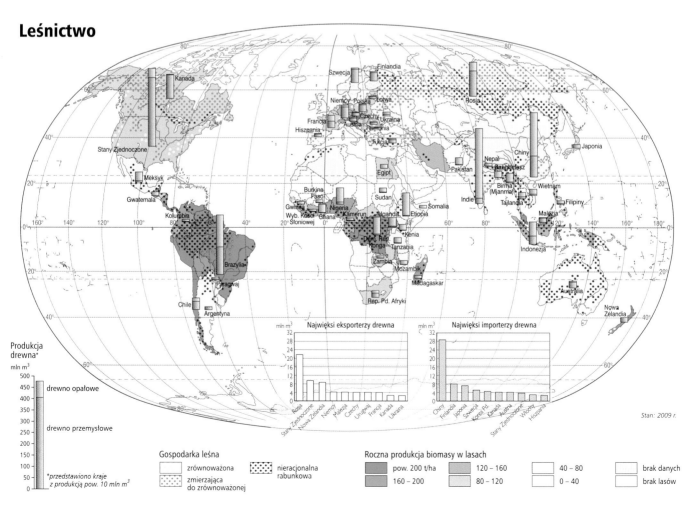

Produkcja drewna*

mln m³

500
450 — drewno opałowe
400
350
300 — drewno przemysłowe
250
200
150
100
50 — *przedstawiono kraje z produkcją pow. 10 mln m³
0

Najwięksi eksporterzy drewna — mln m³
Najwięksi importerzy drewna — mln m³

Stan: 2009 r.

Gospodarka leśna

- zrównoważona
- zmierzająca do zrównoważonej
- nieracjonalna rabunkowa

Roczna produkcja biomasy w lasach

- pow. 200 t/ha
- 160 – 200
- 120 – 160
- 80 – 120
- 40 – 80
- 0 – 40
- brak danych
- brak lasów

Ochrona przyrody

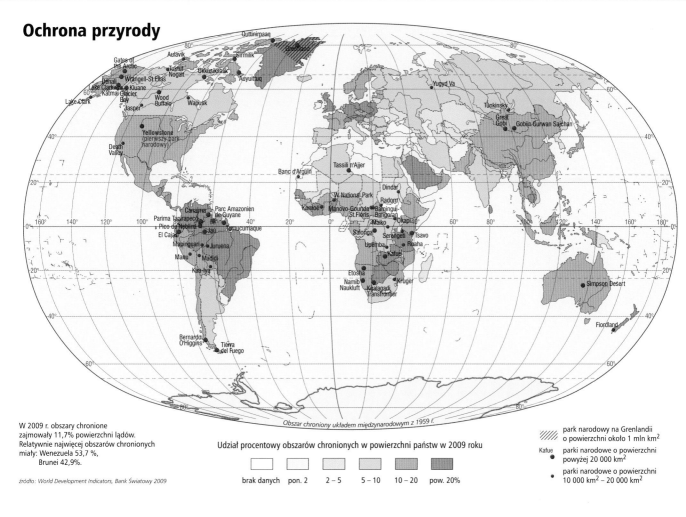

W 2009 r. obszary chronione zajmowały 11,7% powierzchni lądów. Relatywnie najwięcej obszarów chronionych miały: Wenezuela 53,7 %, Brunei 42,9%.

źródło: World Development Indicators, Bank Światowy 2009

Udział procentowy obszarów chronionych w powierzchni państw w 2009 roku

| brak danych | pon. 2 | 2 – 5 | 5 – 10 | 10 – 20 | pow. 20% |

///// park narodowy na Grenlandii o powierzchni około 1 mln km²

Kafue ● parki narodowe o powierzchni powyżej 20 000 km²

● parki narodowe o powierzchni 10 000 km² – 20 000 km²

Degradacja środowiska

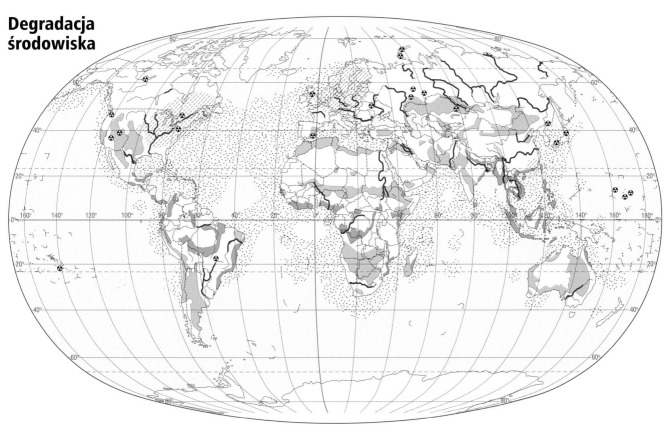

■ lasy równikowe zniszczone po 1940 r.

□ obszary o różnym stopniu pustynnienia

///// obszary opadu kwaśnych deszczów (ph poniżej 5,0)

∴ obszary mórz o różnym stopniu zanieczyszczenia ropą naftową

☢ rejony największych skażeń promieniotwórczych spowodowane awariami reaktorów, próbami jądrowymi i innymi wypadkami

— silnie zanieczyszczone rzeki

Produkcja roślinna I

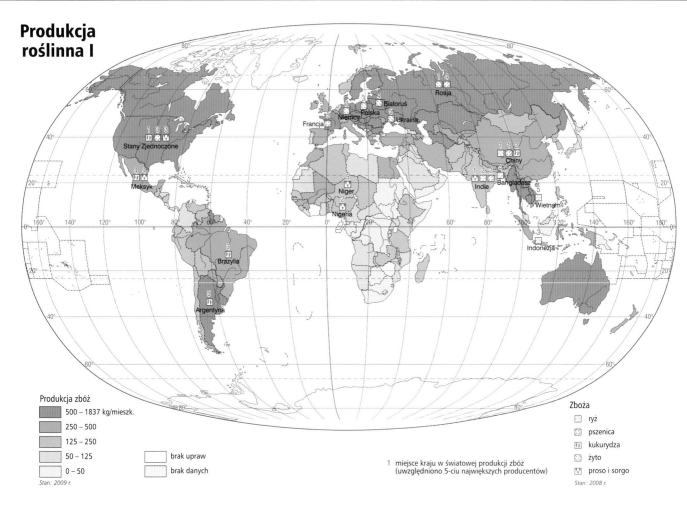

Produkcja zbóż

- 500 – 1837 kg/mieszk.
- 250 – 500
- 125 – 250
- 50 – 125
- 0 – 50
- brak upraw
- brak danych

Stan: 2009 r.

1 miejsce kraju w światowej produkcji zbóż
(uwzględniono 5-ciu największych producentów)

Zboża

- ryż
- pszenica
- kukurydza
- żyto
- proso i sorgo

Stan: 2008 r.

Produkcja roślinna II

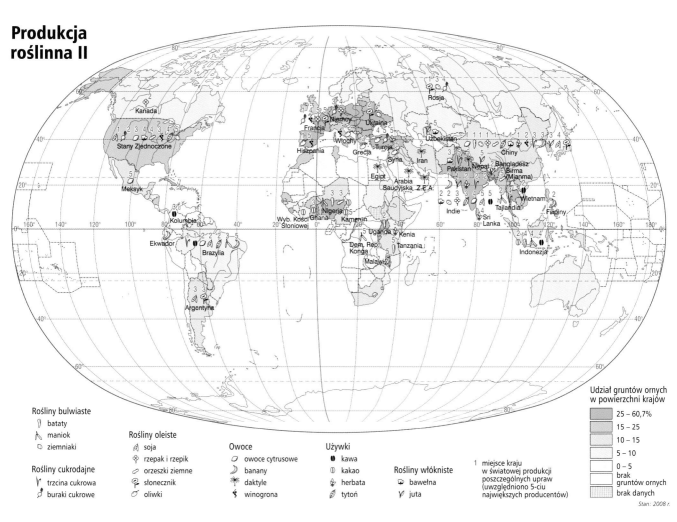

Rośliny bulwiaste
- bataty
- maniok
- ziemniaki

Rośliny cukrodajne
- trzcina cukrowa
- buraki cukrowe

Rośliny oleiste
- soja
- rzepak i rzepik
- orzeszki ziemne
- słonecznik
- oliwki

Owoce
- owoce cytrusowe
- banany
- daktyle
- winogrona

Używki
- kawa
- kakao
- herbata
- tytoń

Rośliny włókniste
- bawełna
- juta

1 miejsce kraju
w światowej produkcji
poszczególnych upraw
(uwzględniono 5-ciu
największych producentów)

**Udział gruntów ornych
w powierzchni krajów**

- 25 – 60,7%
- 15 – 25
- 10 – 15
- 5 – 10
- 0 – 5
- brak gruntów ornych
- brak danych

Stan: 2008 r.

Produkcja zwierzęca

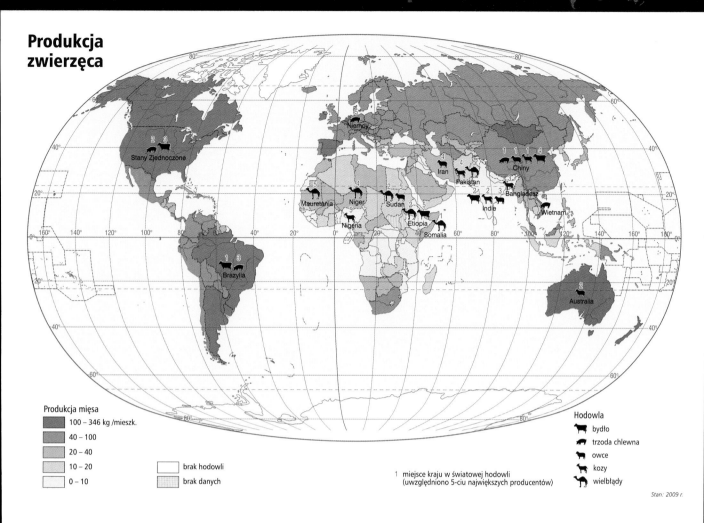

Produkcja mięsa

- 100 – 346 kg /mieszk.
- 40 – 100
- 20 – 40
- 10 – 20
- 0 – 10
- brak hodowli
- brak danych

1 miejsce kraju w światowej hodowli
(uwzględniono 5-ciu największych producentów)

Hodowla
- bydło
- trzoda chlewna
- owce
- kozy
- wielbłądy

Stan: 2009 r.

Zatrudnienie
Produktywność

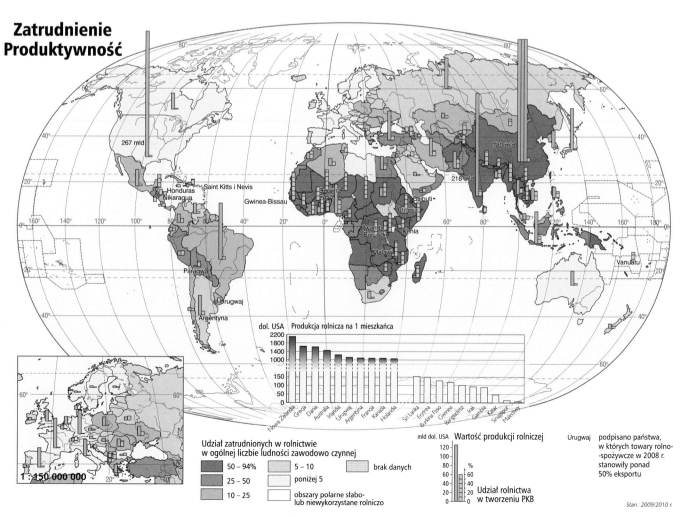

dol. USA Produkcja rolnicza na 1 mieszkańca

1 : 150 000 000

**Udział zatrudnionych w rolnictwie
w ogólnej liczbie ludności zawodowo czynnej**
- 50 – 94%
- 25 – 50
- 10 – 25
- 5 – 10
- poniżej 5
- obszary polarne słabo-
lub niewykorzystane rolniczo
- brak danych

mld dol. USA Wartość produkcji rolniczej

Udział rolnictwa
w tworzeniu PKB

Urugwaj podpisano państwa,
w których towary rolno-
-spożywcze w 2008 r.
stanowiły ponad
50% eksportu

Stan: 2009/2010 r.

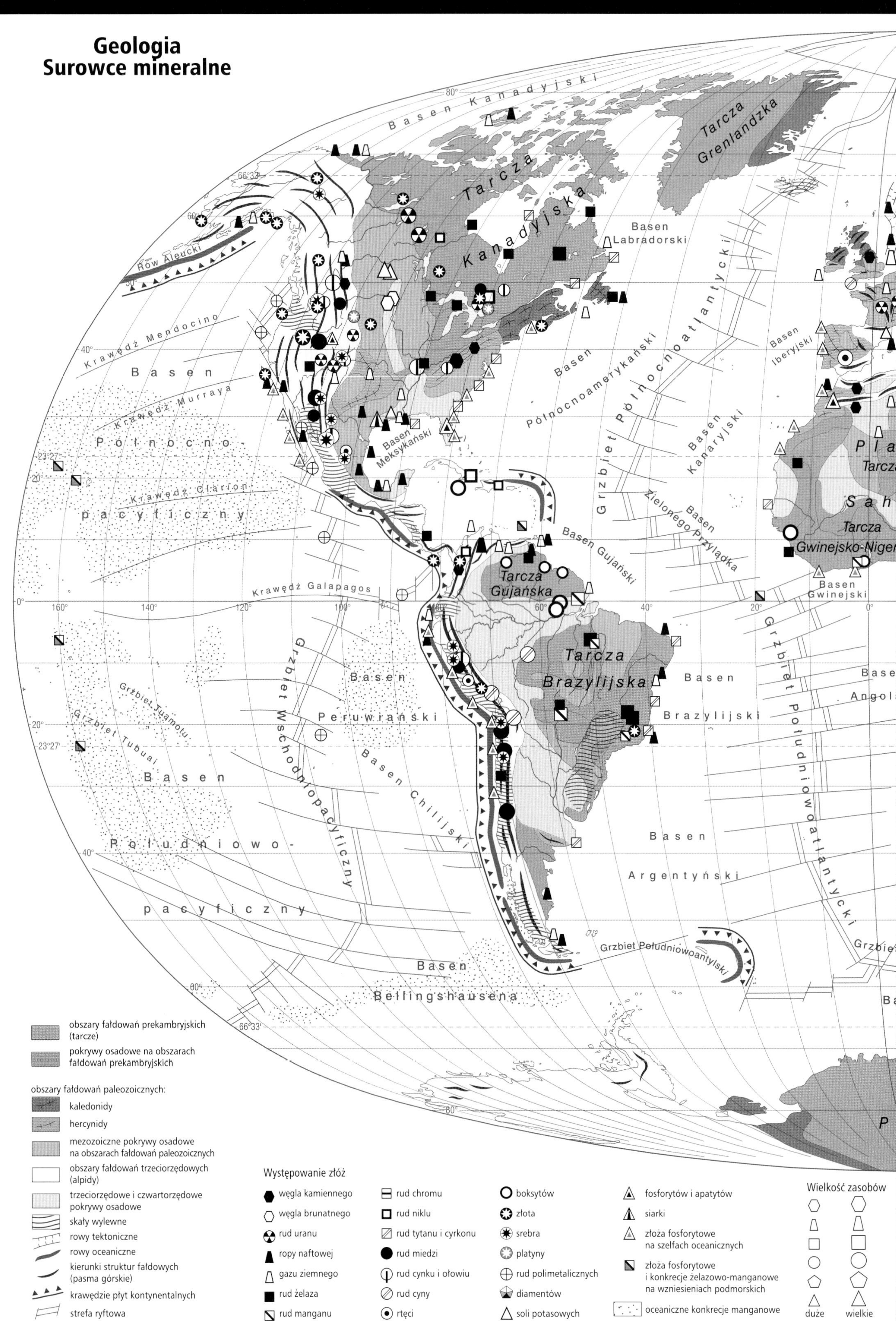

Geologia
Surowce mineralne

Legenda:

- obszary fałdowań prekambryjskich (tarcze)
- pokrywy osadowe na obszarach fałdowań prekambryjskich

obszary fałdowań paleozoicznych:
- kaledonidy
- hercynidy
- mezozoiczne pokrywy osadowe na obszarach fałdowań paleozoicznych
- obszary fałdowań trzeciorzędowych (alpidy)
- trzeciorzędowe i czwartorzędowe pokrywy osadowe
- skały wylewne
- rowy tektoniczne
- rowy oceaniczne
- kierunki struktur fałdowych (pasma górskie)
- krawędzie płyt kontynentalnych
- strefa ryftowa

Występowanie złóż

- węgla kamiennego
- węgla brunatnego
- rud uranu
- ropy naftowej
- gazu ziemnego
- rud żelaza
- rud manganu

- rud chromu
- rud niklu
- rud tytanu i cyrkonu
- rud miedzi
- rud cynku i ołowiu
- rud cyny
- rtęci

- boksytów
- złota
- srebra
- platyny
- rud polimetalicznych
- diamentów
- soli potasowych

- fosforytów i apatytów
- siarki
- złoża fosforytowe na szelfach oceanicznych
- złoża fosforytowe i konkrecje żelazowo-manganowe na wzniesieniach podmorskich
- oceaniczne konkrecje manganowe

Wielkość zasobów
duże · wielkie

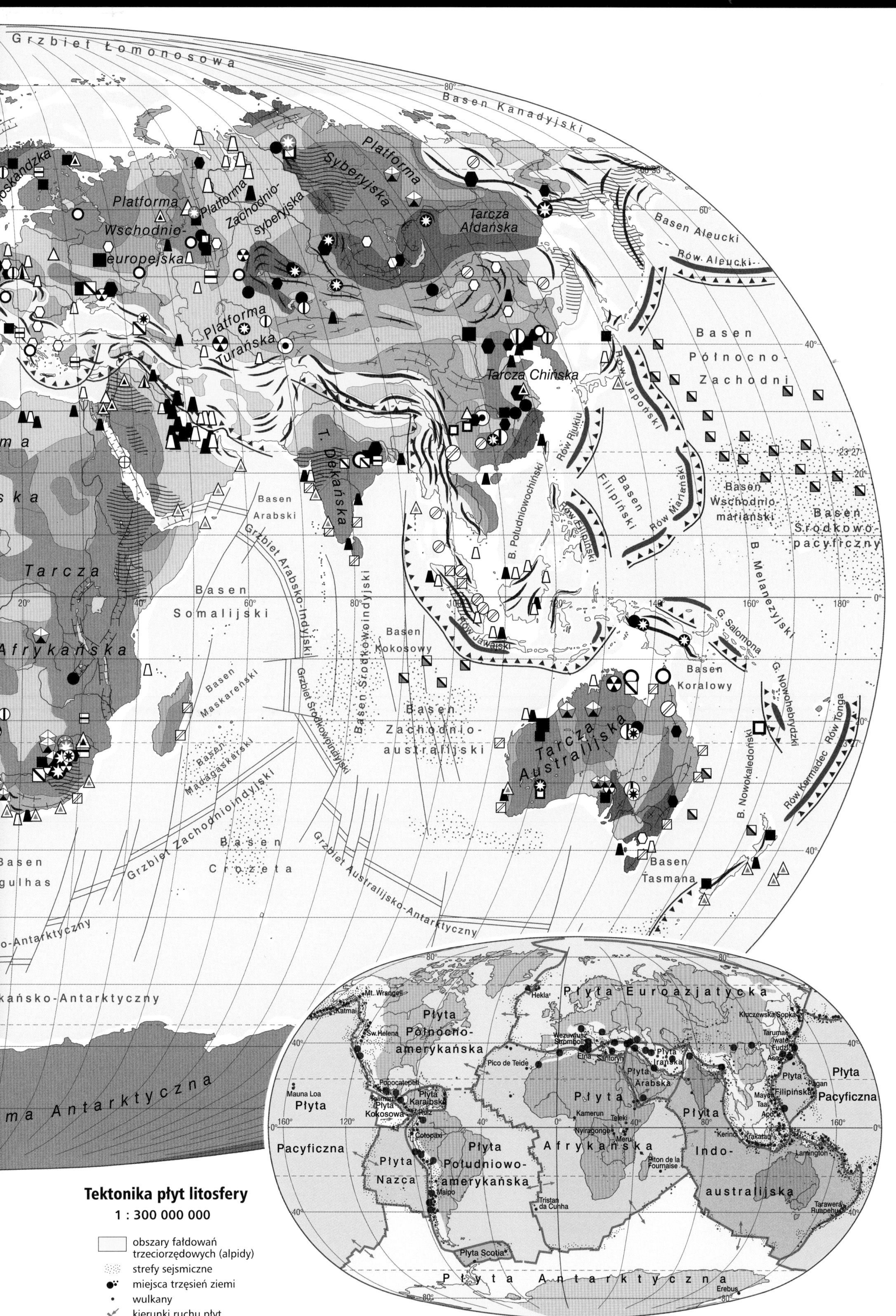

Grzbiet Łomonosowa

Basen Kanadyjski

Platforma Syberyjska

Platforma Wschodnio-europejska

Platforma Zachodnio-syberyjska

Tarcza Ałdańska

Basen Aleucki

Rów Aleucki

Platforma Turańska

Tarcza Chińska

Basen Północno-Zachodni

Rów Japoński

Rów Riukiu

T. Dekańska

Basen Arabski

Grzbiet Arabsko-Indyjski

Basen Somalijski

Tarcza

Afrykańska

Basen Środkowoindyjski

Basen Kokosowy

Rów Jawajski

Basen Filipiński

Rów Filipiński

Rów Mariański

Basen Wschodnio-mariański

Basen Środkowo-pacyficzny

B. Południowochiński

G. Melanezyjski

G. Salomona

Basen Koralowy

G. Nowohebrydzki

Basen

Zachodnio-australijski

Tarcza Australijska

B. Nowokaledoński

Rów Tonga

Rów Kermadec

Grzbiet Środkowoindyjski

Basen Maskareński

Basen Madagaskarski

Grzbiet Zachodnioindyjski

Grzbiet Australijsko-Antarktyczny

Basen Croźeta

Basen Tasmana

Basen gulhas

o-Antarktyczny

kańsko-Antarktyczny

ma Antarktyczna

Tektonika płyt litosfery

1 : 300 000 000

- obszary fałdowań trzeciorzędowych (alpidy)
- strefy sejsmiczne
- miejsca trzęsień ziemi
- wulkany
- kierunki ruchu płyt

Płyta Euroazjatycka

Hekla

Płyta Północno-amerykańska

Mt. Wrangell

Katmai

Św. Helena

Pico de Teide

Wezuwiusz Stromboli

Etna Santoryn

Płyta Irańska

Kluczewska Sopka

Tarumae Fudżi Aso

Popocatepetl

Mauna Loa

Płyta Kokosowa

Płyta Karaibska

Płyta Arabska

Kamerun

Teleki

Płyta Afrykańska

Płyta

Płyta Filipińska

Pagan

Mayon Taal Apo

Płyta Pacyficzna

Pacyficzna

Cotopaxi

Płyta Nazca

Płyta Południowo-amerykańska

Maipo

Nyiragongo

Meru

Kerinci Krakatau

Piton de la Fournaise

Indo-australijska

Lamington

Tristan da Cunha

Płyta Scotia

Tarawera Ruapehu

Płyta Antarktyczna

Erebus

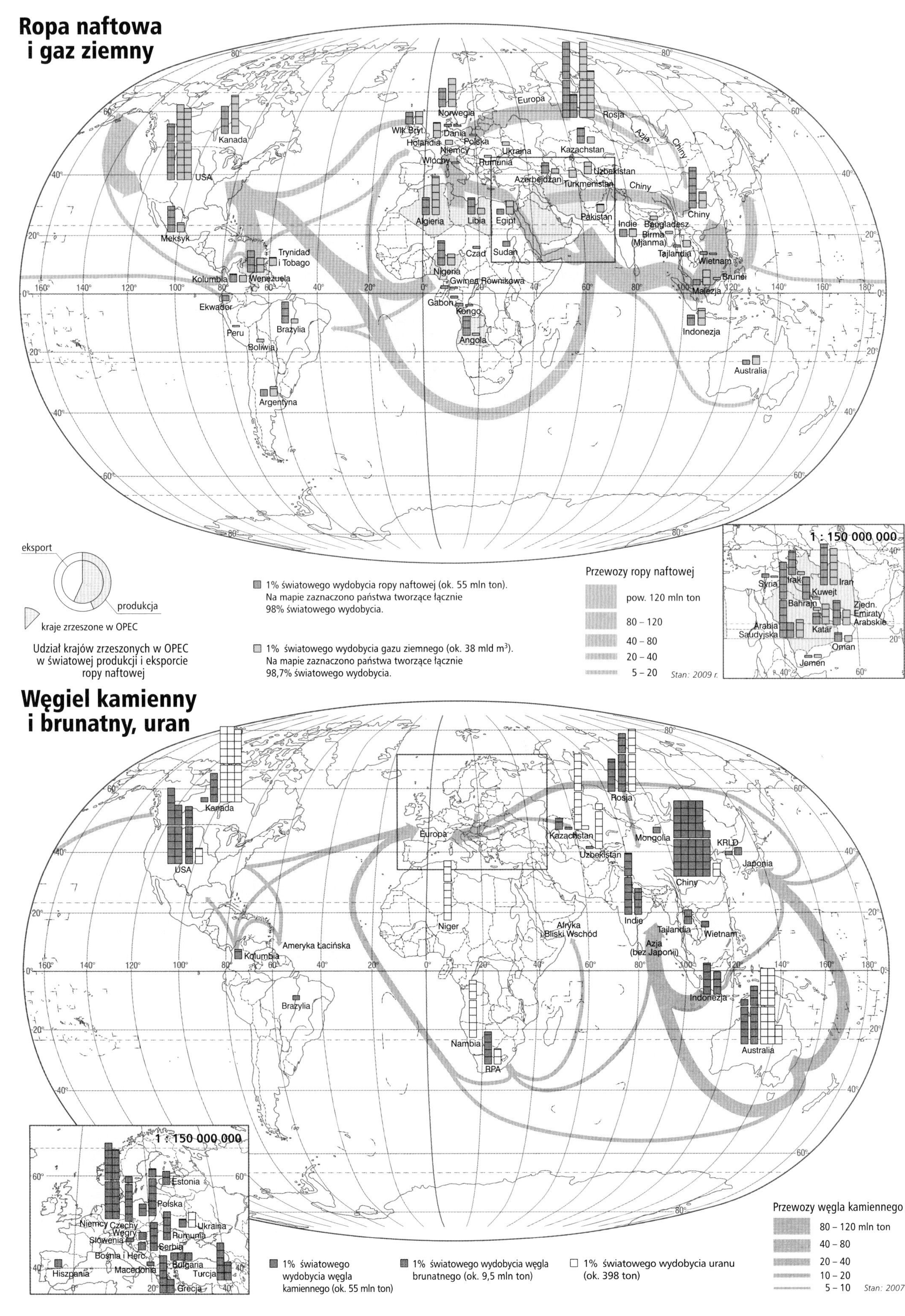

Ropa naftowa i gaz ziemny
Kanada
USA
Meksyk
Trynidad i Tobago
Kolumbia
Wenezuela
Ekwador
Peru
Brazylia
Boliwia
Argentyna
Norwegia
Wlk.Bryt.
Dania
Holandia
Polska
Niemcy
Włochy
Ukraina
Rumunia
Europa
Rosja
Kazachstan
Uzbekistan
Azerbejdżan
Turkmenistan
Azja
Chiny
Pakistan
Indie
Bangladesz
Birma (Mjanma)
Tajlandia
Wietnam
Brunei
Malezja
Indonezja
Australia
Algieria
Libia
Egipt
Sudan
Czad
Nigeria
Gwinea Równikowa
Gabon
Kongo
Angola
eksport
produkcja
kraje zrzeszone w OPEC
Udział krajów zrzeszonych w OPEC w światowej produkcji i eksporcie ropy naftowej
1% światowego wydobycia ropy naftowej (ok. 55 mln ton). Na mapie zaznaczono państwa tworzące łącznie 98% światowego wydobycia.
1% światowego wydobycia gazu ziemnego (ok. 38 mld m3). Na mapie zaznaczono państwa tworzące łącznie 98,7% światowego wydobycia.
Przewozy ropy naftowej
pow. 120 mln ton
80 – 120
40 – 80
20 – 40
5 – 20
Stan: 2009 r.
1 : 150 000 000
Syria
Irak
Iran
Kuwejt
Bahrajn
Katar
Zjedn. Emiraty Arabskie
Arabia Saudyjska
Oman
Jemen
Węgiel kamienny i brunatny, uran
Kanada
USA
Europa
Rosja
Kazachstan
Uzbekistan
Mongolia
Chiny
KRLD
Japonia
Indie
Tajlandia
Wietnam
Azja (bez Japonii)
Indonezja
Australia
Niger
Afryka Bliski Wschód
Ameryka Łacińska
Kolumbia
Brazylia
Namibia
RPA
1 : 150 000 000
Estonia
Polska
Niemcy
Czechy
Węgry
Słowenia
Ukraina
Rumunia
Serbia
Bośnia i Herc.
Macedonia
Bułgaria
Turcja
Grecja
Hiszpania
1% światowego wydobycia węgla kamiennego (ok. 55 mln ton)
1% światowego wydobycia węgla brunatnego (ok. 9,5 mln ton)
1% światowego wydobycia uranu (ok. 398 ton)
Przewozy węgla kamiennego
80 – 120 mln ton
40 – 80
20 – 40
10 – 20
5 – 10
Stan: 2007 r.

Metale

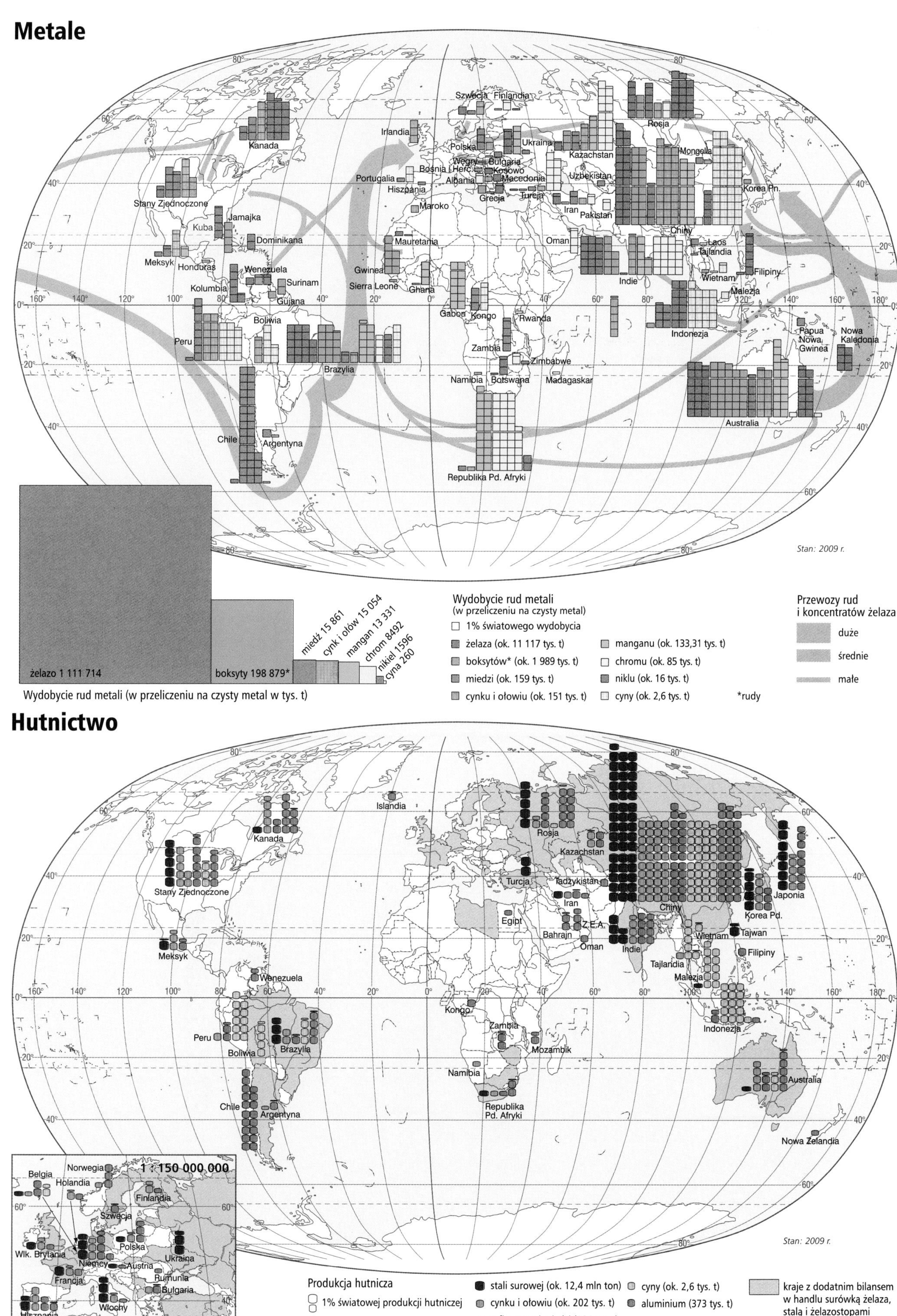

Stan: 2009 r.

Wydobycie rud metali (w przeliczeniu na czysty metal w tys. t)

żelazo 1 111 714   boksyty 198 879*   miedź 15 861   cynk i ołów 15 054   mangan 13 331   chrom 8492   nikiel 1596   cyna 260

Wydobycie rud metali
(w przeliczeniu na czysty metal)

- ☐ 1% światowego wydobycia
- ▨ żelaza (ok. 11 117 tys. t)
- ▨ boksytów* (ok. 1 989 tys. t)
- ▨ miedzi (ok. 159 tys. t)
- ☐ cynku i ołowiu (ok. 151 tys. t)
- ▨ manganu (ok. 133,31 tys. t)
- ☐ chromu (ok. 85 tys. t)
- ▨ niklu (ok. 16 tys. t)
- ☐ cyny (ok. 2,6 tys. t)   *rudy

Przewozy rud i koncentratów żelaza

- ▬ duże
- ▬ średnie
- ▬ małe

Hutnictwo

Stan: 2009 r.

1 : 150 000 000

Produkcja hutnicza

- ☐ 1% światowej produkcji hutniczej
- ⬤ stali surowej (ok. 12,4 mln ton)
- ⬤ cynku i ołowiu (ok. 202 tys. t)
- ⬤ rafinowanej miedzi (184 tys. t)
- ⬤ cyny (ok. 2,6 tys. t)
- ⬤ aluminium (373 tys. t)
- ▨ kraje z dodatnim bilansem w handlu surówką żelaza, stalą i żelazostopami

Zróżnicowanie społeczno-gospodarcze

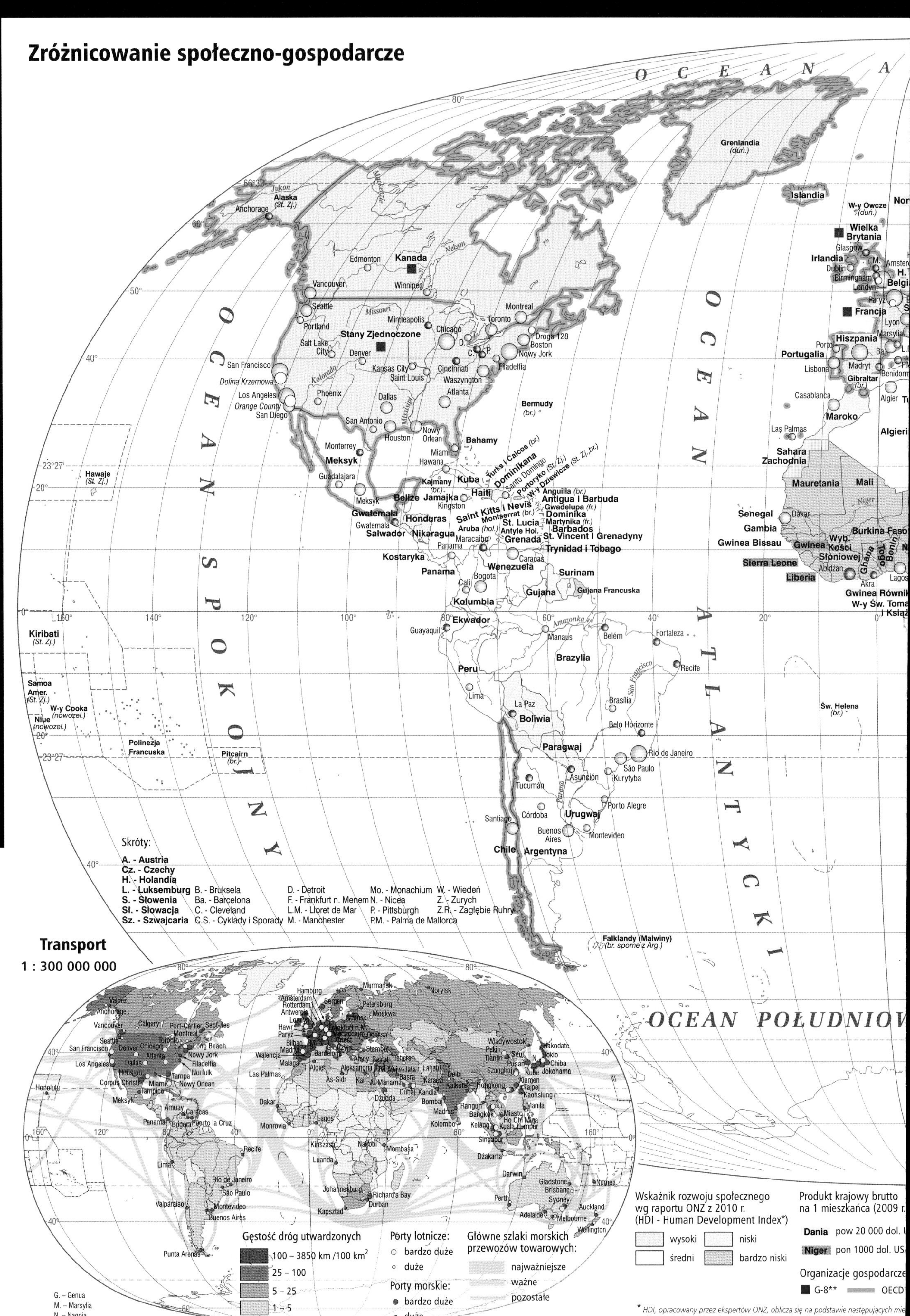

Skróty:

A. - Austria
Cz. - Czechy
H. - Holandia
L. - Luksemburg
S. - Słowenia
Sł. - Słowacja
Sz. - Szwajcaria

B. - Bruksela
Ba. - Barcelona
C. - Cleveland
C.S. - Cyklady i Sporady

D. - Detroit
F. - Frankfurt n. Menem
L.M. - Lloret de Mar
M. - Manchester

Mo. - Monachium
N. - Nicea
P. - Pittsburgh
P.M. - Palma de Mallorca

W. - Wiedeń
Z. - Zurych
Z.R. - Zagłębie Ruhry

Transport

1 : 300 000 000

G. - Genua
M. - Marsylia
N. - Nagoja
Z. - Zurych

Gęstość dróg utwardzonych

100 – 3850 km /100 km²
25 – 100
5 – 25
1 – 5
0 – 1

Porty lotnicze:
○ bardzo duże
○ duże

Porty morskie:
● bardzo duże
● duże

Główne szlaki morskich przewozów towarowych:
najważniejsze
ważne
pozostałe

Stan: 2008 r.

Wskaźnik rozwoju społecznego wg raportu ONZ z 2010 r. (HDI - Human Development Index*)

wysoki
średni
niski
bardzo niski

Produkt krajowy brutto na 1 mieszkańca (2009 r.

Dania pow 20 000 dol. U
Niger pon 1000 dol. USA

Organizacje gospodarcze
■ G-8**   OECD

* HDI, opracowany przez ekspertów ONZ, oblicza się na podstawie następujących mie...
• % dorosłych umiejących czytać i pisać,
• % dzieci uczęszczających do szkoły,
• średnia długość życia,
• PKB na 1 mieszkańca

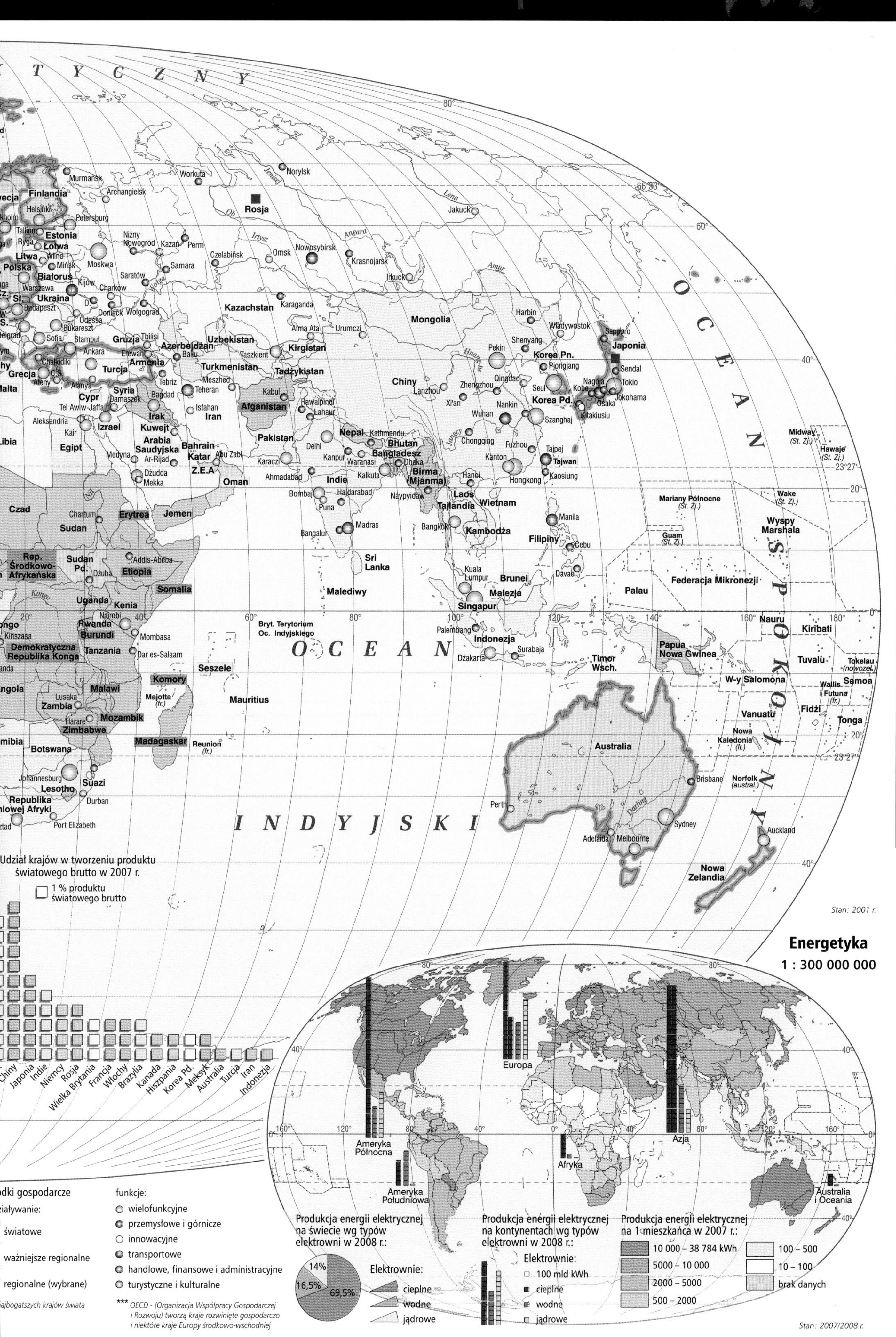
T Y C Z N Y
Murmańsk
Workuta
Norylsk
Finlandia
Archangielsk
Helsinki
Petersburg
Rosja
Jakuck
Tallin
Estonia
Ryga
Łotwa
Litwa
Wilno
Mińsk
Polska
Białoruś
Warszawa
Kijów
Ukraina
Budapeszt
Moskwa
Niżny Nowogród
Kazań
Perm
Saratów
Samara
Czelabińsk
Omsk
Nowosybirsk
Krasnojarsk
Irkuck
Charków
Donieck
Wołgograd
Odessa
Bukareszt
Sofia
Stambuł
Ankara
Gruzja
Tbilisi
Azerbejdżan
Baku
Armenia
Erewań
Turcja
Grecja
Ateny
Chalkidiki
Malta
Cypr
Syria
Damaszek
Tebriz
Bagdad
Tel Awiw-Jaffa
Aleksandria
Kair
Izrael
Irak
Kuwejt
Libia
Egipt
Arabia Saudyjska
Medyna
Ar-Rijad
Dżudda
Mekka
Bahrain
Katar
Abu Zabi
Z.E.A.
Oman
Jemen
Erytrea
Czad
Chartum
Sudan
Sudan Pd.
Rep. Środkowo-Afrykańska
Addis-Abeba
Dżuba
Etiopia
Somalia
Uganda
Kenia
Nairobi
Rwanda
Burundi
Kinszasa
Mombasa
Demokratyczna Republika Konga
Tanzania
Dar es-Salaam
Komory
Malawi
Lusaka
Zambia
Mozambik
Harare
Zimbabwe
Majotta (fr.)
Madagaskar
Reunion (fr.)
Botswana
Johannesburg
Lesotho
Suazi
Durban
Republika Południowej Afryki
Port Elizabeth
Seszele
Mauritius
Kazachstan
Karaganda
Uzbekistan
Taszkient
Alma Ata
Urumczi
Kirgistan
Turkmenistan
Tadżykistan
Meszhed
Teheran
Isfahan
Iran
Kabul
Afganistan
Rawalpindi
Lahaur
Pakistan
Karaczi
Ahmadabad
Delhi
Kanpur
Waranasi
Nepal
Kathmandu
Bhutan
Bangladesz
Dhaka
Kalkuta
Indie
Bombaj
Hajdarabad
Puna
Bangalur
Madras
Sri Lanka
Malediwy
Mongolia
Chiny
Lanzhou
Xi'an
Zhengzhou
Pekin
Qingdao
Nankin
Wuhan
Szanghaj
Chongqing
Fuzhou
Kanton
Hongkong
Tajpej
Tajwan
Kaosiung
Harbin
Shenyang
Władywostok
Korea Pn.
Pjongjang
Seul
Korea Pd.
Sapporo
Japonia
Sendal
Tokio
Nagoja
Kobe
Osaka
Jokohama
Kitakiusiu
Birma (Mjanma)
Naypyidaw
Hanoi
Laos
Tajlandia
Wietnam
Bangkok
Kambodża
Manila
Filipiny
Cebu
Davao
Kuala Lumpur
Brunei
Malezja
Singapur
Palembang
Indonezja
Dżakarta
Surabaja
Timor Wsch.
Bryt. Terytorium Oc. Indyjskiego
O C E A N
I N D Y J S K I
O C E A N S P O K O J N Y
Mariany Północne (St. Zj.)
Guam (St. Zj.)
Midway (St. Zj.)
Hawaje (St. Zj.)
Wake (St. Zj.)
Wyspy Marshala
Federacja Mikronezji
Palau
Nauru
Kiribati
Papua Nowa Gwinea
Tuvalu
Tokelau (nowozel.)
W-y Salomona
Samoa
Wallis i Futuna (fr.)
Vanuatu
Fidżi
Tonga
Nowa Kaledonia (fr.)
Australia
Brisbane
Norfolk (austral.)
Perth
Adelajda
Melbourne
Sydney
Auckland
Nowa Zelandia
Stan: 2001 r.
Udział krajów w tworzeniu produktu światowego brutto w 2007 r.
1 % produktu światowego brutto
Chiny
Japonia
Indie
Niemcy
Rosja
Wielka Brytania
Francja
Włochy
Brazylia
Kanada
Hiszpania
Korea Pd.
Meksyk
Australia
Turcja
Iran
Indonezja
...dki gospodarcze
...ziaływanie:
światowe
ważniejsze regionalne
regionalne (wybrane)
...ajbogatszych krajów świata
funkcje:
wielofunkcyjne
przemysłowe i górnicze
innowacyjne
transportowe
handlowe, finansowe i administracyjne
turystyczne i kulturalne
*** OECD - (Organizacja Współpracy Gospodarczej i Rozwoju) tworzą kraje rozwinięte gospodarczo i niektóre kraje Europy środkowo-wschodniej
Energetyka
1 : 300 000 000
Europa
Ameryka Północna
Ameryka Południowa
Afryka
Azja
Australia i Oceania
Produkcja energii elektrycznej na świecie wg typów elektrowni w 2008 r.:
14%
16,5%
69,5%
Elektrownie:
cieplne
wodne
jądrowe
Produkcja energii elektrycznej na kontynentach wg typów elektrowni w 2008 r.:
Elektrownie:
100 mld kWh
cieplne
wodne
jądrowe
Produkcja energii elektrycznej na 1 mieszkańca w 2007 r.:
10 000 – 38 784 kWh
5000 – 10 000
2000 – 5000
500 – 2000
100 – 500
10 – 100
brak danych
Stan: 2007/2008 r.

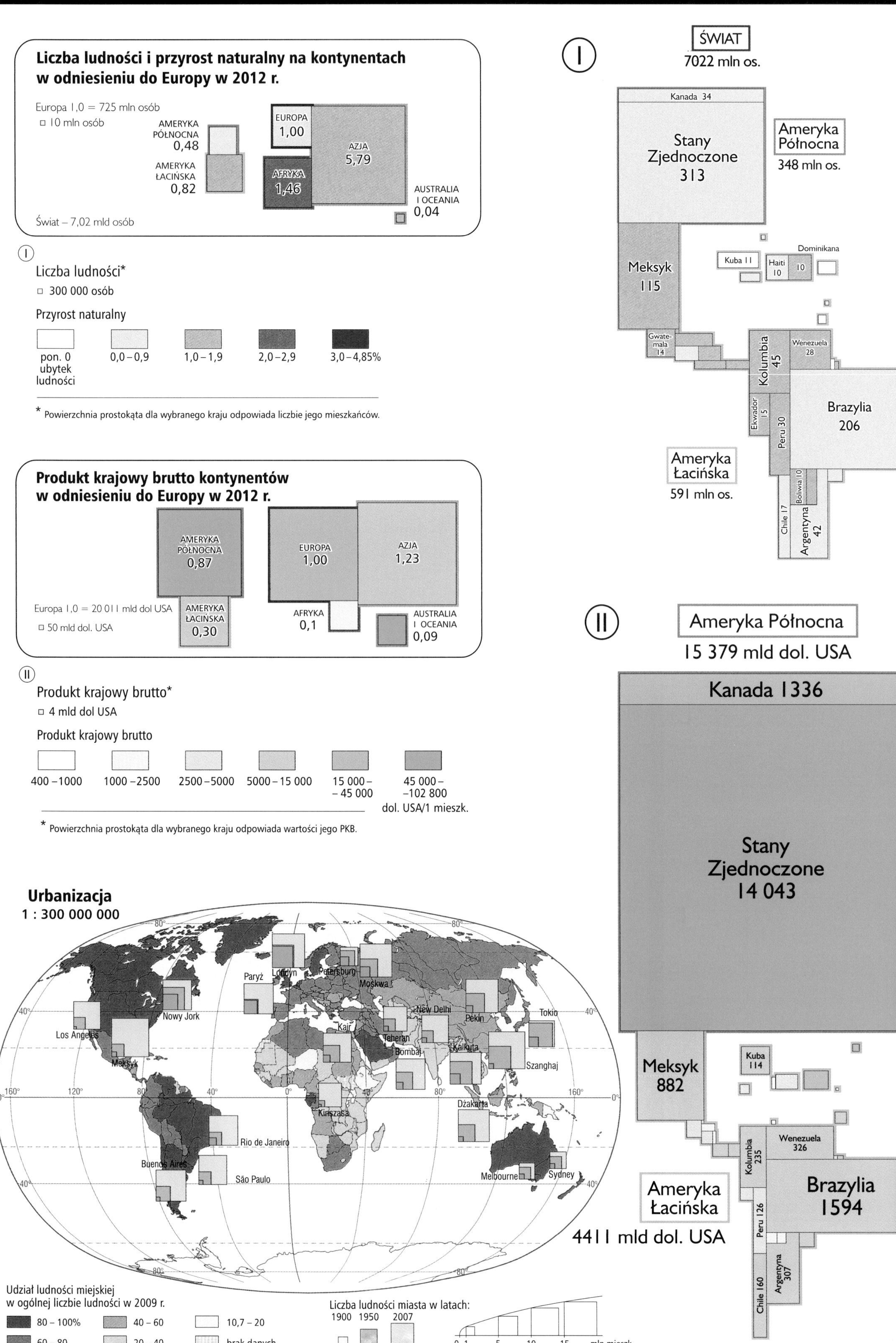

Liczba ludności i przyrost naturalny na kontynentach w odniesieniu do Europy w 2012 r.

Europa 1,0 = 725 mln osób
□ 10 mln osób

AMERYKA PÓŁNOCNA 0,48
AMERYKA ŁACIŃSKA 0,82
EUROPA 1,00
AZJA 5,79
AFRYKA 1,46
AUSTRALIA I OCEANIA 0,04

Świat – 7,02 mld osób

(I) Liczba ludności*

□ 300 000 osób

Przyrost naturalny

| pon. 0 ubytek ludności | 0,0 – 0,9 | 1,0 – 1,9 | 2,0 – 2,9 | 3,0 – 4,85% |

* Powierzchnia prostokąta dla wybranego kraju odpowiada liczbie jego mieszkańców.

Produkt krajowy brutto kontynentów w odniesieniu do Europy w 2012 r.

AMERYKA PÓŁNOCNA 0,87
EUROPA 1,00
AZJA 1,23
AMERYKA ŁACIŃSKA 0,30
AFRYKA 0,1
AUSTRALIA I OCEANIA 0,09

Europa 1,0 = 20 011 mld dol USA
□ 50 mld dol. USA

(II) Produkt krajowy brutto*

□ 4 mld dol USA

Produkt krajowy brutto

| 400 – 1000 | 1000 – 2500 | 2500 – 5000 | 5000 – 15 000 | 15 000 – 45 000 | 45 000 – 102 800 |

dol. USA/1 mieszk.

* Powierzchnia prostokąta dla wybranego kraju odpowiada wartości jego PKB.

(I)

ŚWIAT 7022 mln os.

Kanada 34
Stany Zjednoczone 313
Ameryka Północna 348 mln os.
Meksyk 115
Kuba 11
Haiti 10
Dominikana 10
Gwatemala 14
Kolumbia 45
Wenezuela 28
Ekwador 15
Peru 30
Brazylia 206
Boliwia 10
Chile 17
Argentyna 42
Ameryka Łacińska 591 mln os.

(II)

Ameryka Północna
15 379 mld dol. USA

Kanada 1336
Stany Zjednoczone 14 043
Meksyk 882
Kuba 114
Kolumbia 235
Wenezuela 326
Peru 126
Brazylia 1594
Chile 160
Argentyna 307
Ameryka Łacińska
4411 mld dol. USA

Urbanizacja
1 : 300 000 000

Paryż, Londyn, Petersburg, Moskwa, Nowy Jork, New Delhi, Pekin, Tokio, Los Angeles, Kair, Teheran, Bombaj, Kalkuta, Meksyk, Szanghaj, Kinszasa, Dżakarta, Rio de Janeiro, Buenos Aires, São Paulo, Melbourne, Sydney

Udział ludności miejskiej w ogólnej liczbie ludności w 2009 r.

| 80 – 100% | 40 – 60 | 10,7 – 20 |
| 60 – 80 | 20 – 40 | brak danych |

Liczba ludności miasta w latach:
1900 1950 2007

0 1   5   10   15   mln mieszk.

Liczba ludności (w mln osób) i przyrost naturalny

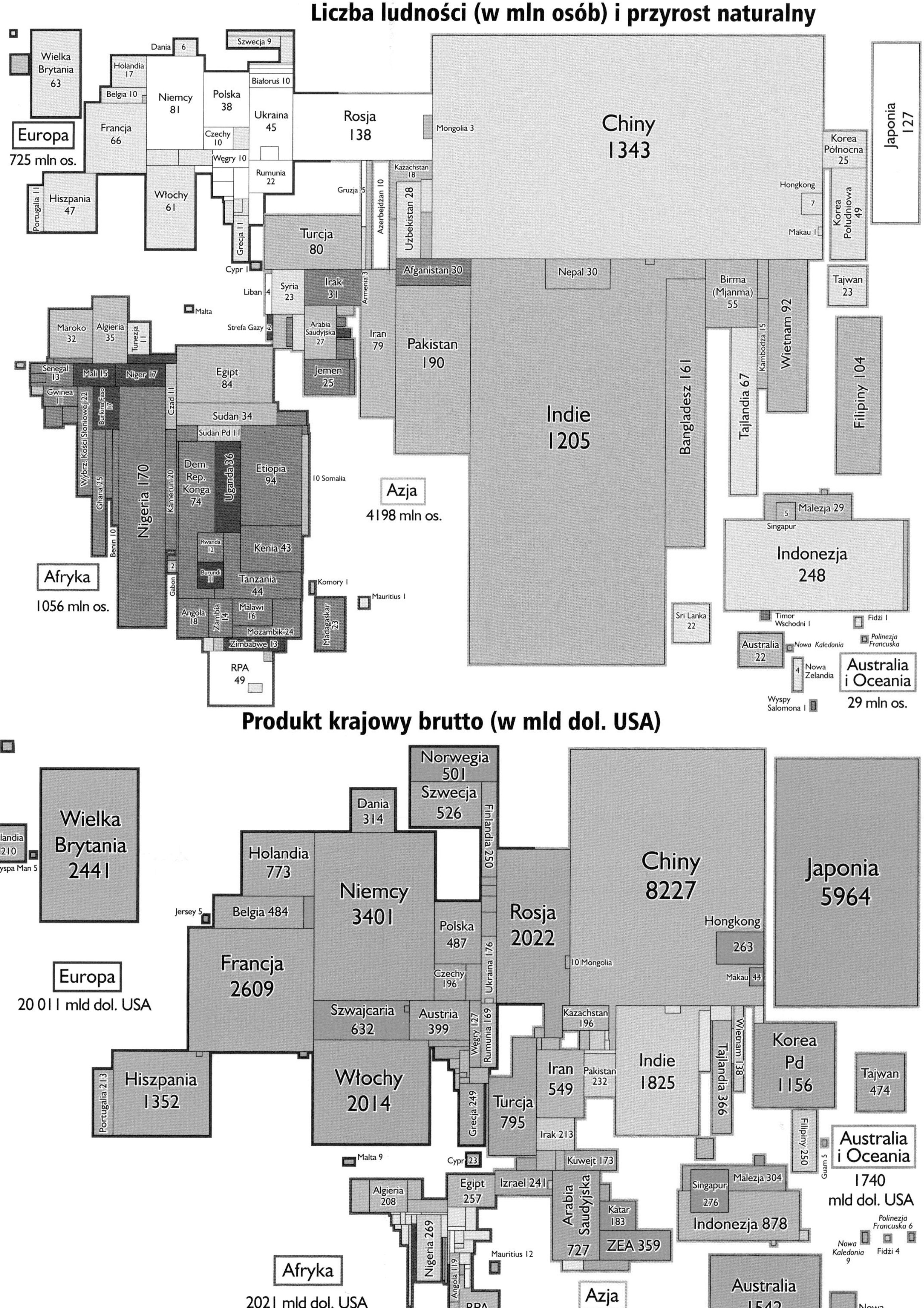

Europa 725 mln os.

- Wielka Brytania 63
- Dania 6
- Szwecja 9
- Holandia 17
- Belgia 10
- Niemcy 81
- Polska 38
- Białoruś 10
- Ukraina 45
- Rosja 138
- Mongolia 3
- Chiny 1343
- Korea Północna 25
- Japonia 127
- Francja 66
- Czechy 10
- Węgry 10
- Rumunia 22
- Kazachstan 18
- Hongkong 7
- Korea Południowa 49
- Portugalia 11
- Hiszpania 47
- Włochy 61
- Grecja 11
- Gruzja 5
- Azerbejdżan 10
- Uzbekistan 28
- Makau 1
- Cypr 1
- Turcja 80
- Afganistan 30
- Nepal 30
- Birma (Mjanma) 55
- Tajwan 23
- Liban 4
- Syria 23
- Irak 31
- Armenia 3
- Iran 79
- Pakistan 190
- Kambodża 15
- Wietnam 92
- Malta
- Maroko 32
- Algieria 35
- Tunezja 11
- Strefa Gazy 2
- Arabia Saudyjska 27
- Jemen 25
- Indie 1205
- Bangladesz 161
- Tajlandia 67
- Filipiny 104
- Senegal 13
- Mali 15
- Niger 17
- Czad 11
- Egipt 84
- Gwinea 11
- Burkina Faso 17
- Sudan 34
- Sudan Pd 11
- 10 Somalia
- Wybrz. Kości Słoniowej 22
- Dem. Rep. Konga 74
- Uganda 36
- Etiopia 94
- Malezja 29
- Ghana 25
- Benin 10
- Nigeria 170
- Kamerun 20
- Singapur 5
- Indonezja 248
- Azja 4198 mln os.
- Rwanda 12
- Kenia 43
- Gabon 2
- Burundi 11
- Tanzania 44
- Komory 1
- Mauritius 1
- Afryka 1056 mln os.
- Angola 18
- Zambia 14
- Malawi 16
- Madagaskar 23
- Mozambik 24
- Zimbabwe 13
- Sri Lanka 22
- Timor Wschodni 1
- Fidżi 1
- RPA 49
- Australia 22
- Nowa Kaledonia
- Polinezja Francuska
- Nowa Zelandia 4
- Australia i Oceania 29 mln os.
- Wyspy Salomona 1

Produkt krajowy brutto (w mld dol. USA)

Europa 20 011 mld dol. USA

- Irlandia 210
- Wyspa Man 5
- Wielka Brytania 2441
- Dania 314
- Norwegia 501
- Szwecja 526
- Finlandia 250
- Holandia 773
- Niemcy 3401
- Jersey 5
- Belgia 484
- Polska 487
- Ukraina 176
- Rosja 2022
- 10 Mongolia
- Chiny 8227
- Hongkong 263
- Japonia 5964
- Francja 2609
- Czechy 196
- Makau 44
- Szwajcaria 632
- Austria 399
- Węgry 127
- Rumunia 169
- Kazachstan 196
- Wietnam 138
- Korea Pd 1156
- Tajwan 474
- Portugalia 213
- Hiszpania 1352
- Włochy 2014
- Grecja 249
- Turcja 795
- Iran 549
- Pakistan 232
- Indie 1825
- Tajlandia 366
- Filipiny 250
- Guam 5
- Australia i Oceania 1740 mld dol. USA
- Malta 9
- Cypr 23
- Irak 213
- Kuwejt 173
- Singapur 276
- Malezja 304
- Algieria 208
- Egipt 257
- Izrael 241
- Arabia Saudyjska 727
- Indonezja 878
- Polinezja Francuska 6
- Nigeria 269
- Mauritius 12
- Katar 183
- ZEA 359
- Nowa Kaledonia 9
- Fidżi 4
- Angola 119
- Afryka 2021 mld dol. USA
- RPA 384
- Azja 24 688 mld dol. USA
- Australia 1542
- Nowa Zelandia 170

Wyżywienie

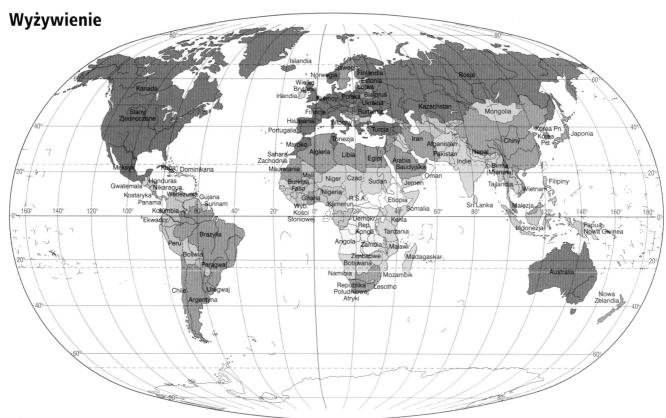

Według szacunków ONZ średnia dzienna wartość energetyczna
spożywanych posiłków przez jedną osobę nie powinna być mniejsza niż 2400 kalorii, lecz może się zmieniać
w zależności od warunków naturalnych. Na przykład na dalekiej północy, przy bardzo niskiej temperaturze
i niedoborze światła, do prawidłowego funkcjonowania organizmu konieczne jest spożycie posiłków o wartości
3000 kalorii dziennie, natomiast w klimacie suchym i gorącym niewiele ponad 2000 kalorii.

Dzienna wartość kaloryczna spożywanych posiłków przez jedną osobę w 2007 roku

| brak danych | 1500 – 2000 | 2000 – 2400 | 2400 – 2800 | 2800 – 3200 | 3200 – 3800 |

Długość życia

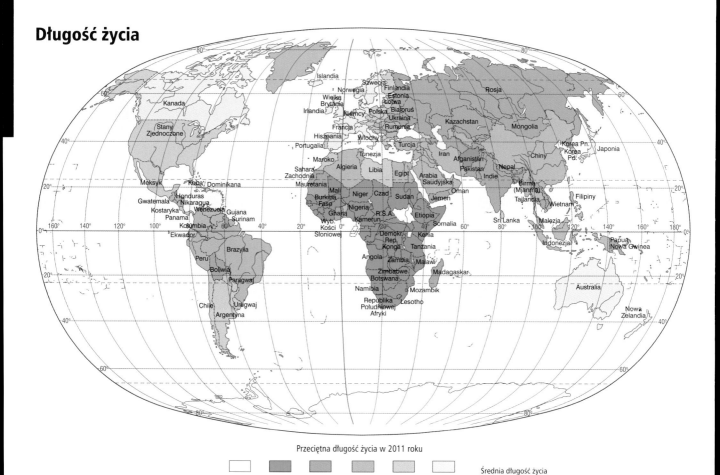

Przeciętna długość życia w 2011 roku

| brak danych | 39 – 60 | 60 – 70 | 70 – 75 | 75 – 80 | 80 – 89 lat |

Średnia długość życia
na świecie wynosi 67 lat

Analfabetyzm
Studenci

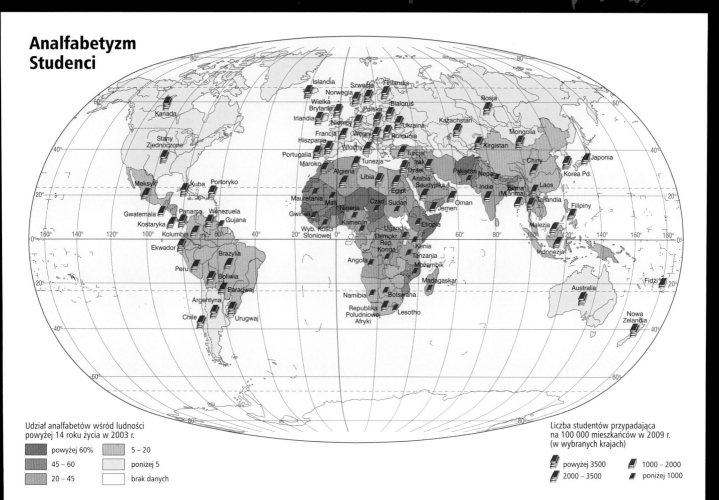

Udział analfabetów wśród ludności
powyżej 14 roku życia w 2003 r.

- powyżej 60%
- 45 – 60
- 20 – 45
- 5 – 20
- poniżej 5
- brak danych

Liczba studentów przypadająca
na 100 000 mieszkańców w 2009 r.
(w wybranych krajach)

- powyżej 3500
- 2000 – 3500
- 1000 – 2000
- poniżej 1000

AIDS

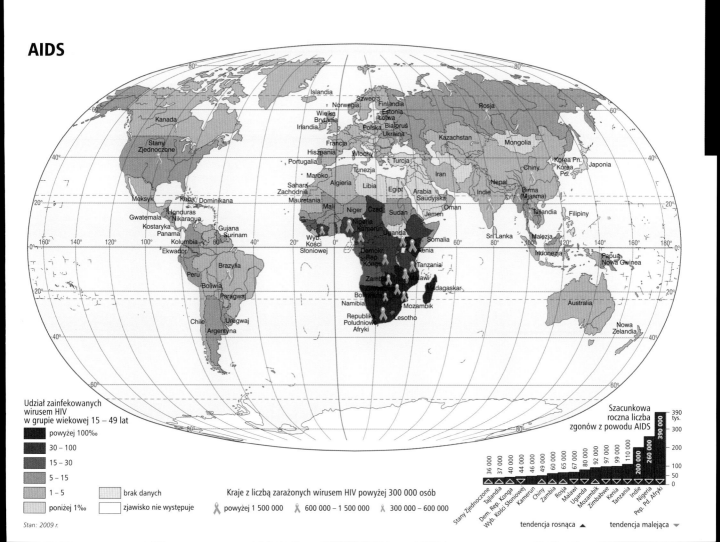

Udział zainfekowanych
wirusem HIV
w grupie wiekowej 15 – 49 lat

- powyżej 100‰
- 30 – 100
- 15 – 30
- 5 – 15
- 1 – 5
- poniżej 1‰
- brak danych
- zjawisko nie występuje

Kraje z liczbą zarażonych wirusem HIV powyżej 300 000 osób
- powyżej 1 500 000
- 600 000 – 1 500 000
- 300 000 – 600 000

Szacunkowa
roczna liczba
zgonów z powodu AIDS

390 tys.

Stany Zjednoczone 36 000
Tajlandia 37 000
Dem. Rep. Konga 40 000
Wyb. Kości Słoniowej 44 000
Kamerun 46 000
Chiny 49 000
Zambia 60 000
Rosja 65 000
Malawi 67 000
Uganda 80 000
Mozambik 92 000
Zimbabwe 97 000
Kenia 99 000
Tanzania 110 000
Indie 200 000
Nigeria 260 000
Rep. Pd. Afryki 390 000

tendencja rosnąca ▲   tendencja malejąca ▼

Stan: 2009 r.

Rasy

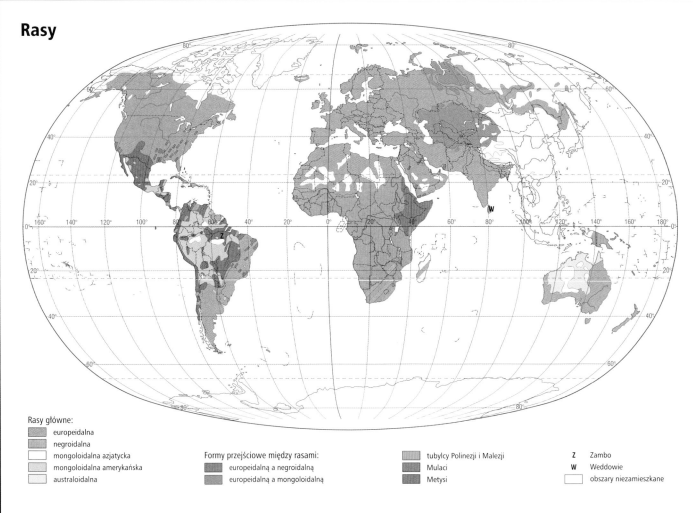

Rasy główne:

- europeidalna
- negroidalna
- mongoloidalna azjatycka
- mongoloidalna amerykańska
- australoidalna

Formy przejściowe między rasami:

- europeidalną a negroidalną
- europeidalną a mongoloidalną

- tubylcy Polinezji i Malezji
- Mulaci
- Metysi

- **Z** Zambo
- **W** Weddowie
- obszary niezamieszkane

Języki rodzime

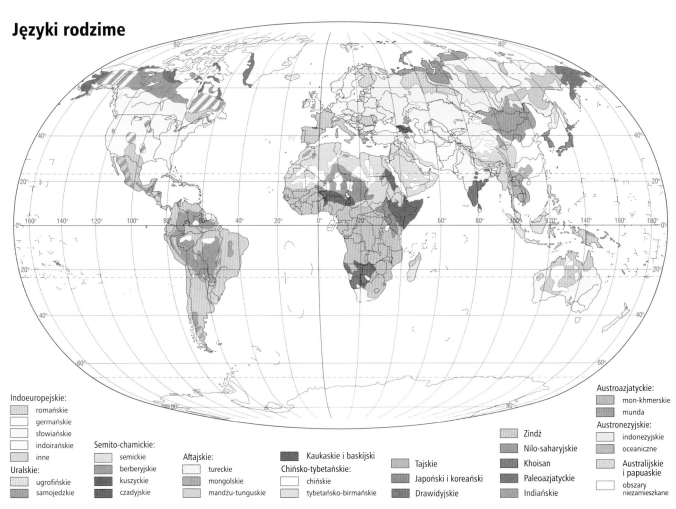

Indoeuropejskie:
- romańskie
- germańskie
- słowiańskie
- indoirańskie
- inne

Uralskie:
- ugrofińskie
- samojedzkie

Semito-chamickie:
- semickie
- berberyjskie
- kuszyckie
- czadyjskie

Ałtajskie:
- tureckie
- mongolskie
- mandżu-tunguskie

- Kaukaskie i baskijski

Chińsko-tybetańskie:
- chińskie
- tybetańsko-birmańskie

- Tajskie
- Japoński i koreański
- Drawidyjskie

- Zindż
- Nilo-saharyjskie
- Khoisan
- Paleoazjatyckie
- Indiańskie

Austroazjatyckie:
- mon-khmerskie
- munda

Austronezyjskie:
- indonezyjskie
- oceaniczne

- Australijskie i papuaskie
- obszary niezamieszkane

Wyznania

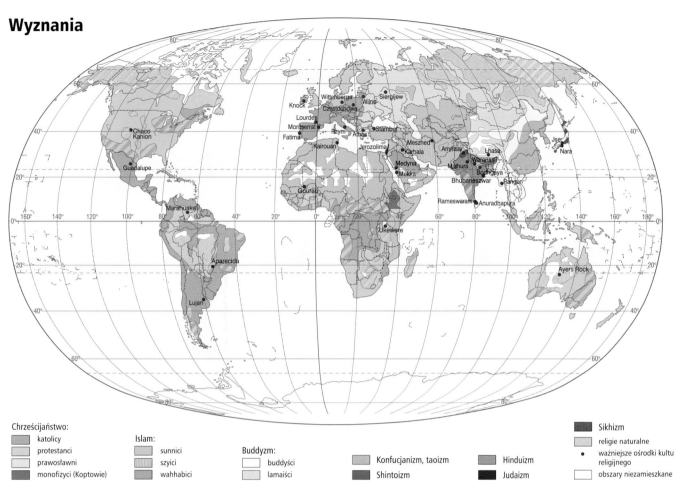

Chrześcijaństwo:
- katolicy
- protestanci
- prawosławni
- monofizyci (Koptowie)

Islam:
- sunnici
- szyici
- wahhabici

Buddyzm:
- buddyści
- lamaiści

- Konfucjanizm, taoizm
- Shintoizm

- Hinduizm
- Judaizm

- Sikhizm
- religie naturalne
- ważniejsze ośrodki kultu religijnego
- obszary niezamieszkane

Zaludnienie

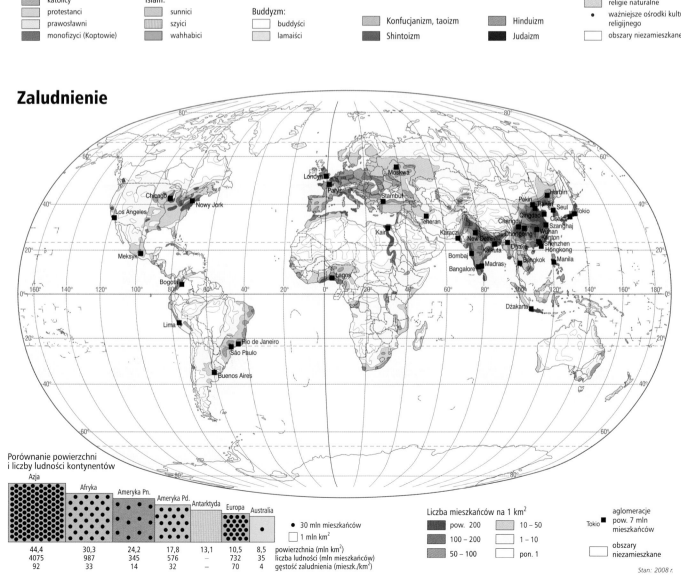

Porównanie powierzchni i liczby ludności kontynentów

	Azja	Afryka	Ameryka Pn.	Ameryka Pd.	Antarktyda	Europa	Australia	
	44,4	30,3	24,2	17,8	13,1	10,5	8,5	powierzchnia (mln km²)
	4075	987	345	576	–	732	35	liczba ludności (mln mieszkańców)
	92	33	14	32	–	70	4	gęstość zaludnienia (mieszk./km²)

- 30 mln mieszkańców
- 1 mln km²

Liczba mieszkańców na 1 km²
- pow. 200
- 100 – 200
- 50 – 100
- 10 – 50
- 1 – 10
- pon. 1

- Tokio — aglomeracje pow. 7 mln mieszkańców
- obszary niezamieszkane

Stan: 2008 r.

Internet

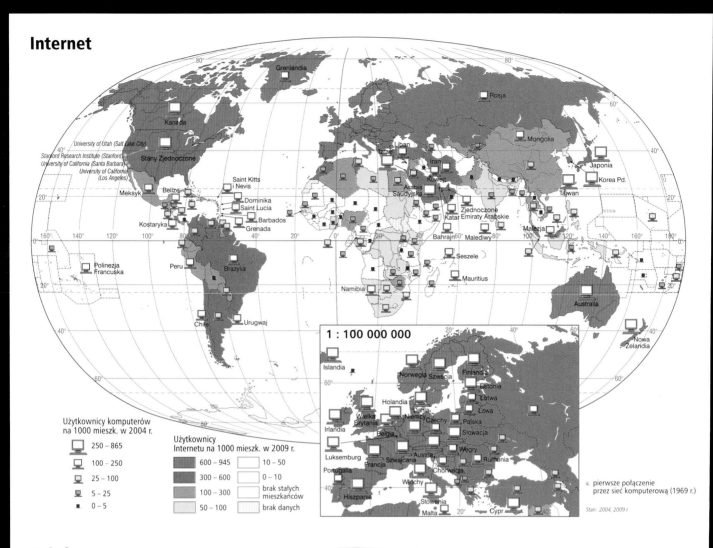

Użytkownicy komputerów
na 1000 mieszk. w 2004 r.

- 250 – 865
- 100 – 250
- 25 – 100
- 5 – 25
- 0 – 5

Użytkownicy
Internetu na 1000 mieszk. w 2009 r.

- 600 – 945
- 300 – 600
- 100 – 300
- 50 – 100
- 10 – 50
- 0 – 10
- brak stałych mieszkańców
- brak danych

1 : 100 000 000

⊙ pierwsze połączenie przez sieć komputerową (1969 r.)

Stan: 2004, 2009 r.

Telefony

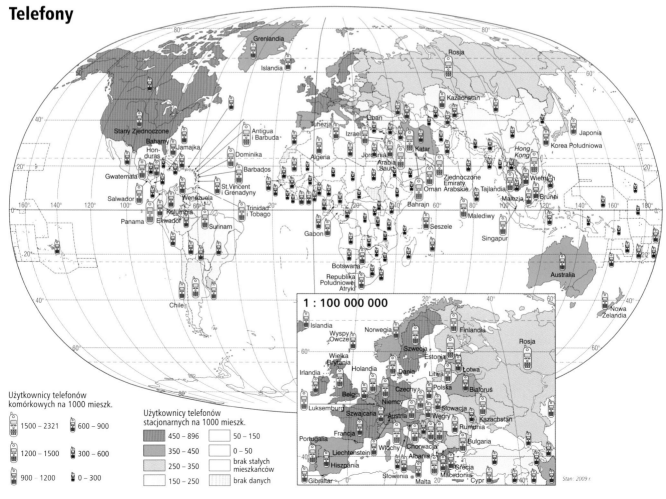

Użytkownicy telefonów
komórkowych na 1000 mieszk.

- 1500 – 2321
- 1200 – 1500
- 900 – 1200
- 600 – 900
- 300 – 600
- 0 – 300

Użytkownicy telefonów
stacjonarnych na 1000 mieszk.

- 450 – 896
- 350 – 450
- 250 – 350
- 150 – 250
- 50 – 150
- 0 – 50
- brak stałych mieszkańców
- brak danych

1 : 100 000 000

Stan: 2009 r.

Turystyka

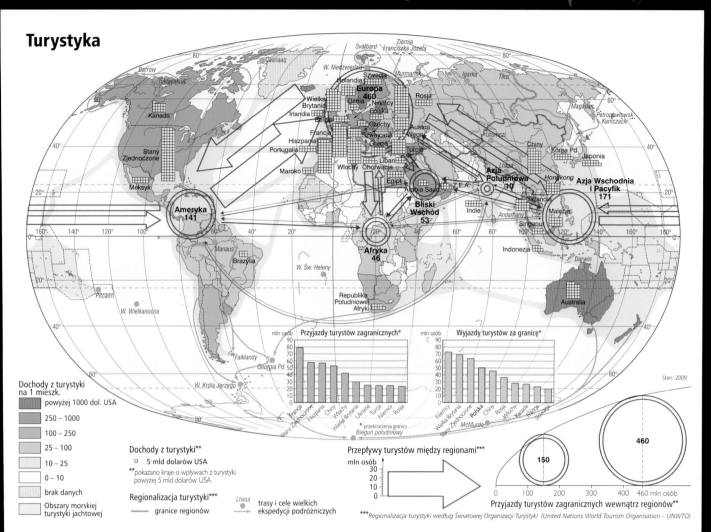

Dochody z turystyki na 1 mieszk.
- powyżej 1000 dol. USA
- 250 – 1000
- 100 – 250
- 25 – 100
- 10 – 25
- 0 – 10
- brak danych
- Obszary morskiej turystyki jachtowej

Dochody z turystyki**
- □ 5 mld dolarów USA

**pokazano kraje o wpływach z turystyki powyżej 5 mld dolarów USA

Regionalizacja turystyki***
- Lhasa trasy i cele wielkich ekspedycji podróżniczych
- granice regionów

Przepływy turystów między regionami***
mln osób

Przyjazdy turystów zagranicznych wewnątrz regionów**

Stan: 2009

***Regionalizacja turystyki według Światowej Organizacji Turystyki (United Nations World Tourism Organisation – UNWTO)

Strefy czasowe

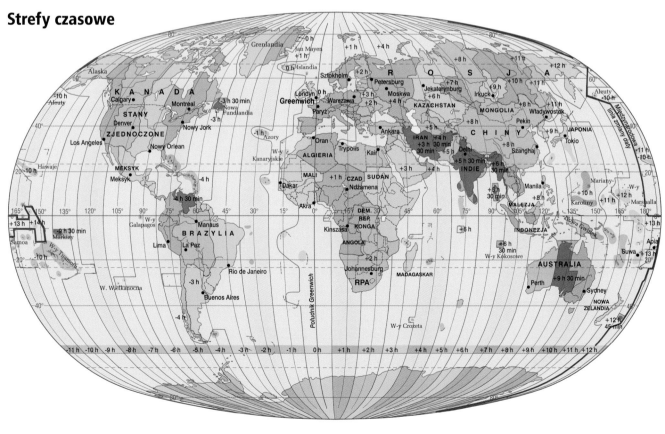

- strefy czasowe na lądzie
- strefy czasowe na morzach
- obszary, na których obowiązuje czas przesunięty o pół godziny w stosunku do czasu strefowego
- międzynarodowa linia zmiany daty
- +4 h różnica między czasem danej strefy a czasem południka Greenwich

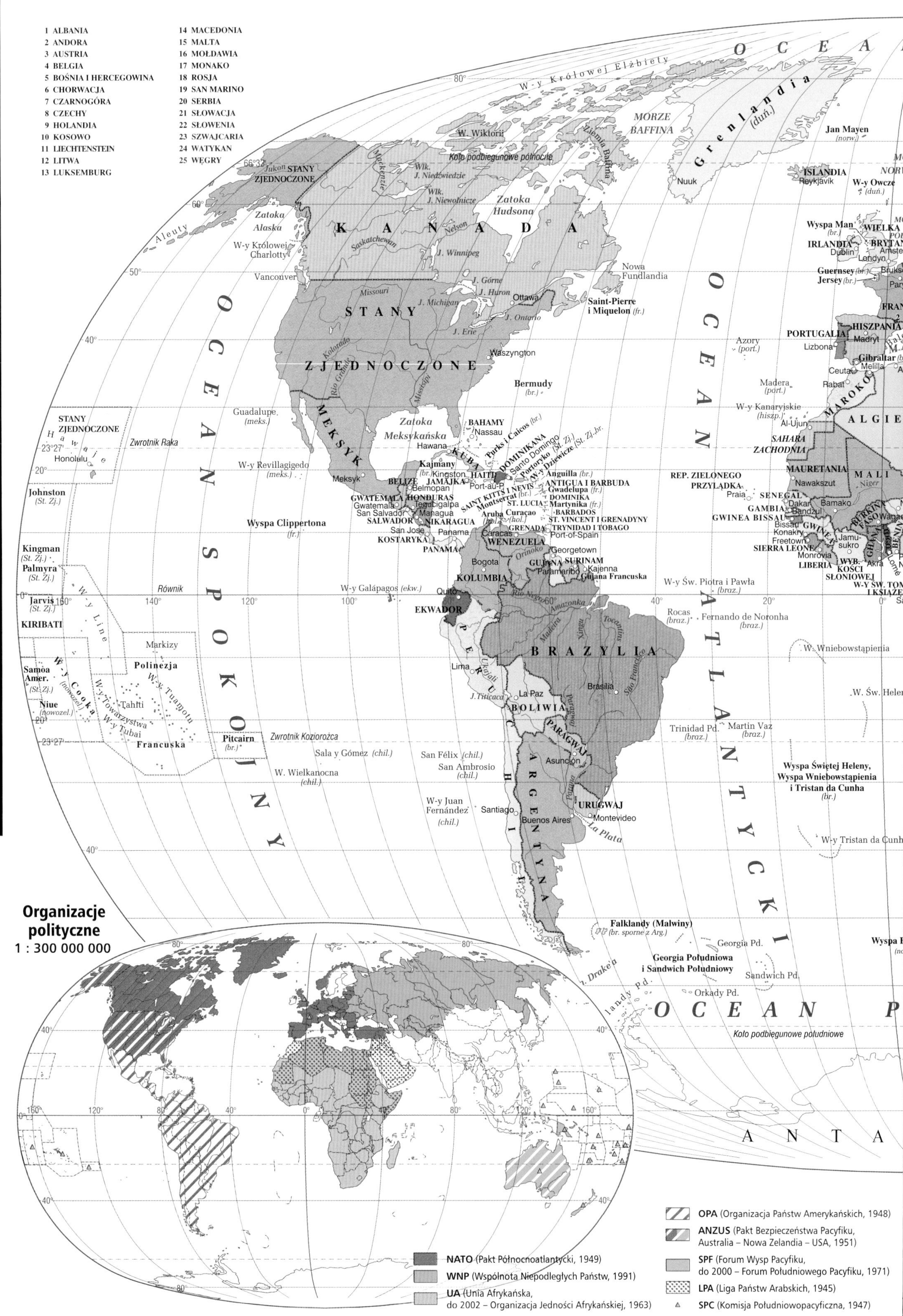

1 ALBANIA
2 ANDORA
3 AUSTRIA
4 BELGIA
5 BOŚNIA I HERCEGOWINA
6 CHORWACJA
7 CZARNOGÓRA
8 CZECHY
9 HOLANDIA
10 KOSOWO
11 LIECHTENSTEIN
12 LITWA
13 LUKSEMBURG
14 MACEDONIA
15 MALTA
16 MOŁDAWIA
17 MONAKO
18 ROSJA
19 SAN MARINO
20 SERBIA
21 SŁOWACJA
22 SŁOWENIA
23 SZWAJCARIA
24 WATYKAN
25 WĘGRY

Organizacje polityczne
1 : 300 000 000

- **OPA** (Organizacja Państw Amerykańskich, 1948)
- **ANZUS** (Pakt Bezpieczeństwa Pacyfiku, Australia – Nowa Zelandia – USA, 1951)
- **SPF** (Forum Wysp Pacyfiku, do 2000 – Forum Południowego Pacyfiku, 1971)
- **LPA** (Liga Państw Arabskich, 1945)
- ▲ **SPC** (Komisja Południowopacyficzna, 1947)
- **NATO** (Pakt Północnoatlantycki, 1949)
- **WNP** (Wspólnota Niepodległych Państw, 1991)
- **UA** (Unia Afrykańska, do 2002 – Organizacja Jedności Afrykańskiej, 1963)

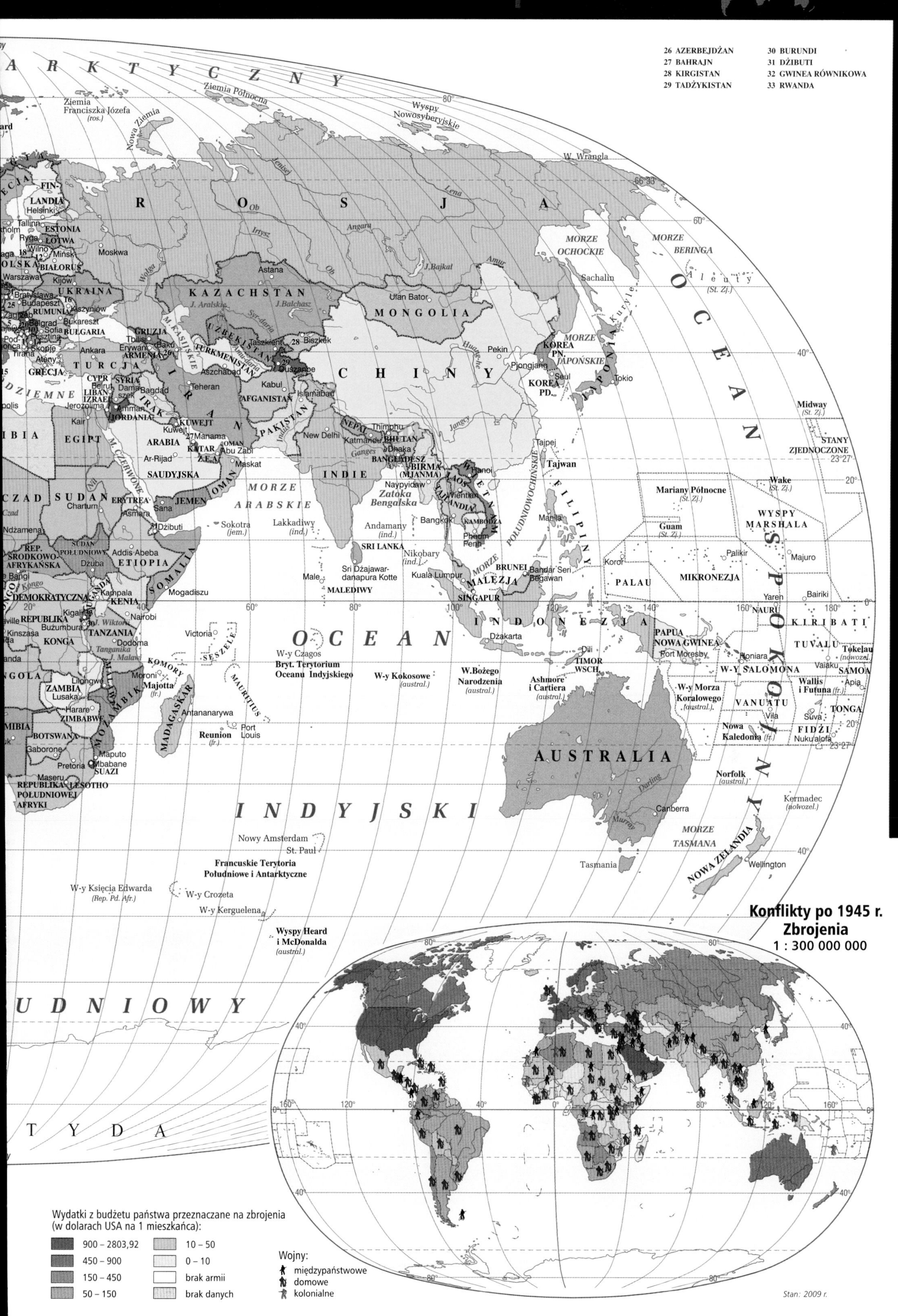

26 AZERBEJDŻAN
27 BAHRAJN
28 KIRGISTAN
29 TADŻYKISTAN

30 BURUNDI
31 DŻIBUTI
32 GWINEA RÓWNIKOWA
33 RWANDA

Konflikty po 1945 r.
Zbrojenia
1 : 300 000 000

Wydatki z budżetu państwa przeznaczane na zbrojenia
(w dolarach USA na 1 mieszkańca):

900 – 2803,92	10 – 50
450 – 900	0 – 10
150 – 450	brak armii
50 – 150	brak danych

Wojny:
- międzypaństwowe
- domowe
- kolonialne

Stan: 2009 r.

Organizacje gospodarcze na świecie
1 : 300 000 000

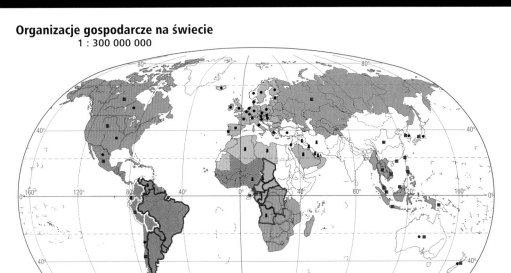

UE (Unia Europejska 1993; dawniej EWG 1958)
państwa stowarzyszone z Unią Europejską
EFTA (Europejskie Stowarzyszenie Wolnego Handlu, 1960)
WNP (Wspólnota Niepodległych Państw, 1991)
• OECD (Organizacja Współpracy Gospodarczej i Rozwoju, 1961)
ASEAN (Stowarzyszenie Narodów Azji Pd.-Wsch., 1967)
■ APEC (Współpraca Gospodarcza Azji i Pacyfiku, 1989)
GCC (Rada Współpracy Zatoki Perskiej, 1981)

■ OPEC (Organizacja Państw Eksporterów Ropy Naftowej, 1960)
SELA (Latynoamerykański System Gospodarczy, 1975)
CAN (Wspólnota Andyjska, 1969)
MERCOSUR (Wspólny Rynek Południa, 1991)
NAFTA (Północnoamerykańskie Stowarzyszenie Wolnego Handlu, 1994)
ECOWAS (Wspólnota Gospodarcza Państw Afryki Zachodniej, 1975)
ECCAS (Wspólnota Gospodarcza Państw Afryki Środkowej, 1983)
SADC (Współpraca Rozwoju Pd. Afryki, 1980)
CEMAC (Środkowoafrykańska Wspólnota Gospodarcza i Walutowa, 1994)
UMA (Unia Arabskiego Maghrebu, 1989. Organizacja zawieszona ze względu na spór Algierii i Maroka o status Sahary Zachodniej)

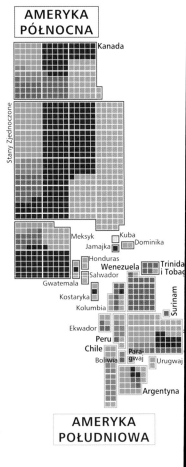

AMERYKA PÓŁNOCNA

AMERYKA POŁUDNIOWA

Organizacje gospodarcze w Europie
1 : 40 000 000

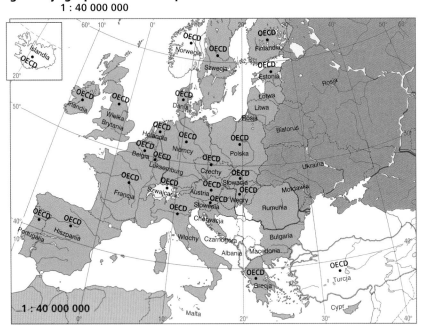

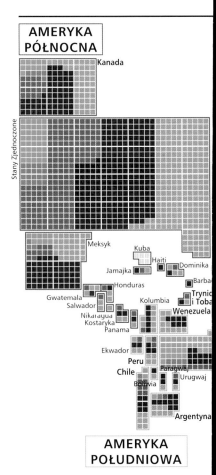

AMERYKA PÓŁNOCNA

AMERYKA POŁUDNIOWA

Handel zagraniczny

Wielkość i struktura eksportu i importu według grup towarów

towary rolno-spożywcze
surowce mineralne z wyjątkiem paliw
paliwa mineralne
maszyny i sprzęt transportowy
inne produkty przetwórstwa przemysłowego
sumarycznie kategorie niezakolorowane
brak danych

Przedstawiono kraje, których eksport lub import przekroczył 3 mld dol. USA

■ 3 mld dol. USA

Kanada większą i pogrubioną czcionką opisano kraje, które miały dodatni bilans handlu zagranicznego

Stan: 2008 r.

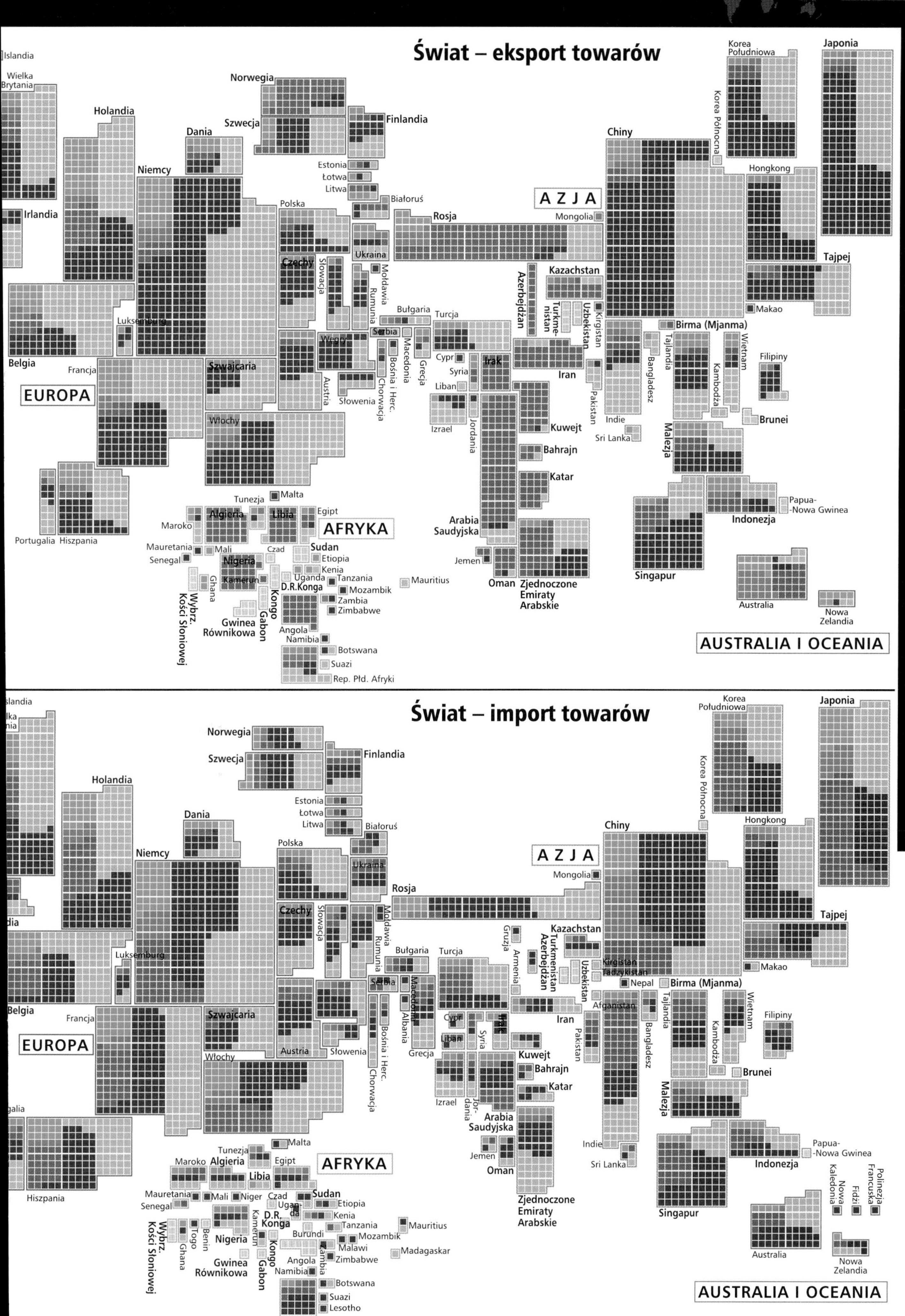
Świat – eksport towarów
EUROPA
AZJA
AFRYKA
AUSTRALIA I OCEANIA
Islandia
Wielka Brytania
Irlandia
Holandia
Belgia
Luksemburg
Francja
Niemcy
Dania
Norwegia
Szwecja
Finlandia
Estonia
Łotwa
Litwa
Białoruś
Polska
Czechy
Słowacja
Ukraina
Mołdawia
Rumunia
Węgry
Austria
Szwajcaria
Słowenia
Chorwacja
Bośnia i Herc.
Serbia
Macedonia
Bułgaria
Grecja
Turcja
Włochy
Portugalia
Hiszpania
Malta
Rosja
Mongolia
Kazachstan
Azerbejdżan
Turkmenistan
Uzbekistan
Kirgistan
Cypr
Syria
Liban
Izrael
Jordania
Irak
Iran
Kuwejt
Bahrajn
Katar
Arabia Saudyjska
Jemen
Oman
Zjednoczone Emiraty Arabskie
Pakistan
Indie
Sri Lanka
Bangladesz
Chiny
Korea Północna
Korea Południowa
Japonia
Hongkong
Tajpej
Makao
Birma (Mjanma)
Tajlandia
Kambodża
Wietnam
Filipiny
Brunei
Malezja
Singapur
Indonezja
Papua-Nowa Gwinea
Australia
Nowa Zelandia
Tunezja
Maroko
Algieria
Libia
Egipt
Mauretania
Mali
Senegal
Czad
Sudan
Etiopia
Nigeria
Kenia
Kamerun
Uganda
Tanzania
D.R.Konga
Mozambik
Zambia
Zimbabwe
Ghana
Wybrz. Kości Słoniowej
Gwinea Równikowa
Gabon
Kongo
Angola
Namibia
Botswana
Suazi
Rep. Płd. Afryki
Mauritius
Świat – import towarów
EUROPA
AZJA
AFRYKA
AUSTRALIA I OCEANIA
Islandia
Holandia
Belgia
Luksemburg
Francja
Niemcy
Dania
Norwegia
Szwecja
Finlandia
Estonia
Łotwa
Litwa
Białoruś
Polska
Ukraina
Czechy
Słowacja
Mołdawia
Rumunia
Bułgaria
Serbia
Macedonia
Albania
Grecja
Bośnia i Herc.
Chorwacja
Austria
Słowenia
Szwajcaria
Włochy
Hiszpania
Turcja
Rosja
Gruzja
Armenia
Azerbejdżan
Turkmenistan
Kazachstan
Uzbekistan
Kirgistan
Tadżykistan
Mongolia
Cypr
Liban
Syria
Irak
Iran
Izrael
Jordania
Kuwejt
Bahrajn
Katar
Arabia Saudyjska
Jemen
Oman
Zjednoczone Emiraty Arabskie
Pakistan
Afganistan
Nepal
Indie
Sri Lanka
Bangladesz
Chiny
Korea Północna
Korea Południowa
Japonia
Hongkong
Tajpej
Makao
Birma (Mjanma)
Tajlandia
Kambodża
Wietnam
Filipiny
Brunei
Malezja
Singapur
Indonezja
Papua-Nowa Gwinea
Australia
Nowa Zelandia
Nowa Kaledonia
Fidżi
Polinezja Francuska
Malta
Tunezja
Maroko
Algieria
Libia
Egipt
Mauretania
Mali
Niger
Senegal
Czad
Sudan
Etiopia
Kenia
Uganda
D.R. Konga
Tanzania
Burundi
Mozambik
Malawi
Zambia
Zimbabwe
Mauritius
Madagaskar
Wybrz. Kości Słoniowej
Ghana
Togo
Benin
Nigeria
Kamerun
Gwinea Równikowa
Gabon
Kongo
Angola
Namibia
Botswana
Suazi
Lesotho
Rep. Płd. Afryki

Polacy za granicą

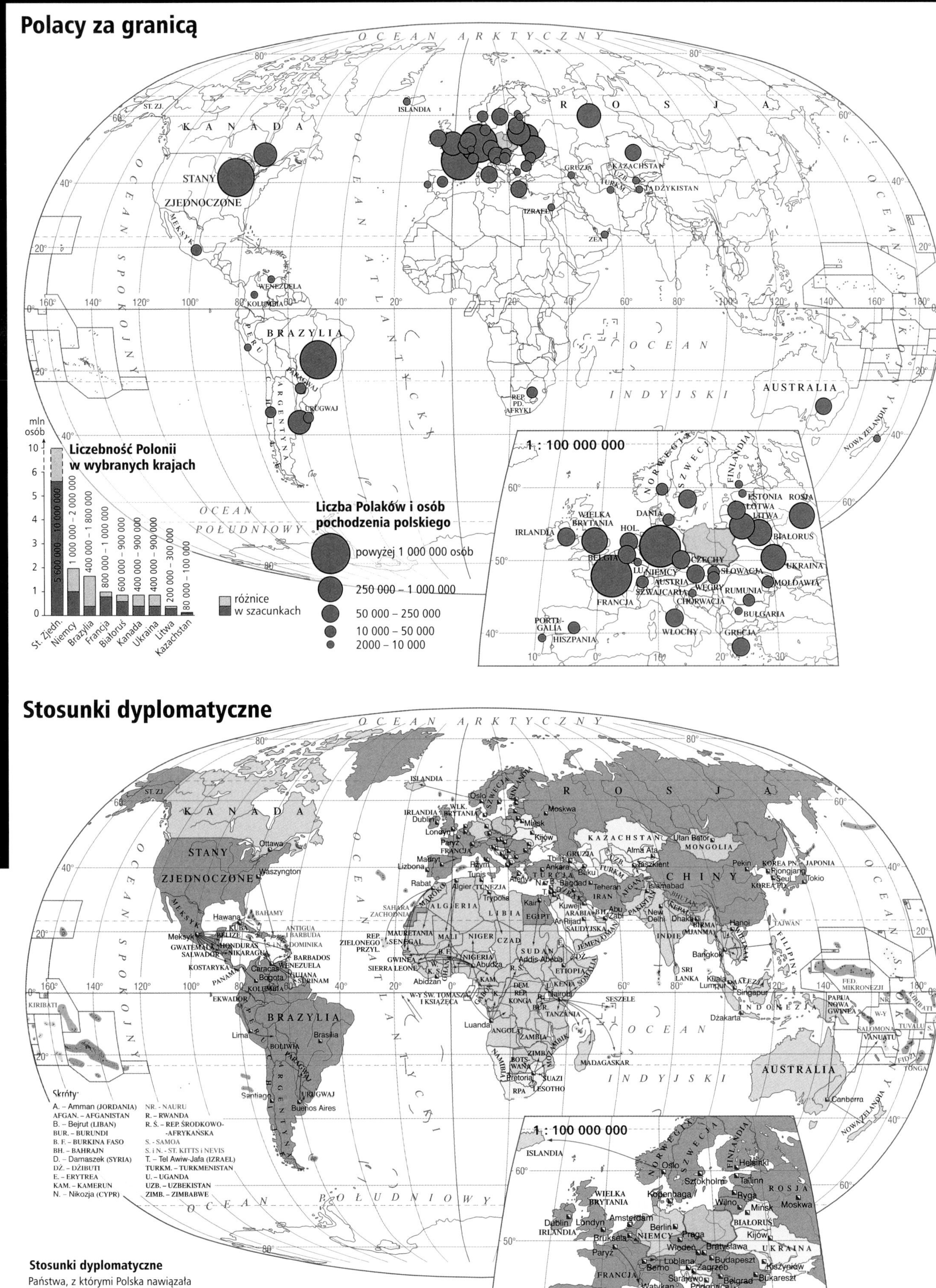

mln osób

Liczebność Polonii w wybranych krajach

10 — 5 600 000 – 10 000 000
6 —
5 — 1 000 000 – 2 000 000
4 — 400 000 – 1 800 000
3 — 800 000 – 1 000 000
2 — 600 000 – 900 000 | 400 000 – 900 000 | 400 000 – 900 000
1 — 200 000 – 300 000
0 — 80 000 – 100 000

St. Zjedn. | Niemcy | Brazylia | Francja | Białoruś | Kanada | Ukraina | Litwa | Kazachstan

Liczba Polaków i osób pochodzenia polskiego

○ powyżej 1 000 000 osób

○ 250 000 – 1 000 000

○ 50 000 – 250 000

○ 10 000 – 50 000

○ 2000 – 10 000

□ różnice w szacunkach

1 : 100 000 000

Stosunki dyplomatyczne

Skróty:
A. – Amman (JORDANIA)
AFGAN. – AFGANISTAN
B. – Bejrut (LIBAN)
BUR. – BURUNDI
B.F. – BURKINA FASO
BH. – BAHRAJN
D. – Damaszek (SYRIA)
DŻ. – DŻIBUTI
E. – ERYTREA
KAM. – KAMERUN
N. – Nikozja (CYPR)

NR. – NAURU
R. – RWANDA
R.Ś. – REP. ŚRODKOWO-
   -AFRYKAŃSKA
S. – SAMOA
S. i N. – ST. KITTS i NEVIS
T. – Tel Awiw-Jafa (IZRAEL)
TURKM. – TURKMENISTAN
U. – UGANDA
UZB. – UZBEKISTAN
ZIMB. – ZIMBABWE

1 : 100 000 000

Stosunki dyplomatyczne

Państwa, z którymi Polska nawiązała stosunki dyplomatyczne:

■ do 1939 r.
▨ w latach 1944 – 1989
□ po 1989 r.

□ państwa, z którymi Polska nie utrzymuje stosunków dyplomatycznych
◣ siedziby ambasad RP
→ dodatkowe akredytacje ambasadorów

Handel zagraniczny Polski

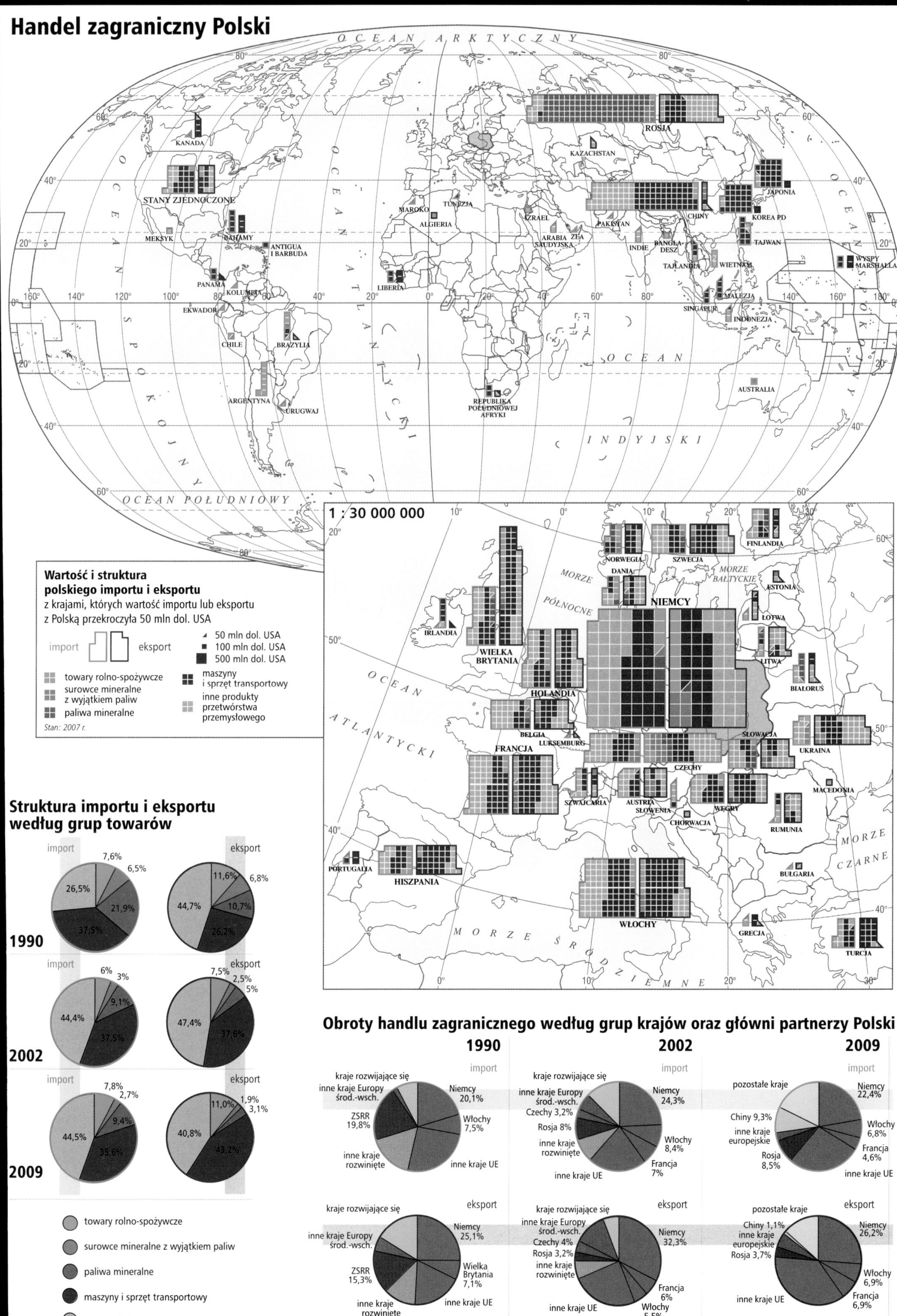
OCEAN ARKTYCZNY
OCEAN SPOKOJNY
OCEAN ATLANTYCKI
OCEAN INDYJSKI
OCEAN POŁUDNIOWY
KANADA
STANY ZJEDNOCZONE
MEKSYK
BAHAMY
ANTIGUA I BARBUDA
PANAMA
KOLUMBIA
EKWADOR
CHILE
BRAZYLIA
ARGENTYNA
URUGWAJ
MAROKO
TUNEZJA
ALGIERIA
LIBERIA
REPUBLIKA POŁUDNIOWEJ AFRYKI
ROSJA
KAZACHSTAN
IZRAEL
ARABIA SAUDYJSKA
ZEA
PAKISTAN
INDIE
BANGLADESZ
CHINY
JAPONIA
KOREA PD
TAJWAN
TAJLANDIA
WIETNAM
MALEZJA
SINGAPUR
INDONEZJA
WYSPY MARSHALLA
AUSTRALIA
1 : 30 000 000
MORZE PÓŁNOCNE
MORZE BAŁTYCKIE
OCEAN ATLANTYCKI
MORZE ŚRÓDZIEMNE
MORZE CZARNE
NORWEGIA
SZWECJA
FINLANDIA
DANIA
ESTONIA
ŁOTWA
LITWA
BIAŁORUŚ
IRLANDIA
WIELKA BRYTANIA
HOLANDIA
NIEMCY
BELGIA
LUKSEMBURG
FRANCJA
SŁOWACJA
UKRAINA
CZECHY
SZWAJCARIA
AUSTRIA
SŁOWENIA
CHORWACJA
WĘGRY
MACEDONIA
RUMUNIA
BUŁGARIA
PORTUGALIA
HISZPANIA
WŁOCHY
GRECJA
TURCJA
Wartość i struktura polskiego importu i eksportu
z krajami, których wartość importu lub eksportu z Polską przekroczyła 50 mln dol. USA
import
eksport
50 mln dol. USA
100 mln dol. USA
500 mln dol. USA
towary rolno-spożywcze
surowce mineralne z wyjątkiem paliw
paliwa mineralne
maszyny i sprzęt transportowy
inne produkty przetwórstwa przemysłowego
Stan: 2007 r.
Struktura importu i eksportu według grup towarów
1990
import: 7,6% 6,5% 21,9% 37,5% 26,5%
eksport: 11,6% 6,8% 10,7% 26,2% 44,7%
2002
import: 6% 3% 9,1% 37,5% 44,4%
eksport: 7,5% 2,5% 5% 37,6% 47,4%
2009
import: 7,8% 2,7% 9,4% 35,6% 44,5%
eksport: 11,0% 1,9% 3,1% 43,2% 40,8%
towary rolno-spożywcze
surowce mineralne z wyjątkiem paliw
paliwa mineralne
maszyny i sprzęt transportowy
inne produkty przetwórstwa przemysłowego
Obroty handlu zagranicznego według grup krajów oraz główni partnerzy Polski
1990
import
kraje rozwijające się
inne kraje Europy środ.-wsch.
ZSRR 19,8%
inne kraje rozwinięte
Niemcy 20,1%
Włochy 7,5%
inne kraje UE
eksport
kraje rozwijające się
inne kraje Europy środ.-wsch.
ZSRR 15,3%
inne kraje rozwinięte
Niemcy 25,1%
Wielka Brytania 7,1%
inne kraje UE
2002
import
kraje rozwijające się
inne kraje Europy środ.-wsch.
Czechy 3,2%
Rosja 8%
inne kraje rozwinięte
inne kraje UE
Niemcy 24,3%
Włochy 8,4%
Francja 7%
eksport
kraje rozwijające się
inne kraje Europy środ.-wsch.
Czechy 4%
Rosja 3,2%
inne kraje rozwinięte
inne kraje UE
Niemcy 32,3%
Francja 6%
Włochy 5,5%
2009
import
pozostałe kraje
Chiny 9,3%
inne kraje europejskie
Rosja 8,5%
Niemcy 22,4%
Włochy 6,8%
Francja 4,6%
inne kraje UE
eksport
pozostałe kraje
Chiny 1,1%
inne kraje europejskie
Rosja 3,7%
inne kraje UE
Niemcy 26,2%
Włochy 6,9%
Francja 6,9%

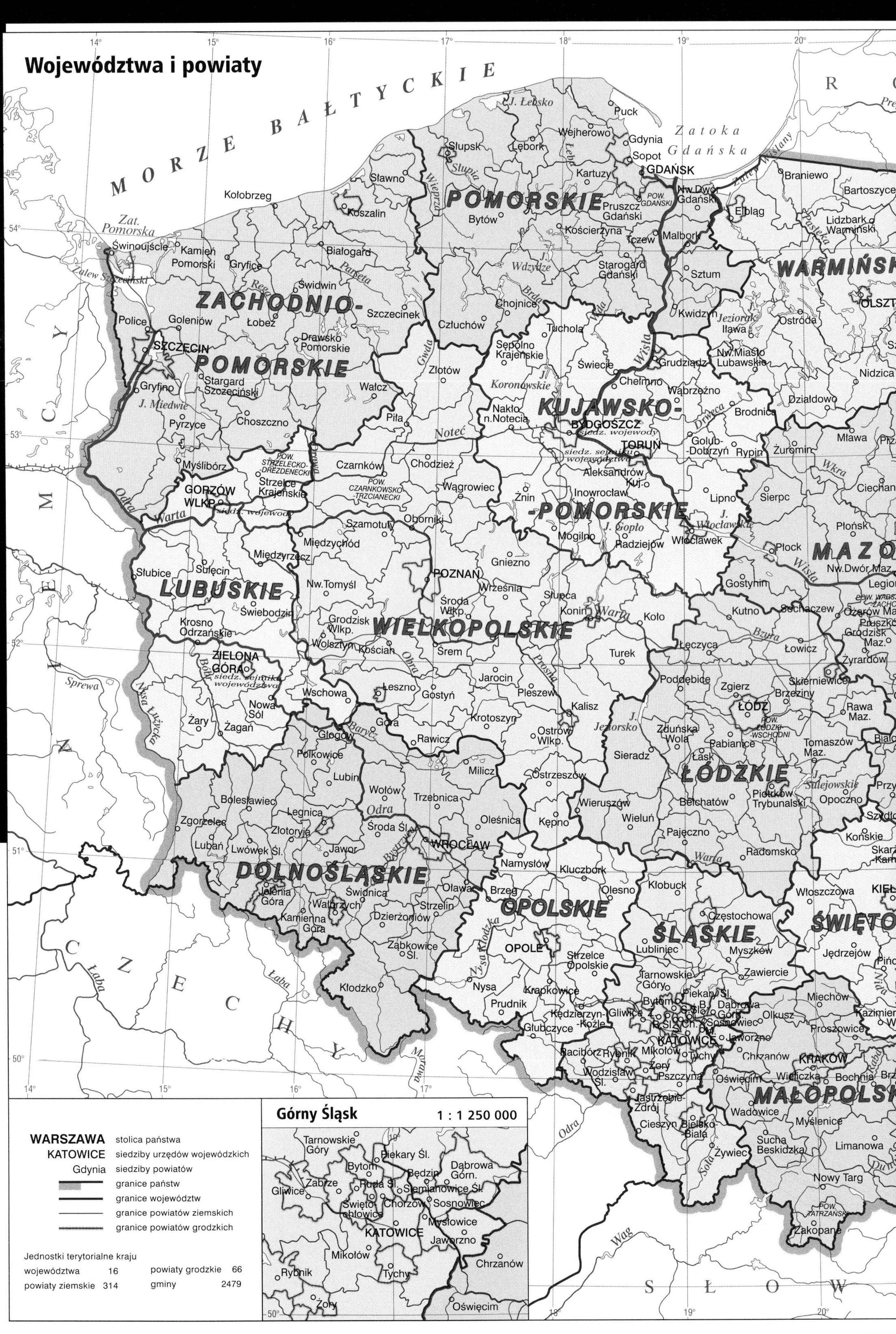

Województwa i powiaty

Górny Śląsk   1 : 1 250 000

WARSZAWA stolica państwa
KATOWICE siedziby urzędów wojewódzkich
Gdynia siedziby powiatów
granice państw
granice województw
granice powiatów ziemskich
granice powiatów grodzkich

Jednostki terytorialne kraju

województwa	16	powiaty grodzkie	66
powiaty ziemskie	314	gminy	2479

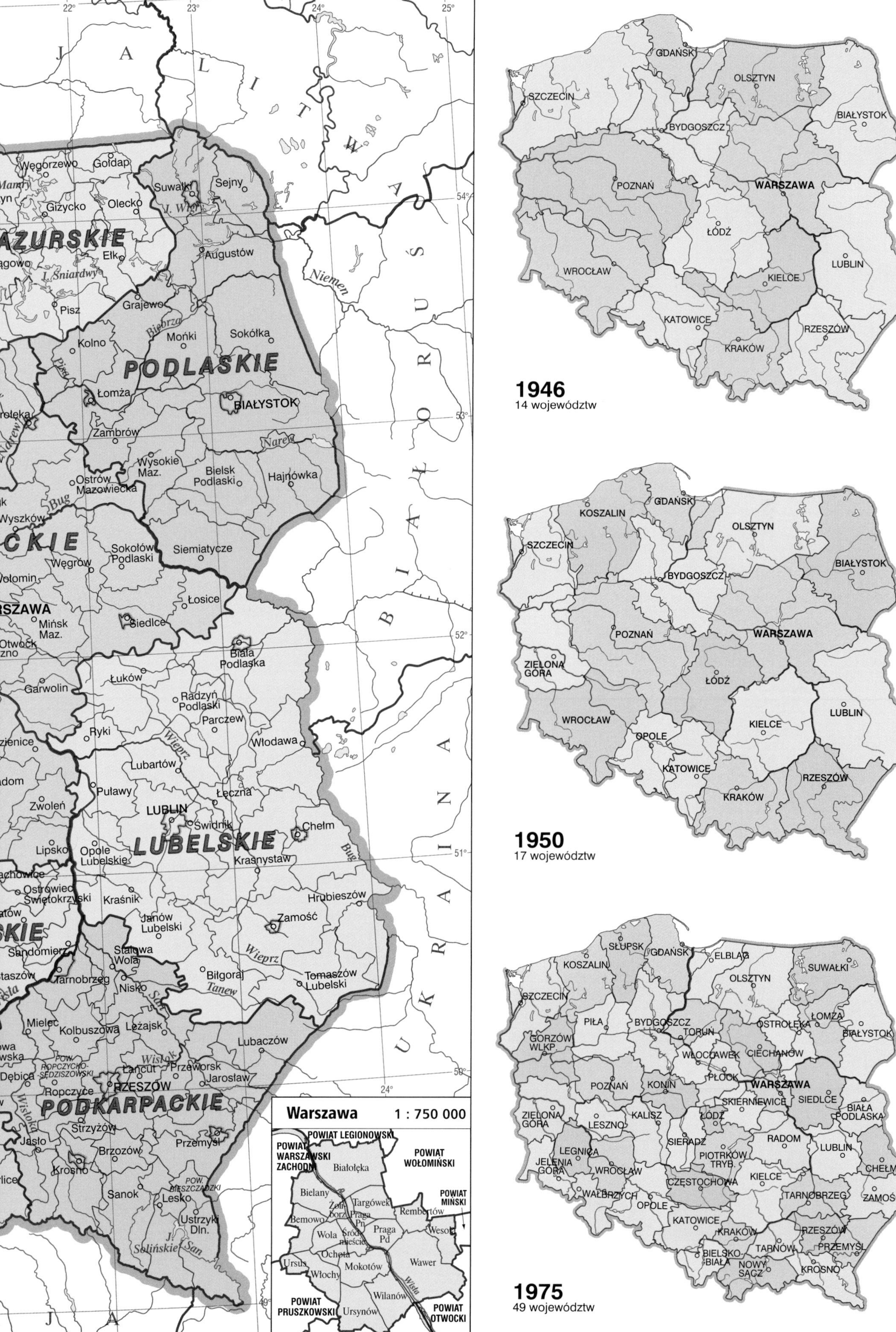

1 : 2 500 000

0   25   50   75   100 km

1 : 8 000 000

1946
14 województw

1950
17 województw

1975
49 województw

Warszawa   1 : 750 000

POWIAT LEGIONOWSKI

POWIAT
WARSZAWSKI
ZACHODNI

Białołęka

POWIAT
WOŁOMIŃSKI

Bielany

Żoli-
borz

Targówek

POWIAT
MIŃSKI

Bemowo

Praga
Pn

Rembertów

Wola

Śród-
mieście

Praga
Pd

Wesoła

POWIAT
PRUSZKOWSKI

Ursus

Ochota

Mokotów

Wawer

Włochy

Wilanów

POWIAT
OTWOCKI

Ursynów

POWIAT
PIASECZYŃSKI

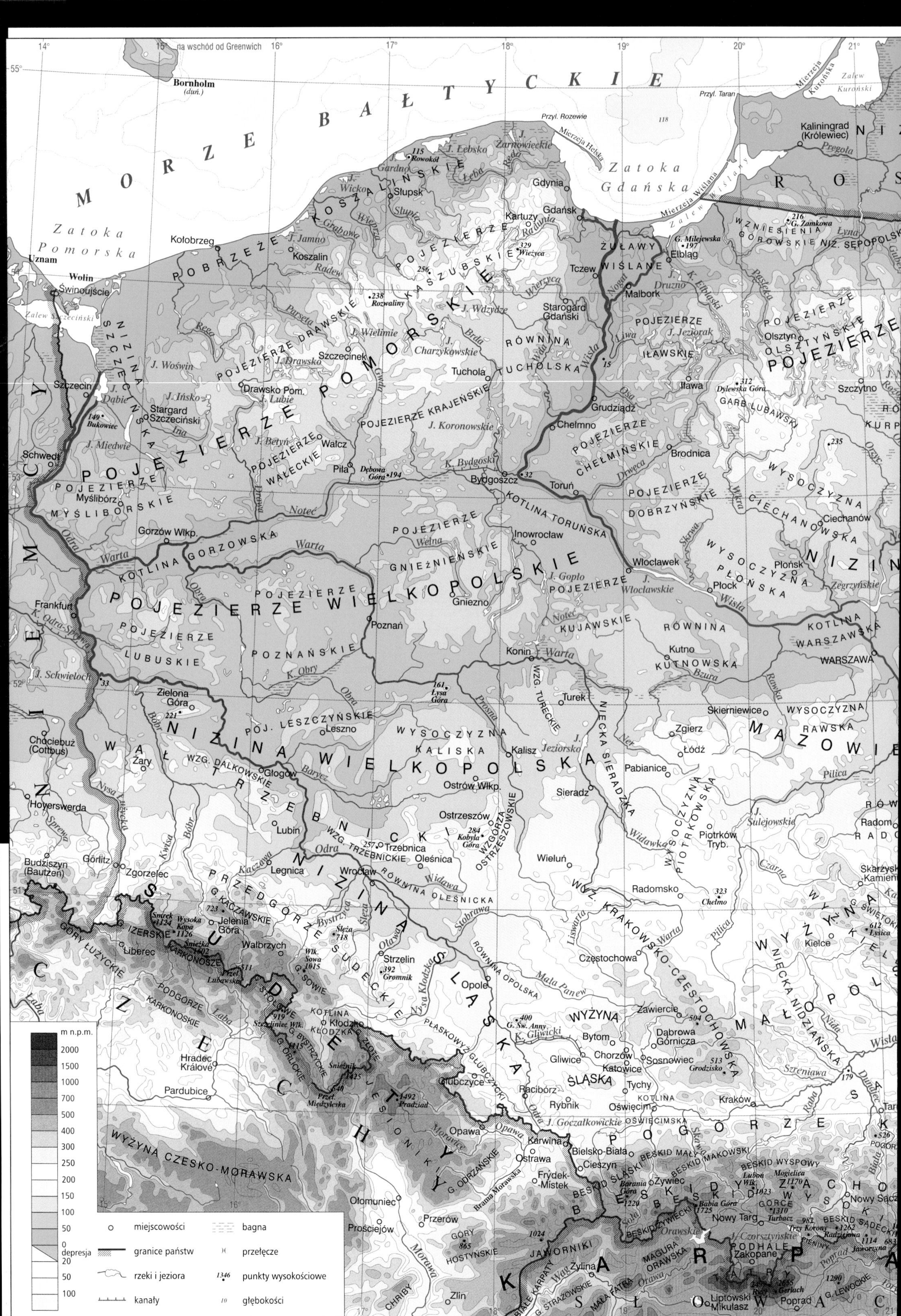

14°
15° na wschód od Greenwich
16°
17°
18°
19°
20°
21°
55°
54°
53°
52°
51°
MORZE BAŁTYCKIE
Bornholm (duń.)
Zatoka Pomorska
Zatoka Gdańska
Zalew Szczeciński
Zalew Wiślany
Mierzeja Wiślana
Mierzeja Helska
Mierzeja Kurońska
Zalew Kuroński
Przyl. Rozewie
Przyl. Taran
118
Kaliningrad (Królewiec)
Pregoła
ROSJA
Uznam
Wolin
Świnoujście
Kołobrzeg
Koszalin
Słupsk
Gdynia
Gdańsk
Kartuzy
Tczew
Malbork
Elbląg
Starogard Gdański
Szczecinek
Tuchola
Szczecin
Stargard Szczeciński
Drawsko Pom.
Wałcz
Piła
Schwedt
Myślibórz
Gorzów Wlkp.
Frankfurt
Bydgoszcz
Toruń
Chełmno
Grudziądz
Brodnica
Iława
Olsztyn
Szczytno
Ciechanów
Płońsk
Płock
Włocławek
Inowrocław
Gniezno
Poznań
Konin
Kutno
WARSZAWA
Skierniewice
Łódź
Zgierz
Pabianice
Sieradz
Turek
Kalisz
Ostrów Wlkp.
Leszno
Zielona Góra
Żary
Głogów
Lubin
Legnica
Wrocław
Oleśnica
Trzebnica
Ostrzeszów
Wieluń
Radomsko
Piotrków Tryb.
Częstochowa
Zawiercie
Kielce
Radom
Skarżysko-Kamienna
Opole
Strzelin
Kłodzko
Wałbrzych
Jelenia Góra
Zgorzelec
Görlitz
Budziszyn (Bautzen)
Hoyerswerda
Chociebuż (Cottbus)
Liberec
Hradec Králové
Pardubice
Głubczyce
Racibórz
Rybnik
Gliwice
Bytom
Chorzów
Katowice
Sosnowiec
Dąbrowa Górnicza
Tychy
Oświęcim
Kraków
Bielsko-Biała
Cieszyn
Żywiec
Opawa
Karwina
Ostrawa
Frydek-Mistek
Ołomuniec
Przerów
Prościejów
Zlin
Żylina
Nowy Targ
Zakopane
Nowy Sącz
Poprad
Liptowski Mikulasz
POBRZEŻE KOSZALIŃSKIE
POBRZEŻE KASZUBSKIE
POJEZIERZE KASZUBSKIE
POJEZIERZE POMORSKIE
POJEZIERZE DRAWSKIE
POJEZIERZE WAŁECKIE
POJEZIERZE MYŚLIBORSKIE
POJEZIERZE KRAJEŃSKIE
POJEZIERZE IŁAWSKIE
POJEZIERZE OLSZTYŃSKIE
POJEZIERZE CHEŁMIŃSKIE
POJEZIERZE DOBRZYŃSKIE
POJEZIERZE GNIEŹNIEŃSKIE
POJEZIERZE WIELKOPOLSKIE
POJEZIERZE POZNAŃSKIE
POJEZIERZE LUBUSKIE
POJEZIERZE KUJAWSKIE
POJ. LESZCZYŃSKIE
NIZINA SZCZECIŃSKA
ŻUŁAWY WIŚLANE
RÓWNINA TUCHOLSKA
KOTLINA TORUŃSKA
KOTLINA GORZOWSKA
KOTLINA WARSZAWSKA
RÓWNINA KUTNOWSKA
WYSOCZYZNA CIECHANOWSKA
WYSOCZYZNA PŁOŃSKA
WYSOCZYZNA RAWSKA
WYSOCZYZNA KALISKA
WYSOCZYZNA PIOTRKOWSKA
GARB LUBAWSKI
WZNIESIENIA GÓROWSKIE
NIZ. SĘPOPOLSKA
NIZINA WIELKOPOLSKA
NIZINA MAZOWIECKA
NIZINA ŚLĄSKA
NIZINA NIEMIECKA
WAŁ TRZEBNICKI
WZG. DALKOWSKIE
WZG. TRZEBNICKIE
WZG. TURECKIE
WZGÓRZA OSTRZESZOWSKIE
NIECKA SIERADZKA
NIECKA NIDZIAŃSKA
RÓWNINA OLEŚNICKA
RÓWNINA OPOLSKA
WYŻYNA KRAKOWSKO-CZĘSTOCHOWSKA
WYŻYNA ŚLĄSKA
WYŻYNA MAŁOPOLSKA
WYŻYNA KIELECKA
PŁASKOWYŻ GŁUBCZYCKI
KOTLINA OŚWIĘCIMSKA
POGÓRZE KARPACKIE
PRZEDGÓRZE SUDECKIE
SUDETY
G. KACZAWSKIE
G. IZERSKIE
KARKONOSZE
GÓRY ŁUŻYCKIE
PODGÓRZE KARKONOSKIE
G. SOWIE
G. STOŁOWE
KOTLINA KŁODZKA
G. BYSTRZYCKIE
G. ORLICKIE
JESIONIKI
G. ODRZAŃSKIE
Brama Morawska
WYŻYNA CZESKO-MORAWSKA
CZECHY
GÓRY HOSTYŃSKIE
CHRIBY
JAWORNIKI
BESKID ŚLĄSKI
BESKID MAŁY
BESKID MAKOWSKI
BESKID WYSPOWY
BESKID ŻYWIECKI
BESKID SĄDECKI
BESKIDY
GORCE
PIENINY
PODHALE
MAGURA ORAWSKA
MAŁA FATRA
BIAŁE KARPATY
G. STRAŻOWSKIE
TATRY
G. LEWOCKIE
KARPATY
SŁOWACJA
Odra
Warta
Noteć
Wisła
Nogat
Bzura
Pilica
Prosna
Obra
Barycz
Bóbr
Kwisa
Nysa Łużycka
Nysa Kłodzka
Sprewa
Łaba
Morawa
Opawa
Wag
Orawa
Dunajec
Poprad
Raba
Nida
Kamienna
Czarna
Widawka
Ner
Rawka
Skrwa
Drwęca
Wkra
Osa
Liwa
Wda
Brda
Gwda
Drawa
Ina
Rega
Parsęta
Radew
Wieprza
Słupia
Łeba
Reda
Radunia
Wierzyca
Pasłęka
Łyna
Stobrawa
Widawa
Oława
Ślęza
Bystrzyca
Kaczawa
Mała Panew
Liswarta
K. Gliwicki
K. Bydgoski
K. Odra-Sprewa
K. Elbląski
J. Łebsko
J. Gardno
J. Wicko
J. Jamno
J. Żarnowieckie
J. Wdzydze
J. Wielimie
J. Drawsko
J. Charzykowskie
J. Woświn
J. Dąbie
J. Ińsko
J. Lubie
J. Miedwie
J. Betyń
J. Koronowskie
J. Jeziorak
Druzno
J. Gopło
J. Włocławskie
J. Zegrzyńskie
J. Schwieloch
J. Jeziorsko
J. Sulejowskie
J. Goczałkowickie
J. Czorsztyńskie
115 Rowokół
329 Wieżyca
256
238 Rozwaliny
149 Bukowiec
194 Dębowa Góra
32
15
33
312 Dylewska Góra
216 G. Zamkowa
197 G. Milejewska
235
161 Łysa Góra
221
284 Kobyla Góra
257
323 Chełmo
612 Łysica
400 G. Św. Anny
504
513 Grodzisko
179
526
1124 Smrek
1126 Wysoka Kopa
723
1602 Śnieżka
511 Przeł. Lubawska
718 Ślęża
1015 Wlk. Sowa
392 Gromnik
919 Szczeliniec Wlk.
1115
1425 Śnieżnik
540 Przeł. Międzyleska
1492 Pradziad
1220 Barania Góra
1725 Babia Góra
1023 Lubań
1170 Mogielica
1310 Turbacz
982 Trzy Korony
1262 Radziejowa
1114 Jaworzyna
1024
865
1290
2499
2655 Gerlach
m n.p.m.
2000
1500
1000
700
500
400
300
250
200
150
100
50
0
depresja 20
50
100
miejscowości
granice państw
rzeki i jeziora
kanały
bagna
przełęcze
1346 punkty wysokościowe
10 głębokości

1 : 2 500 000

0 25 50 75 100 km

1 : 6 000 000

Pasy rzeźby

MORZE BAŁTYCKIE

POBRZEŻA

POJEZIERZA

NIZINY ŚRODKOWOPOLSKIE

SUDETY

WYŻYNY

KOTLINY PODKARPACKIE

KARPATY

Gdańsk · Szczecin · Bydgoszcz · Toruń · Gorzów Wlkp. · Poznań · Zielona Góra · Warszawa · Łódź · Wrocław · Lublin · Kielce · Opole · Katowice · Kraków · Rzeszów · Olsztyn · Białystok

Różnice wysokości

MORZE BAŁTYCKIE

Zatoka Gdańska

ROSJA

LITWA

BIAŁORUŚ

CZECHY

SŁOWACJA

Gdańsk · Szczecin · Bydgoszcz · Toruń · Gorzów Wlkp. · Poznań · Zielona Góra · Warszawa · Łódź · Wrocław · Lublin · Kielce · Opole · Katowice · Kraków · Rzeszów · Olsztyn · Białystok

Różnice wysokości
liczone w polach o promieniu 3 km

do 20 m
20 – 40 m
40 – 80 m
80 – 200 m
200 – 400 m
400 – 600 m
ponad 600 m

Map 1 (left)

PRUSKA · LITWA · POJEZIERZE LITEWSKIE · POJ. SUWALSKIE · Mariampol · Olita · Suwałki · Augustów · Grodno · WYSOCZYZNA BIAŁOSTOCKA · WYSOCZYZNA WOŁKOWYSKA · Wołkowysk · Białystok · Łomża · Bielsk Podlaski · WYSOCZYZNA SIEDLECKA · Siedlce · Biała Podlaska · Łuków · Radzyń Podlaski · Włodawa · Puławy · Lublin · WYŻYNA LUBELSKA · Chełm · Zamość · Biłgoraj · Tarnobrzeg · Rzeszów · Krosno · Sanok · Przemyśl · Lwów · Sambor · Drohobycz · Stryj · BIESZCZADY · BESKIDY WSCHODNIE · POLESIE LUBELSKIE · Kobryń · Brześć · Nowowołyńsk · Lubaczówka · KARPATY · UKRAINA · BIAŁORUŚ · Czerniachowsk (Wystruć) · Kowno · Niemen · Wilia

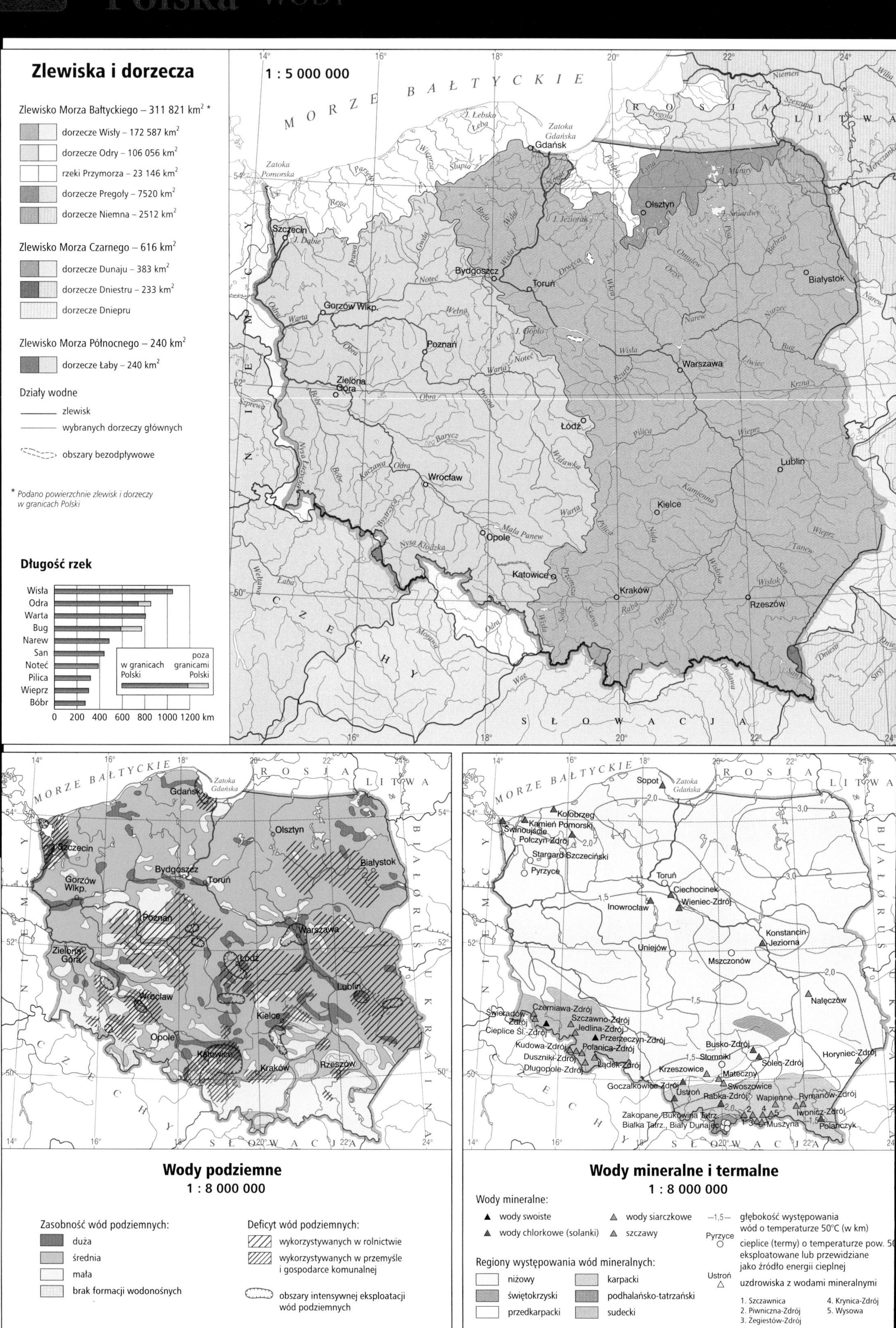

Zlewiska i dorzecza

1 : 5 000 000

Zlewisko Morza Bałtyckiego – 311 821 km² *

- dorzecze Wisły – 172 587 km²
- dorzecze Odry – 106 056 km²
- rzeki Przymorza – 23 146 km²
- dorzecze Pregoły – 7520 km²
- dorzecze Niemna – 2512 km²

Zlewisko Morza Czarnego – 616 km²

- dorzecze Dunaju – 383 km²
- dorzecze Dniestru – 233 km²
- dorzecze Dniepru

Zlewisko Morza Północnego – 240 km²

- dorzecze Łaby – 240 km²

Działy wodne

- zlewisk
- wybranych dorzeczy głównych
- obszary bezodpływowe

* Podano powierzchnie zlewisk i dorzeczy
w granicach Polski

Długość rzek

Wisła
Odra
Warta
Bug
Narew
San
Noteć
Pilica
Wieprz
Bóbr

w granicach Polski / poza granicami Polski

0 200 400 600 800 1000 1200 km

Wody podziemne
1 : 8 000 000

Zasobność wód podziemnych:
- duża
- średnia
- mała
- brak formacji wodonośnych

Deficyt wód podziemnych:
- wykorzystywanych w rolnictwie
- wykorzystywanych w przemyśle i gospodarce komunalnej
- obszary intensywnej eksploatacji wód podziemnych

Wody mineralne i termalne
1 : 8 000 000

Wody mineralne:
- wody swoiste
- wody chlorkowe (solanki)
- wody siarczkowe
- szczawy

Regiony występowania wód mineralnych:
- niżowy
- świętokrzyski
- przedkarpacki
- karpacki
- podhalańsko-tatrzański
- sudecki

—1,5— głębokość występowania wód o temperaturze 50°C (w km)

Pyrzyce — cieplice (termy) o temperaturze pow. 50° eksploatowane lub przewidziane jako źródło energii cieplnej

Ustroń — uzdrowiska z wodami mineralnymi

1. Szczawnica   4. Krynica-Zdrój
2. Piwniczna-Zdrój   5. Wysowa
3. Żegiestów-Zdrój

Klimat

Strefa klimatów zwrotnikowych

1 kontynentalne: suchy i wybitnie suchy

Strefa klimatów podzwrotnikowych

2 morski
3 pośredni
4 kontynentalny
5 kontynentalne: suchy i wybitnie suchy

Strefa klimatów umiarkowanych

Klimaty umiarkowane ciepłe

6 wybitnie morski i morski
7 przejściowy
8 ciepły i kontynentalny
9 kontynentalne: suchy, wybitnie suchy i skrajnie suchy

Klimaty umiarkowane chłodne

10 morski
11 przejściowy
12 chłodny i kontynentalny
13 wybitnie kontynentalny

Strefa klimatów okołobiegunowych

14 subpolarny i polarny

odmiany górskie i wyżynne

Szlaki napływu nad Polskę mas powietrza w półroczu:

chłodnym   ciepłym

Masy powietrza napływające nad Polskę

PA powietrze arktyczne
PPm c powietrze polarne morskie ciepłe
PPm ch powietrze polarne morskie chłodne
PPk c powietrze polarne kontynentalne ciepłe
PPk ch powietrze polarne kontynentalne chłodne
PZm powietrze zwrotnikowe morskie
PZk powietrze zwrotnikowe kontynentalne

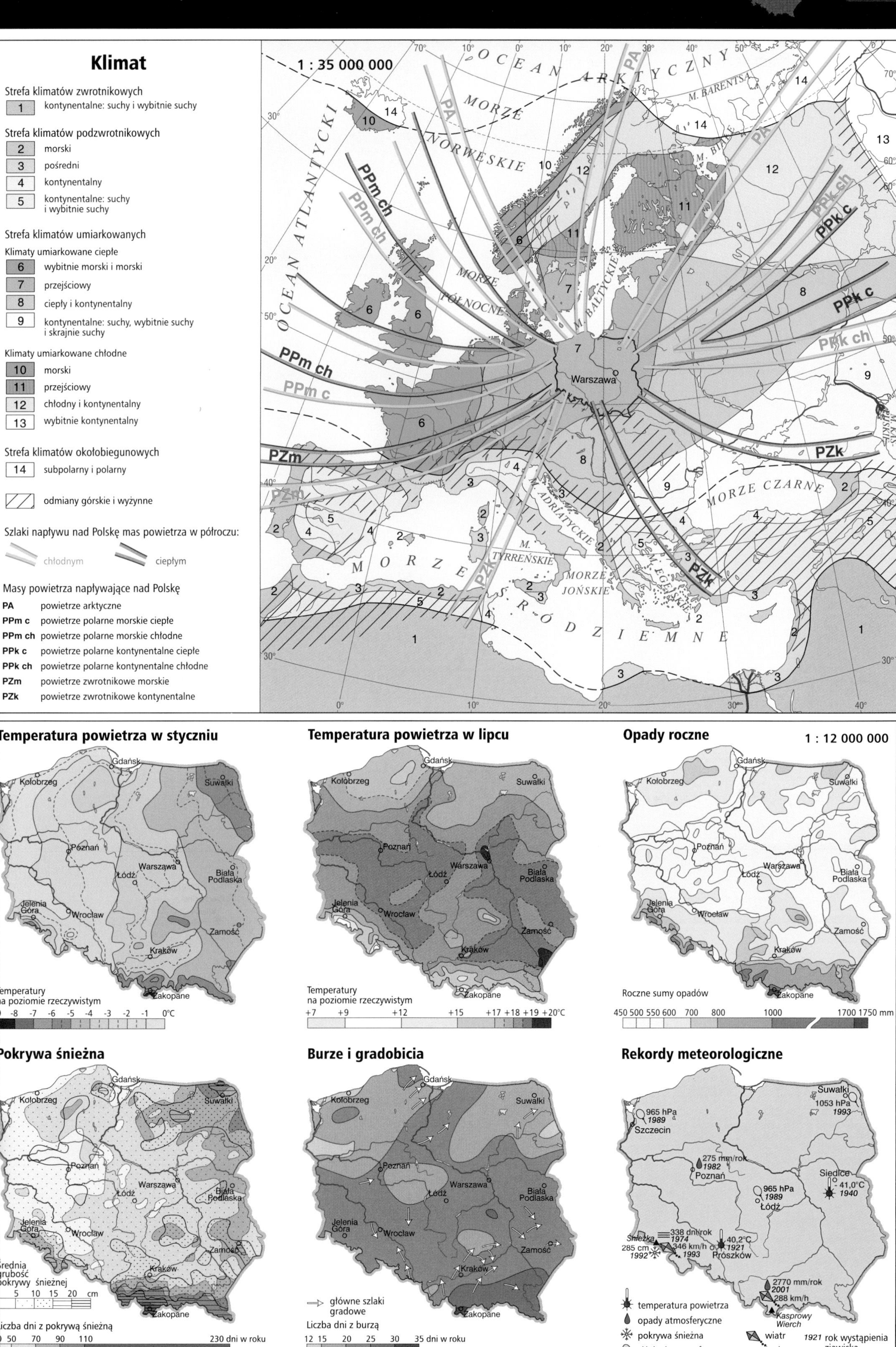

1 : 35 000 000

Temperatura powietrza w styczniu

Temperatura powietrza w lipcu

Opady roczne

1 : 12 000 000

Pokrywa śnieżna

Burze i gradobicia

Rekordy meteorologiczne

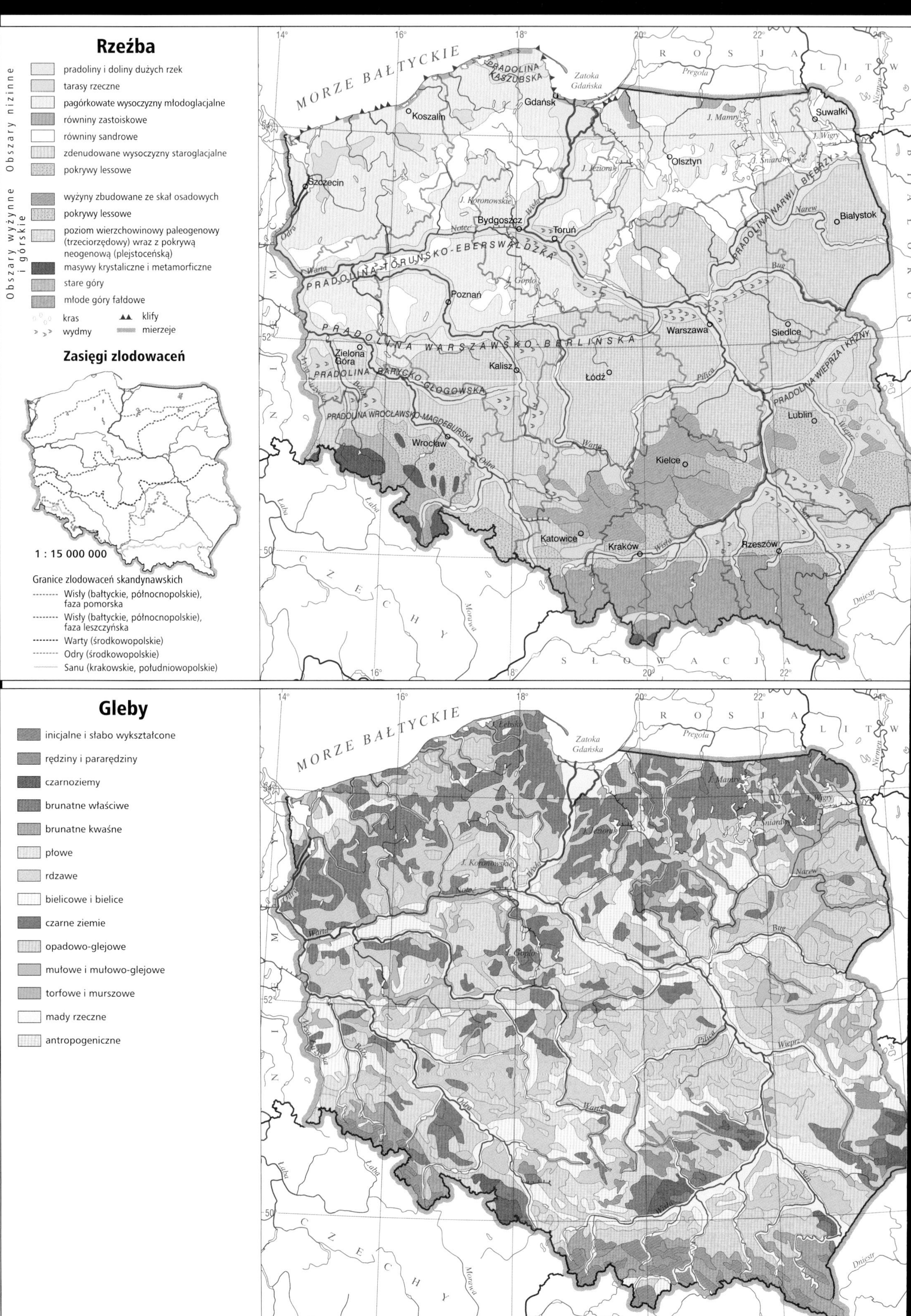

Rzeźba

Obszary nizinne

- pradoliny i doliny dużych rzek
- tarasy rzeczne
- pagórkowate wysoczyzny młodoglacjalne
- równiny zastoiskowe
- równiny sandrowe
- zdenudowane wysoczyzny staroglacjalne
- pokrywy lessowe

Obszary wyżynne i górskie

- wyżyny zbudowane ze skał osadowych
- pokrywy lessowe
- poziom wierzchowinowy paleogenowy (trzeciorzędowy) wraz z pokrywą neogenową (plejstoceńską)
- masywy krystaliczne i metamorficzne
- stare góry
- młode góry fałdowe

- kras
- wydmy
- klify
- mierzeje

Zasięgi zlodowaceń

1 : 15 000 000

Granice zlodowaceń skandynawskich

- - - - - Wisły (bałtyckie, północnopolskie), faza pomorska
- - - - - Wisły (bałtyckie, północnopolskie), faza leszczyńska
- - - - - Warty (środkowopolskie)
- - - - - Odry (środkowopolskie)
- ———— Sanu (krakowskie, południowopolskie)

Gleby

- inicjalne i słabo wykształcone
- rędziny i pararędziny
- czarnoziemy
- brunatne właściwe
- brunatne kwaśne
- płowe
- rdzawe
- bielicowe i bielice
- czarne ziemie
- opadowo-glejowe
- mułowe i mułowo-glejowe
- torfowe i murszowe
- mady rzeczne
- antropogeniczne

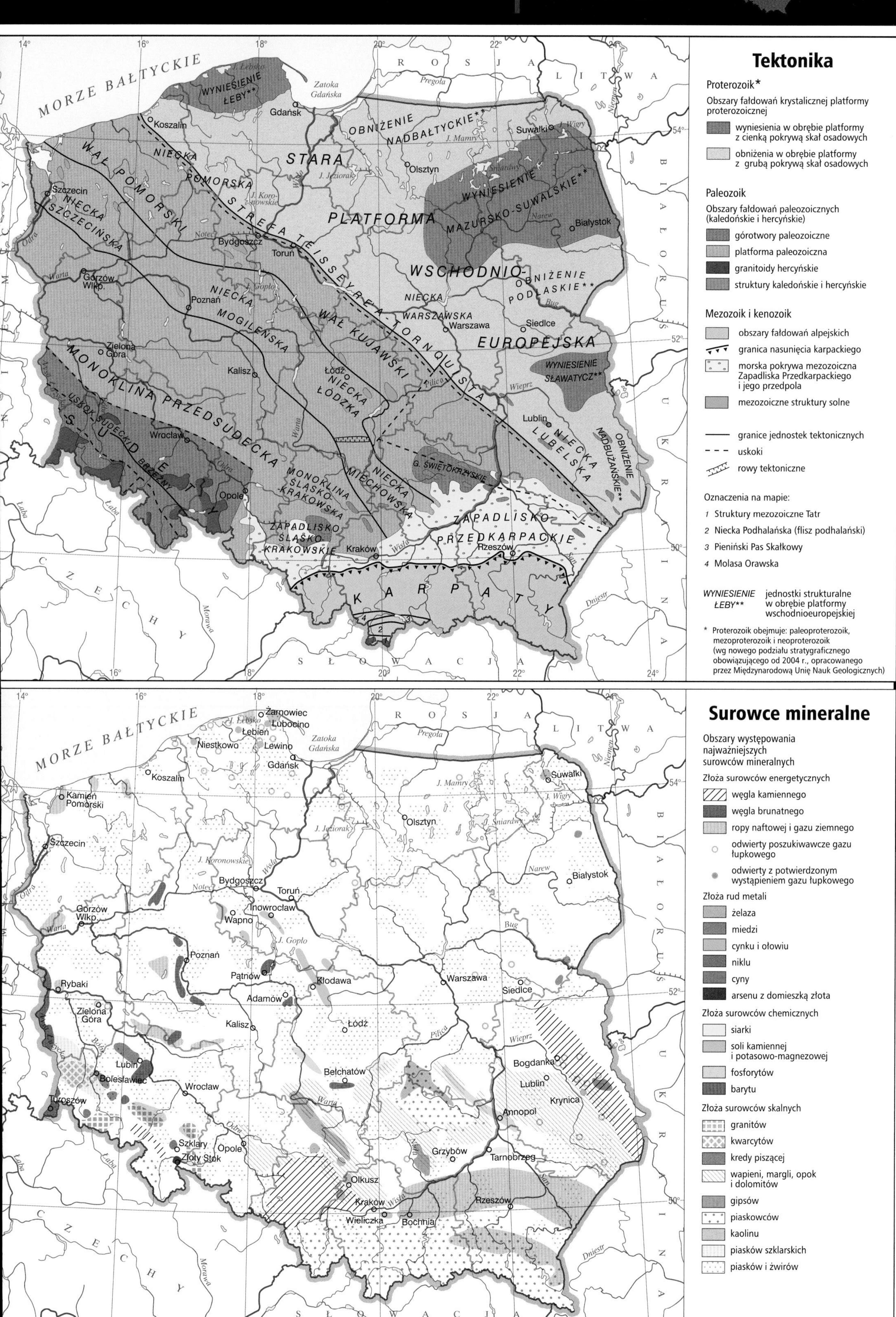

Tektonika

Proterozoik*

Obszary fałdowań krystalicznej platformy proterozoicznej

- wyniesienia w obrębie platformy z cienką pokrywą skał osadowych
- obniżenia w obrębie platformy z grubą pokrywą skał osadowych

Paleozoik

Obszary fałdowań paleozoicznych (kaledońskie i hercyńskie)

- górotwory paleozoiczne
- platforma paleozoiczna
- granitoidy hercyńskie
- struktury kaledońskie i hercyńskie

Mezozoik i kenozoik

- obszary fałdowań alpejskich
- granica nasunięcia karpackiego
- morska pokrywa mezozoiczna Zapadliska Przedkarpackiego i jego przedpola
- mezozoiczne struktury solne

- —— granice jednostek tektonicznych
- - - - uskoki
- rowy tektoniczne

Oznaczenia na mapie:

1 Struktury mezozoiczne Tatr
2 Niecka Podhalańska (flisz podhalański)
3 Pieniński Pas Skałkowy
4 Molasa Orawska

WYNIESIENIE ŁEBY** jednostki strukturalne w obrębie platformy wschodnioeuropejskiej

* Proterozoik obejmuje: paleoproterozoik, mezoproterozoik i neoproterozoik (wg nowego podziału stratygraficznego obowiązującego od 2004 r., opracowanego przez Międzynarodową Unię Nauk Geologicznych)

Surowce mineralne

Obszary występowania najważniejszych surowców mineralnych

Złoża surowców energetycznych

- węgla kamiennego
- węgla brunatnego
- ropy naftowej i gazu ziemnego
- ○ odwierty poszukiwawcze gazu łupkowego
- ● odwierty z potwierdzonym wystąpieniem gazu łupkowego

Złoża rud metali

- żelaza
- miedzi
- cynku i ołowiu
- niklu
- cyny
- arsenu z domieszką złota

Złoża surowców chemicznych

- siarki
- soli kamiennej i potasowo-magnezowej
- fosforytów
- barytu

Złoża surowców skalnych

- granitów
- kwarcytów
- kredy piszącej
- wapieni, margli, opok i dolomitów
- gipsów
- piaskowców
- kaolinu
- piasków szklarskich
- piasków i żwirów

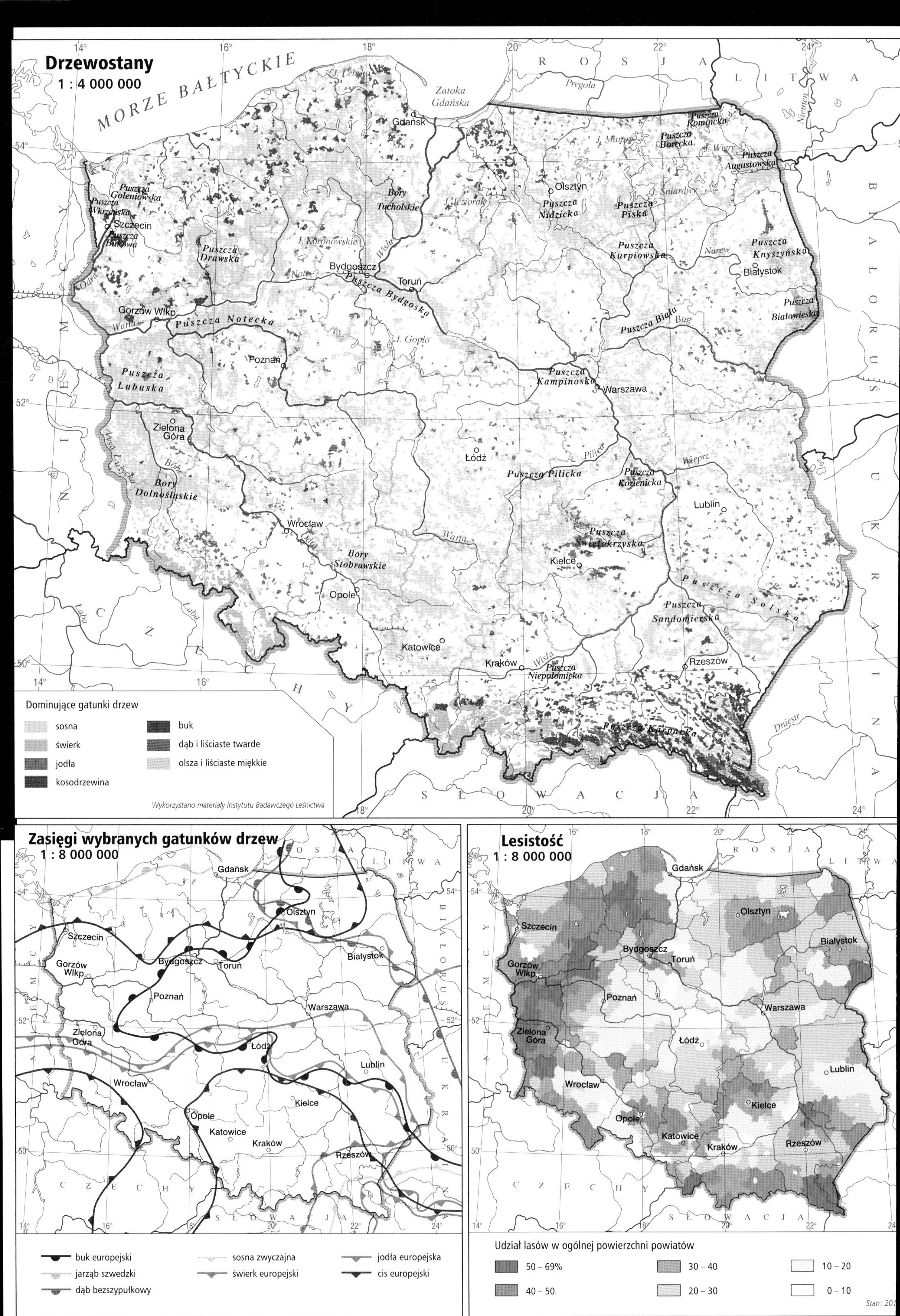

Drzewostany
1 : 4 000 000

MORZE BAŁTYCKIE

Zatoka Gdańska

Gdańsk

Puszcza Goleniowska
Puszcza Wkrzańska
Szczecin
Puszcza Bukowa

Puszcza Drawska

Bory Tucholskie

J. Jeziorak

Olsztyn
Puszcza Nidzicka

Puszcza Piska

Puszcza Romincka
Puszcza Borecka
J. Wigry
Puszcza Augustowska

J. Koronowskie

Bydgoszcz
Toruń
Puszcza Bydgoska

Puszcza Kurpiowska

Narew

Puszcza Knyszyńska

Białystok

Gorzów Wlkp.

Puszcza Notecka

Poznań

J. Gopło

Puszcza Biała
Bug

Puszcza Białowieska

Puszcza Lubuska

Puszcza Kampinoska
Warszawa

Zielona Góra

Łódź
Pilica

Puszcza Pilicka

Puszcza Kozienicka

Wieprz

Lublin

Bory Dolnośląskie

Wrocław
Warta

Bory Stobrawskie

Opole

Puszcza Świętokrzyska

Kielce

Puszcza Solska

Katowice

Puszcza Sandomierska
San

Rzeszów

Kraków
Wisła

Puszcza Niepołomicka

Dniestr

Dominujące gatunki drzew

- sosna
- świerk
- jodła
- kosodrzewina
- buk
- dąb i liściaste twarde
- olsza i liściaste miękkie

Wykorzystano materiały Instytutu Badawczego Leśnictwa

Zasięgi wybranych gatunków drzew
1 : 8 000 000

Gdańsk
Olsztyn
Szczecin
Gorzów Wlkp.
Bydgoszcz
Toruń
Białystok
Poznań
Warszawa
Zielona Góra
Łódź
Wrocław
Lublin
Kielce
Opole
Katowice
Kraków
Rzeszów

- buk europejski
- jarząb szwedzki
- dąb bezszypułkowy
- sosna zwyczajna
- świerk europejski
- jodła europejska
- cis europejski

Lesistość
1 : 8 000 000

Gdańsk
Szczecin
Olsztyn
Bydgoszcz
Toruń
Białystok
Gorzów Wlkp.
Poznań
Warszawa
Zielona Góra
Łódź
Wrocław
Lublin
Kielce
Opole
Katowice
Kraków
Rzeszów

Udział lasów w ogólnej powierzchni powiatów

- 50 – 69%
- 40 – 50
- 30 – 40
- 20 – 30
- 10 – 20
- 0 – 10

Stan: 201

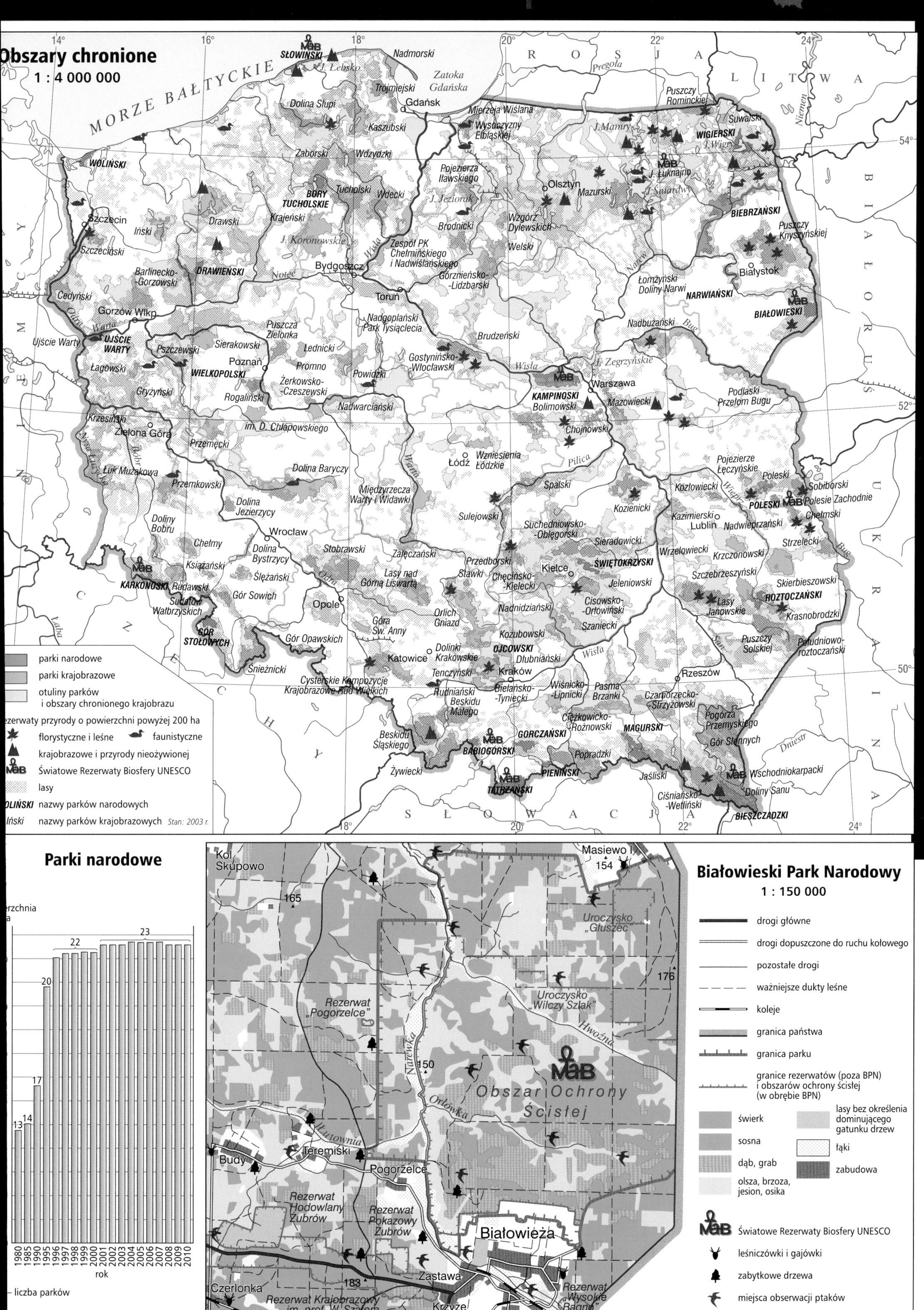
Obszary chronione
1 : 4 000 000
MORZE BAŁTYCKIE
R O S J A
L I T W A
B I A Ł O R U Ś
U K R A I N A
S Ł O W A C J A
parki narodowe
parki krajobrazowe
otuliny parków
i obszary chronionego krajobrazu
rezerwaty przyrody o powierzchni powyżej 200 ha
florystyczne i leśne
faunistyczne
krajobrazowe i przyrody nieożywionej
Światowe Rezerwaty Biosfery UNESCO
lasy
nazwy parków narodowych
nazwy parków krajobrazowych
Stan: 2003 r.
SŁOWIŃSKI
Nadmorski
Trójmiejski
Zatoka Gdańska
Gdańsk
Dolina Słupi
Kaszubski
Mierzeja Wiślana
Wysoczyzny Elbląskiej
Puszczy Rominckiej
Suwalski
WIGIERSKI
WOLIŃSKI
Zaborski
Wdzydzki
Pojezierza Iławskiego
Olsztyn
Mazurski
BORY TUCHOLSKIE
Tucholski
Wdecki
Krajeński
Szczecin
Iński
Drawski
Brodnicki
Wzgórz Dylewskich
Welski
BIEBRZAŃSKI
Puszczy Knyszyńskiej
Szczeciński
DRAWIEŃSKI
Barlinecko-Gorzowski
Zespół PK Chełmińskiego i Nadwiślańskiego
Bydgoszcz
Górznieńsko-Lidzbarski
Białystok
Cedyński
Toruń
Łomżyński Doliny Narwi
NARWIAŃSKI
Gorzów Wlkp.
BIAŁOWIESKI
Ujście Warty
UJŚCIE WARTY
Pszczewski
Sierakowski
Puszcza Zielonka
Nadgoplański Park Tysiąclecia
Brudzeński
Nadbużański
Łagowski
Poznań
WIELKOPOLSKI
Lednicki
Promno
Gostynińsko-Włocławski
Żerkowsko-Czeszewski
Powidzki
KAMPINOSKI
Warszawa
Gryżyński
Rogaliński
Nadwarciański
Bolimowski
Mazowiecki
Podlaski Przełom Bugu
Krzesiński
Zielona Góra
im. D. Chłapowskiego
Chojnowski
Przemęcki
Łódź
Wzniesienia Łódzkie
Łuk Mużakowa
Dolina Baryczy
Pojezierze Łęczyńskie
Poleski
Sobiborski
Przemkowski
Międzyrzecza Warty i Widawki
Spalski
Kozłowiecki
POLESKI
Polesie Zachodnie
Dolina Jezierzycy
Kozienicki
Chełmski
Doliny Bobru
Sulejowski
Suchedniowsko-Oblęgorski
Kazimierski
Lublin
Nadwieprzański
Wrocław
Sieradowicki
Strzelecki
Chełmy
Dolina Bystrzycy
Stobrawski
Załęczański
Przedborski
ŚWIĘTOKRZYSKI
Wrzelowiecki
Krzczonowski
Książański
Ślężański
Lasy nad Górną Liswartą
Stawki
Chęcińsko-Kieleckie
Kielce
Jeleniowski
Szczebrzeszyński
Skierbieszowski
KARKONOSKI
Rudawski
Gór Sowich
Opole
Orlich Gniazd
Nadnidziański
Cisowsko-Orłowiński
Lasy Janowskie
ROZTOCZAŃSKI
Sudetów Wałbrzyskich
Góra Św. Anny
Szaniecki
Krasnobrodzki
GÓR STOŁOWYCH
Gór Opawskich
Kożubowski
Puszczy Solskiej
Południowo-roztoczański
Katowice
Dolinki Krakowskie
OJCOWSKI
Dłubniański
Śnieżnicki
Cysterskie Kompozycje Krajobrazowe Rud Wielkich
Tenczyński
Kraków
Rzeszów
Rudniański
Bielańsko-Tyniecki
Wiśnicko-Lipnicki
Pasma Brzanki
Czarnorzecko-Strzyżowski
Beskidu Małego
Ciężkowicko-Rożnowski
MAGURSKI
Pogórza Przemyskiego
Beskidu Śląskiego
GORCZAŃSKI
Gór Słonnych
BABIOGÓRSKI
Popradzki
Żywiecki
PIENIŃSKI
Jaśliski
Wschodniokarpacki
TATRZAŃSKI
Cisniańsko-Wetliński
Doliny Sanu
BIESZCZADZKI
Parki narodowe
liczba parków
rok
1980
1985
1990
1995
1996
1997
1998
1999
2000
2001
2002
2003
2004
2005
2006
2007
2008
2009
2010
13
14
17
20
22
23
Białowieski Park Narodowy
1 : 150 000
drogi główne
drogi dopuszczone do ruchu kołowego
pozostałe drogi
ważniejsze dukty leśne
koleje
granica państwa
granica parku
granice rezerwatów (poza BPN) i obszarów ochrony ścisłej (w obrębie BPN)
świerk
sosna
dąb, grab
olsza, brzoza, jesion, osika
lasy bez określenia dominującego gatunku drzew
łąki
zabudowa
Światowe Rezerwaty Biosfery UNESCO
leśniczówki i gajówki
zabytkowe drzewa
miejsca obserwacji ptaków
183
punkty wysokościowe
Kol. Skupowo
Masiewo I
154
165
Uroczysko „Głuszec"
176
Uroczysko „Wilczy Szlak"
Rezerwat „Pogorzelce"
Hwoźna
Narewka
150
Obszar Ochrony Ścisłej
Orłówka
Teremiski
Budy
Pogorzelce
Rezerwat Hodowlany Żubrów
Rezerwat Pokazowy Żubrów
Białowieża
183
Zastawa
Czerlonka
Rezerwat Krajobrazowy im. prof. W. Szafera
Krzyże
Podolany
166
Rezerwat „Wysokie Bagno"
Rezerwat „Podolany"
Opr. A. Wędrychowska
W. Ostrowski

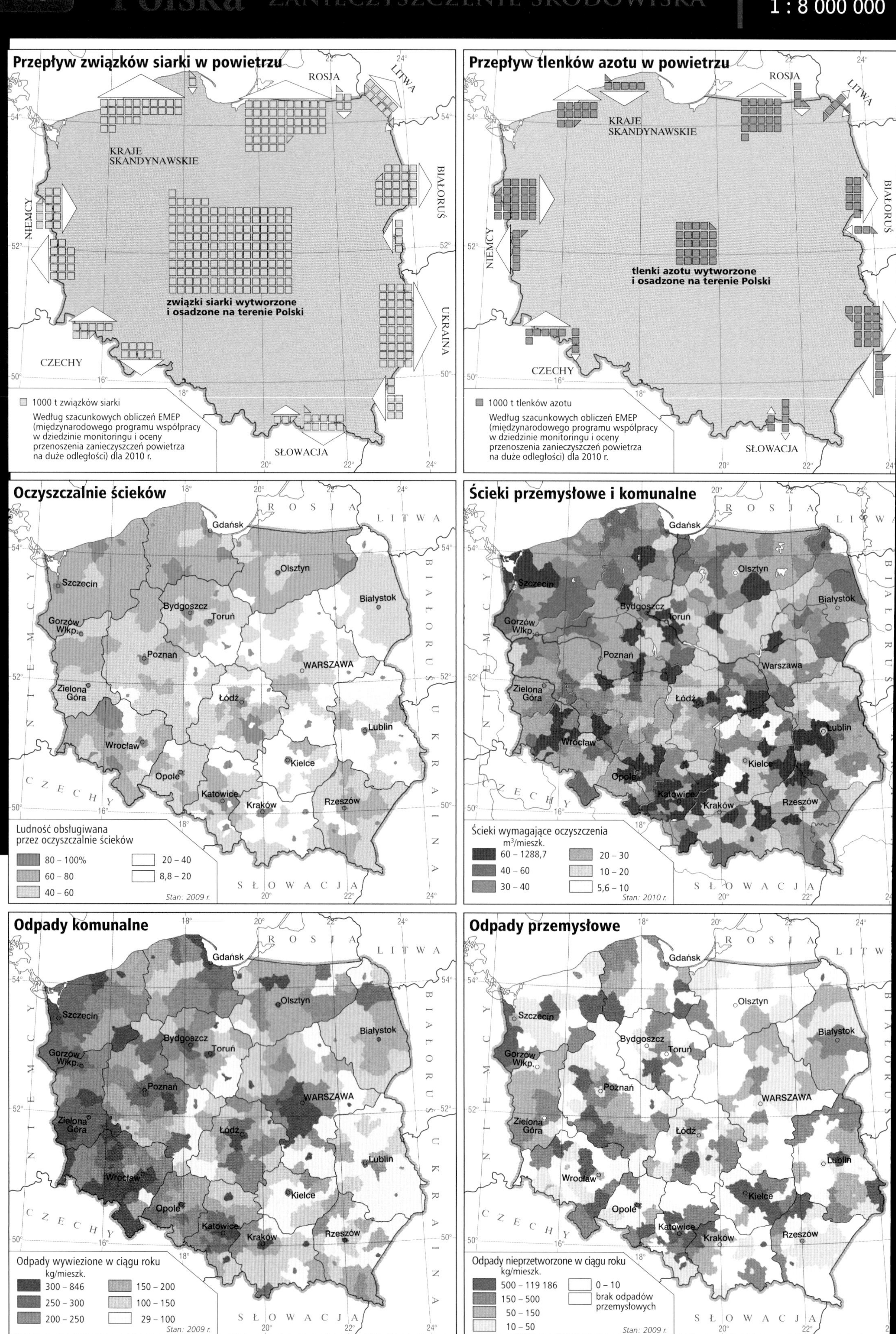

Przepływ związków siarki w powietrzu

związki siarki wytworzone
i osadzone na terenie Polski

☐ 1000 t związków siarki

Według szacunkowych obliczeń EMEP (międzynarodowego programu współpracy w dziedzinie monitoringu i oceny przenoszenia zanieczyszczeń powietrza na duże odległości) dla 2010 r.

Przepływ tlenków azotu w powietrzu

tlenki azotu wytworzone
i osadzone na terenie Polski

☐ 1000 t tlenków azotu

Według szacunkowych obliczeń EMEP (międzynarodowego programu współpracy w dziedzinie monitoringu i oceny przenoszenia zanieczyszczeń powietrza na duże odległości) dla 2010 r.

Oczyszczalnie ścieków

Ludność obsługiwana
przez oczyszczalnie ścieków

- 80 – 100%
- 60 – 80
- 40 – 60
- 20 – 40
- 8,8 – 20

Stan: 2009 r.

Ścieki przemysłowe i komunalne

Ścieki wymagające oczyszczenia
m³/mieszk.

- 60 – 1288,7
- 40 – 60
- 30 – 40
- 20 – 30
- 10 – 20
- 5,6 – 10

Stan: 2010 r.

Odpady komunalne

Odpady wywiezione w ciągu roku
kg/mieszk.

- 300 – 846
- 250 – 300
- 200 – 250
- 150 – 200
- 100 – 150
- 29 – 100

Stan: 2009 r.

Odpady przemysłowe

Odpady nieprzetworzone w ciągu roku
kg/mieszk.

- 500 – 119 186
- 150 – 500
- 50 – 150
- 10 – 50
- 0 – 10
- brak odpadów przemysłowych

Stan: 2009 r.

Zanieczyszczenie środowiska

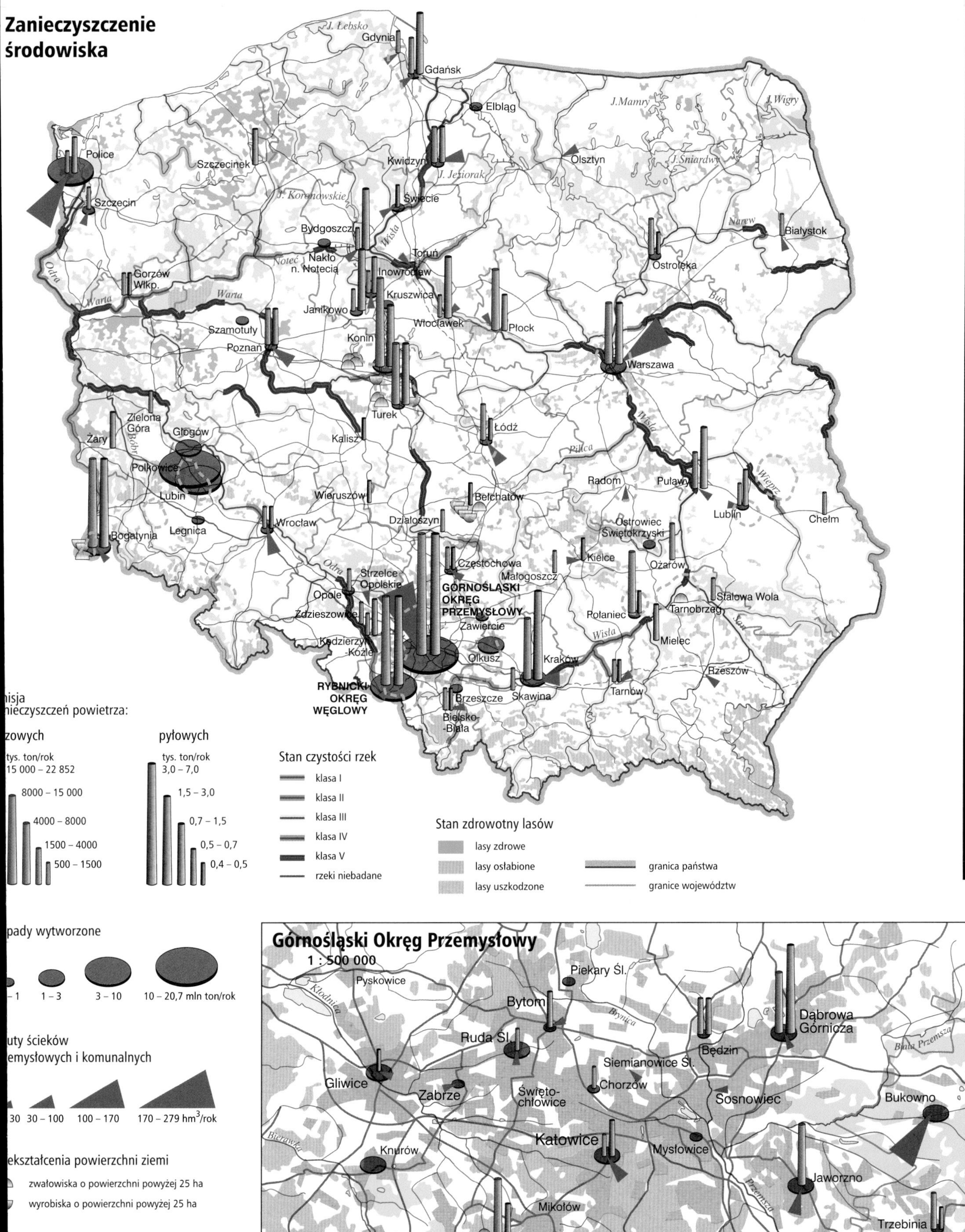

Emisja zanieczyszczeń powietrza:

gazowych
tys. ton/rok
15 000 – 22 852
8000 – 15 000
4000 – 8000
1500 – 4000
500 – 1500

pyłowych
tys. ton/rok
3,0 – 7,0
1,5 – 3,0
0,7 – 1,5
0,5 – 0,7
0,4 – 0,5

Stan czystości rzek
- klasa I
- klasa II
- klasa III
- klasa IV
- klasa V
- rzeki niebadane

Stan zdrowotny lasów
- lasy zdrowe
- lasy osłabione
- lasy uszkodzone

- granica państwa
- granice województw

Odpady wytworzone
– 1 | 1 – 3 | 3 – 10 | 10 – 20,7 mln ton/rok

Zrzuty ścieków przemysłowych i komunalnych
30 | 30 – 100 | 100 – 170 | 170 – 279 hm³/rok

Przekształcenia powierzchni ziemi
- zwałowiska o powierzchni powyżej 25 ha
- wyrobiska o powierzchni powyżej 25 ha

Leje depresyjne w obszarze intensywnej eksploatacji wód podziemnych

obszary zabudowane (na mapie Górnego Śląska)

Stan: 2009 r.

Górnośląski Okręg Przemysłowy

1 : 500 000

Pyskowice, Piekary Śl., Kłodnica, Bytom, Brynica, Dąbrowa Górnicza, Ruda Śl., Będzin, Biała Przemsza, Siemianowice Śl., Gliwice, Zabrze, Świętochłowice, Chorzów, Sosnowiec, Bukowno, Katowice, Mysłowice, Bierawka, Knurów, Jaworzno, Przemsza, Mikołów, Trzebinia, Czerwionka-Leszczyny, Orzesze, Łaziska Grn., Lędziny, Chrzanów, Tychy, Rybnik, Ruda, Libiąż, Bieruń, Żory, Wisła, Soła, Oświęcim

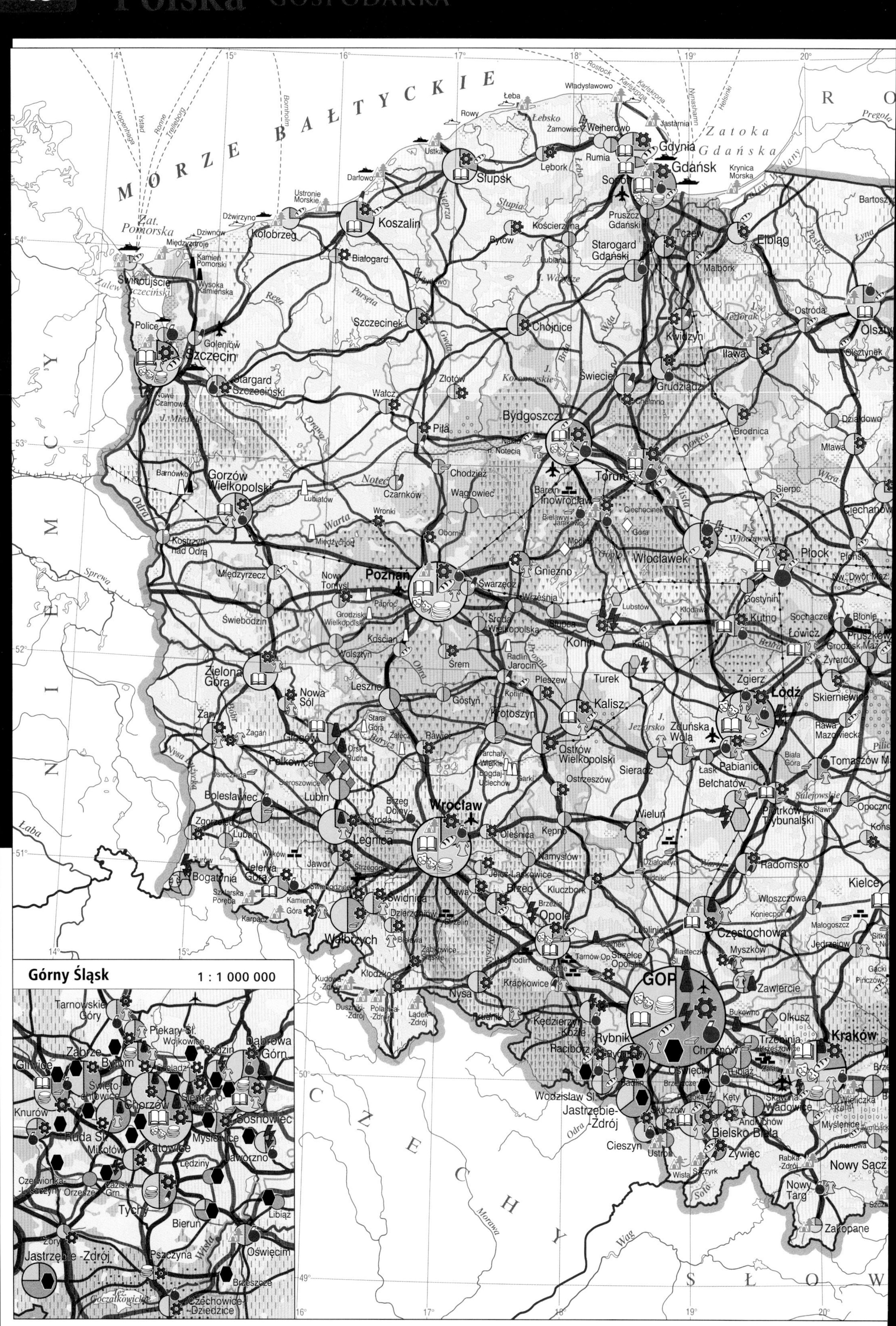
MORZE BAŁTYCKIE
Zatoka Gdańska
Górny Śląsk
1 : 1 000 000
Szczecin
Koszalin
Słupsk
Gdańsk
Gdynia
Elbląg
Bydgoszcz
Toruń
Poznań
Gorzów Wielkopolski
Zielona Góra
Wrocław
Opole
Łódź
Kalisz
Płock
Włocławek
Częstochowa
GOP
Kraków
Bielsko-Biała
Rybnik
Katowice
Kielce
Legnica
Wałbrzych
Jelenia Góra
Konin
Piła
Kołobrzeg
Świnoujście
Olsztyn
Zakopane
Nowy Sącz
Nowy Targ
CZECHY
NIEMCY
SŁOWACJA

1 : 2 500 000

0 25 50 75 100 km

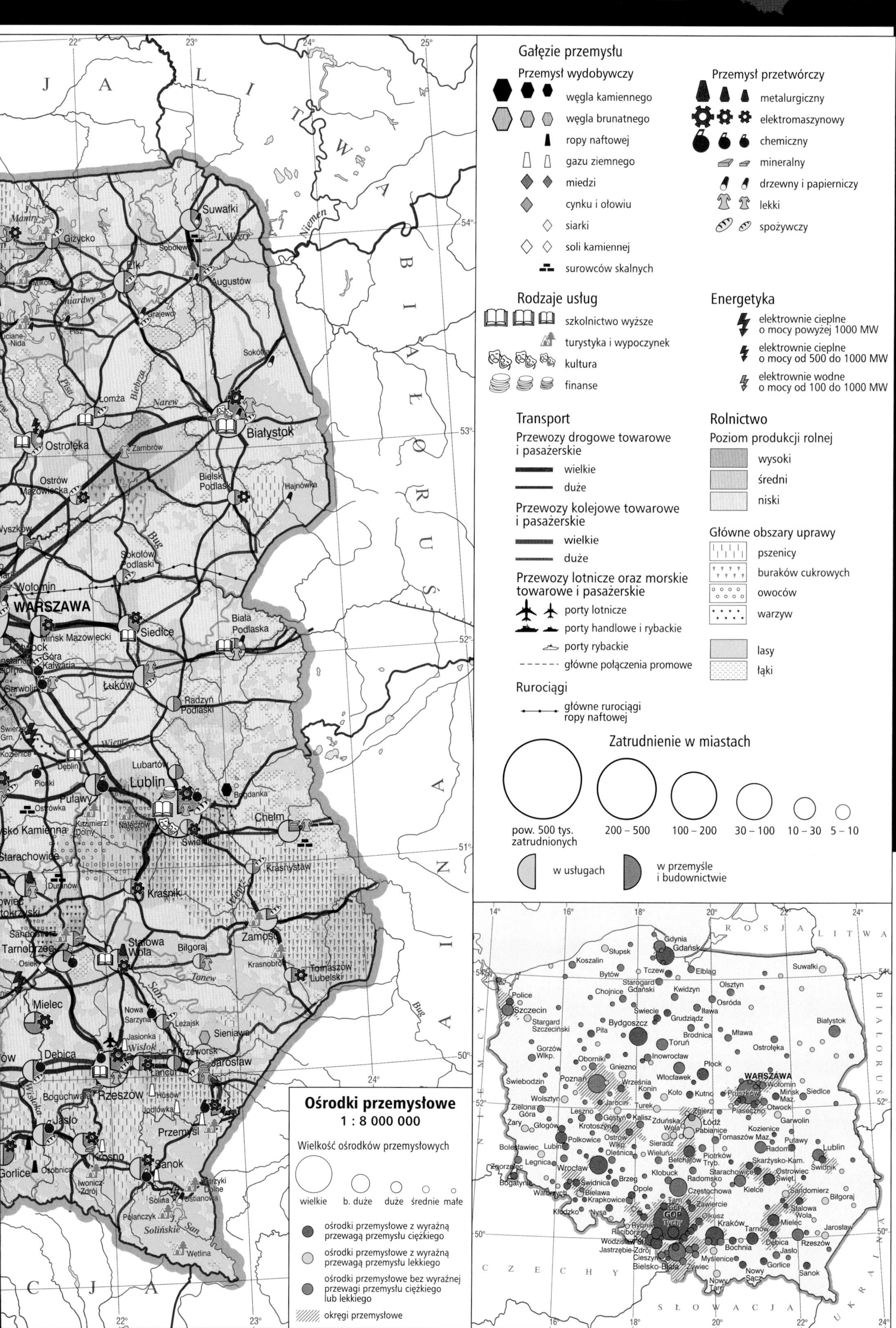

Gałęzie przemysłu
Przemysł wydobywczy
węgla kamiennego
węgla brunatnego
ropy naftowej
gazu ziemnego
miedzi
cynku i ołowiu
siarki
soli kamiennej
surowców skalnych
Przemysł przetwórczy
metalurgiczny
elektromaszynowy
chemiczny
mineralny
drzewny i papierniczy
lekki
spożywczy
Rodzaje usług
szkolnictwo wyższe
turystyka i wypoczynek
kultura
finanse
Energetyka
elektrownie cieplne o mocy powyżej 1000 MW
elektrownie cieplne o mocy od 500 do 1000 MW
elektrownie wodne o mocy od 100 do 1000 MW
Transport
Przewozy drogowe towarowe i pasażerskie
wielkie
duże
Przewozy kolejowe towarowe i pasażerskie
wielkie
duże
Przewozy lotnicze oraz morskie towarowe i pasażerskie
porty lotnicze
porty handlowe i rybackie
porty rybackie
główne połączenia promowe
Rurociągi
główne rurociągi ropy naftowej
Rolnictwo
Poziom produkcji rolnej
wysoki
średni
niski
Główne obszary uprawy
pszenicy
buraków cukrowych
owoców
warzyw
lasy
łąki
Zatrudnienie w miastach
pow. 500 tys. zatrudnionych
200 – 500
100 – 200
30 – 100
10 – 30
5 – 10
w usługach
w przemyśle i budownictwie
Ośrodki przemysłowe
1 : 8 000 000
Wielkość ośrodków przemysłowych
wielkie
b. duże
duże
średnie
małe
ośrodki przemysłowe z wyraźną przewagą przemysłu ciężkiego
ośrodki przemysłowe z wyraźną przewagą przemysłu lekkiego
ośrodki przemysłowe bez wyraźnej przewagi przemysłu ciężkiego lub lekkiego
okręgi przemysłowe
LITWA
BIAŁORUŚ
UKRAINA
WARSZAWA
Białystok
Lublin
Rzeszów
Suwałki
Ełk
Augustów
Łomża
Ostrołęka
Siedlce
Biała Podlaska
Chełm
Zamość
Przemyśl
Krosno
Sanok
Mielec
Dębica
Jarosław
Stalowa Wola
Tarnobrzeg
Puławy
Tomaszów Lubelski
GOP
Kraków
Łódź
Gdańsk
Gdynia
Szczecin
Poznań
Wrocław
Bydgoszcz
Toruń
Katowice
Częstochowa
Kielce
Radom
Opole
Bielsko-Biała
Tarnów

Transport kolejowy

Natężenie ruchu kolejowego
– liczba pociągów pasażerskich na dobę

- powyżej 80
- 50 – 80
- 20 – 50
- 10 – 20
- poniżej 10

Gęstość linii kolejowych

- 8,5 – 18,0 km/100 km²
- 6,5 – 8,5
- 5,0 – 6,5
- 3,0 – 5,0

○ Braniewo kolejowe przejścia graniczne ruchu osobowego

Stan: 2010 r.

Drogi wodne

rzeki i kanały żeglowne

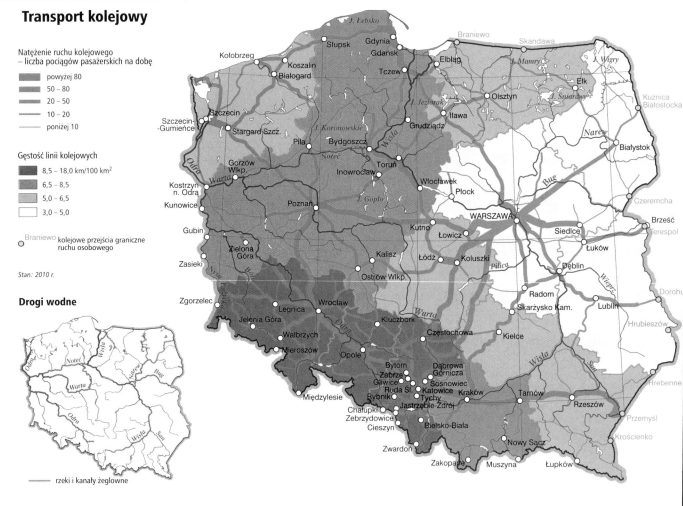

Transport drogowy

Długość szlaków transportowych

tys. km

(wykres: drogi, koleje; lata 1960–2010; oś 0–300)

Przewozy ładunków

mln ton

(wykres: drogi, koleje; lata 1960–2010; oś 0–2500)

Przewozy pasażerów

mln osób

(wykres: drogi *, koleje; lata 1960–2010; oś 0–2500)

* bez prywatnych samochodów osobowych

Natężenie ruchu drogowego
– liczba samochodów na dobę

- powyżej 15 000
- 9000 – 15 000
- 4000 – 9000
- poniżej 4000

Gęstość dróg publicznych o twardej nawierzchni

- 130,0 – 172,4 km/100 km²
- 100,0 – 130,0
- 70,0 – 100,0
- 52,3 – 70,0

○ drogowe przejścia graniczne

Stan: 2010 r.

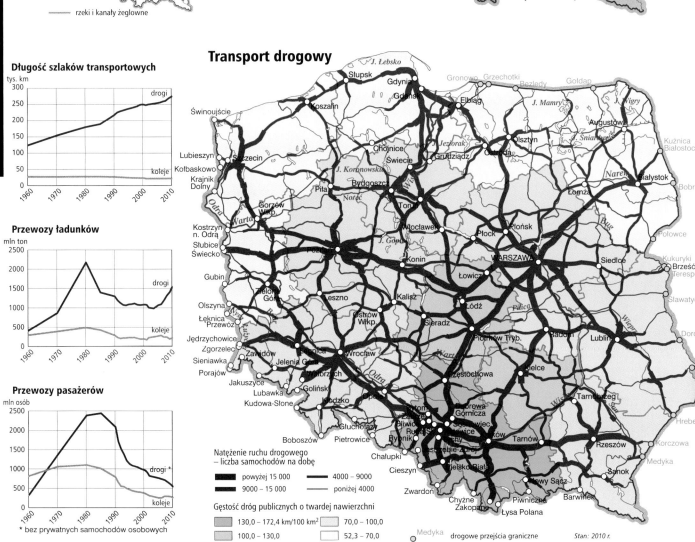

Krajowe połączenia lotnicze   1 : 12 000 000

⊕ porty lotnicze
— stałe połączenia lotnicze

stan: 2013 r.

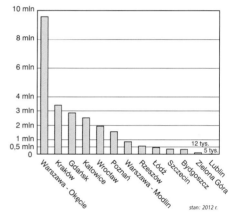

Liczba obsłużonych pasażerów w poszczególnych portach lotniczych

stan: 2012 r.

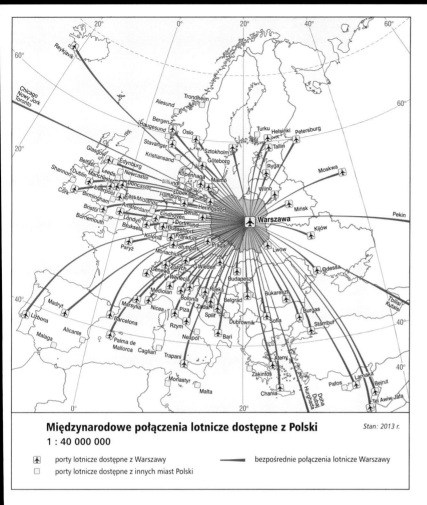

Międzynarodowe połączenia lotnicze dostępne z Polski
1 : 40 000 000

Stan: 2013 r.

⊕ porty lotnicze dostępne z Warszawy
☐ porty lotnicze dostępne z innych miast Polski
— bezpośrednie połączenia lotnicze Warszawy

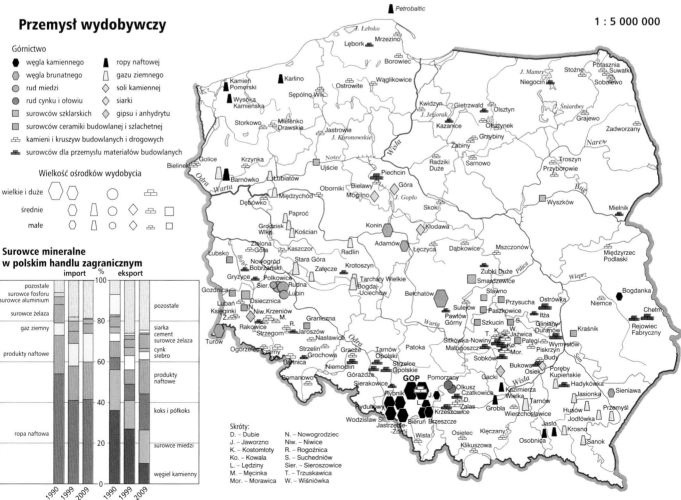

Przemysł wydobywczy   1 : 5 000 000

Górnictwo

- ⬡ węgla kamiennego
- ⬡ węgla brunatnego
- ● rud miedzi
- ● rud cynku i ołowiu
- ◼ surowców szklarskich
- ◼ surowców ceramiki budowlanej i szlachetnej
- ⌂ kamieni i kruszyw budowlanych i drogowych
- ⌂ surowców dla przemysłu materiałów budowlanych
- ▲ ropy naftowej
- ⌂ gazu ziemnego
- ◇ soli kamiennej
- ◇ siarki
- ◇ gipsu i anhydrytu

Wielkość ośrodków wydobycia

- wielkie i duże
- średnie
- małe

Surowce mineralne w polskim handlu zagranicznym

import %   eksport

import: pozostałe, surowce fosforu, surowce aluminium, surowce żelaza, gaz ziemny, produkty naftowe, ropa naftowa

eksport: pozostałe, siarka, cement, surowce żelaza, cynk, srebro, produkty naftowe, koks i półkoks, surowce miedzi, węgiel kamienny

1990 1999 2009   1990 1999 2009

Skróty:
D. – Dubie
J. – Jaworzno
K. – Kostomłoty
Ko. – Kowala
L. – Lędziny
M. – Męcinka
Mor. – Morawica
N. – Nowogrodziec
Niw. – Niwice
R. – Rogoźnica
S. – Suchedniów
Sier. – Sieroszowice
T. – Trzuskawica
W. – Wiśniówka

Elektrownie, rafinerie

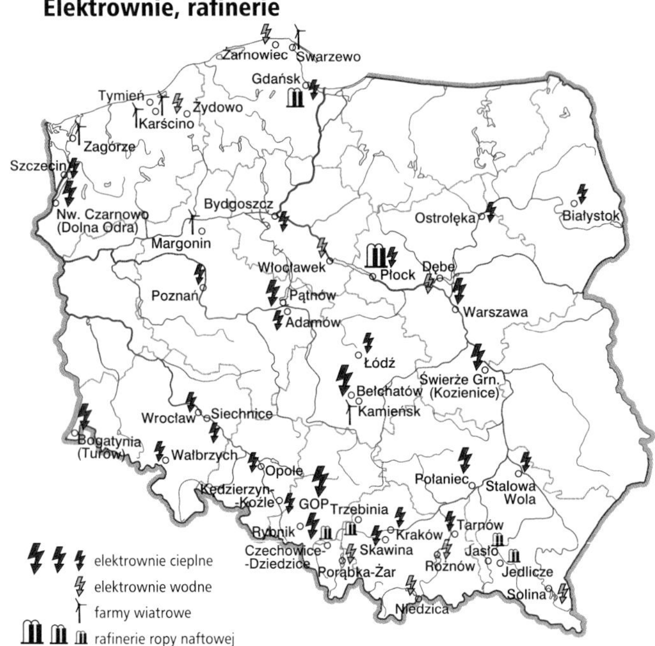

elektrownie cieplne
elektrownie wodne
farmy wiatrowe
rafinerie ropy naftowej

Huty metali

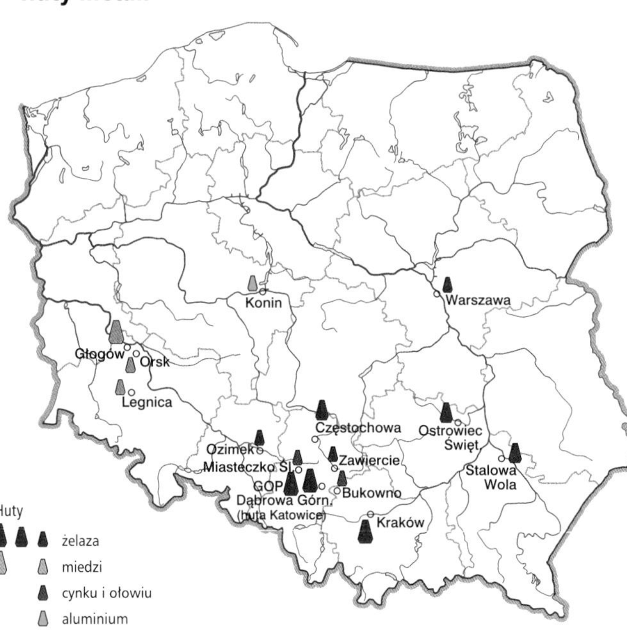

Huty
żelaza
miedzi
cynku i ołowiu
aluminium

Wytwórnie środków transportu

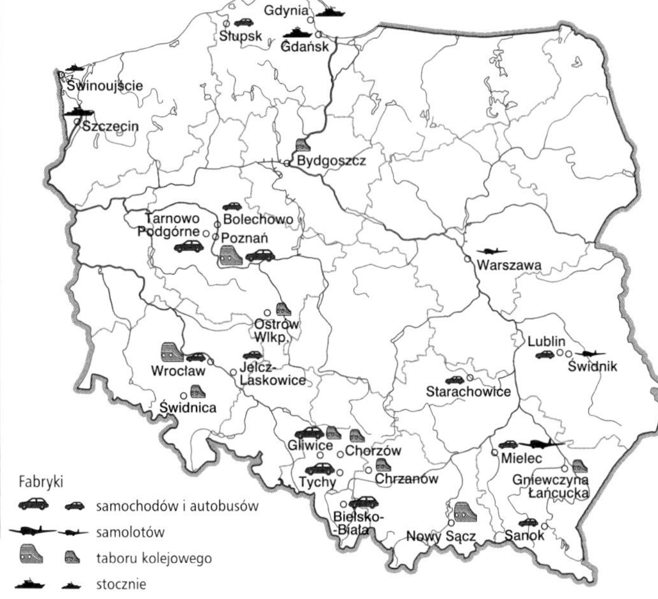

Fabryki
samochodów i autobusów
samolotów
taboru kolejowego
stocznie

Fabryki maszyn, urządzeń i wyrobów precyzyjnych

Fabryki
maszyn
sprzętu gospodarstwa domowego
telewizorów
komputerów

Zakłady chemiczne I

Zakłady
nawozów sztucznych
wyrobów gumowych
tworzyw sztucznych
włókien sztucznych

Zakłady chemiczne II

Zakłady
chemii nieorganicznej
chemii organicznej
wyrobów kosmetycznych i środków piorących
farmaceutyczne

Cementownie, huty szkła i zakłady ceramiczne

cementownie
huty szkła
zakłady ceramiczne

Fabryki mebli, celulozy i papieru

Fabryki
mebli
celulozy i papieru

Zakłady włókiennicze i odzieżowe

Fabryki tkanin
bawełnianych
wełnianych
jedwabnych
fabryki odzieży

Zakłady mięsne, rybne i przetwórstwa mlecznego

Zakłady
mięsne
rybne
przetwórstwa mlecznego

Skróty:
Siem. - Siemiatycze

Cukrownie i zakłady wyrobów cukierniczych

cukrownie
zakłady cukiernicze

Browary, fabryki papierosów

browary (o mocach produkcyjnych pow. 50 tys. hl)
fabryki papierosów

Rolnicza przydatność gleb
1 : 5 000 000

- przewaga gleb kompleksów pszennych bardzo dobrego i dobrego
- przewaga gleb kompleksów żytnich bardzo dobrego i dobrego
- przewaga gleb kompleksów żytnich dobrego i słabego
- przewaga gleb kompleksów żytnich słabego i bardzo słabego
- przewaga gleb kompleksu zbożowego górskiego
- przewaga gleb kompleksu owsiano--ziemniaczanego i owsiano-pastewnego (górskich)
- przewaga użytków zielonych
- obszary leśne (z niewielkim udziałem użytków rolnych)

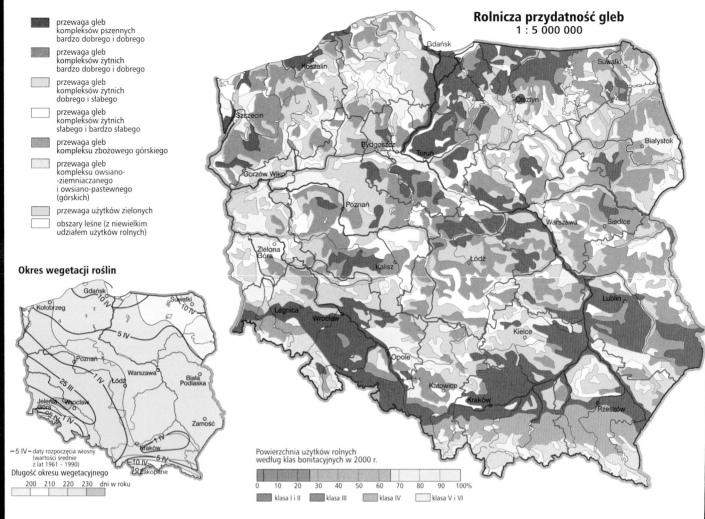

Okres wegetacji roślin

− 5 IV − daty rozpoczęcia wiosny (wartości średnie z lat 1961 – 1990)

Długość okresu wegetacyjnego

200 210 220 230 dni w roku

Powierzchnia użytków rolnych według klas bonitacyjnych w 2000 r.

0 10 20 30 40 50 60 70 80 90 100%

klasa I i II   klasa III   klasa IV   klasa V i VI

Plony (przeciętne roczne w kwintalach z jednego hektara) w latach 1947−2009

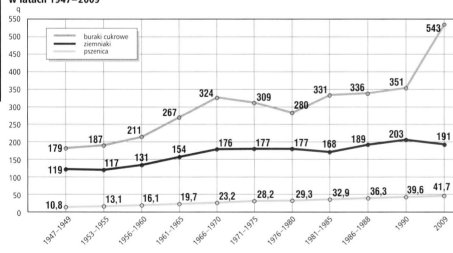

buraki cukrowe
ziemniaki
pszenica

Inwestycje w rolnictwie i PKB tworzony przez rolnictwo w latach 1946−2009 (udział % w cenach stałych)

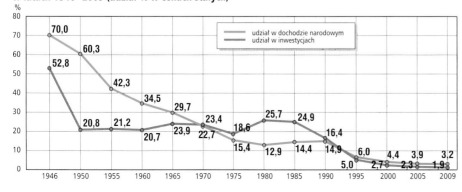

udział w dochodzie narodowym
udział w inwestycjach

Zatrudnienie w rolnictwie

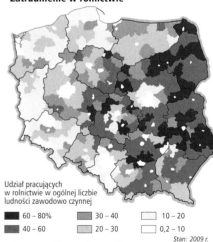

Udział pracujących w rolnictwie w ogólnej liczbie ludności zawodowo czynnej

- 60 – 80%
- 40 – 60
- 30 – 40
- 20 – 30
- 10 – 20
- 0,2 – 10

Stan: 2009 r.

Nawozy sztuczne i wapniowe

Zużycie nawozów sztucznych i wapniowych na 1 ha użytków rolnych

- 200 – 286 kg
- 150 – 200
- 125 – 150
- 100 – 125
- 69 – 100

Zużycie nawozów sztucznych i wapniow

10 000 t

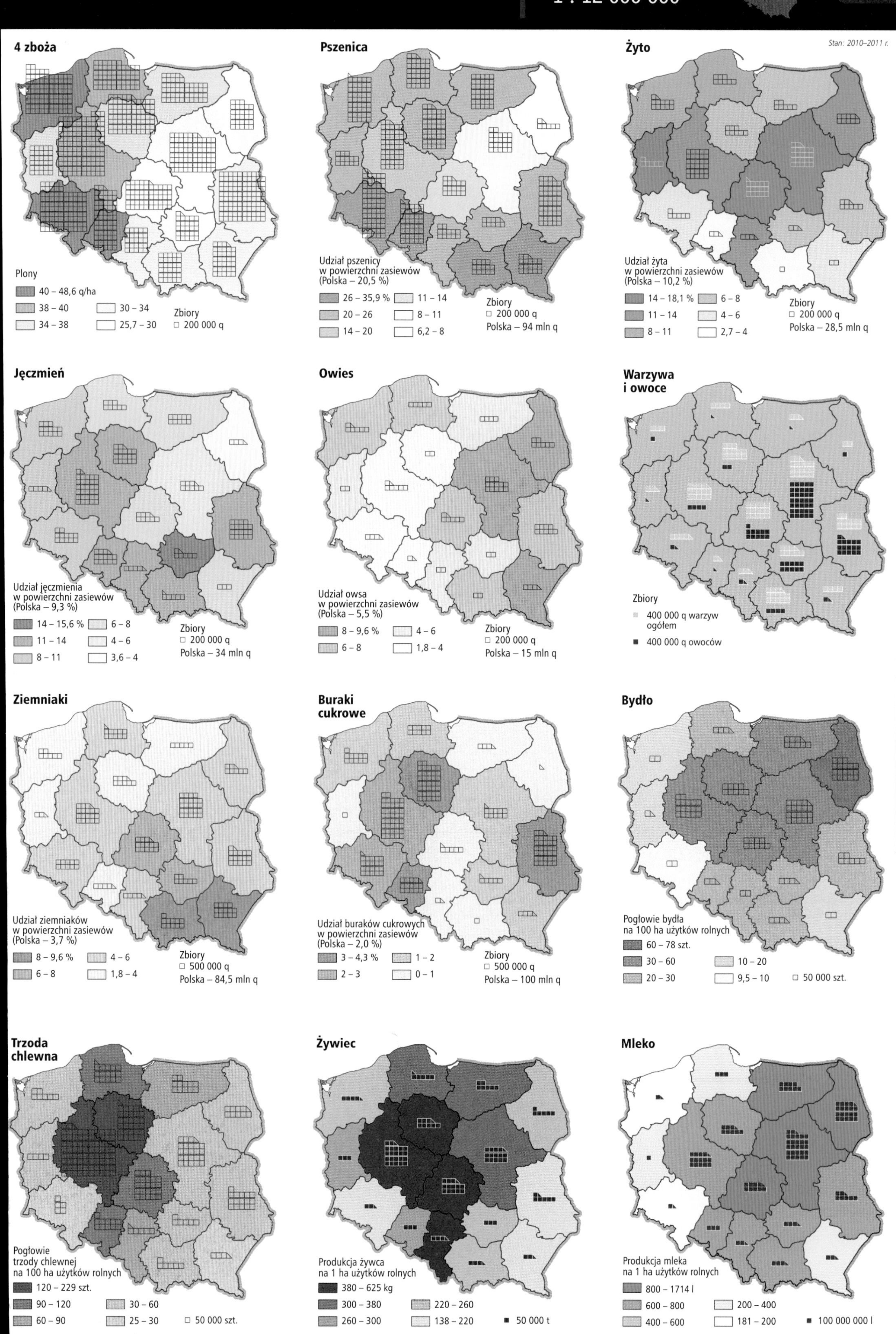

4 zboża

Stan: 2010–2011 r.

Plony
- 40 – 48,6 q/ha
- 38 – 40
- 34 – 38
- 30 – 34
- 25,7 – 30

Zbiory
□ 200 000 q

Pszenica

Udział pszenicy
w powierzchni zasiewów
(Polska – 20,5 %)
- 26 – 35,9 %
- 20 – 26
- 14 – 20
- 11 – 14
- 8 – 11
- 6,2 – 8

Zbiory
□ 200 000 q
Polska – 94 mln q

Żyto

Udział żyta
w powierzchni zasiewów
(Polska – 10,2 %)
- 14 – 18,1 %
- 11 – 14
- 8 – 11
- 6 – 8
- 4 – 6
- 2,7 – 4

Zbiory
□ 200 000 q
Polska – 28,5 mln q

Jęczmień

Udział jęczmienia
w powierzchni zasiewów
(Polska – 9,3 %)
- 14 – 15,6 %
- 11 – 14
- 8 – 11
- 6 – 8
- 4 – 6
- 3,6 – 4

Zbiory
□ 200 000 q
Polska – 34 mln q

Owies

Udział owsa
w powierzchni zasiewów
(Polska – 5,5 %)
- 8 – 9,6 %
- 6 – 8
- 4 – 6
- 1,8 – 4

Zbiory
□ 200 000 q
Polska – 15 mln q

Warzywa i owoce

Zbiory
▪ 400 000 q warzyw
　ogółem
■ 400 000 q owoców

Ziemniaki

Udział ziemniaków
w powierzchni zasiewów
(Polska – 3,7 %)
- 8 – 9,6 %
- 6 – 8
- 4 – 6
- 1,8 – 4

Zbiory
□ 500 000 q
Polska – 84,5 mln q

Buraki cukrowe

Udział buraków cukrowych
w powierzchni zasiewów
(Polska – 2,0 %)
- 3 – 4,3 %
- 2 – 3
- 1 – 2
- 0 – 1

Zbiory
□ 500 000 q
Polska – 100 mln q

Bydło

Pogłowie bydła
na 100 ha użytków rolnych
- 60 – 78 szt.
- 30 – 60
- 20 – 30
- 10 – 20
- 9,5 – 10

□ 50 000 szt.

Trzoda chlewna

Pogłowie
trzody chlewnej
na 100 ha użytków rolnych
- 120 – 229 szt.
- 90 – 120
- 60 – 90
- 30 – 60
- 25 – 30

□ 50 000 szt.

Żywiec

Produkcja żywca
na 1 ha użytków rolnych
- 380 – 625 kg
- 300 – 380
- 260 – 300
- 220 – 260
- 138 – 220

■ 50 000 t

Mleko

Produkcja mleka
na 1 ha użytków rolnych
- 800 – 1714 l
- 600 – 800
- 400 – 600
- 200 – 400
- 181 – 200

■ 100 000 000 l

Największe firmy
wg przychodów ze sprzedaży

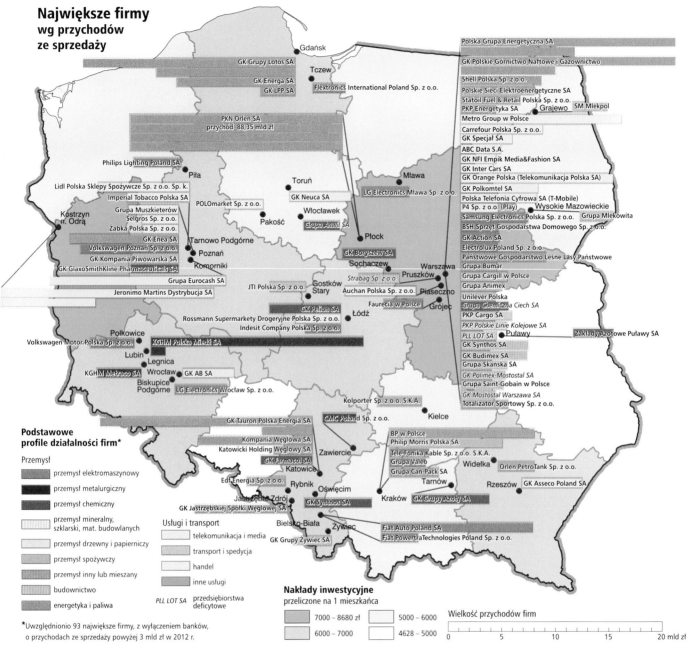

Gdańsk
GK Grupy Lotos SA
Tczew
GK Energa SA
GK LPP SA
Flextronics International Poland Sp. z o.o.
PKN Orlen SA
przychód 88,35 mld zł

Philips Lighting Poland SA
Piła
Toruń
Mława
Lidl Polska Sklepy Spożywcze Sp. z o.o. Sp. k.
Imperial Tobacco Polska SA
POLOmarket Sp. z o.o.
GK Neuca SA
LG Electronics Mława Sp. z o.o.
Grupa Muszkieterów
Selgros Sp. z o.o.
Żabka Polska Sp. z o.o.
Włocławek
Kostrzyn n. Odrą
Pakość
Grupa Anwil SA
GK Enea SA
Tarnowo Podgórne
Volkswagen Poznań Sp. z o.o.
Płock
GK Kompania Piwowarska SA
Poznań
GK Boryszew SA
GK GlaxoSmithKline Pharmaceuticals SA
Komorniki
Sochaczew
Warszawa
Strabag Sp. z o.o.
Pruszków
Grupa Eurocash SA
Gostków Stary
JTI Polska Sp. z o.o.
Auchan Polska Sp. z o.o.
Piaseczno
Jeronimo Martins Dystrybucja SA
Faurecia w Polsce
Grójec
GK Pelion SA
Łódź
Rossmann Supermarkety Drogeryjne Polska Sp. z o.o.
Indesit Company Polska Sp. z o.o.
Polkowice
Volkswagen Motor Polska Sp. z o.o.
KGHM Polska Miedź SA
Lubin
Legnica
KGHM Metraco SA
Wrocław
GK AB SA
Biskupice Podgórne
LG Electronics Wrocław Sp. z o.o.
Kolporter Sp. z o.o. S.K.A.
Kielce
GK Tauron Polska Energia SA
CMC Poland Sp. z o.o.
Kompania Węglowa SA
Katowicki Holding Węglowy SA
Zawiercie
BP w Polsce
Philip Morris Polska SA
GK Farmacol SA
Katowice
Tele-Fonika Kable Sp. z o.o. S.K.A.
Grupa Valeo
Widełka
Orlen PetroTank Sp. z o.o.
Edf Energia Sp. z o.o.
Rybnik
Grupa Can-Pack SA
Tarnów
Rzeszów
GK Asseco Poland SA
Oświęcim
Jastrzębie-Zdrój
GK Synthos SA
Kraków
GK Grupy Azoty SA
GK Jastrzębskiej Spółki Węglowej SA
Bielsko-Biała
Żywiec
Fiat Auto Poland SA
GK Grupy Żywiec SA
Fiat PowertraTechnologies Poland Sp. z o.o.

Polska Grupa Energetyczna SA
GK Polskie Górnictwo Naftowe i Gazownictwo
Shell Polska Sp. z o.o.
Polskie Sieci Elektroenergetyczne SA
Statoil Fuel & Retail Polska Sp. z o.o.
PKP Energetyka SA
Grajewo
SM Mlekpol
Metro Group w Polsce
Carrefour Polska Sp. z o.o.
GK Specjał SA
ABC Data S.A.
GK NFI Empik Media&Fashion SA
GK Inter Cars SA
GK Orange Polska (Telekomunikacja Polska SA)
GK Polkomtel SA
Polska Telefonia Cyfrowa SA (T-Mobile)
P4 Sp. z o.o. (Play)
Wysokie Mazowieckie
Samsung Electronics Polska Sp. z o.o.
Grupa Mlekowita
BSH Sprzęt Gospodarstwa Domowego Sp. z o.o.
GK Action SA
Electrolux Poland Sp. z o.o.
Państwowe Gospodarstwo Leśne Lasy Państwowe
Grupa Bumar
Grupa Cargill w Polsce
Grupa Animex
Unilever Polska
Grupa Chemiczna Ciech SA
PKP Cargo SA
PKP Polskie Linie Kolejowe SA
PLL LOT SA
Puławy
Zakłady Azotowe Puławy SA
GK Synthos SA
GK Budimex SA
Grupa Skanska SA
GK Polimex-Mostostal SA
Grupa Saint-Gobain w Polsce
GK Mostostal Warszawa SA
Totalizator Sportowy Sp. z o.o.

Podstawowe profile działalności firm*

Przemysł

	przemysł elektromaszynowy
	przemysł metalurgiczny
	przemysł chemiczny
	przemysł mineralny, szklarski, mat. budowlanych
	przemysł drzewny i papierniczy
	przemysł spożywczy
	przemysł inny lub mieszany
	budownictwo
	energetyka i paliwa

Usługi i transport

	telekomunikacja i media
	transport i spedycja
	handel
	inne usługi
PLL LOT SA	przedsiębiorstwa deficytowe

*Uwzględnionio 93 największe firmy, z wyłączeniem banków, o przychodach ze sprzedaży powyżej 3 mld zł w 2012 r.

Nakłady inwestycyjne
przeliczone na 1 mieszkańca

7000 – 8680 zł	5000 – 6000
6000 – 7000	4628 – 5000

Wielkość przychodów firm

0   5   10   15   20 mld zł

Największe spółki giełdowe
1 : 8 000 000

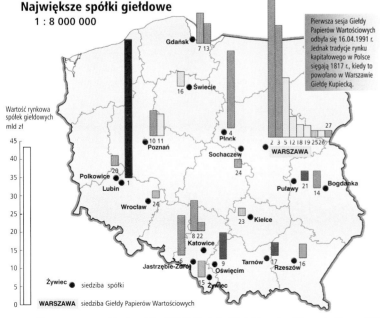

Pierwsza sesja Giełdy Papierów Wartościowych odbyła się 16.04.1991 r. Jednak tradycje rynku kapitałowego w Polsce sięgają 1817 r., kiedy to powołano w Warszawie Giełdę Kupiecką.

Gdańsk 7 13
Świecie 16
Płock 4
Poznań 10 11
Sochaczew
Polkowice 20
Lubin 1
Wrocław 24
Puławy 21
Bogdanka 14
WARSZAWA 2 3 5 12 18 19 25 26 27
Kielce 23
Katowice 8 22
Jastrzębie-Zdrój 6
Oświęcim 9
Tarnów 17
Rzeszów 16
Żywiec 15

Wartość rynkowa spółek giełdowych mld zł

45
40
35
30
25
20
15
10
5
0

Żywiec ● siedziba spółki
WARSZAWA siedziba Giełdy Papierów Wartościowych

Spółki giełdowe o największej wartości rynkowej w mld zł na koniec 2012 r.*	
1. KGHM	38,0
2. PGE	34,0
3. PGNIG	30,7
4. PKN Orlen	21,2
5. TPSA	16,3
6. JSW	10,8
7. LPP	8,3
8. TAURONPE	8,3
9. Synthos	7,2
10. ENEA	6,9
11. Eurocash	6,0
12. Cyfrowy Polsat	5,7
13. LOTOS	5,4
14. Bogdanka	4,6
15. Żywiec	4,4
16. ASSECO POL	3,8
17. Azoty Tarnów	3,5
18. TVN	3,4
19. GTC	3,2
20. CCC	2,8
21. Puławy	2,6
22. Famur	2,3
23. ECHO	2,1
24. Amrest	2,0
25. Budimex	1,8
26. NFI EMF	1,8
27. Orbis	1,8

Liczby w zestawieniu i pod słupkami na mapie odpowiadają miejscu spółki giełdowej w rankingu według ich wartości rynkowej

* z wyłączeniem banków

Banki

Największe polskie banki wg aktywów w mld zł w 2012 r.	
Nazwa banku	Aktywa
1. Bank PKO BP	193,5
2. Bank Pekao SA	150,9
3. BRE Bank	102,2
4. ING Bank Śląski	78,3
5. Bank Zachodni WBK	60,0
6. Getin Noble Bank SA	58,8
7. Raiffeisen Bank Polska SA	54,7
8. Bank Millenium SA	52,7
9. Bank Gospodarstwa Krajowego	48,7
10. Bank Handlowy w Warszawie	43,5
11. Kredyt Bank SA	40,8
12. BGŻ SA	37,2
13. Bank BPH SA	34,4
14. Nordea Bank Polska	33,3
15. Deutsche Bank PBC	27,5
16. Credit Agricole Bank Polska SA	21,7
17. Alior Bank SA	21,4
18. BNP Paribas Bank Polska SA	20,8
18. Bank Ochrony Środowiska SA	16,8

Kapitał bankowy

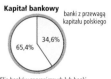

banki z przewagą kapitału polskiego

34,6%
65,4%

filie banków zagranicznych lub banki z większościowym udziałem kapitału zagranicznego

Opracowano na podstawie publikacji Giełdy Papierów Wartościowych w Warszawie. Stan na 2012 rok.

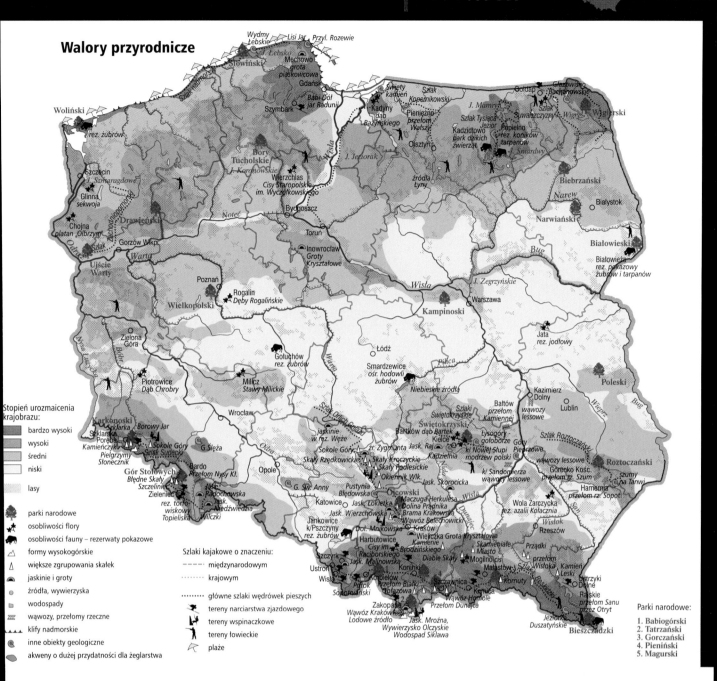

Walory przyrodnicze

Stopień urozmaicenia krajobrazu:

- bardzo wysoki
- wysoki
- średni
- niski
- lasy

- 🌳 parki narodowe
- ✴ osobliwości flory
- 🐃 osobliwości fauny – rezerwaty pokazowe
- △ formy wysokogórskie
- △ większe zgrupowania skałek
- ⌂ jaskinie i groty
- ⊚ źródła, wywierzyska
- ▭ wodospady
- ⌇ wąwozy, przełomy rzeczne
- ⌇⌇ klify nadmorskie
- @ inne obiekty geologiczne
- ⬭ akweny o dużej przydatności dla żeglarstwa

Szlaki kajakowe o znaczeniu:

- – – – – międzynarodowym
- ········· krajowym
- ·········· główne szlaki wędrówek pieszych
- tereny narciarstwa zjazdowego
- tereny wspinaczkowe
- tereny łowieckie
- plaże

Parki narodowe:
1. Babiogórski
2. Tatrzański
3. Gorczański
4. Pieniński
5. Magurski

1 : 8 000 000

⊚ Obiekty z listy Światowego Dziedzictwa Kulturalnego i Przyrodniczego UNESCO

1. Kalwaria Zebrzydowska
2. Wieliczka
3. Bochnia
4. Lipnica Murowana
5. Binarowa
6. Sękowa
7. Owczary
8. Brunary Wyżne
9. Kwiatoń
10. Powroźnik
11. Haczów
12. Blizne

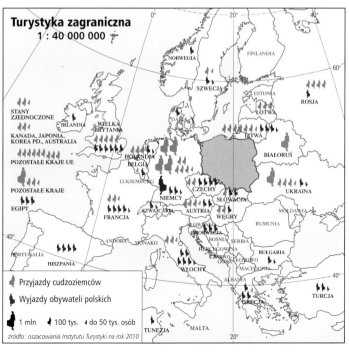

Turystyka zagraniczna
1 : 40 000 000

- Przyjazdy cudzoziemców
- Wyjazdy obywateli polskich

1 mln   100 tys.   do 50 tys. osób

źródło: oszacowania Instytutu Turystyki na rok 2010

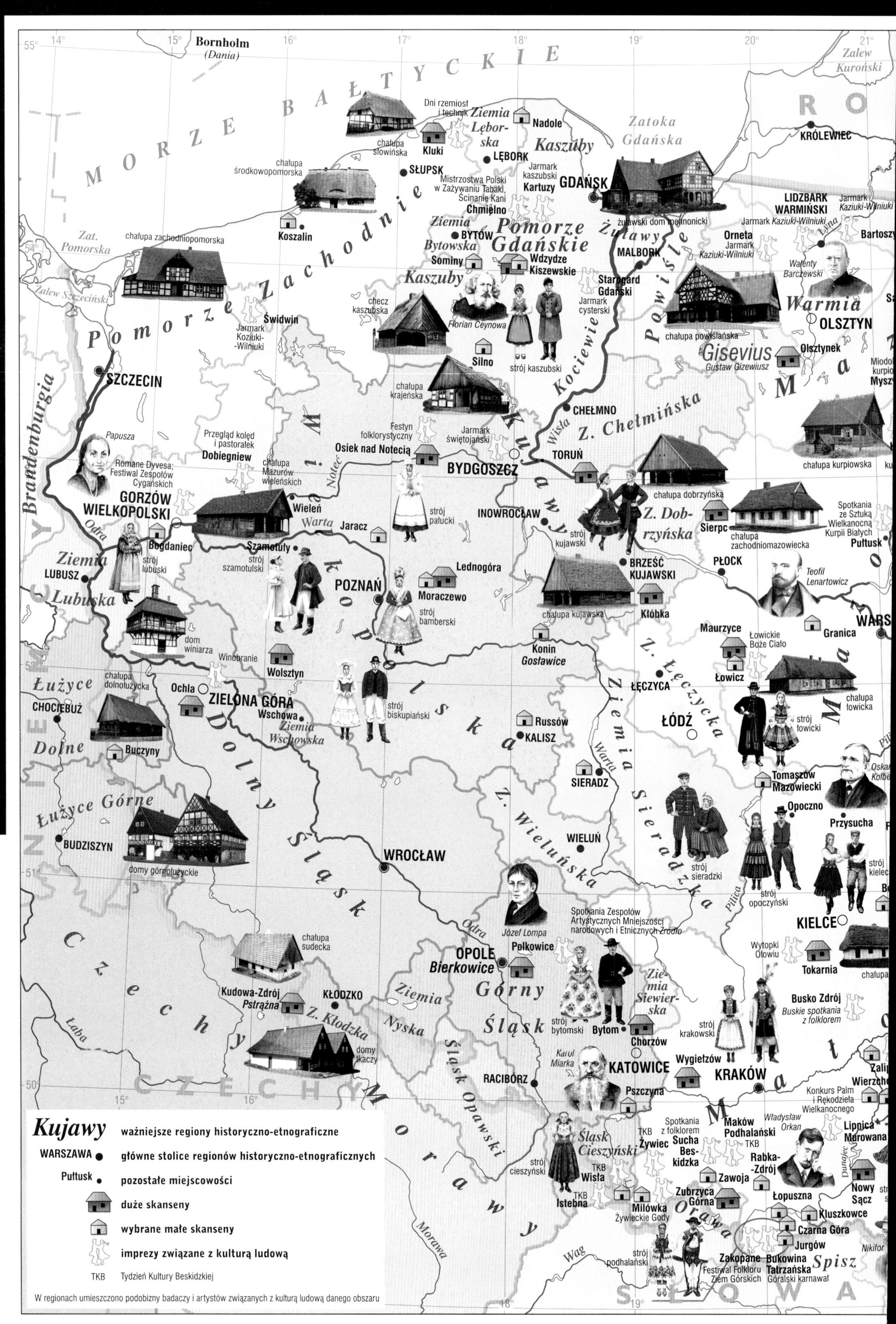

Bornholm
(Dania)

MORZE BAŁTYCKIE

Dni rzemiosł i technik
chałupa słowińska
Kluki
Ziemia Lębor-ska
Nadole
LĘBORK
Kaszuby
Zatoka Gdańska

KRÓLEWIEC

chałupa środkowopomorska
SŁUPSK
Mistrzostwa Polski w Zażywaniu Tabaki. Ścinanie Kani
Chmielno
Jarmark kaszubski
Kartuzy
GDAŃSK
LIDZBARK WARMIŃSKI
Jarmark Kaziuki-Wilniuki

chałupa zachodniopomorska
Koszalin
Ziemia Bytowska
BYTÓW
Sominy
Pomorze Gdańskie
Wdzydze Kiszewskie
żuławski dom menonnicki
MALBORK
Żuławy
Orneta
Jarmark Kaziuki-Wilniuki
Walenty Barczewski
Jarmark Kaziuki-Wilniuki
Bartoszy

Zat. Pomorska
Świdwin
Jarmark Koziuki-Wilnjuki
Kaszuby
checz kaszubska
Florian Ceynowa
Starogard Gdański
Jarmark cysterski
chałupa powiślańska
Warmia
OLSZTYN

Zalew Szczeciński
Pomorze Zachodnie
Silno
strój kaszubski
Kociewie
Gisevius
Gustaw Gizewiusz
Olsztynek
Miodo-kurpi Mysz

SZCZECIN
chałupa krajeńska
CHEŁMNO
Z. Chełmińska
chałupa kurpiowska

Brandenburgia
Przegląd kolęd i pastorałek
Dobiegniew
chałupa Mazurów wieleńskich
Festyn folklorystyczny
Osiek nad Notecią
Jarmark świętojański
TORUŃ
Wisła

Papusza
Romane Dyvesa; Festiwal Zespołów Cygańskich
GORZÓW WIELKOPOLSKI
Wieleń
Warta
Jaracz
Noteć
BYDGOSZCZ
strój pałucki
INOWROCŁAW
Z. Dobrzyńska
chałupa dobrzyńska
Sierpc
Spotkania ze Sztuką Wielkanocną Kurpii Białych
Pułtusk

Ziemia LUBUSZ
Bogdaniec
strój lubuski
Szamotuły
strój szamotulski
POZNAŃ
Lednogóra
strój kujawski
BRZEŚĆ KUJAWSKI
chałupa zachodniomazowiecka
PŁOCK
Teofil Lenartowicz
WARS

Lubuska
dom winiarza
Moraczewo
strój bamberski
Kłótka
chałupa kujawska
Maurzyce
Łowickie Boże Ciało
Granica

Łużyce
chałupa dolnołużycka
Winobranie
Wolsztyn
Konin Gosławice
Z. Łęczycka
ŁĘCZYCA
Łowicz
chałupa łowicka

CHOCIEBUŻ
Ochla
ZIELONA GÓRA
Wschowa
Ziemia Wschowska
strój biskupiański
Russów
ŁÓDŹ
strój łowicki
chałupa łowicka

Dolne
chałupa dolnołużycka
Buczyny
KALISZ
Ziemia Sieradzka
Tomaszów Mazowiecki
Oskar Kolbe

Łużyce Górne
BUDZISZYN
domy górnołużyckie
Dolny
WROCŁAW
SIERADZ
strój sieradzki
Opoczno
Przysucha
strój kielecki
B

Śląsk
strój opoczyński
KIELCE

Czechy
chałupa sudecka
Józef Lompa
Pełkowice
Spotkania Zespołów Artystycznych Mniejszości narodowych i Etnicznych źródło
Zie-mia Siewier-ska
Wytopki Otowiu
Tokarnia
chałupa

Kudowa-Zdrój
Pstrążna
KŁODZKO
Z. Kłodzka
OPOLE
Bierkowice
Górny
strój bytomski
Bytom
Busko Zdrój
Buskie spotkania z folklorem

domy likaczy
Nysy
Śląsk
Chorzów
strój krakowski
Wygiełzów

Łaba
Karol Miarka
RACIBÓRZ
KATOWICE
Pszczyna
KRAKÓW
Zali Wierzche

CZECHY
Śląsk Opawski
Śląsk Cieszyński
strój cieszyński
TKB
Żywiec
Spotkania z folklorem
Maków Podhalański
Sucha Bes-kidzka
Władysław Orkan
Lipnica Murowana
Konkurs Palm i Rękodzieła Wielkanocnego

Morawa
TKB Wisła
TKB Istebna
Żywieckie Gody
Milówka
Zawoja
Zubrzyca Górna
Rabka-Zdrój
Łopuszna
Nowy Sącz
Kluszkowce

Wag
strój podhalański
Zakopane
Festiwal Folkloru Ziem Górskich
Bukowina Tatrzańska
Góralski karnawał
Czarna Góra
Jurgów
Spisz
Nikifor

SŁOWA

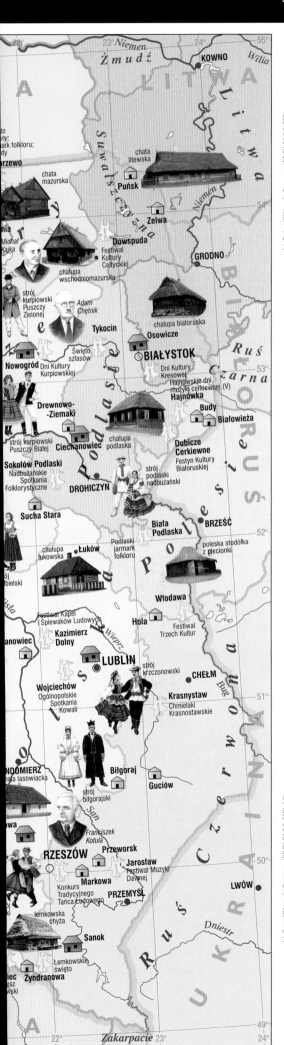

Map labels:

Żmudź
KOWNO
Wilia
Niemen
ŻMUDŹ
LITWA
Litwa
chata litewska
Puńsk
chata mazurska
Zelwa
Dowspuda
Festiwal Kultury Celtyckiej
GRODNO
chałupa wschodniomazurska
strój kurpiowski Puszczy Zielonej
Adam Chętnik
Michał Kajka
Tykocin
chalupa białoruska
Osowicze
Świętо szlasów
BIAŁYSTOK
Ruś Czarna
Nowogród Dni Kultury Kurpiowskiej
Dni Kultury Kresowej
Hajnowskie dni muzyki cerkiewnej (V)
Drewnowo-Ziemaki
Hajnówka
Budy
Białowieża
strój kurpiowski Puszczy Białej
Ciechanowiec
chałupa podlaska
Dubicze Cerkiewne
Festyn Kultury Białoruskiej
Sokołów Podlaski
Nadbużańskie Spotkania Folklorystyczne
DROHICZYN
strój podlaski nadbużański
Sucha Stara
Biała Podlaska
BRZEŚĆ
Podlasie
chałupa łukowska
Łuków
Podlaski jarmark folkloru
poleska stodółka z plecionki
strój bielski
Włodawa
Festiwal Kapel i Śpiewaków Ludowych
Hola
Festiwal Trzech Kultur
Polesie
Kazimierz Dolny
Wieprz
LUBLIN
strój krzczonowski
CHEŁM
Bug
Wojciechów
Ogólnopolskie Spotkania Kowali
Krasnystaw
Chmielaki Krasnostawskie
chata lasowiacka
Biłgoraj
Guciów
strój biłgorajski
San
Franciszek Kotula
RZESZÓW
Przeworsk
Markowa
Jarosław
Festiwal Muzyki Dawnej
Konkurs Tradycyjnego Tańca Ludowego
PRZEMYŚL
LWÓW
łemkowska chyża
Sanok
Łemkowskie święto
Zyndranowa
Dniestr
Ruś
UKRAINA
Zakarpacie

fot. Piotrus/Wikimedia Commons (CC BY-SA 3.0, GFDL)

Spinka cieszyńska „hoczek" – ozdoba stroju kobiecego (na dole) i zapinka góralska noszona przy koszulach przez mężczyzn na Podhalu (obok).

W Polsce można wyróżnić kilka obszarów o zdecydowanie odmiennym charakterze budownictwa ludowego. Chaty różnią się od siebie konstrukcją dachu, ścian i systemów ogniowych oraz rozplanowaniem wnętrza, wystrojem architektonicznym, a także zdobnictwem. Oryginalne zdobnictwo można zobaczyć m.in. w okolicach wsi Zalipie koło Tarnowa, gdzie ściany domów i ich wnętrza malowane są w kwiatowe wzory.

Obecnie w Polsce odbywa się bardzo wiele imprez inspirowanych kulturą ludową. Część z nich przypomina najstarsze zachowane na wsiach obrzędy i zwyczaje, część poświęcona jest wyłącznie muzyce i tańcom. Nieodłącznym elementem tych imprez są stroje ludowe charakterystyczne dla danego regionu. Naszą wiedzę o zwyczajach, tańcach, zdobnictwie i architekturze poszczególnych regionów zawdzięczamy badaniom wielu już pokoleń etnografów. Na zdjęciu obok kobiety w strojach kurpiowskich.

fot. robi obu/Wikimedia Commons (CC BY-SA 3.0, GFDL 1.2)

fot. Semu/Wikimedia Commons (CC BY-SA 3.0, GFDL 1.2)

Zabytki architektury drewnianej nie należą do trwałych. W polskim budownictwie ludowym najwięcej przetrwało obiektów XIX-wiecznych. Najlepiej zachowane budynki wraz ze sprzętami i narzędziami charakterystycznymi dla wybranych regionów zgromadzono w kilkudziesięciu skansenach. Trzydzieści z nich posiada większą ilość zagród i innych budynków takich jak kuźnie, młyny wodne, wiatraki. Widoczna na zdjęciu chata pochodzi właśnie z takiego skansenu w Ciechanowcu, gdzie znajduje się Muzeum Rolnictwa.

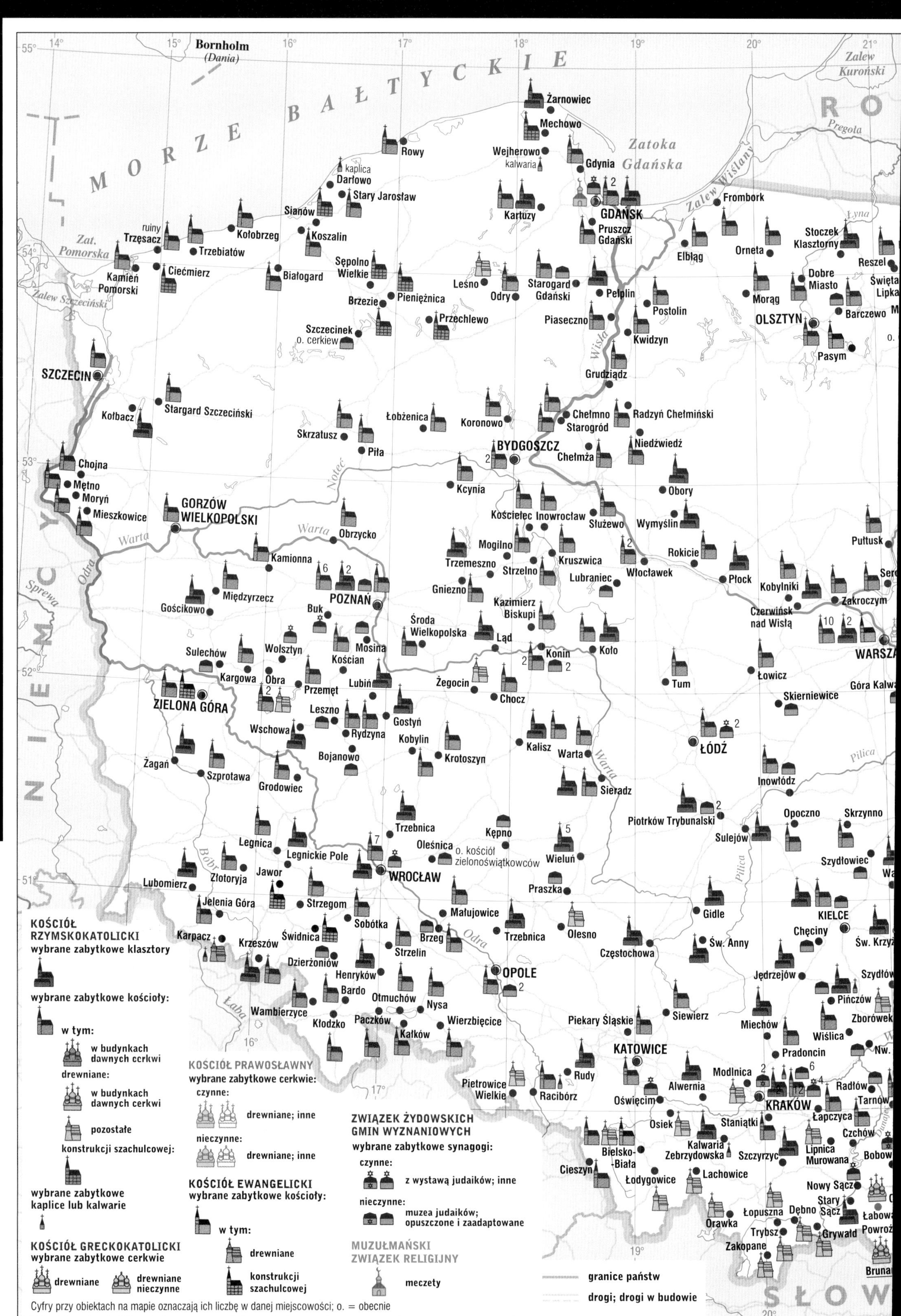

MORZE BAŁTYCKIE

Bornholm *(Dania)*

Zalew Kuroński

Pregoła

Zatoka Gdańska

Zalew Wiślany

Żarnowiec
Mechowo
Wejherowo
kalwaria
Gdynia
Rowy
Darłowo
kaplica
Stary Jarosław
Kartuzy
GDAŃSK
Pruszcz Gdański
Sianów
Kołobrzeg
Koszalin
Frombork
Stoczek Klasztorny
ruiny Trzęsacz
Trzebiatów
Ciećmierz
Białogard
Sępolno Wielkie
Leśno
Odry
Starogard Gdański
Pelplin
Postolin
Elbląg
Orneta
Reszel
Dobre Miasto
Święta Lipka
Brzezie
Pieniężnica
Przechlewo
Piaseczno
OLSZTYN
Morąg
Barczewo
Kamień Pomorski
Zalew Szczeciński
Przechlewo
Kwidzyn
Pasym
Szczecinek
o. cerkiew
SZCZECIN
Grudziądz
Kołbacz
Stargard Szczeciński
Łobżenica
Koronowo
Chełmno Starogród
Radzyń Chełmiński
Niedźwiedź
Skrzatusz
Piła
BYDGOSZCZ 2
Chełmża
Chojna
Mętno
Moryń
Mieszkowice
GORZÓW WIELKOPOLSKI
Kcynia
Obory
Kościelec Inowrocław
Służewo
Wymyślin
Obrzycko
Warta
Mogilno
Kamionna
6 2
Trzemeszno
Strzelno
Kruszwica
2 Rokicie
Włocławek
Płock
Pułtusk
Międzyrzecz
POZNAŃ
Buk
Gniezno
Lubraniec
Kobylniki
Zakroczym
Gościkowo
Środa Wielkopolska
Kazimierz Biskupi
10 2
Czerwińsk nad Wisłą
Sulechów
Wolsztyn
Mosina
Ląd
Koło
WARSZA
Kościan
Konin
2
Kargowa
Obra
Przemęt
Lubiń
Żegocin
Tum
Łowicz
Góra Kalw
Leszno
Gostyń
Chocz
Skierniewice
ZIELONA GÓRA 2
Wschowa
Rydzyna
Kobylin
Kalisz
Warta
ŁÓDŹ 2
Żagań
Szprotawa
Bojanowo
Krotoszyn
Sieradz
Inowłódz
Grodowiec
Trzebnica
Kępno
5
Opoczno
Skrzynno
Legnica
Legnickie Pole
7
Oleśnica
o. kościół zielonoświątkowców
Wieluń
Piotrków Trybunalski 2
Lubomierz
Złotoryja
Jawor
WROCŁAW
Sulejów
Szydłowiec
Jelenia Góra
Strzegom
Małujowice
Praszka
Gidle
KIELCE
Karpacz
Świdnica
Sobótka
Brzeg
Trzebnica
Olesno
Św. Anny
Chęciny
Św. Krzy
Krzeszów
Dzierżoniów
Strzelin
Częstochowa
Siewierz
Szydłów
Henryków
OPOLE
Jędrzejów
Bardo
2
Pińczów
Wambierzyce
Otmuchów
Nysa
Piekary Śląskie
Miechów
Zborówek
Kłodzko
Paczków
Kałków
Wierzbięcice
Wiślica
Nw.
Pradoncin
Pietrowice Wielkie
Rudy
KATOWICE
Modlnica
2
6
Karpacz
Racibórz
Alwernia
4
Radłów
Oświęcim
KRAKÓW
Tarnów
Łapczyca
Czchów
Osiek
Staniątki
Bielsko-Biała
Kalwaria Zebrzydowska
Szczyrzyc
Lipnica Murowana
Bobow
Cieszyn
Łodygowice
Lachowice
Nowy Sącz
Łopuszna
Stary Sącz
Łabow
Orawka
Dębno
Grywałd
Powroź
Trybsz
Zakopane
Brunal
SŁOW

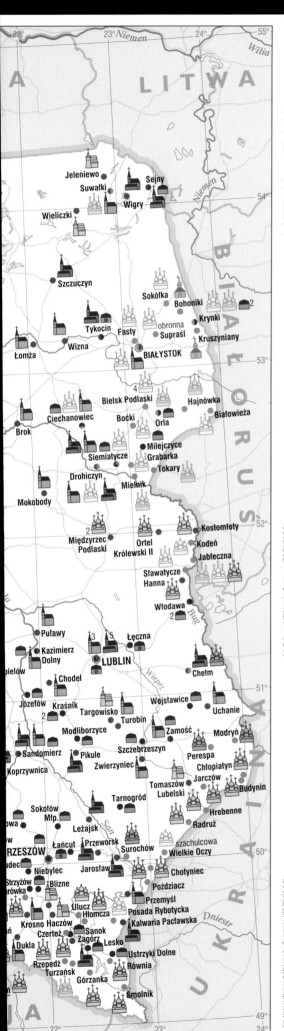

Charakterystycznym elementem architektonicznym chrześcijańskich świątyń obrządku wschodniego (prawosławnego i greckokatolickiego) są kopuły, na których umieszczono krzyże. Kopuła symbolizuje Niebo, Boga, świętych i świat anielski. Krzyż oznacza, oddawanie chwały Jezusowi Chrystusowi.
Liczba kopuł cerkwi nigdy nie jest przypadkowa – np. trzy nawiązują do Trójcy Świętej.
Na zdjęciu widać kopuły cerkwi greckokatolickiej w Kwiatoniu.

W Polsce czynne są trzy meczety. W Kruszynianach znajduje się najstarsza świątynia polskich tatarów. Jest to drewniany budynek z końca XVIII w.
W każdym meczecie mieści się mihrab (nisza w ścianie modlitw, zwykle bogato dekorowana, wskazująca kierunek Mekki) i minbar (kazalnica, z której w czasie ołudniowej modlitwy piątkowej imam wygłasza kazanie).
Nieodzownym zwieńczeniem wież meczetu jest symbol religii muzułmańskiej – półksiężyc.

Synagoga pełni nie tylko funkcje religijne, ale jest także ośrodkiem życia społecznego. Mieści się w niej siedziba władz gminy żydowskiej i sądu rabinackiego. Wnętrze świątyni podporządkowane jest funkcjom religijnym. Centralnym miejscem jest bima – podium lub pulpit służący do czytania „Tory", czyli pięciu początkowych ksiąg Starego Testamentu. Na zdjęciu widać bimę dawnej synagogi w Łańcucie, gdzie obecnie mieści się wystawa judaików.

Kościoły rzymskokatolickie to stały element polskiego krajobrazu. Często dominują w otoczeniu, jak widoczna na zdjęciu katedra we Fromborku. Stanowi ona element XIV-wiecznego gotyckiego założenia obronnego. Charakterystyczny dla tego stylu przyporowy system konstrukcji nadał jej lekkość i strzelistość.

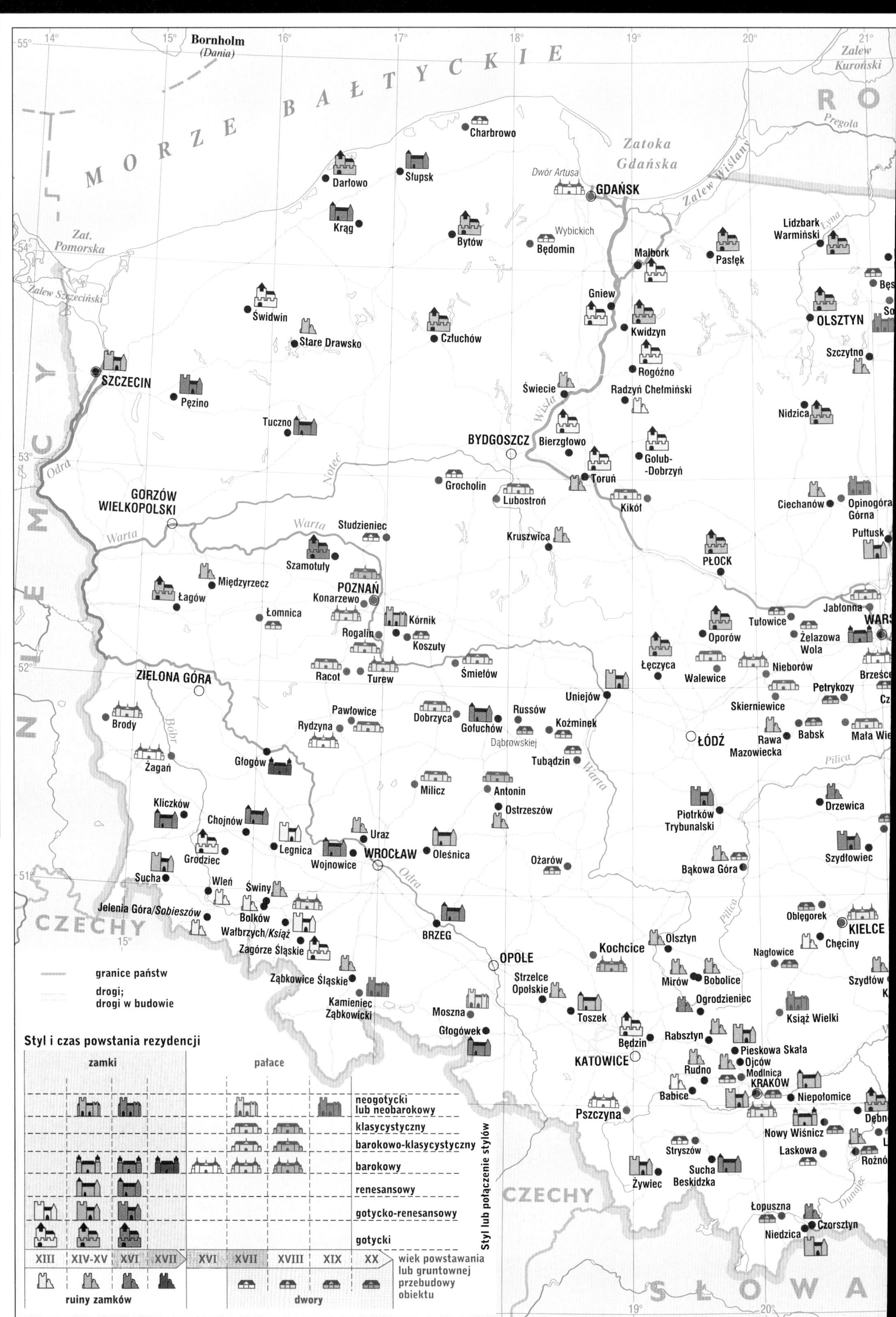

Morze Bałtyckie

Bornholm (Dania)

Zatoka Gdańska

Zalew Kuroński

Zat. Pomorska

Zalew Szczeciński

Charbrowo

Dwór Artusa
GDAŃSK

Wybickich

Lidzbark Warmiński

Pasłęk

Darłowo
Słupsk

Krąg
Bytów

Będomin

Malbork

Gniew
Kwidzyn

OLSZTYN

Świdwin

Stare Drawsko
Człuchów

Rogóźno

Szczytno

SZCZECIN
Pęzino

Świecie
Radzyń Chełmiński

Nidzica

Tuczno

BYDGOSZCZ
Bierzgłowo

Golub-Dobrzyń

Toruń

Ciechanów

Opinogóra Górna

GORZÓW WIELKOPOLSKI

Grocholin

Lubostroń

Kikół

Pułtusk

Studzieniec

Kruszwica

PŁOCK

Szamotuły

POZNAŃ
Konarzewo

Jabłonna

WARS

Tułowice

Łagów
Międzyrzecz

Łomnica

Kórnik

Rogalin
Koszuty

Oporów

Żelazowa Wola

Nieborów

Łęczyca

Walewice

Petrykozy

ZIELONA GÓRA

Racot
Turew

Śmiełów

Uniejów

Skierniewice

Brześć

Brody

Pawłowice

Dobrzyca

Russów

ŁÓDŹ

Rawa Mazowiecka

Babsk

Mała Wie

Rydzyna
Gołuchów

Koźminek

Dąbrowskiej

Żagań

Głogów

Milicz

Antonin

Tubądzin

Piotrków Trybunalski

Drzewica

Kliczków
Chojnów

Ostrzeszów

Grodziec
Legnica

Uraz

WROCŁAW
Oleśnica

Ożarów

Bąkowa Góra

Szydłowiec

Sucha
Wleń

Świny

Wojnowice

Obłęgorek

KIELCE

Jelenia Góra/Sobieszów
Bolków

Wałbrzych/Książ

BRZEG

Kochcice

Olsztyn

Chęciny

Nagłowice

Zagórze Śląskie

Ząbkowice Śląskie

OPOLE

Strzelce Opolskie

Mirów
Bobolice

Szydłów

Kamieniec Ząbkowicki

Moszna

Toszek

Ogrodzieniec

Książ Wielki

Głogówek

Będzin

Rabsztyn

Pieskowa Skała

KATOWICE

Ojców
Rudno

Modlnica

Babice

KRAKÓW

Niepołomice

Pszczyna

Dębn

Nowy Wiśnicz

Laskowa

Stryszów

Sucha Beskidzka

Roźnó

Żywiec

CZECHY

Łopuszna

Niedzica

Czorsztyn

SŁOWA

Styl i czas powstania rezydencji

	zamki			pałace		Styl lub połączenie stylów	
						neogotycki lub neobarokowy	
						klasycystyczny	
						barokowo-klasycystyczny	
						barokowy	
						renesansowy	
						gotycko-renesansowy	
						gotycki	
XIII	XIV-XV	XVI	XVII	XVI	XVII	XVIII	XIX	XX	wiek powstania lub gruntownej przebudowy obiektu

ruiny zamków

dwory

granice państw

drogi; drogi w budowie

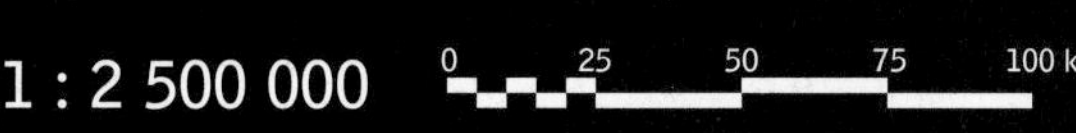

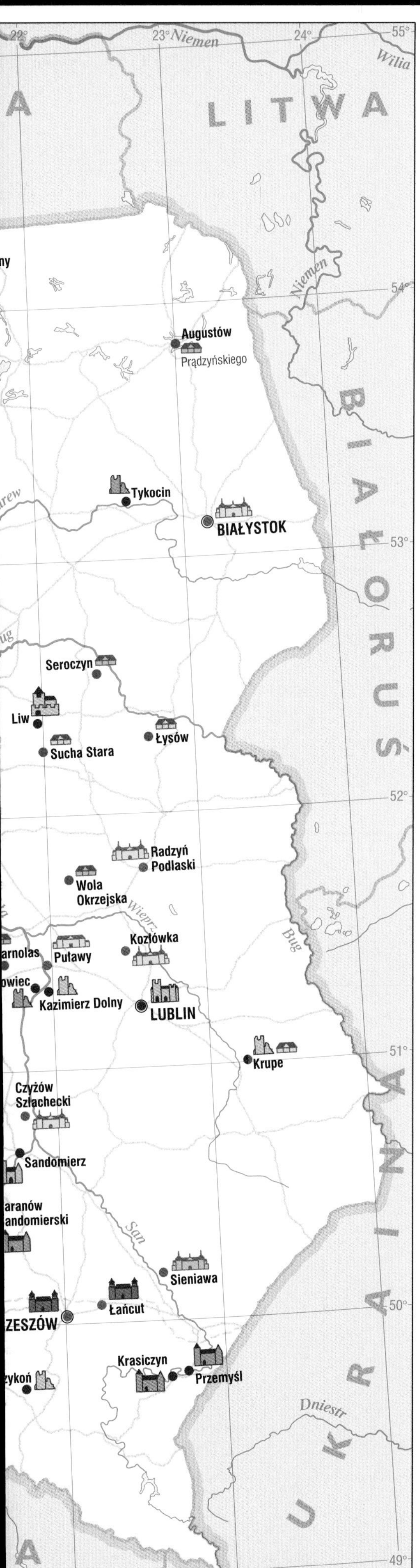

Jeszcze przed II wojną światową dwory i pałace były częstym elementem polskiego krajobrazu. W zespołach pałacowo-dworskich przeważnie otoczonych parkiem występowały budynki gospodarcze: stajnie i powozownie, obory, gorzelnie, lamusy, oficyny. Właśnie w oficynie (na zdjęciu) przy pałacu Skarbków w Żelazowej Woli przyszedł na świat Fryderyk Chopin.

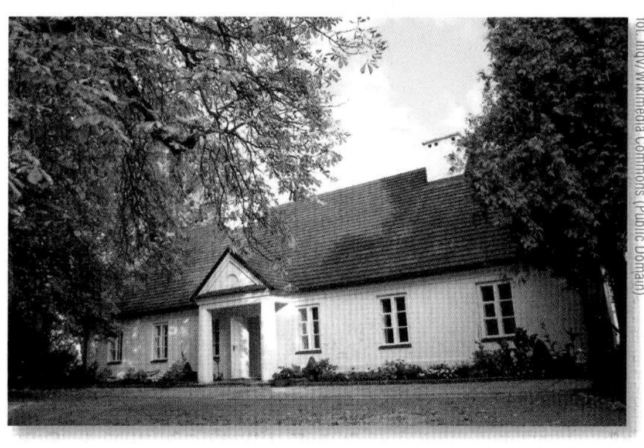

Rezydencje pałacowe budowano w różnych stylach, zgodnie z duchem obowiązującej mody. Na przełomie XIX i XX w., czyli w czasie gdy pruski magnat Hubert von Thiele-Winckler wznosił swoją siedzibę w Mosznej (widoczną na zdjęciu), architekci często łączyli wybrane elementy różnych stylów. Tak powstała i ta, przypominająca zamek, budowla eklektyczna, z 99 wieżyczkami, wieloma wykuszami, balkonami i tarasami stwarzającymi wręcz bajkowy klimat.

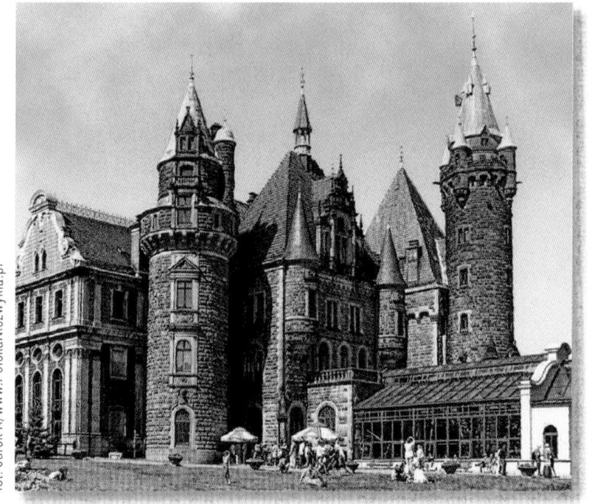

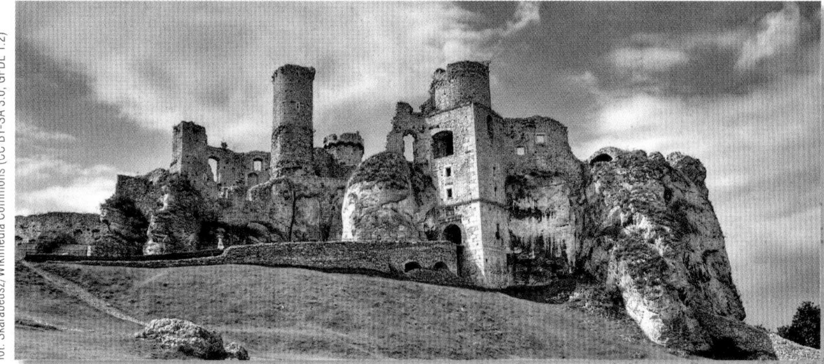

Orlimi Gniazdami nazywano nadgraniczne zamki i strażnice wzniesione na polecenie Kazimierza Wielkiego, na wapiennych skałach Wyżyny Krakowsko-Częstochowskiej dochodzących do 20-30 metrów wysokości. Zabezpieczały nie tylko przed czeskimi atakami z Górnego Śląska, ale też chroniły ważne trakty handlowe wiodące z Krakowa. Na fotografii widoczna jest największa warownia, zamek Ogrodzieniec w Podzamczu.

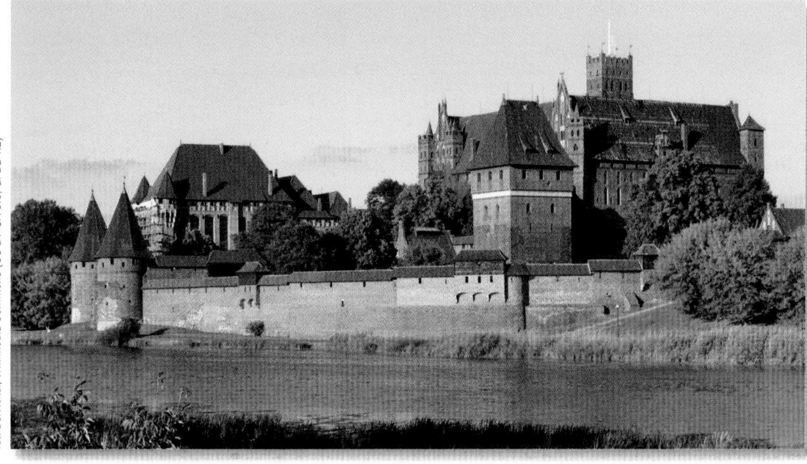

Na terenach obecnej Polski zachowała się znaczna część zamków krzyżackich. Najokazalszym z nich jest zamek wielkich mistrzów w Malborku – największa ceglana budowla obronna średniowiecznej Europy. W 1977 roku malborski zamek został wpisany na Listę Światowego Dziedzictwa Kulturowego i Przyrodniczego UNESCO.

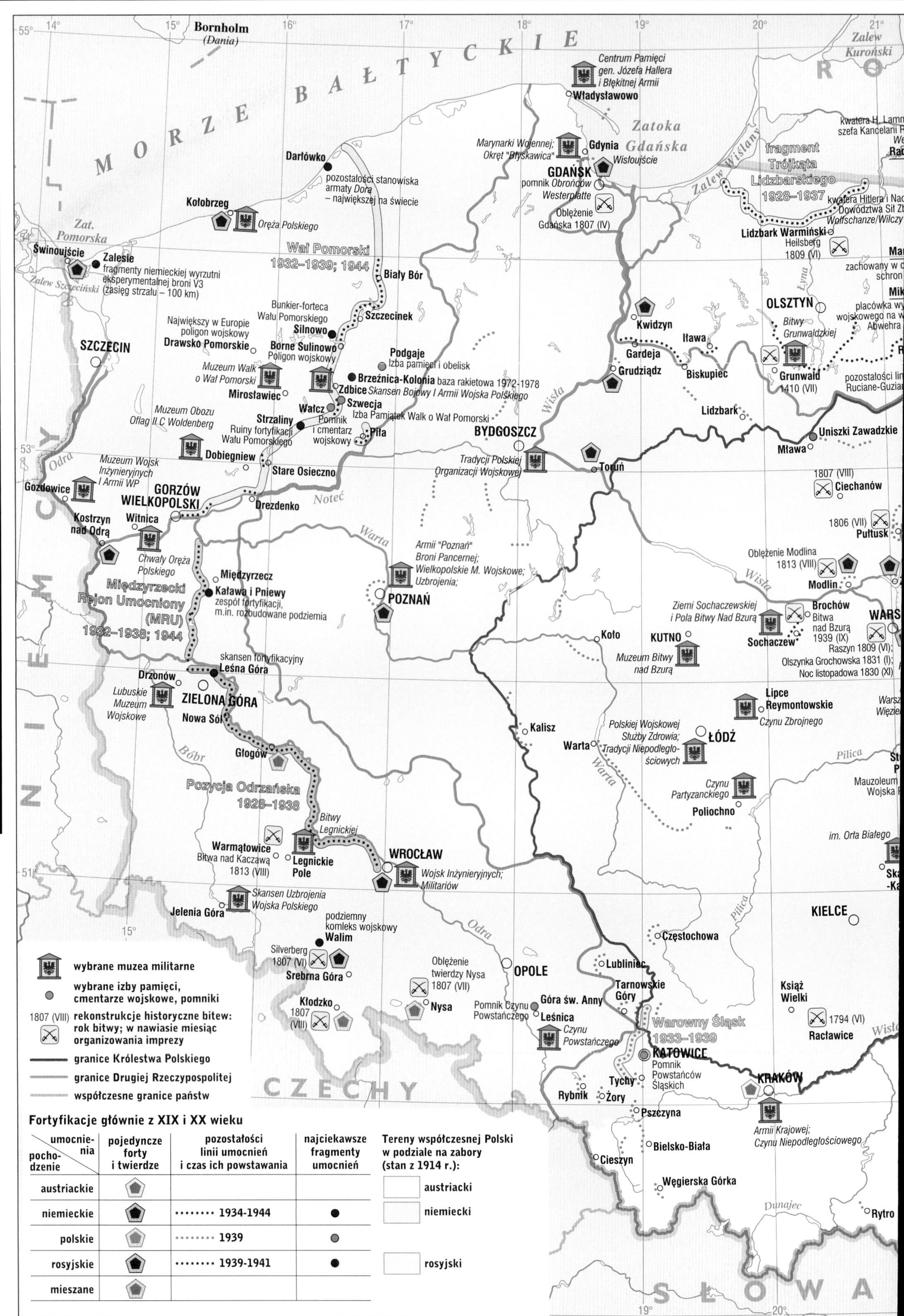

Fortyfikacje głównie z XIX i XX wieku

umocnienia / pochodzenie	pojedyncze forty i twierdze	pozostałości linii umocnień i czas ich powstawania	najciekawsze fragmenty umocnień
austriackie	[symbol]		
niemieckie	[symbol]	········ 1934-1944	●
polskie	[symbol]	········ 1939	●
rosyjskie	[symbol]	········ 1939-1941	●
mieszane	[symbol]		

Tereny współczesnej Polski w podziale na zabory (stan z 1914 r.):

- austriacki
- niemiecki
- rosyjski

Twierdza Osowiec to niezwykle cenny zabytek rosyjskiej architektury obronnej z 1. połowy XIX w. O kunszcie wykonania tego założenia świadczy fakt, że twierdza wytrzymała nawet najgroźniejsze natarcia, m.in. podczas I wojny światowej atak armii niemieckiej 6 sierpnia 1915 r., z użyciem gazu bojowego. Na zdjęciu brama do Fortu I.

Przełęcz Srebrna była jedynym przejściem pomiędzy Górami Bardzkimi a Górami Sowimi, które osłaniają Śląsk od południa. Twierdzę na wzniesieniu nad przełęczą wybudował Fryderyk Wielki w latach 1865–1877. Nowoczesna na owe czasy forteca zachowała się bez większych modernizacji. Obecnie mieści się w niej filia Muzeum Historycznego w Wałbrzychu.

Najczęściej odwiedzanymi fortyfikacjami w Polsce są obiekty poniemieckiego Międzyrzeckiego Rejonu Umocnionego, powstałe w latach 1932–1939. W założeniu były to grupy dzieł obronnych połączone ciągłym systemem podziemnych korytarzy. Najbardziej rozbudowany odcinek tej linii znajduje się we wsi Pniewo koło Kaławy. Podziemnym obiektom towarzyszą umocnienia przeciwpancerne, tzw. zęby smoka (na zdjęciu).

Położenie obronne Modlina docenił już król Karol Gustaw, zakładając tu w 1655 r. warowny obóz. Projekt budowy twierdzy powstał jeszcze w trakcie wojen napoleońskich. Od 1832 r. jej rozbudowę kontynuowali Rosjanie. W latach 1864–1870 wybudowali w centrum twierdzy wielki budynek koszarowy na planie zamkniętego wielokąta, łączna długość budynku wynosi około 2,3 km. Ostatnie umocnienia twierdzy są dziełem wojsk polskich z czerwca 1939 r.

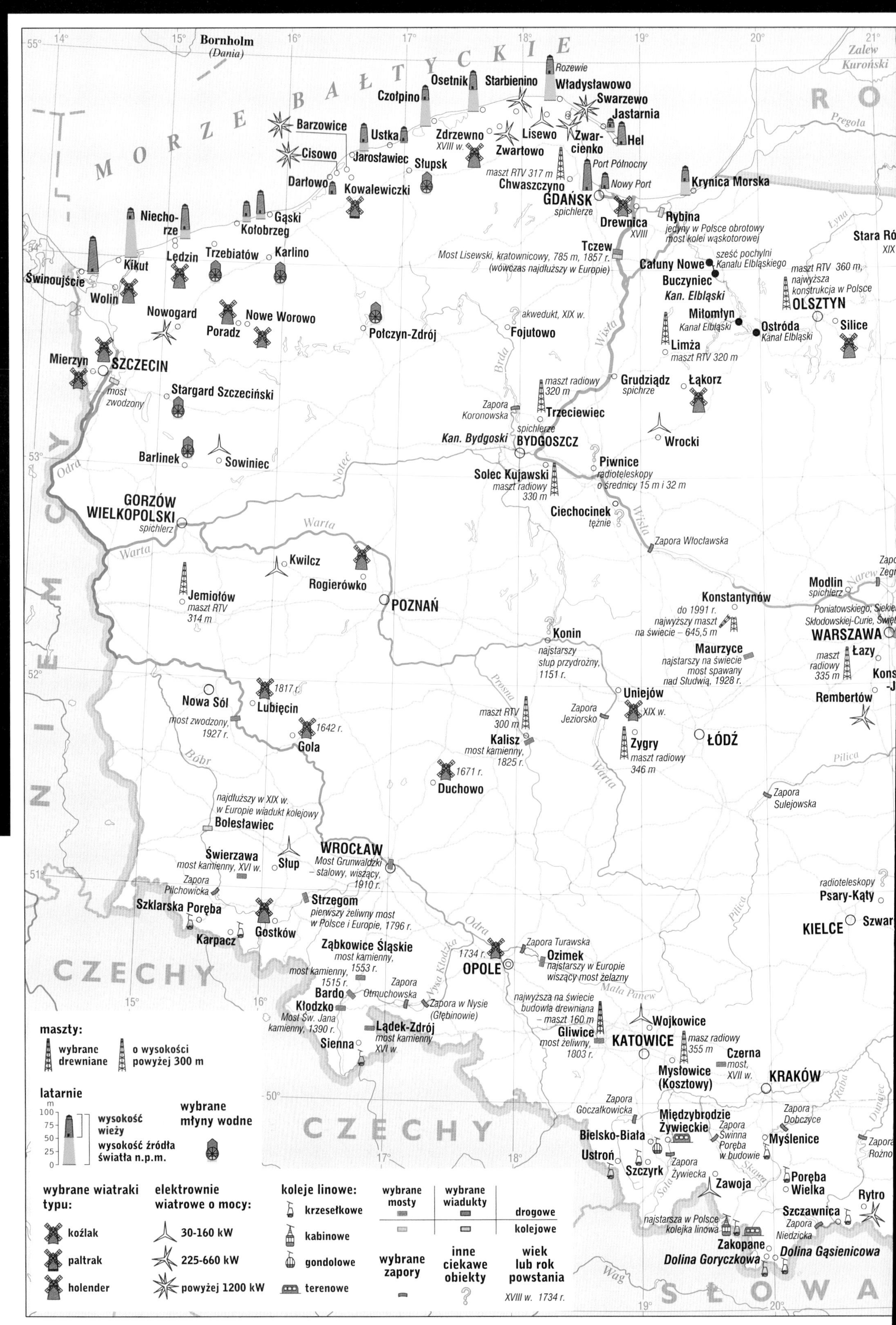

Bornholm (Dania)

MORZE BAŁTYCKIE

Barzowice
Cisowo
Czołpino
Osetnik
Starbienino
Władysławowo
Rozewie
Swarzewo
Jastarnia
Lisewo
Zwarcienko
Hel
Ustka
Zdrzewno XVIII w.
Zwartowo
Jarosławiec
Słupsk
Darłowo
Kowalewiczki
maszt RTV 317 m
Chwaszczyno
Port Północny
Nowy Port
GDAŃSK spichlerze
Krynica Morska

Niecho-rze
Gąski
Kołobrzeg
Karlino
Drewnica XVIII
Rybina
jedyny w Polsce obrotowy most kolei wąskotorowej
Stara Róż...
Świnoujście
Kikut
Ledzin
Trzebiatów
Tczew
Most Lisewski, kratownicowy, 785 m, 1857 r. (wówczas najdłuższy w Europie)
Całuny Nowe
sześć pochylni Kanału Elbląskiego
maszt RTV 360 m, najwyższa konstrukcja w Polsce
Wolin
Buczyniec
Kan. Elbląski
Nowogard
Nowe Worowo
akwedukt, XIX w.
Miłomłyn
Kanał Elbląski
Ostróda
Kanał Elbląski
Silice
OLSZTYN
Poradz
Połczyn-Zdrój
Fojutowo
Limża
maszt RTV 320 m
Mierzyn
SZCZECIN
most zwodzony
maszt radiowy 320 m
Trzeciewiec
Grudziądz spichrze
Łąkorz
Stargard Szczeciński
Kan. Bydgoski
spichlerze
BYDGOSZCZ
Wrocki
Barlinek
Sowiniec
Solec Kujawski
maszt radiowy 330 m
Piwnice
radioteleskopy o średnicy 15 m i 32 m
Ciechocinek
tężnie
Zapora Koronowska
GORZÓW WIELKOPOLSKI spichlerz
Warta
Warta
Zapora Włocławska
Zapo...
Zegr...
Modlin spichlerz
Narew
Jemiołów
maszt RTV 314 m
Kwilcz
Rogierówko
POZNAŃ
Konstantynów
do 1991 r. najwyższy maszt na świecie – 645,5 m
Poniatowskiego, Siekie...
Składowskiej-Curie, Święt...
WARSZAWA
Konin
najstarszy słup przydrożny, 1151 r.
Maurzyce
najstarszy na świecie most spawany nad Słudwią, 1928 r.
maszt radiowy 335 m
Łazy
Kons...
-J...
Nowa Sól
Lubięcin
1817 r.
maszt RTV 300 m
Zapora Jeziorsko
Uniejów XIX w.
Rembertów
Gola
1642 r.
Kalisz
most kamienny, 1825 r.
Zygry
maszt radiowy 346 m
ŁÓDŹ
Pilica
Bóbr
most zwodzony, 1927 r.
Duchowo
1671 r.
Zapora Sulejowska
najdłuższy w XIX w. w Europie wiadukt kolejowy
Bolesławiec
radioteleskopy Psary-Kąty
Świerzawa
most kamienny, XVI w.
Słup
WROCŁAW
Most Grunwaldzki – stalowy, wiszący, 1910 r.
Pilica
Zapora Pilchowicka
Szklarska Poręba
Strzegom
pierwszy żeliwny most w Polsce i Europie, 1796 r.
Zapora Turawska
Ozimek
najstarszy w Europie wiszący most żelazny
Zapora Sulejowska
KIELCE
Szwar...
Karpacz
Gostków
Ząbkowice Śląskie
most kamienny, 1553 r.
Bardo 1515 r.
1734 r.
OPOLE
Zapora Otmuchowska
Zapora w Nysie (Głębinowie)
najwyższa na świecie budowla drewniana – maszt 160 m
Wojkowice
Czerna
most, XVII w.
Kłodzko
Most Św. Jana kamienny, 1390 r.
Lądek-Zdrój
most kamienny XVI w
Sienna
Gliwice
most żeliwny, 1803 r.
KATOWICE
masz radiowy 355 m
KRAKÓW
CZECHY
Mysłowice (Kosztowy)
Zapora Goczałkowicka
Zapora Dobczyce
CZECHY
Bielsko-Biała
Międzybrodzie Żywieckie
Zapora Żywiecka
Zapora Świnna Poręba w budowie
Myślenice
Zapora Rożnów
Ustroń
Szczyrk
Zapora Żywiecka
Zawoja
Poręba Wielka
Rytro
najstarsza w Polsce kolejka linowa
Szczawnica
Zapora Niedzicka
Zakopane
Dolina Goryczkowa
Dolina Gąsienicowa
SŁOWA...
Wag

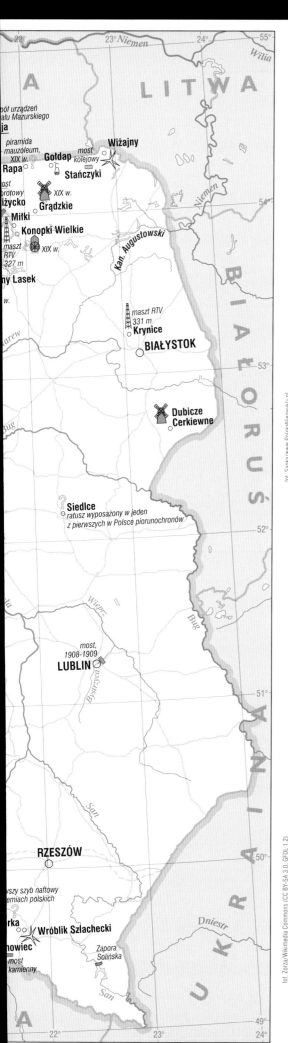

Znikające bezpowrotnie z polskich pejzaży wiatraki różnią się konstrukcją mechanizmów umożliwiających obracanie śmigieł w stronę wiatru. Dzielimy je na trzy typy. Najczęściej można spotkać tzw. koźlaki. Ich obudowa jest umieszczona na czteronożnym koźle, na którym za pomocą specjalnego dyszla obraca się cała konstrukcja. Podobnie w całości obraca się wiatrak paltrak osadzony na stalowych rolkach poruszających się po torze położonym na solidnym murowanym fundamencie. Trzeci rodzaj wiatraków sprowadzili na tereny Polski Holendrzy, dlatego nazywa się je holen-drami. Obraca się w nich tylko umieszczona na rolkach głowica, jak w wiatraku ze skansenu w Olsztynku (na zdjęciu).

Zapory należą do bardzo spektakularnych budowli i są świadectwem najwyższego kunsztu inżynieryjnego. Pilchowicka zapora na Bobrze, wysoka na 62 m, powstała na początku XX w., po katastrofalnej powodzi w 1897 roku.

Kolej gondolowa na Jaworzynę Krynicką to jedna z najnowocześniejszych w Europie kolejek górskich. Sześcioosobowe wagoniki mknące z prędkością 5 m/s mogą przewieźć w ciągu godziny do 1600 osób.

Wrocław może poszczycić się jednym z najpiękniejszych mostów w Polsce – Mostem Grunwaldzkim. Cała przeprawa na Odrze liczy 216 m długości, z czego wisząca kładka ma 112,5 m. Podtrzymywana jest przez stalowe liny rozpięte na potężnych granitowych pylonach.

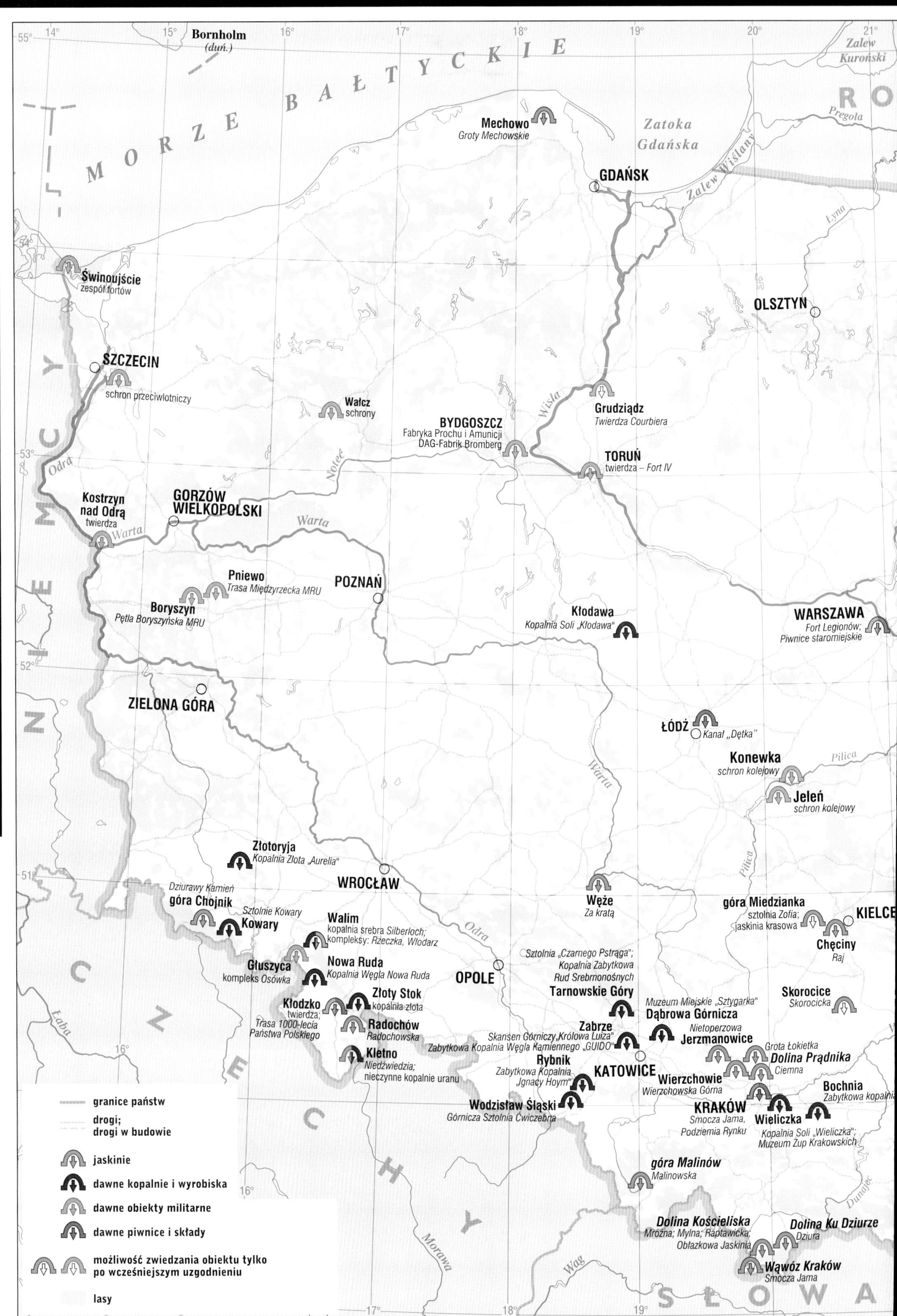

MORZE BAŁTYCKIE

Bornholm *(duń.)*

Zalew Kuroński

Zatoka Gdańska

Mechowo
Groty Mechowskie

GDAŃSK

Pregoła

OLSZTYN

Świnoujście
zespół fortów

SZCZECIN
schron przeciwlotniczy

Wałcz
schrony

Grudziądz
Twierdza Courbiera

BYDGOSZCZ
*Fabryka Prochu i Amunicji
DAG-Fabrik Bromberg*

TORUŃ
twierdza – Fort IV

Kostrzyn
nad Odrą
twierdza

GORZÓW
WIELKOPOLSKI

Warta

Noteć

Wisła

Łyna

Pniewo
Trasa Międzyrzecka MRU

POZNAŃ

Kłodawa
Kopalnia Soli „Kłodawa"

WARSZAWA
*Fort Legionów;
Piwnice staromiejskie*

Boryszyn
Pętla Boryszyńska MRU

ZIELONA GÓRA

ŁÓDŹ
Kanał „Dętka"

Pilica

Konewka
schron kolejowy

Jeleń
schron kolejowy

Warta

Złotoryja
Kopalnia Złota „Aurelia"

WROCŁAW

Węże
Za kratą

góra Miedzianka
*sztolnia Zofia;
jaskinia krasowa*

KIELCE

Dziurawy Kamień
góra Chojnik

Odra

Pilica

Chęciny
Raj

Sztolnie Kowary
Kowary

Walim
*kopalnia srebra Silberloch;
kompleksy: Rzeczka, Włodarz*

Sztolnia „Czarnego Pstrąga";
Kopalnia Zabytkowa
Rud Srebrnonośnych

Skorocice
Skorocicka

Głuszyca
kompleks Osówka

Nowa Ruda
Kopalnia Węgla Nowa Ruda

Tarnowskie Góry

Muzeum Miejskie „Sztygarka"
Dąbrowa Górnicza

OPOLE

Złoty Stok
kopalnia złota

Zabrze
*Skansen Górniczy „Królowa Luiza";
Zabytkowa Kopalnia Węgla Kamiennego „GUIDO"*

Nietoperzowa
Jerzmanowice

Grota Łokietka
Dolina Prądnika
Ciemna

Kłodzko
*twierdza;
Trasa 1000-lecia
Państwa Polskiego*

Radochów
Radochowska

Rybnik
*Zabytkowa Kopalnia
„Ignacy Hoym"*

KATOWICE

Wierzchowie
Wierzchowska Górna

Bochnia
Zabytkowa kopalnia

Kletno
*Niedźwiedzia;
nieczynne kopalnie uranu*

KRAKÓW

Wodzisław Śląski
Górnicza Sztolnia Ćwiczebna

Wieliczka
*Kopalnia Soli „Wieliczka";
Muzeum Żup Krakowskich*

Smocza Jama,
Podziemia Rynku

Łaba

góra Malinów
Malinowska

Dolina Kościeliska
*Mroźna; Mylna; Raptawicka;
Obłazkowa Jaskinia*

Dolina Ku Dziurze
Dziura

Wąwóz Kraków
Smocza Jama

Morawa

Wag

Dunajec

SŁOWA

CZECHY

NIEMCY

Odra

Legend:

— granice państw

— drogi;
drogi w budowie

— jaskinie

— dawne kopalnie i wyrobiska

— dawne obiekty militarne

— dawne piwnice i składy

— możliwość zwiedzania obiektu tylko
po wcześniejszym uzgodnieniu

— lasy

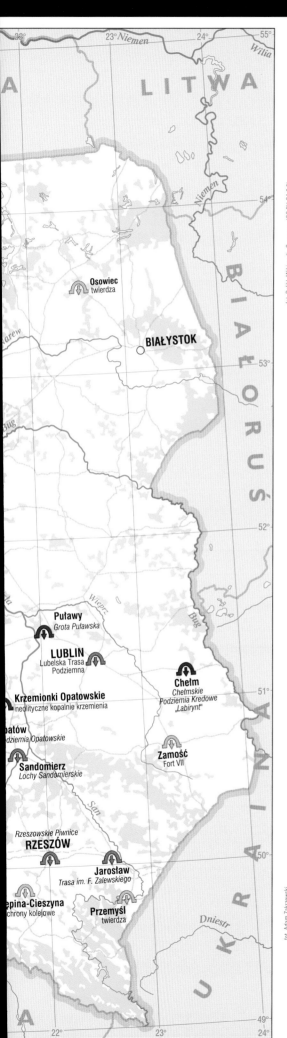

Jaskinie i groty powstałe w wyniku wypłukiwania rozpuszczalnych skał przez wody, czasem z bogatą szatą naciekową, są atrakcjami turystycznymi głównie w południowej Polsce (zdjęcie z prawej strony). Cuda stworzone przez naturę można podziwiać też koło Pucka, w Grotach Mechowskich (zdjęcie z lewej strony).

Na terenie Polski zachowało się wiele twierdz i fortyfikacji. Te średniowieczne, z czasem przebudowywano lub nawet wznoszono od nowa by mogły nadal pełnić funkcje obronne. Zamki zastępowano nowocześniejszymi cytadelami, wznoszono beluardy, bastiony. Rozwój broni i strategii prowadzenia wojen spowodował konieczność budowania systemu chodników minerskich oraz przeciwminowych. Niektóre podziemne części fortyfikacji ciągnęły się na długości nawet 30 km np. w MRU, czyli Międzyrzeckim Rejonie Umocnionym (na zdjęciu obok).

W nieczynnych kopalniach, i to zarówno tych działających w odległej przeszłości jak i tych zamkniętych całkiem niedawno, często urządzane są muzea, skanseny górnicze i atrakcyjne trasy dla turystów. Ewenementem na skalę światową jest Kopalnia Soli w Wieliczce (zdjęcie powyżej). Jej walory doceniło UNESCO wpisując ją w 1978 na swoją pierwszą Listę światowego dziedzictwa kulturowego i przyrodniczego.

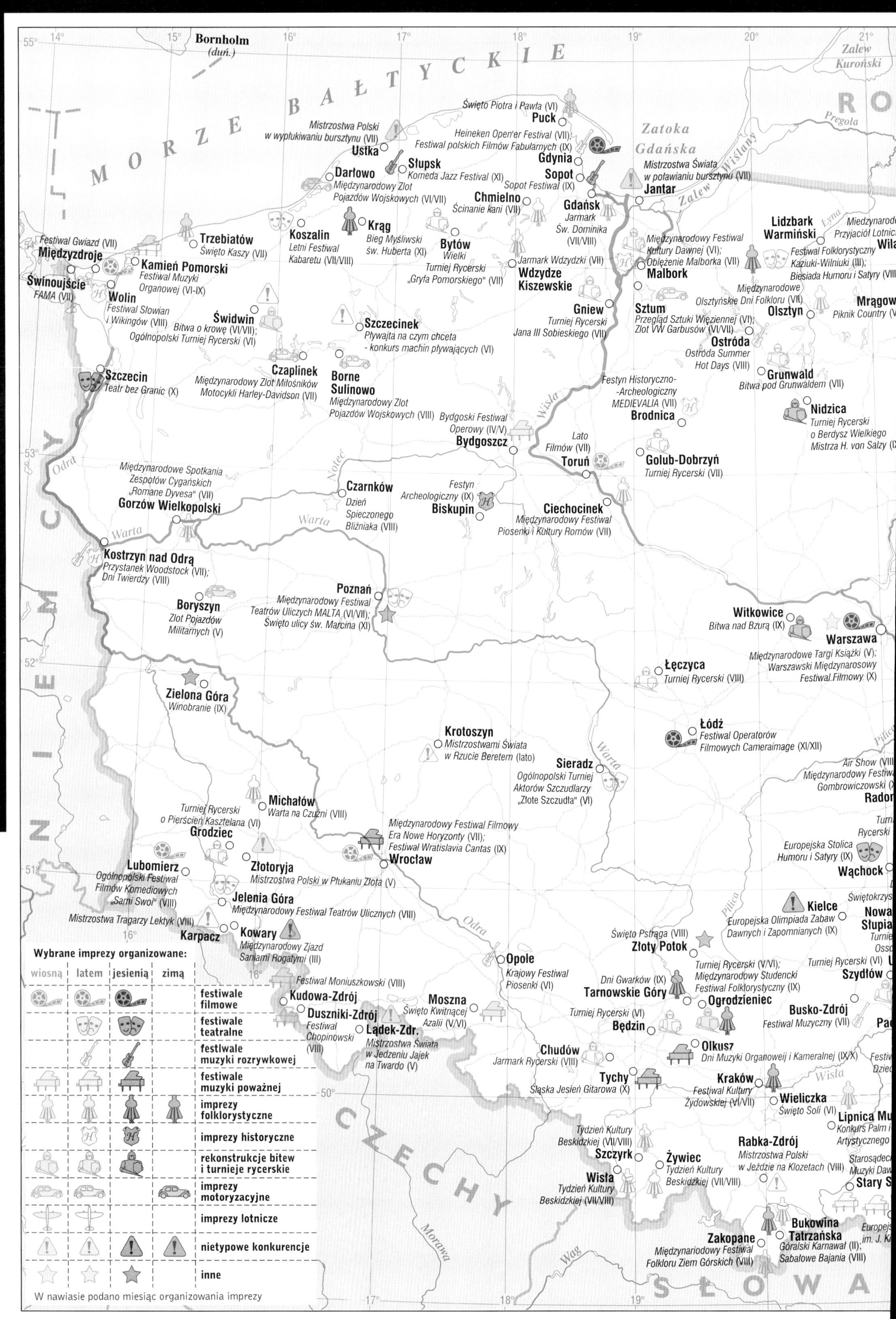

MORZE BAŁTYCKIE

Bornholm (duń.)

Mistrzostwa Polski w wypłukiwaniu bursztynu (VII)
Ustka

Święto Piotra i Pawła (VI)
Puck

Heineken Open'er Festival (VII); Festiwal polskich Filmów Fabularnych (IX)
Gdynia

Sopot Sopot Festiwal (IX)

Zatoka Gdańska

Mistrzostwa Świata w poławianiu bursztynu (VII)
Jantar

Słupsk Komeda Jazz Festival (XI)

Darłowo Międzynarodowy Zlot Pojazdów Wojskowych (VI/VII)

Krąg Bieg Myśliwski

Chmielno Ścinanie kani (VII)

Gdańsk Jarmark Św. Dominika (VII/VIII)

Koszalin Letni Festiwal Kabaretu (VII/VIII)

Bytów Wielki Turniej Rycerski „Gryfa Pomorskiego" (VII)

Jarmark Wdzydzki (VII)
Wdzydze Kiszewskie

Międzynarodowy Festiwal Kultury Dawnej (VI); Oblężenie Malborka (VII)
Malbork

Trzebiatów Święto Kaszy (VII)

Festiwal Gwiazd (VII)
Międzyzdroje

Kamień Pomorski Festiwal Muzyki Organowej (VI-IX)

Świnoujście FAMA (VII)

Wolin Festiwal Słowian i Wikingów (VIII)

Świdwin Bitwa o krowę (VI/VII); Ogólnopolski Turniej Rycerski (VI)

Szczecinek Pływajta na czym chceta - konkurs machin pływających (VI)

Gniew Turniej Rycerski Jana III Sobieskiego (VII)

Sztum Przegląd Sztuki Więziennej (VI); Zlot VW Garbusów (VI/VII)

Lidzbark Warmiński

Międzynarodowy Przyjaciół Lotnict... Wil...

Festiwal Folklorystyczny Kaziuki-Wilniuki (III); Biesiada Humoru i Satyry (VII)

Międzynarodowe Olsztyńskie Dni Folkloru (VII)
Olsztyn

Mrągow... Piknik Country (V...)

Ostróda Ostróda Summer Hot Days (VIII)

Grunwald Bitwa pod Grunwaldem (VII)

Szczecin Teatr bez Granic (X)

Czaplinek Międzynarodowy Zlot Miłośników Motocykli Harley-Davidson (VII)

Borne Sulinowo Międzynarodowy Zlot Pojazdów Wojskowych (VIII)

Bydgoski Festiwal Operowy (IV/V)
Bydgoszcz

Festyn Historyczno-Archeologiczny MEDIEVALIA (VII)
Brodnica

Nidzica Turniej Rycerski o Berdysz Wielkiego Mistrza H. von Salzy (I...)

Lato Filmów (VII)
Toruń

Golub-Dobrzyń Turniej Rycerski (VII)

Międzynarodowe Spotkania Zespołów Cygańskich „Romane Dyvesa" (VII)
Gorzów Wielkopolski

Odra

Warta

Noteć

Czarnków Dzień Spieczonego Bliźniaka (VIII)

Festyn Archeologiczny (IX)
Biskupin

Ciechocinek Międzynarodowy Festiwal Piosenki i Kultury Romów (VII)

Kostrzyn nad Odrą Przystanek Woodstock (VII); Dni Twierdzy (VIII)

Boryszyn Zlot Pojazdów Militarnych (V)

Poznań Międzynarodowy Festiwal Teatrów Ulicznych MALTA (VI/VII); Święto ulicy św. Marcina (XI)

Witkowice Bitwa nad Bzurą (IX)

Warszawa Międzynarodowe Targi Książki (V); Warszawski Międzynarosowy Festiwal Filmowy (X)

Łęczyca Turniej Rycerski (VIII)

Zielona Góra Winobranie (IX)

Krotoszyn Mistrzostwami Świata w Rzucie Beretem (lato)

Łódź Festiwal Operatorów Filmowych Camerimage (XI/XII)

Sieradz Ogólnopolski Turniej Aktorów Szczudlarzy „Złote Szczudła" (VI)

Air Show (VIII...) Międzynarodowy Festiwa... Gombrowiczowski (...) **Radom**

Michałów Warta na Czuzni (VIII)

Turniej Rycerski o Pierścień Kasztelana (VI)
Grodziec

Europejska Stolica Humoru i Satyry (IX)
Wąchock

Międzynarodowy Festiwal Filmowy Era Nowe Horyzonty (VII); Festiwal Wratislavia Cantans (IX)
Wrocław

Lubomierz Ogólnopolski Festiwal Filmów Komediowych „Sami Swoi" (VIII)

Złotoryja Mistrzostwa Polski w Płukaniu Złota (V)

Kielce Europejska Olimpiada Zabaw Dawnych i Zapomnianych (IX)

Świętokrzys... **Nowa Słupia...**

Święto Pstrąga (VIII)
Złoty Potok

Turniej Rycerski (V/VI); Międzynarodowy Studencki Festiwal Folklorystyczny (IX)
Tarnowskie Góry Dni Gwarków (IX)

Jelenia Góra Międzynarodowy Festiwal Teatrów Ulicznych (VIII)

Mistrzostwa Tragarzy Lektyk (VIII)
Karpacz

Kowary Międzynarodowy Zjazd Saniami Rogatymi (III)

Festiwal Moniuszkowski (VIII)
Kudowa-Zdrój

Duszniki-Zdrój Festiwal Chopinowski (VIII)

Lądek-Zdr. Mistrzostwa Świata w Jedzeniu Jajek na Twardo (V)

Opole Krajowy Festiwal Piosenki (VI)

Moszna Święto Kwitnącej Azalii (V/VI)

Będzin Turniej Rycerski (VI)

Ogrodzieniec

Busko-Zdr. Festiwal Muzyczny (VII) **Pa...**

Olkusz Dni Muzyki Organowej i Kameralnej (IX/X)

Chudów Jarmark Rycerski (VIII)

Turniej Rycerski (VI) **U...**

Turniej Rycerski (VI) **Ossó...**
Szydłów

Tychy Śląska Jesień Gitarowa (X)

Kraków Festiwal Kultury Żydowskiej (VI/VII)

Wieliczka Święto Soli (VI)

Lipnica Mu... Konkurs Palm... Artystyczn...

Tydzień Kultury Beskidzkiej (VII/VIII)
Szczyrk

Żywiec Tydzień Kultury Beskidzkiej (VII/VIII)

Rabka-Zdrój Mistrzostwa Polski w Jeździe na Klozetach (VIII)

Starosądec... Muzyki Daw... **Stary S...**

Wisła Tydzień Kultury Beskidzkiej (VII/VIII)

Bukowina Tatrzańska Góralski Karnawał (II); Sabałowe Bajania (VIII)

Zakopane Międzynarodowy Festiwal Folkloru Ziem Górskich (VIII)

CZECHY

SŁOWA...

NIEMCY

RO...

Legenda: Wybrane imprezy organizowane:

	wiosną	latem	jesienią	zimą	
	🎬	🎬	🎬		festiwale filmowe
		🎭	🎭		festiwale teatralne
		🎻	🎻		festiwale muzyki rozrywkowej
	🎹	🎹	🎹		festiwale muzyki poważnej
		👤	👤		imprezy folklorystyczne
		ℍ	ℍ		imprezy historyczne
		⚔	⚔		rekonstrukcje bitew i turnieje rycerskie
	🚗	🚗	🚗		imprezy motoryzacyjne
	✈	✈			imprezy lotnicze
	⚠	⚠	⚠	⚠	nietypowe konkurencje
	☆	☆	★		inne

W nawiasie podano miesiąc organizowania imprezy

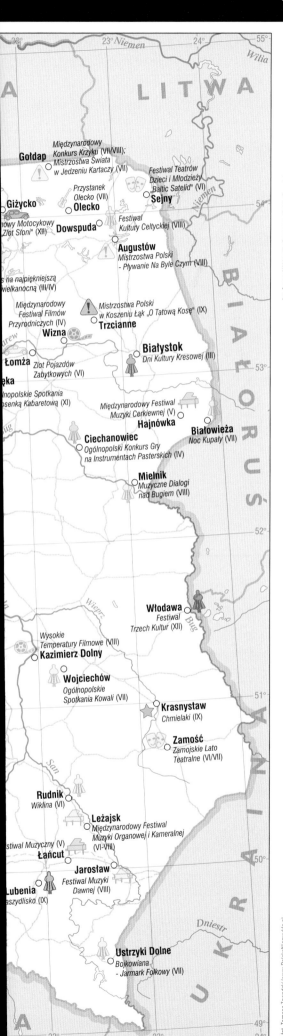

fot. Ornasz/Wikimedia Commons (Public Domain)

Największą imprezą plenerową w Polsce jest Przystanek Woodstock – festiwal muzyki rockowej organizowany przez Wielką Orkiestrę Świątecznej Pomocy. Wędrujący wcześniej po Polsce, w 2004 r. zakotwiczył na dłużej w Kostrzynie nad Odrą w województwie lubuskim. Co roku ponad 100 tys. młodych ludzi, w tym znaczna grupa z Niemiec, ściąga na podmiejski poligon posłuchać muzyki i cieszyć się wakacjami. Mimo tak dużej liczby uczestników oraz wolnego wstępu festiwal słynie z doskonałej organizacji i bezpieczeństwa. Sprzyja temu charyzma szefa festiwalu, Jurka Owsiaka. Oprócz koncertów na uczestników czekają warsztaty teatralne, plastyczne, muzyczne, filmowe i... będące już tradycją – kąpiele błotne.

Muzyka poważna dobrze wpływa na zdrowie i samopoczucie. Wiedzą o tym kuracjusze uzdrowiska w Krynicy-Zdroju, którzy od 1967 r., w sierpniu, mogą uczestniczyć w Festiwalu im. Jana Kiepury. W krynickiej Pijalni Głównej i na deptaku wystawiane są opery, operetki, balety, rozbrzmiewa także muzyka symfoniczna. Wśród występujących artystów nie brakuje międzynarodowych gwiazd. Dyrektorem artystycznym festiwalu od początku jego istnienia jest Bogusław Kaczyński.

fot. beta/www.PolskaNiezwykla.pl

Miecze, kusze, kolczugi, topory, gizarny, berdysze i korbacze to tylko niektóre z atrybutów współczesnych rycerzy. Obecnie w Polsce istnieje ponad 400 bractw rycerskich skupiających ludzi zjednoczonych pasją odtwarzania scen z zamierzchłych czasów i historycznych wydarzeń. Podczas cyklicznych spotkań, dla zachowania realizmu, są oni gotowi nosić ciężkie zbroje, spać na słomie w lnianych namiotach i gotować w kociołkach ustawionych nad ogniem. Nie jest to rozrywka wyłącznie dla mężczyzn. W obozach rycerskich spotkamy również wiele odpowiednio ubranych białogłów i dzieci. Dzięki dużej liczbie bractw rycerskich, na wielu zamkach i w grodziskach obejrzeć można turniej rycerski lub inscenizację historycznego wydarzenia. Najbardziej widowiskowe spektakle odgrywane są w lipcu pod murami zamku w Malborku oraz na polach Grunwaldu. Zmagania setek rycerzy obserwuje tam po 100 tys. widzów.

fot. Tomasz Zawadzki/www.PolskaNiezwykla.pl

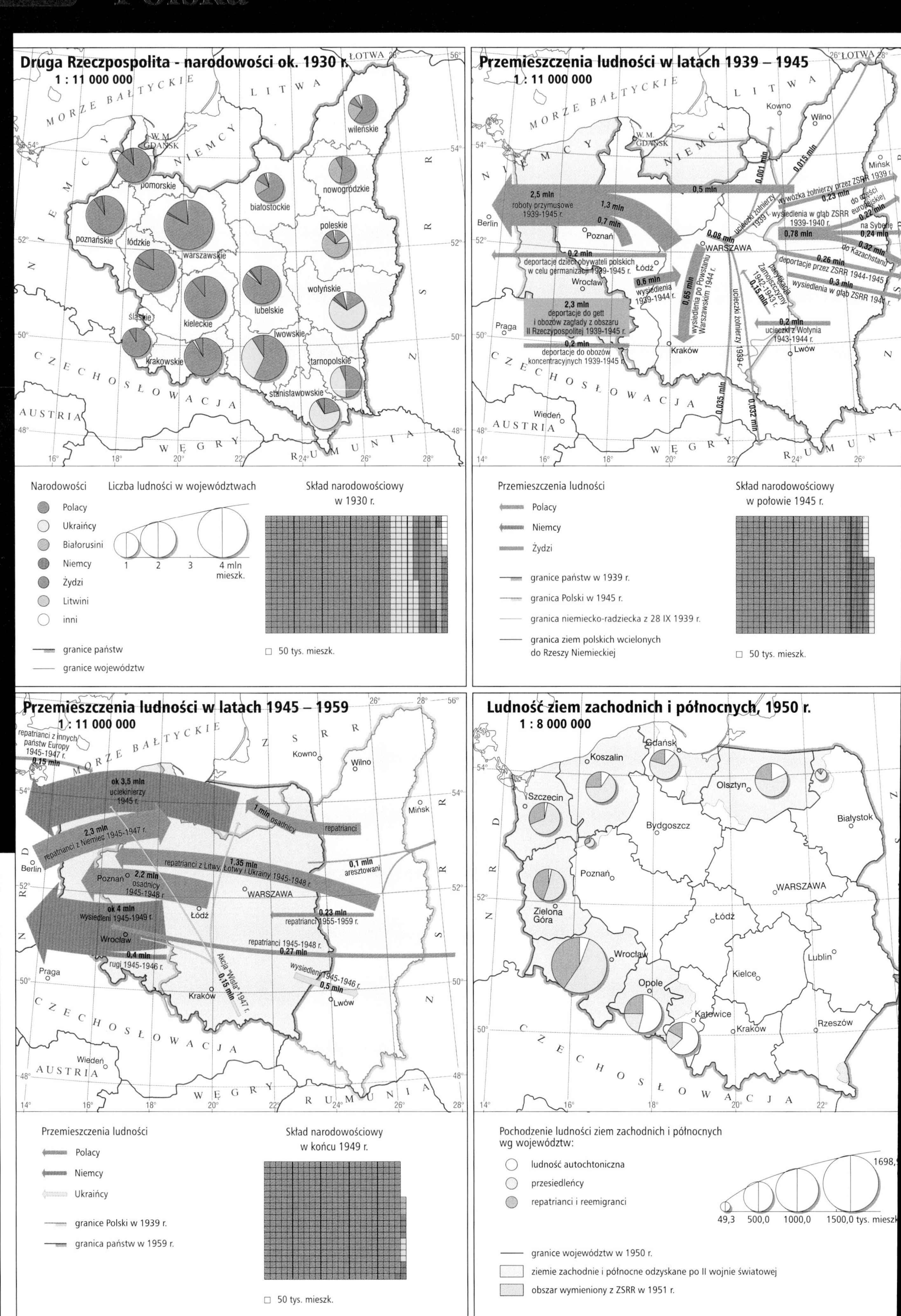

Druga Rzeczpospolita - narodowości ok. 1930 r.
1 : 11 000 000

wileńskie
pomorskie
nowogródzkie
białostockie
poleskie
poznańskie
łódzkie
warszawskie
wołyńskie
śląskie
lubelskie
kieleckie
lwowskie
krakowskie
tarnopolskie
stanisławowskie

Narodowości
- Polacy
- Ukraińcy
- Białorusini
- Niemcy
- Żydzi
- Litwini
- inni

granice państw
granice województw

Liczba ludności w województwach
1 2 3 4 mln mieszk.

Skład narodowościowy w 1930 r.
□ 50 tys. mieszk.

Przemieszczenia ludności w latach 1939 – 1945
1 : 11 000 000

2,5 mln roboty przymusowe 1939-1945 r.
1,3 mln
0,7 mln
0,5 mln
0,08 mln ucieczki żołnierzy 1939 r.
0,001 mln
0,015 mln
wywózka żołnierzy przez ZSRR 1939 r.
0,23 mln do części europejskiej 1939-1940 r.
0,22 mln na Syberię
0,24 mln do Kazachstanu
0,2 mln deportację dzieci obywateli polskich w celu germanizacji 1939-1945 r.
0,26 mln deportacje przez ZSRR 1944-1945 r.
0,78 mln wysiedlenia w głąb ZSRR 1939-1940 r.
0,6 mln wysiedlenia 1939-1944 r.
0,65 mln wysiedlenia po Powstaniu Warszawskim 1944 r.
ucieczki żołnierzy 1939 r.
Powstanie Zamojskie 1942-1943 r. 0,15 mln wysiedlenia w głąb ZSRR 1940 r.
0,3 mln
2,3 mln deportację do gett i obozów zagłady z obszaru II Rzeczypospolitej 1939-1945 r.
0,2 mln ucieczki z Wołynia 1943-1944 r.
0,2 mln deportacje do obozów koncentracyjnych 1939-1945 r.
0,035 mln
0,032 mln

WARSZAWA
Łódź
Wrocław
Poznań
Berlin
Praga
Wiedeń
Kraków
Lwów

Przemieszczenia ludności
- Polacy
- Niemcy
- Żydzi

granice państw w 1939 r.
granica Polski w 1945 r.
granica niemiecko-radziecka z 28 IX 1939 r.
granica ziem polskich wcielonych do Rzeszy Niemieckiej

Skład narodowościowy w połowie 1945 r.
□ 50 tys. mieszk.

Przemieszczenia ludności w latach 1945 – 1959
1 : 11 000 000

repatrianci z innych państw Europy 1945-1947 r. 0,15 mln
ok 3,5 mln uciekinierzy 1945 r.
1 mln osadnicy
2,3 mln repatrianci z Niemiec 1945-1947 r.
repatrianci
1,35 mln repatrianci z Litwy, Łotwy i Ukrainy 1945-1948 r.
0,1 mln aresztowani
2,2 mln osadnicy 1945-1948 r.
ok 4 mln wysiedleni 1945-1949 r.
0,23 mln repatrianci 1955-1959 r.
repatrianci 1945-1948 r. 0,27 mln
0,4 mln rugi 1945-1946 r.
Akcja Wisła 1947 r. 0,15 mln
wysiedleni 1945-1946 r.
0,5 mln

Berlin
Poznań
WARSZAWA
Łódź
Wrocław
Praga
Kraków
Wiedeń
Kowno
Wilno
Mińsk
Lwów

Przemieszczenia ludności
- Polacy
- Niemcy
- Ukraińcy

granice Polski w 1939 r.
granica państw w 1959 r.

Skład narodowościowy w końcu 1949 r.
□ 50 tys. mieszk.

Ludność ziem zachodnich i północnych, 1950 r.
1 : 8 000 000

Gdańsk
Koszalin
Olsztyn
Szczecin
Bydgoszcz
Białystok
Poznań
WARSZAWA
Zielona Góra
Łódź
Lublin
Wrocław
Kielce
Opole
Katowice
Kraków
Rzeszów

Pochodzenie ludności ziem zachodnich i północnych wg województw:
- ludność autochtoniczna
- przesiedleńcy
- repatrianci i reemigranci

49,3 500,0 1000,0 1500,0 tys. mieszk. 1698,

granice województw w 1950 r.
ziemie zachodnie i północne odzyskane po II wojnie światowej
obszar wymieniony z ZSRR w 1951 r.

Gęstość zaludnienia w 1946 r. (wg powiatów)

granice województw
granice powiatów

WARSZAWA stolica
KRAKÓW stolice województw
Sierpc stolice powiatów
rzepiński nazwy powiatów

Zaludnienie
pow. 250 osób/km² | 60–80
150–250 | 40–60
100–150 | 20–40
80–100 | pon. 20

Bilans ludności w latach 1946–1989

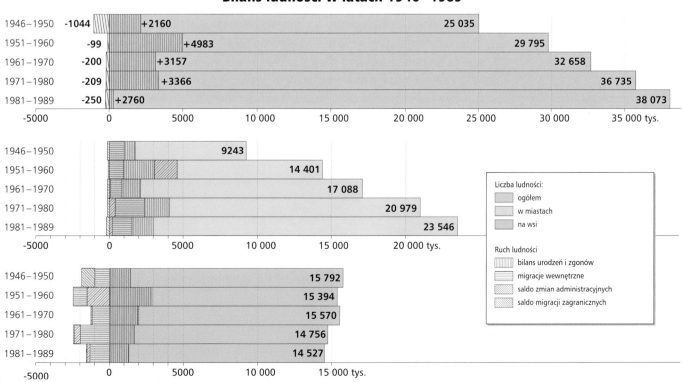

1946–1950	-1044 +2160	25 035
1951–1960	-99 +4983	29 795
1961–1970	-200 +3157	32 658
1971–1980	-209 +3366	36 735
1981–1989	-250 +2760	38 073

-5000   0   5000   10 000   15 000   20 000   25 000   30 000   35 000 tys.

1946–1950   9243
1951–1960   14 401
1961–1970   17 088
1971–1980   20 979
1981–1989   23 546

-5000   0   5000   10 000   15 000   20 000 tys.

Liczba ludności:
ogółem
w miastach
na wsi

Ruch ludności
bilans urodzeń i zgonów
migracje wewnętrzne
saldo zmian administracyjnych
saldo migracji zagranicznych

1946–1950   15 792
1951–1960   15 394
1961–1970   15 570
1971–1980   14 756
1981–1989   14 527

-5000   0   5000   10 000   15 000 tys.

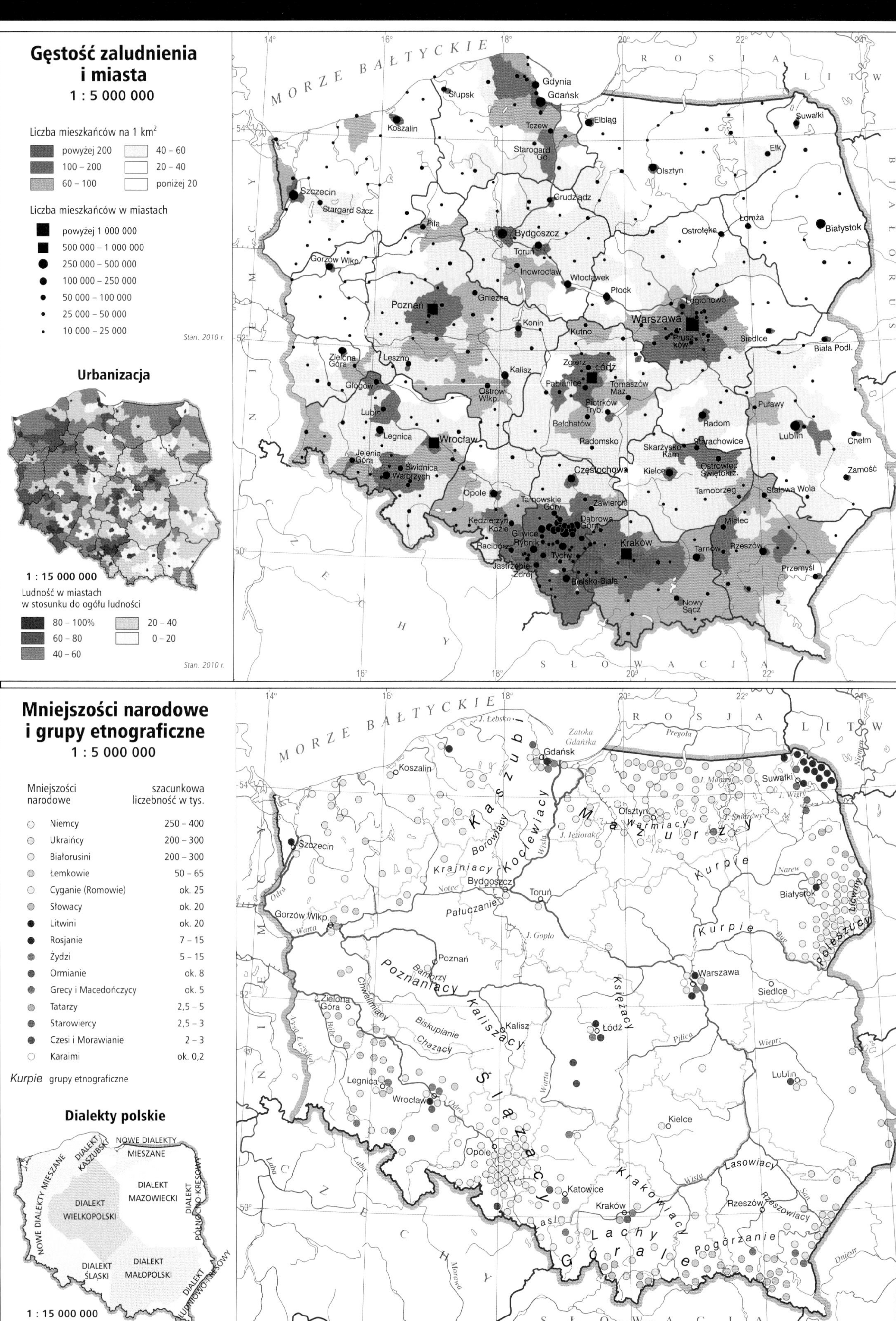

Gęstość zaludnienia i miasta
1 : 5 000 000

Liczba mieszkańców na 1 km²

- powyżej 200
- 100 – 200
- 60 – 100
- 40 – 60
- 20 – 40
- poniżej 20

Liczba mieszkańców w miastach

- powyżej 1 000 000
- 500 000 – 1 000 000
- 250 000 – 500 000
- 100 000 – 250 000
- 50 000 – 100 000
- 25 000 – 50 000
- 10 000 – 25 000

Stan: 2010 r.

Urbanizacja

1 : 15 000 000

Ludność w miastach
w stosunku do ogółu ludności

- 80 – 100%
- 60 – 80
- 40 – 60
- 20 – 40
- 0 – 20

Stan: 2010 r.

Mniejszości narodowe i grupy etnograficzne
1 : 5 000 000

Mniejszości narodowe	szacunkowa liczebność w tys.
Niemcy	250 – 400
Ukraińcy	200 – 300
Białorusini	200 – 300
Łemkowie	50 – 65
Cyganie (Romowie)	ok. 25
Słowacy	ok. 20
Litwini	ok. 20
Rosjanie	7 – 15
Żydzi	5 – 15
Ormianie	ok. 8
Grecy i Macedończycy	ok. 5
Tatarzy	2,5 – 5
Starowiercy	2,5 – 3
Czesi i Morawianie	2 – 3
Karaimi	ok. 0,2

Kurpie grupy etnograficzne

Dialekty polskie

NOWE DIALEKTY MIESZANE
DIALEKT KASZUBSKI
NOWE DIALEKTY MIESZANE
DIALEKT MAZOWIECKI
DIALEKT WIELKOPOLSKI
PÓŁNOCNO-KRESOWY
DIALEKT ŚLĄSKI
DIALEKT MAŁOPOLSKI
POŁUDNIOWO-KRESOWY

1 : 15 000 000

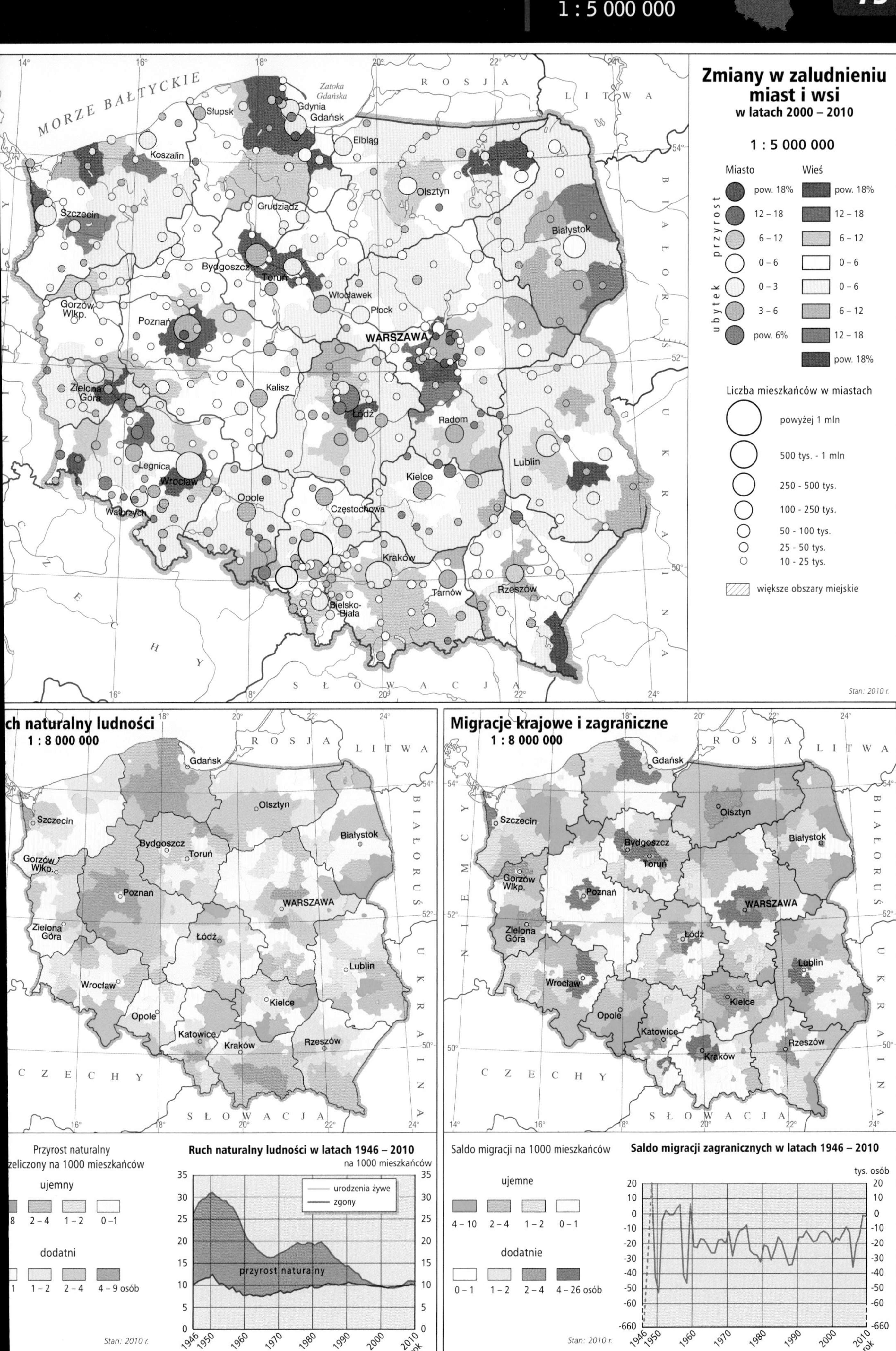

Zmiany w zaludnieniu miast i wsi
w latach 2000 – 2010

1 : 5 000 000

Miasto	Wieś
pow. 18%	pow. 18%
12 – 18	12 – 18
6 – 12	6 – 12
0 – 6	0 – 6
0 – 3	0 – 6
3 – 6	6 – 12
pow. 6%	12 – 18
	pow. 18%

przyrost / ubytek

Liczba mieszkańców w miastach

powyżej 1 mln
500 tys. - 1 mln
250 - 500 tys.
100 - 250 tys.
50 - 100 tys.
25 - 50 tys.
10 - 25 tys.

większe obszary miejskie

Stan: 2010 r.

...ch naturalny ludności
1 : 8 000 000

Przyrost naturalny
zeliczony na 1000 mieszkańców

ujemny

8 2 – 4 1 – 2 0 – 1

dodatni

1 1 – 2 2 – 4 4 – 9 osób

Ruch naturalny ludności w latach 1946 – 2010
na 1000 mieszkańców

urodzenia żywe
zgony

przyrost naturalny

Stan: 2010 r.

Migracje krajowe i zagraniczne
1 : 8 000 000

Saldo migracji na 1000 mieszkańców

ujemne

4 – 10 2 – 4 1 – 2 0 – 1

dodatnie

0 – 1 1 – 2 2 – 4 4 – 26 osób

Saldo migracji zagranicznych w latach 1946 – 2010
tys. osób

Stan: 2010 r.

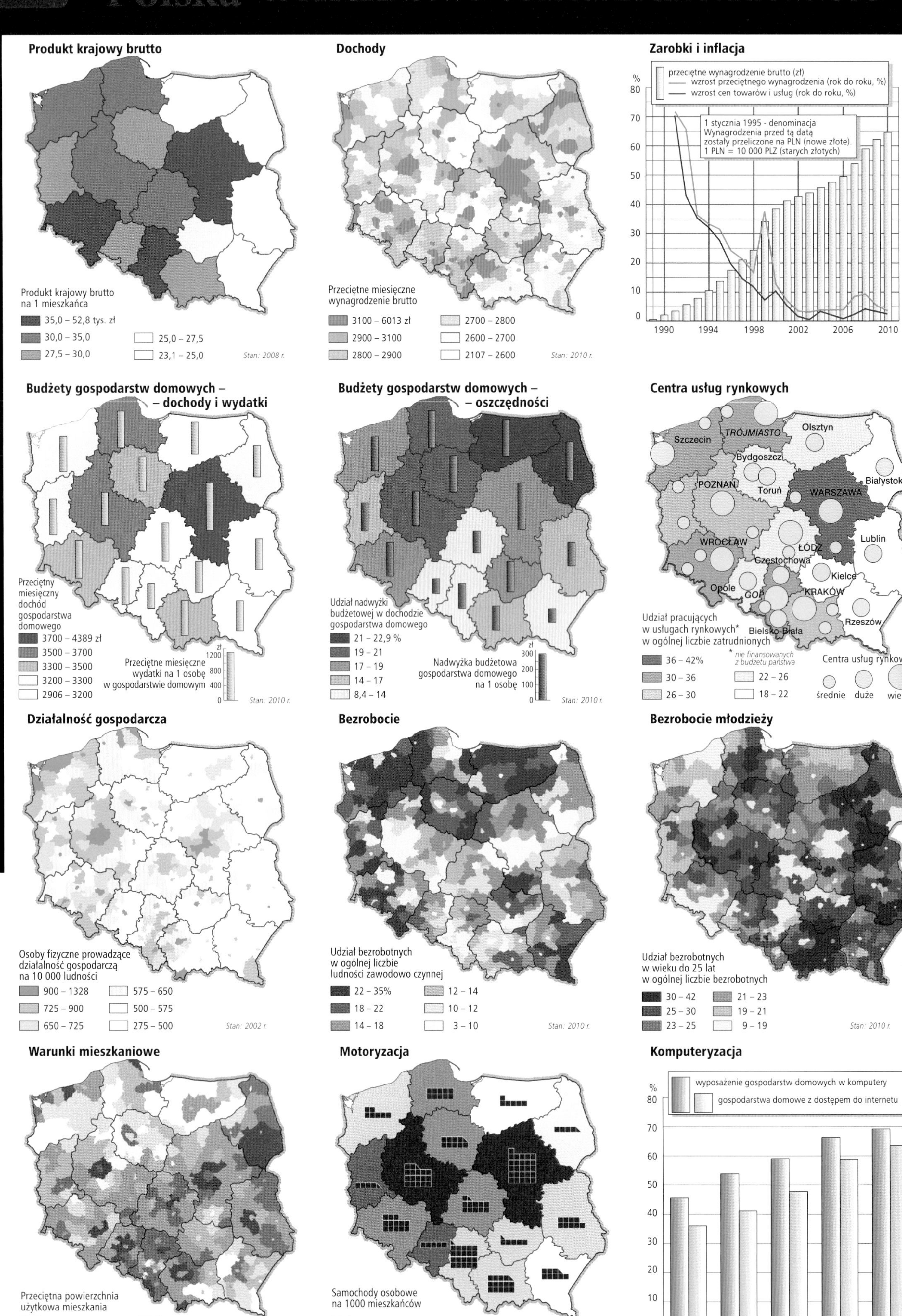

Produkt krajowy brutto

Produkt krajowy brutto
na 1 mieszkańca

- 35,0 – 52,8 tys. zł
- 30,0 – 35,0
- 27,5 – 30,0
- 25,0 – 27,5
- 23,1 – 25,0 *Stan: 2008 r.*

Dochody

Przeciętne miesięczne
wynagrodzenie brutto

- 3100 – 6013 zł
- 2900 – 3100
- 2800 – 2900
- 2700 – 2800
- 2600 – 2700
- 2107 – 2600 *Stan: 2010 r.*

Zarobki i inflacja

- przeciętne wynagrodzenie brutto (zł)
- wzrost przeciętnego wynagrodzenia (rok do roku, %)
- wzrost cen towarów i usług (rok do roku, %)

1 stycznia 1995 - denominacja
Wynagrodzenia przed tą datą
zostały przeliczone na PLN (nowe złote).
1 PLN = 10 000 PLZ (starych złotych)

1990 1994 1998 2002 2006 2010

Budżety gospodarstw domowych – – dochody i wydatki

Przeciętny
miesięczny
dochód
gospodarstwa
domowego

- 3700 – 4389 zł
- 3500 – 3700
- 3300 – 3500
- 3200 – 3300
- 2906 – 3200

Przeciętne miesięczne
wydatki na 1 osobę
w gospodarstwie domowym
Stan: 2010 r.

Budżety gospodarstw domowych – – oszczędności

Udział nadwyżki
budżetowej w dochodzie
gospodarstwa domowego

- 21 – 22,9 %
- 19 – 21
- 17 – 19
- 14 – 17
- 8,4 – 14

Nadwyżka budżetowa
gospodarstwa domowego
na 1 osobę
Stan: 2010 r.

Centra usług rynkowych

Szczecin TRÓJMIASTO Olsztyn
Bydgoszcz
POZNAŃ Toruń Białystok
WARSZAWA
WROCŁAW ŁÓDŹ Lublin
Częstochowa
Opole GOP Kielce
KRAKÓW
Bielsko-Biała Rzeszów

Udział pracujących
w usługach rynkowych*
w ogólnej liczbie zatrudnionych

nie finansowanych z budżetu państwa

- 36 – 42%
- 30 – 36
- 26 – 30
- 22 – 26
- 18 – 22

Centra usług rynkowych
średnie duże wielk

Działalność gospodarcza

Osoby fizyczne prowadzące
działalność gospodarczą
na 10 000 ludności

- 900 – 1328
- 725 – 900
- 650 – 725
- 575 – 650
- 500 – 575
- 275 – 500 *Stan: 2002 r.*

Bezrobocie

Udział bezrobotnych
w ogólnej liczbie
ludności zawodowo czynnej

- 22 – 35%
- 18 – 22
- 14 – 18
- 12 – 14
- 10 – 12
- 3 – 10 *Stan: 2010 r.*

Bezrobocie młodzieży

Udział bezrobotnych
w wieku do 25 lat
w ogólnej liczbie bezrobotnych

- 30 – 42
- 25 – 30
- 23 – 25
- 21 – 23
- 19 – 21
- 9 – 19 *Stan: 2010 r.*

Warunki mieszkaniowe

Przeciętna powierzchnia
użytkowa mieszkania

- 28 – 36 m²/osobę
- 26 – 28
- 24 – 26
- 23 – 24
- 22 – 23
- 19 – 22 *Stan: 2009 r.*

Motoryzacja

Samochody osobowe
na 1000 mieszkańców

- 500 – 511 szt.
- 460 – 500
- 445 – 460
- 410 – 445
- 394 – 410

Stan: 2010 r.

Liczba samochodów
■ 100 000 szt.

Komputeryzacja

- wyposażenie gospodarstw domowych w komputery
- gospodarstwa domowe z dostępem do internetu

2006 2007 2008 2009 2010

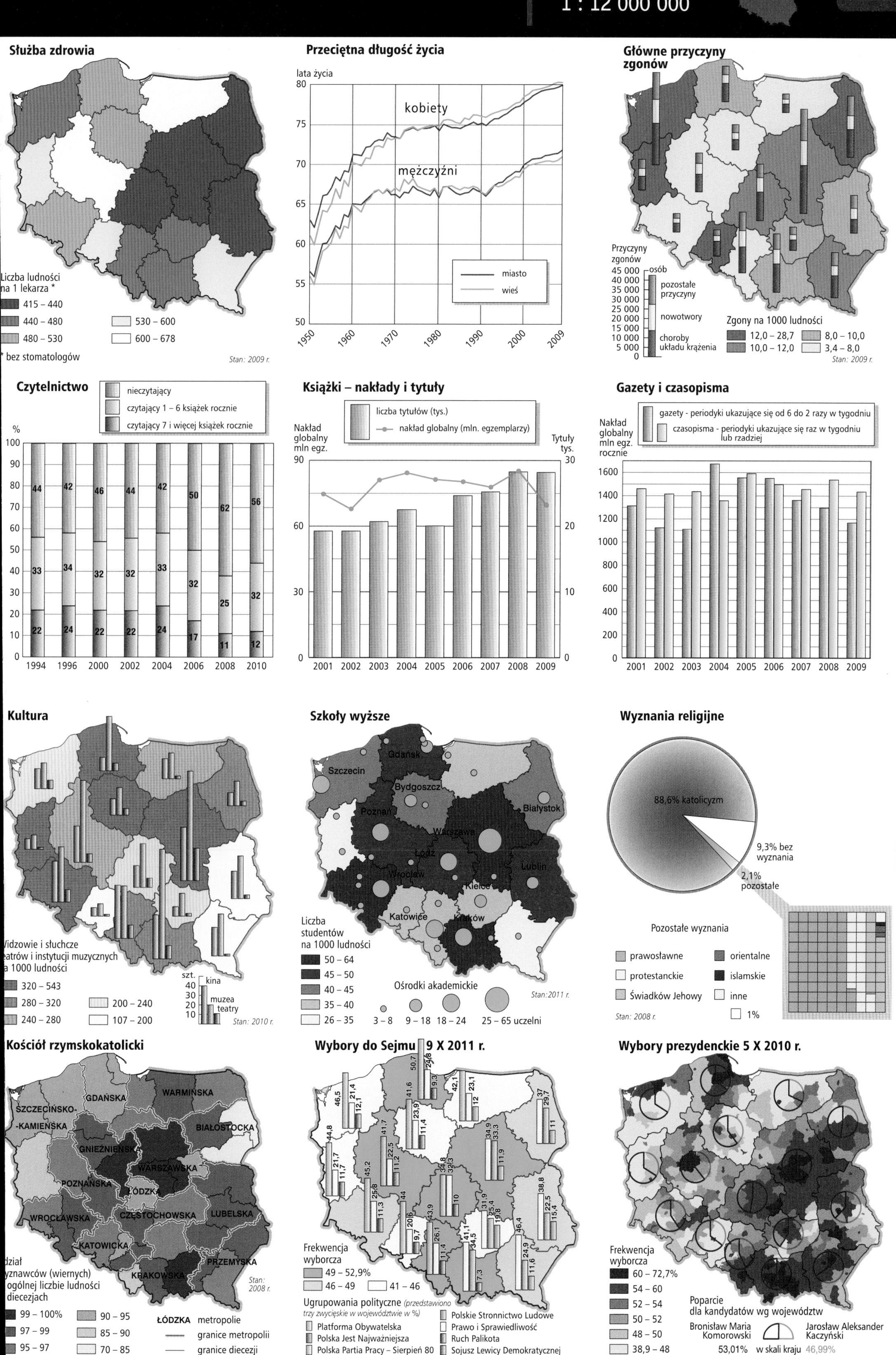
Służba zdrowia
Liczba ludności na 1 lekarza *
415 – 440
440 – 480
480 – 530
530 – 600
600 – 678
* bez stomatologów
Stan: 2009 r.
Przeciętna długość życia
lata życia
80
75
70
65
60
55
50
kobiety
mężczyźni
miasto
wieś
1950
1960
1970
1980
1990
2000
2009
Główne przyczyny zgonów
Przyczyny zgonów
45 000
40 000
35 000
30 000
25 000
20 000
15 000
10 000
5 000
0
osób
pozostałe przyczyny
nowotwory
choroby układu krążenia
Zgony na 1000 ludności
12,0 – 28,7
10,0 – 12,0
8,0 – 10,0
3,4 – 8,0
Stan: 2009 r.
Czytelnictwo
nieczytający
czytający 1 – 6 książek rocznie
czytający 7 i więcej książek rocznie
%
100
90
80
70
60
50
40
30
20
10
0
44
42
46
44
42
50
62
56
33
34
32
32
33
32
25
32
22
24
22
22
24
17
11
12
1994
1996
2000
2002
2004
2006
2008
2010
Książki – nakłady i tytuły
liczba tytułów (tys.)
nakład globalny (mln. egzemplarzy)
Nakład globalny mln egz.
Tytuły tys.
90
60
30
0
30
20
10
0
2001
2002
2003
2004
2005
2006
2007
2008
2009
Gazety i czasopisma
gazety - periodyki ukazujące się od 6 do 2 razy w tygodniu
czasopisma - periodyki ukazujące się raz w tygodniu lub rzadziej
Nakład globalny mln egz. rocznie
1600
1400
1200
1000
800
600
400
200
0
2001
2002
2003
2004
2005
2006
2007
2008
2009
Kultura
Widzowie i słuchacze teatrów i instytucji muzycznych na 1000 ludności
320 – 543
280 – 320
240 – 280
200 – 240
107 – 200
szt.
40
30
20
10
kina
muzea
teatry
Stan: 2010 r.
Szkoły wyższe
Gdańsk
Szczecin
Bydgoszcz
Białystok
Poznań
Warszawa
Łódź
Wrocław
Lublin
Kielce
Katowice
Kraków
Liczba studentów na 1000 ludności
50 – 64
45 – 50
40 – 45
35 – 40
26 – 35
Ośrodki akademickie
3 – 8
9 – 18
18 – 24
25 – 65 uczelni
Stan: 2011 r.
Wyznania religijne
88,6% katolicyzm
9,3% bez wyznania
2,1% pozostałe
Pozostałe wyznania
prawosławne
protestanckie
Świadków Jehowy
orientalne
islamskie
inne
1%
Stan: 2008 r.
Kościół rzymskokatolicki
SZCZECIŃSKO-KAMIEŃSKA
GDAŃSKA
WARMIŃSKA
BIAŁOSTOCKA
GNIEŹNIEŃSKA
WARSZAWSKA
POZNAŃSKA
ŁÓDZKA
WROCŁAWSKA
CZĘSTOCHOWSKA
LUBELSKA
KATOWICKA
KRAKOWSKA
PRZEMYSKA
Udział wyznawców (wiernych) w ogólnej liczbie ludności w diecezjach
99 – 100%
97 – 99
95 – 97
90 – 95
85 – 90
70 – 85
ŁÓDZKA metropolie
granice metropolii
granice diecezji
Stan: 2008 r.
Wybory do Sejmu 9 X 2011 r.
Frekwencja wyborcza
49 – 52,9%
46 – 49
41 – 46
Ugrupowania polityczne (przedstawiono trzy zwycięskie w województwie w %)
Platforma Obywatelska
Polska Jest Najważniejsza
Polska Partia Pracy – Sierpień 80
Polskie Stronnictwo Ludowe
Prawo i Sprawiedliwość
Ruch Palikota
Sojusz Lewicy Demokratycznej
Wybory prezydenckie 5 X 2010 r.
Frekwencja wyborcza
60 – 72,7%
54 – 60
52 – 54
50 – 52
48 – 50
38,9 – 48
Poparcie dla kandydatów wg województw
Bronisław Maria Komorowski
Jarosław Aleksander Kaczyński
53,01% w skali kraju 46,99%

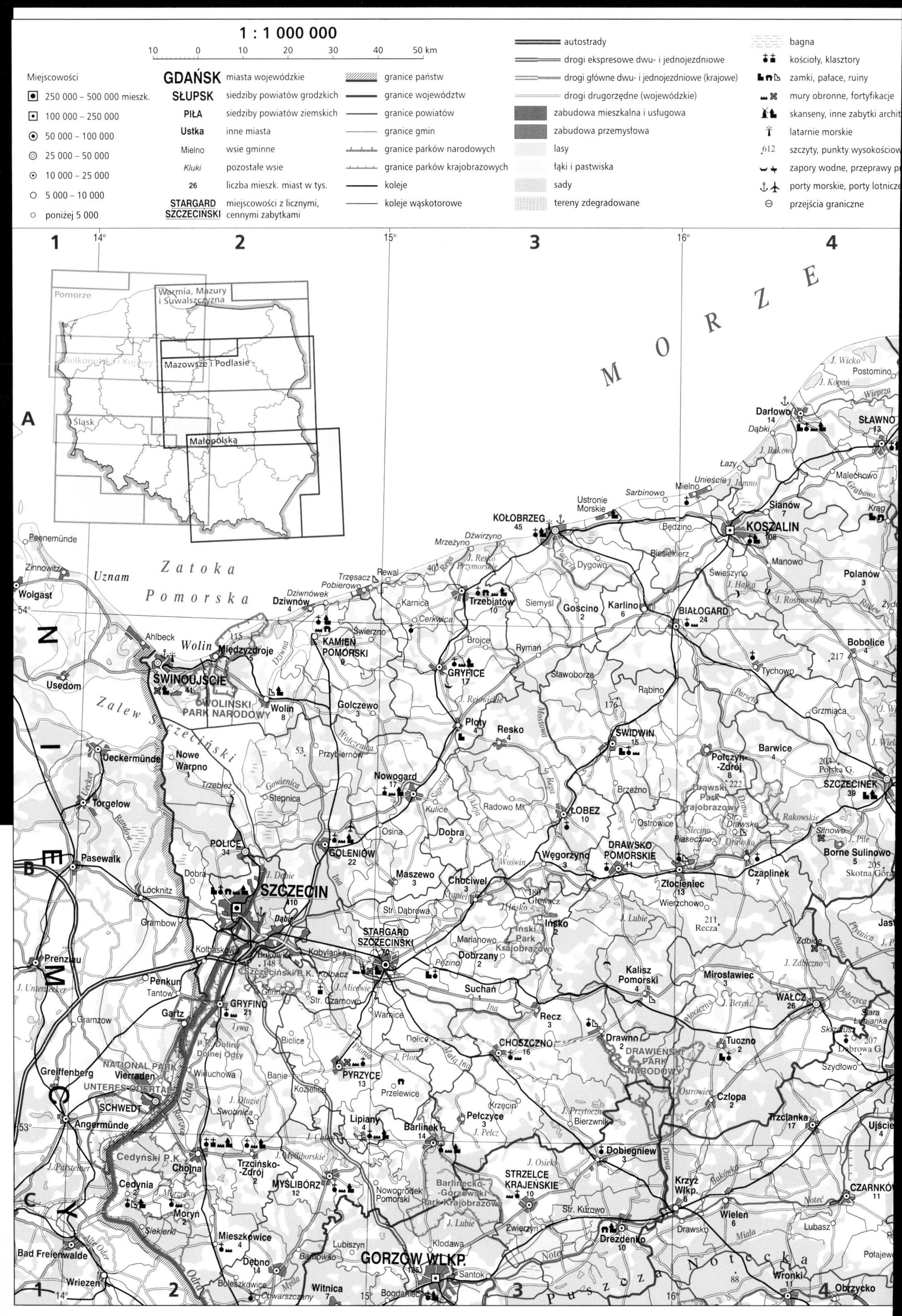

1 : 1 000 000

10   0   10   20   30   40   50 km

Miejscowości
- ▣ 250 000 – 500 000 mieszk.
- ▣ 100 000 – 250 000
- ◉ 50 000 – 100 000
- ◎ 25 000 – 50 000
- ○ 10 000 – 25 000
- ○ 5 000 – 10 000
- ○ poniżej 5 000

GDAŃSK miasta wojewódzkie
SŁUPSK siedziby powiatów grodzkich
PIŁA siedziby powiatów ziemskich
Ustka inne miasta
Mielno wsie gminne
Kluki pozostałe wsie
26 liczba mieszk. miast w tys.
STARGARD SZCZECIŃSKI miejscowości z licznymi, cennymi zabytkami

⬚ granice państw
━━ granice województw
── granice powiatów
── granice gmin
─┴─ granice parków narodowych
─┴─ granice parków krajobrazowych
━━ koleje
── koleje wąskotorowe

━━ autostrady
━━ drogi ekspresowe dwu- i jednojezdniowe
━━ drogi główne dwu- i jednojezdniowe (krajowe)
── drogi drugorzędne (wojewódzkie)
▓ zabudowa mieszkalna i usługowa
▓ zabudowa przemysłowa
░ lasy
░ łąki i pastwiska
░ sady
░ tereny zdegradowane

≈ bagna
♦ kościoły, klasztory
🏰 zamki, pałace, ruiny
⚔ mury obronne, fortyfikacje
🏛 skanseny, inne zabytki archit.
⌖ latarnie morskie
₆₁₂ szczyty, punkty wysokościowe
⚓ zapory wodne, przeprawy p.
⚓✈ porty morskie, porty lotnicze
⊖ przejścia graniczne

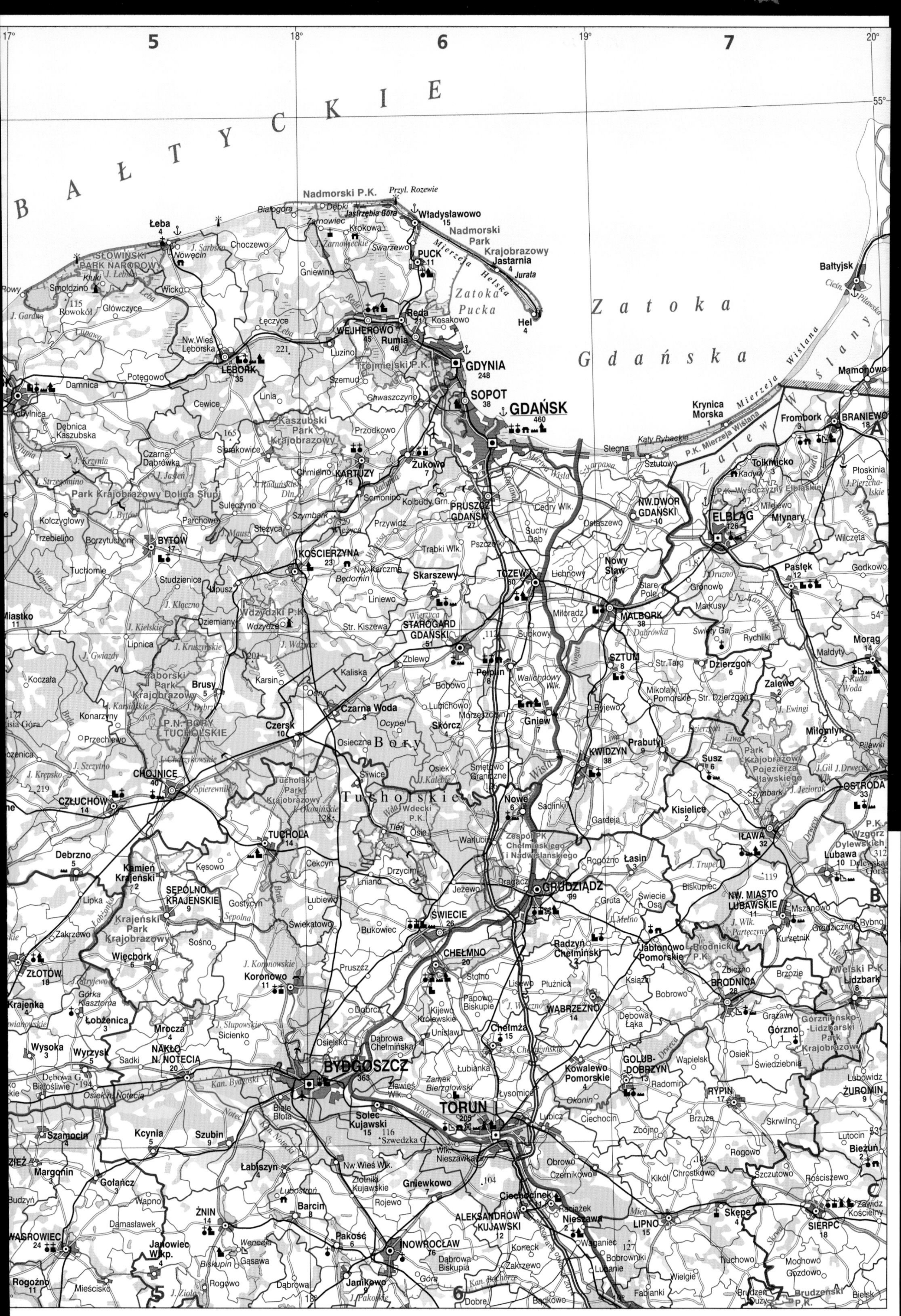
17°
5
18°
6
19°
7
20°
55°
54°
53°
A
B
C
B A Ł T Y C K I E
Zatoka Gdańska
Zatoka Pucka
Mierzeja Helska
Mierzeja Wiślana
Zalew Wiślany
Nadmorski P.K.
Przyl. Rozewie
Białogóra
Dębki
Jastrzębia Góra
Władysławowo
15
Nadmorski Park Krajobrazowy
Jastarnia
4
Jurata
Hel
4
Żarnowiec
Krokowa
J. Żarnowieckie
Swarzewo
PUCK
11
Łeba
4
Nowęcin
J. Sarbsko
Choczewo
SŁOWIŃSKI PARK NARODOWY
Kluki
J. Łebsko
Smołdzino
115
Rowokół
Główczyce
J. Gardno
Wicko
Gniewino
Reda
21
Kosakowo
WEJHEROWO
45
Rumia
46
Łęczyce
Nw.Wieś Lęborska
LĘBORK
35
221
Luzino
Trójmiejski P.K.
GDYNIA
248
SOPOT
38
GDAŃSK
460
Potęgowo
Damnica
Szemud
Chwaszczyno
Linia
Cewice
Dębnica Kaszubska
Kaszubski Park Krajobrazowy
Przodkowo
165
Sierakowice
Czarna Dąbrówka
J. Jasień
J. Krzynia
Chmielno
KARTUZY
15
Żukowo
7
J. Raduńskie Dln.
Park Krajobrazowy Dolina Słupi
Somonino
Kolbudy Grn.
PRUSZCZ GDAŃSKI
27
Sulęczyno
J. Bytów
Kołczygłowy
Parchowo
Szymbark
329
Wieżyca
Przywidz
Cedry Wlk.
Suchy Dąb
Ostaszewo
Trzebielino
Borzytuchom
BYTÓW
17
Stężyca
KOŚCIERZYNA
23
Nw. Karczma
Będomin
Trąbki Wlk.
Pszczółki
TCZEW
60
Lichnowy
Nowy Staw
Tuchomie
Studzienice
Lipusz
J. Kłączno
Liniewo
Skarszewy
7
Stare Pole
Miłoradz
MALBORK
38
Miastko
11
Wdzydzki P.K.
Wdzydze
Dziemiany
J. Kielskie
J. Wdzydze
Str. Kiszewa
STAROGARD GDAŃSKI
51
Suchowy
J. Dąbrówka
Lipnica
J. Kruszyńskie
J. Gwiazdy
Zblewo
Pelplin
8
STUM
8
Str. Targ
Dzierzgoń
6
Koczała
Zaborski Park Krajobrazowy
Brusy
5
Karsin
Kaliska
Bobowo
Walichnowy Wlk.
Mikołajki Pomorskie
Str. Dzierzgoń
Ryjewo
Konarzyny
P.N. BORY TUCHOLSKIE
Czarna Woda
3
Lubichowo
Morzeszczyn
Gniew
7
Czersk
10
Ocypel
Skórcz
4
Prabuty
9
Przechlewo
Osieczna
Bory Tucholskie
KWIDZYN
38
Susz
6
Park Krajobrazowy Pojezierza Iławskiego
J. Krępsko
219
J. Szczytno
CHOJNICE
40
J. Charzykowskie
Spierewnik
Tucholski Park Krajobrazowy
J. Okonińskie
128
Śliwice
Osiek
J. Kałębie
Smętowo Graniczne
Nowe
6
Sadlinki
Gardeja
Kisielice
2
CZŁUCHÓW
14
Wdecki P.K.
Tleń
Osie
Zespół PK Chełmińskiego i Nadwiślańskiego
Warlubie
Rogóżno
Łasin
3
J. Trupel
IŁAWA
32
TUCHOLA
14
Debrzno
5
Kamień Krajeński
2
Kęsowo
Cekcyn
Drzycim
Dragacz
GRUDZIĄDZ
99
Gruta
Świecie n. Osą
Biskupiec
NW. MIASTO LUBAWSKIE
11
SĘPÓLNO KRAJEŃSKIE
9
Gostycyn
Lniano
Jeżewo
Lipka
Lubiewo
ŚWIECIE
26
Krajeński Park Krajobrazowy
Świekatowo
Bukowiec
Radzyń Chełmiński
2
Jabłonowo Pomorskie
4
Brodnicki P.K.
Zakrzewo
Sośno
CHEŁMNO
20
Więcbork
6
Stolno
Płużnica
Książki
BRODNICA
28
ZŁOTÓW
18
J. Koronowskie
Koronowo
11
Pruszcz
Papowo Biskupie
Lisewo
WĄBRZEŹNO
14
Bobrowo
Brzozie
Krajenka
4
Łobżenica
3
Dobrcz
Kijewo Królewskie
Dębowa Łąka
Grążawy
Górzno
1
Mrocza
4
J. Słupowskie
Sicienko
Dąbrowa Chełmińska
Unisław
Chełmża
15
Wysoka
3
Wyrzysk
5
Sadki
NAKŁO N. NOTECIĄ
20
Osielsko
J. Chełmżyńskie
GOLUB-DOBRZYŃ
13
Wąpielsk
Osiek
Świedziebnia
Dębowa G.
Białośliwie
194
Osiek n. Notecią
Kan. Bydgoski
BYDGOSZCZ
363
Zamek Bierzgłowski
Łubianka
Kowalewo Pomorskie
4
Radomin
RYPIN
17
Lubowidz
ŻUROMIN
9
Białe Błota
Solec Kujawski
15
Zławieś Wlk.
TORUŃ
205
Łysomice
Okonin
Ciechocin
Zbójno
Brzuze
Skrwilno
Szamocin
4
Kcynia
5
Szubin
9
116
Szwedzka G.
Lubicz
Lutocin
Bieżuń
2
Margonin
3
Łabiszyn
4
Nw.Wieś Wlk.
Wlk. Nieszawka
Obrowo
Czernikowo
Rogowo
Gołańcz
3
Złotniki Kujawskie
Gniewkowo
7
104
Kikół
Chrostkowo
Szczutowo
Rościszewo
Wapno
Lubostroń
Rojewo
Barcin
8
Ciechocinek
11
Raciążek
Nieszawa
2
LIPNO
15
Skępe
4
SIERPC
18
Zawidz Kościelny
ŻNIN
14
Damasławek
ALEKSANDRÓW KUJAWSKI
12
Waganiec
127
Bobrowniki
WĄGROWIEC
24
Janowiec Wlkp.
4
Wenecja
Biskupin
Gąsawa
Pakość
6
INOWROCŁAW
76
Dąbrowa Biskupia
Koneck
Zakrzewo
Lubanie
Wielgie
Tłuchowo
Mochowo
Gozdowo
Rogoźno
11
Mieścisko
Rogowo
Dąbrowa
Janikowo
Góra
Kan. Bachorze
Dobre
Bądkowo
Fabianki
Brudzeń Duży
Brudzeński P.K.
Bielsk
Bałtyjsk
Cieśn. Piławska
Mamonowo
BRANIEWO
18
Krynica Morska
1
Kąty Rybackie
Stegna
Sztutowo
P.K. Mierzeja Wiślana
Frombork
3
Tolkmicko
3
Kadyny
P.K. Wysoczyzny Elbląskiej
197
NW.DWÓR GDAŃSKI
10
ELBLĄG
126
Milejewo
Młynary
2
Płoskinia
Wilczęta
Godkowo
J. Drużno
Gronowo
Markusy
Kan. Elbląski
Pasłęk
12
Rychliki
Maldyty
Morąg
14
Zalewo
2
J. Ewingi
J. Dzierzgoń
Miłomłyn
2
J. Gil
J. Drwęckie
Szymbark
J. Jeziorak
OSTRÓDA
33
P.K. Wzgórz Dylewskich
312
Lubawa
10
Dylewska Góra
119
Mszanowo
Grodziczno
Rybno
J. Wlk. Partęczyny
Kurzętnik
Welski P.K.
Lidzbark
8
Górznieńsko-Lidzbarski Park Krajobrazowy
Wisła
Nogat
Drwęca
Brda
Wda

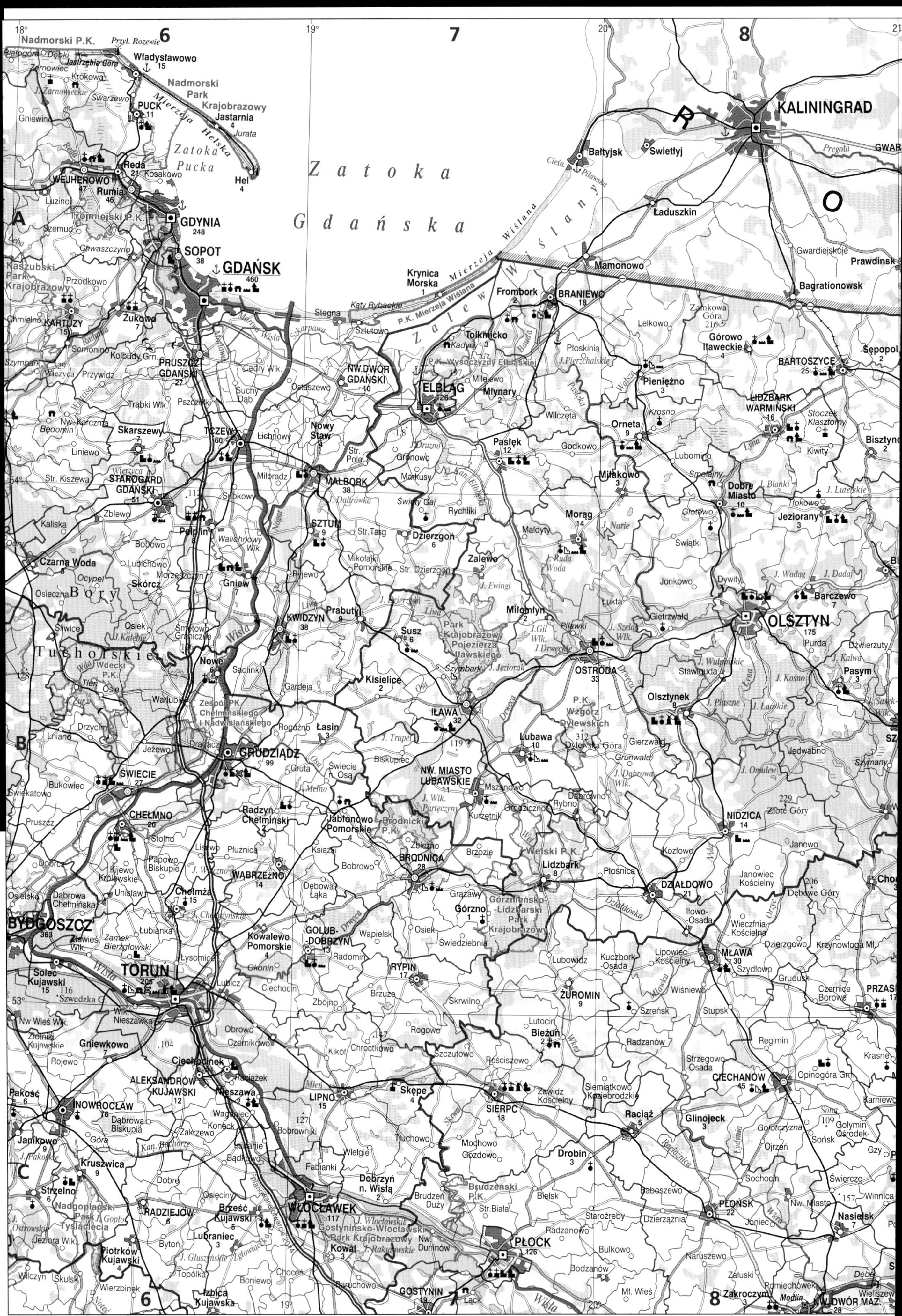
Zatoka Gdańska
Zatoka Pucka
Mierzeja Helska
Mierzeja Wiślana
Zalew Wiślany
KALININGRAD
GDAŃSK
GDYNIA
SOPOT
ELBLĄG
OLSZTYN
TORUŃ
BYDGOSZCZ
GRUDZIĄDZ
WŁOCŁAWEK
PŁOCK
MALBORK
TCZEW
KWIDZYN
IŁAWA
OSTRÓDA
BRODNICA
DZIAŁDOWO
MŁAWA
CIECHANÓW
INOWROCŁAW
BRANIEWO
BARTOSZYCE
Bory Tucholskie

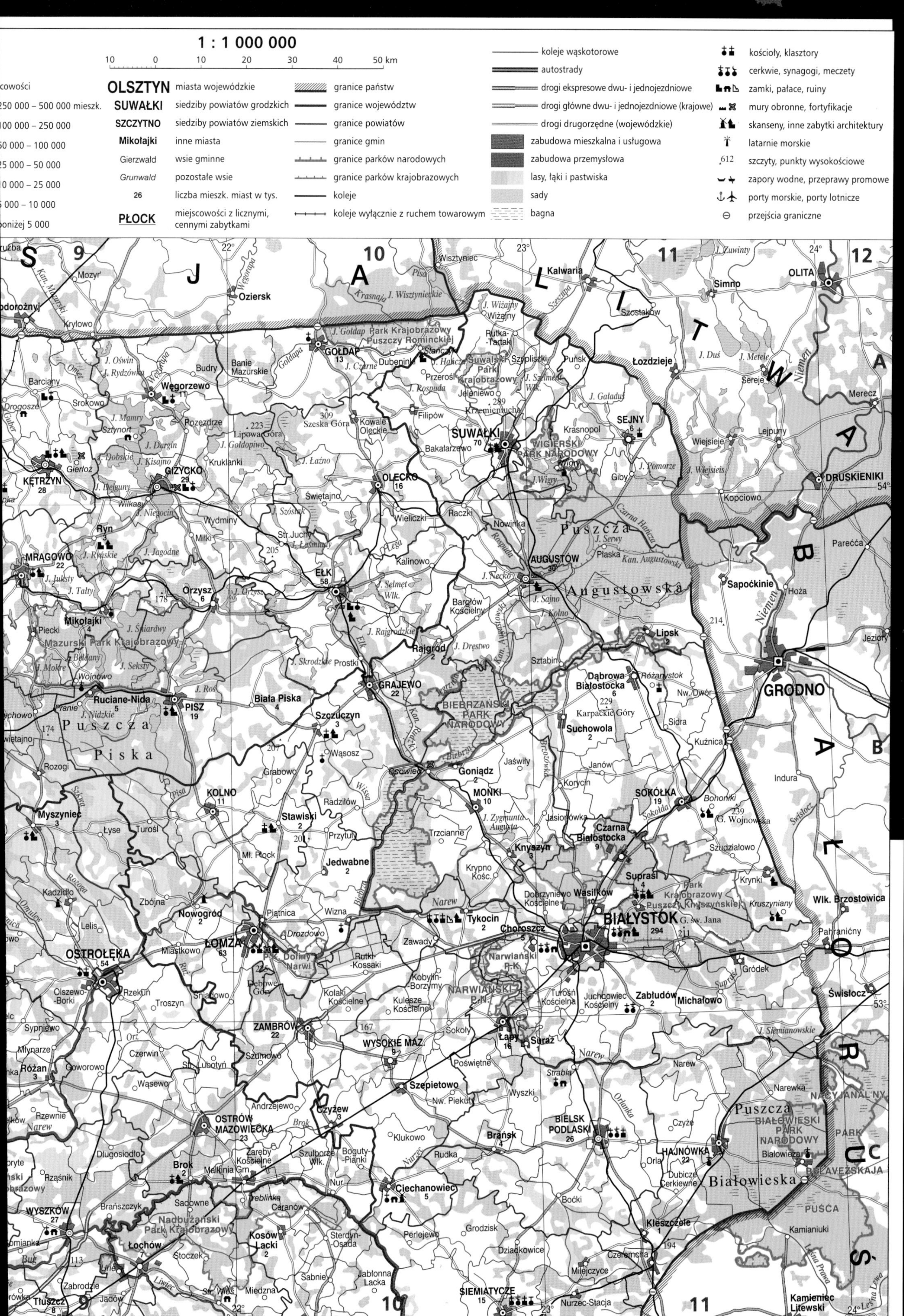
1 : 1 000 000
10 0 10 20 30 40 50 km
OLSZTYN miasta wojewódzkie
SUWAŁKI siedziby powiatów grodzkich
SZCZYTNO siedziby powiatów ziemskich
Mikołajki inne miasta
Gierzwałd wsie gminne
Grunwald pozostałe wsie
26 liczba mieszk. miast w tys.
PŁOCK miejscowości z licznymi, cennymi zabytkami
250 000 – 500 000 mieszk.
100 000 – 250 000
50 000 – 100 000
25 000 – 50 000
10 000 – 25 000
5 000 – 10 000
poniżej 5 000
granice państw
granice województw
granice powiatów
granice gmin
granice parków narodowych
granice parków krajobrazowych
koleje
koleje wyłącznie z ruchem towarowym
koleje wąskotorowe
autostrady
drogi ekspresowe dwu- i jednojezdniowe
drogi główne dwu- i jednojezdniowe (krajowe)
drogi drugorzędne (wojewódzkie)
zabudowa mieszkalna i usługowa
zabudowa przemysłowa
lasy, łąki i pastwiska
sady
bagna
kościoły, klasztory
cerkwie, synagogi, meczety
zamki, pałace, ruiny
mury obronne, fortyfikacje
skanseny, inne zabytki architektury
latarnie morskie
612 szczyty, punkty wysokościowe
zapory wodne, przeprawy promowe
porty morskie, porty lotnicze
przejścia graniczne
LITWA
BIAŁORUŚ
OLITA
DRUSKIENIKI
GRODNO
SUWAŁKI
SEJNY
GOŁDAP
OLECKO
EŁK
AUGUSTÓW
GIŻYCKO
KĘTRZYN
MRĄGOWO
PISZ
GRAJEWO
KOLNO
ŁOMŻA
OSTROŁĘKA
MONKI
SOKÓŁKA
BIAŁYSTOK
ZAMBRÓW
WYSOKIE MAZ.
OSTRÓW MAZOWIECKA
WYSZKÓW
BIELSK PODLASKI
HAJNÓWKA
SIEMIATYCZE
Biebrzański Park Narodowy
Wigierski Park Narodowy
Narwiański P.N.
Białowieski Park Narodowy
Puszcza Augustowska
Puszcza Piska
Puszcza Białowieska

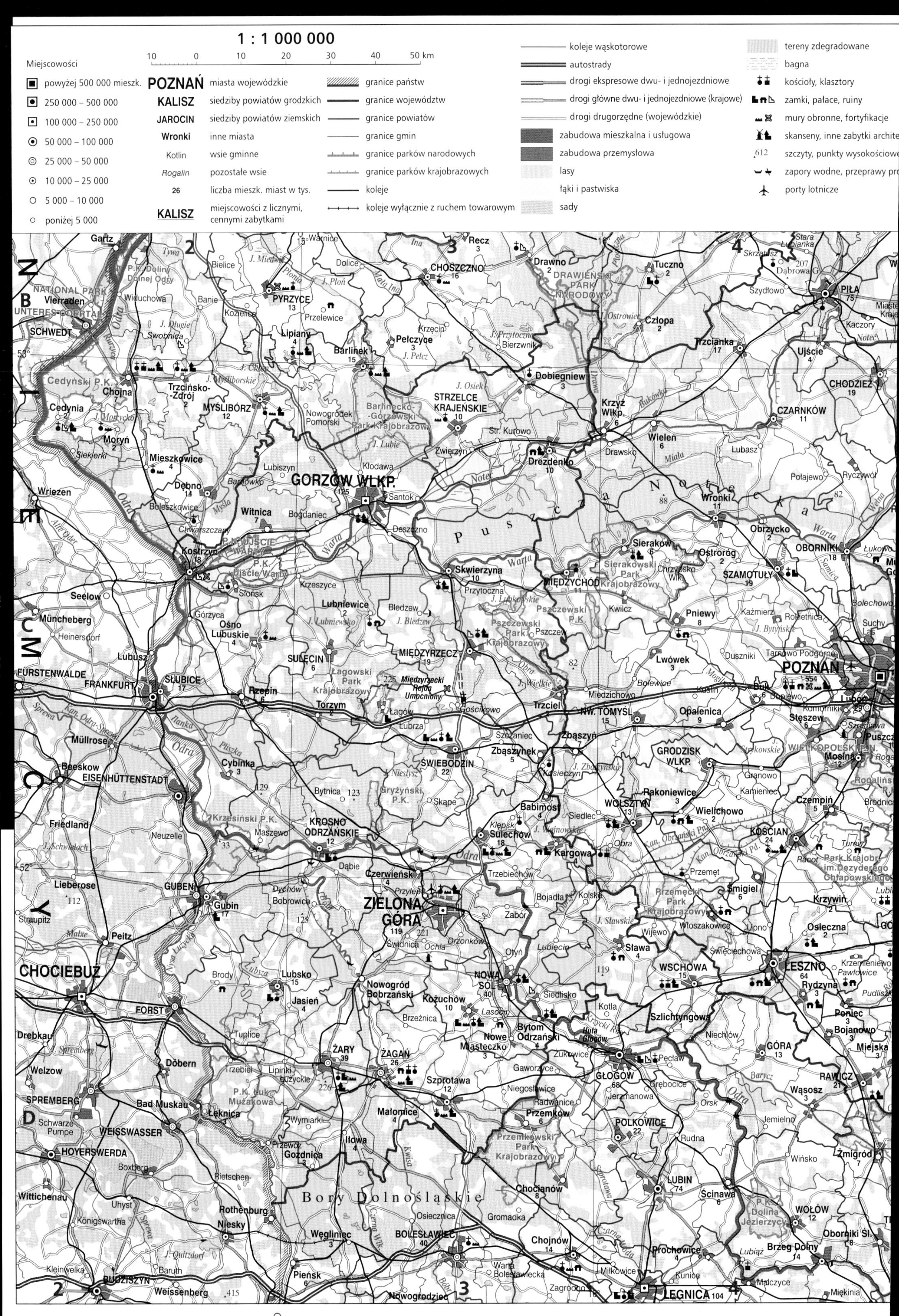

1 : 1 000 000

Miejscowości

- ■ powyżej 500 000 mieszk.
- ◨ 250 000 – 500 000
- ⊡ 100 000 – 250 000
- ◉ 50 000 – 100 000
- ◎ 25 000 – 50 000
- ⊙ 10 000 – 25 000
- ○ 5 000 – 10 000
- ○ poniżej 5 000

POZNAŃ miasta wojewódzkie
KALISZ siedziby powiatów grodzkich
JAROCIN siedziby powiatów ziemskich
Wronki inne miasta
Kotlin wsie gminne
Rogalin pozostałe wsie
26 liczba mieszk. miast w tys.
KALISZ miejscowości z licznymi, cennymi zabytkami

granice państw
granice województw
granice powiatów
granice gmin
granice parków narodowych
granice parków krajobrazowych
koleje
koleje wyłącznie z ruchem towarowym

koleje wąskotorowe
autostrady
drogi ekspresowe dwu- i jednojezdniowe
drogi główne dwu- i jednojezdniowe (krajowe)
drogi drugorzędne (wojewódzkie)
zabudowa mieszkalna i usługowa
zabudowa przemysłowa
lasy
łąki i pastwiska
sady

tereny zdegradowane
bagna
kościoły, klasztory
zamki, pałace, ruiny
mury obronne, fortyfikacje
skanseny, inne zabytki architek
szczyty, punkty wysokościowe
zapory wodne, przeprawy pro
porty lotnicze

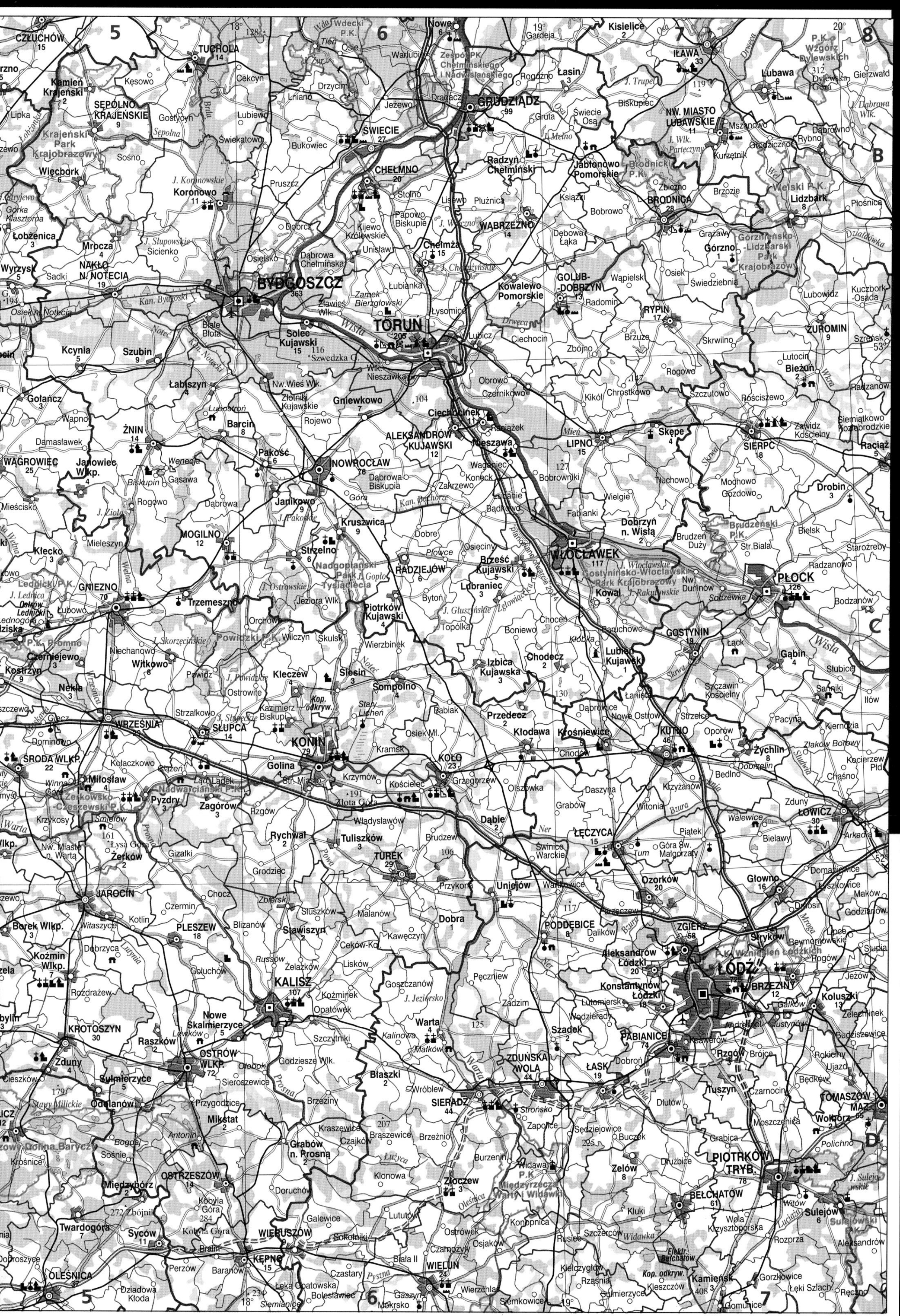
5
6
7
8
B
C
D
CZŁUCHÓW
TUCHOLA
Kamień Krajeński
SĘPOLNO KRAJEŃSKIE
Krajeński Park Krajobrazowy
Więcbork
Koronowo
Łobżenica
Mrocza
NAKŁO n. NOTECIĄ
Wyrzysk
BYDGOSZCZ
Kcynia
Szubin
Łabiszyn
Gołańcz
ŻNIN
Barcin
WĄGROWIEC
Janowiec Wlkp.
Pakość
INOWROCŁAW
MOGILNO
Kłecko
GNIEZNO
Trzemeszno
Czerniejewo
Kostrzyn
Witkowo
Nekla
WRZEŚNIA
SŁUPCA
ŚRODA WLKP.
Miłosław
Pyzdry
Zagórów
JAROCIN
Borek Wlkp.
Koźmin Wlkp.
PLESZEW
KALISZ
Nowe Skalmierzyce
KROTOSZYN
Raszków
OSTRÓW WLKP.
Zduny
Sulmierzyce
Odolanów
Mikstat
OSTRZESZÓW
Międzybórz
Twardogóra
Sycó
KĘPNO
WIERUSZÓW
OLEŚNICA
ŚWIECIE
CHEŁMNO
GRUDZIĄDZ
Nowe
Łasin
Radzyń Chełmiński
Chełmża
WĄBRZEŹNO
TORUŃ
Solec Kujawski
Gniewkowo
Ciechocinek
ALEKSANDRÓW KUJAWSKI
Nieszawa
Kruszwica
Strzelno
RADZIEJÓW
Piotrków Kujawski
Brześć Kujawski
Lubraniec
WŁOCŁAWEK
Kowal
Izbica Kujawska
Chodecz
Lubień Kujawski
Kleczew
Ślesin
Sompolno
KONIN
Golina
Przedecz
Kłodawa
Krośniewice
KOŁO
Dąbie
Rychwał
Tuliszków
TUREK
Uniejów
Dobra
Stawiszyn
Warta
Błaszki
SIERADZ
ZDUŃSKA WOLA
Złoczew
Grabów n. Prosną
WIELUŃ
IŁAWA
Kisielice
NW. MIASTO LUBAWSKIE
Lubawa
Jabłonowo Pomorskie
BRODNICA
Lidzbark
Górzno
GOLUB-DOBRZYŃ
Kowalewo Pomorskie
RYPIN
LIPNO
Skępe
Dobrzyń n. Wisłą
ŻUROMIN
Bieżuń
SIERPC
Drobin
PŁOCK
GOSTYNIN
Gąbin
KUTNO
Żychlin
ŁĘCZYCA
Ozorków
PODDĘBICE
Aleksandrów Łódzki
ZGIERZ
Stryków
ŁÓDŹ
BRZEZINY
Konstantynów Łódzki
PABIANICE
Koluszki
Szadek
ŁASK
Rzgów
Tuszyn
Zelów
BEŁCHATÓW
PIOTRKÓW TRYB.
TOMASZÓW MAZ.
Wolbórz
Sulejów
Kamieńsk
ŁOWICZ
Głowno

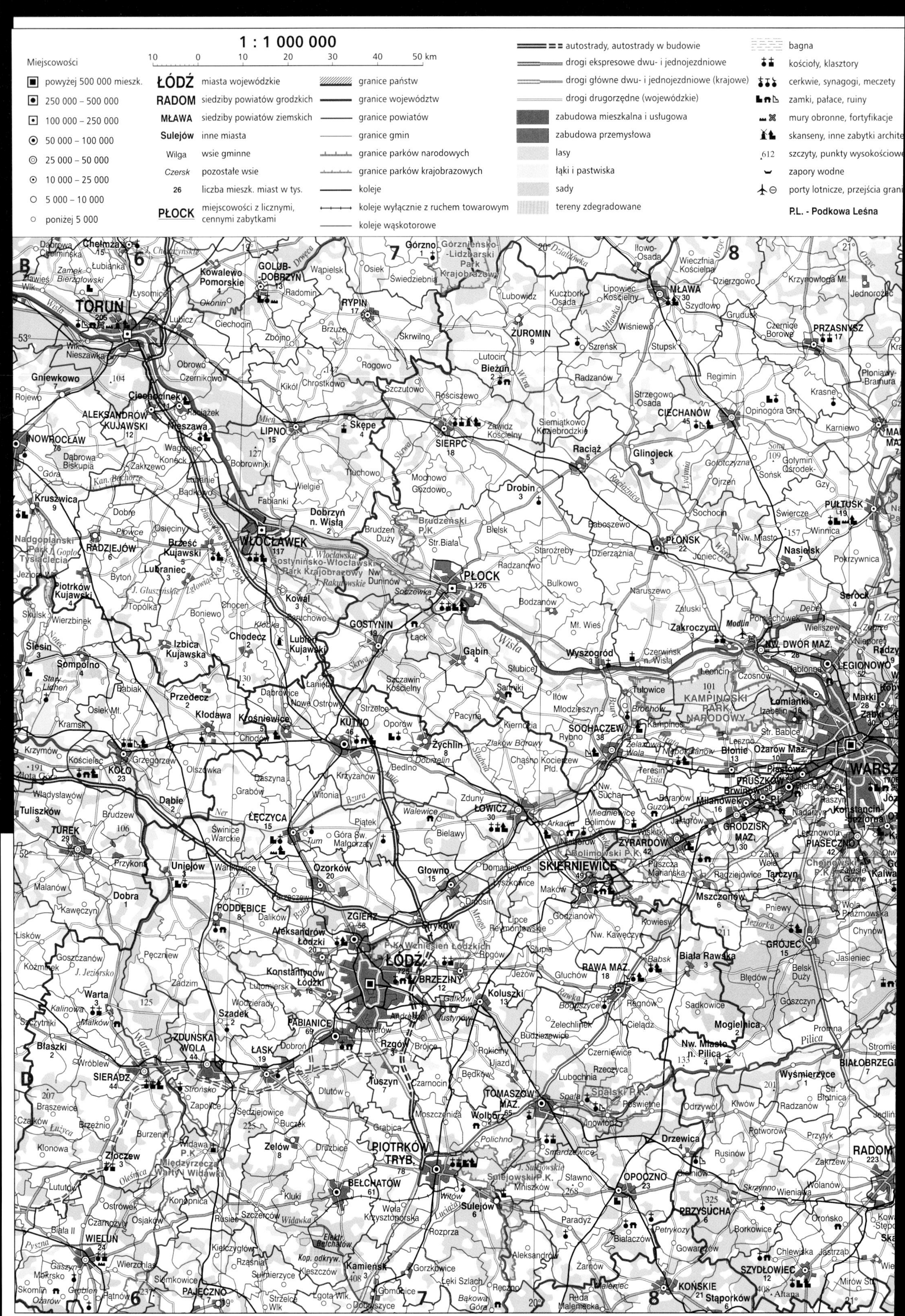
1 : 1 000 000
10 0 10 20 30 40 50 km
Miejscowości
powyżej 500 000 mieszk.
250 000 – 500 000
100 000 – 250 000
50 000 – 100 000
25 000 – 50 000
10 000 – 25 000
5 000 – 10 000
poniżej 5 000
ŁÓDŹ miasta wojewódzkie
RADOM siedziby powiatów grodzkich
MŁAWA siedziby powiatów ziemskich
Sulejów inne miasta
Wilga wsie gminne
Czersk pozostałe wsie
26 liczba mieszk. miast w tys.
PŁOCK miejscowości z licznymi, cennymi zabytkami
granice państw
granice województw
granice powiatów
granice gmin
granice parków narodowych
granice parków krajobrazowych
koleje
koleje wyłącznie z ruchem towarowym
koleje wąskotorowe
autostrady, autostrady w budowie
drogi ekspresowe dwu- i jednojezdniowe
drogi główne dwu- i jednojezdniowe (krajowe)
drogi drugorzędne (wojewódzkie)
zabudowa mieszkalna i usługowa
zabudowa przemysłowa
lasy
łąki i pastwiska
sady
tereny zdegradowane
bagna
kościoły, klasztory
cerkwie, synagogi, meczety
zamki, pałace, ruiny
mury obronne, fortyfikacje
skanseny, inne zabytki archite
612 szczyty, punkty wysokościowe
zapory wodne
porty lotnicze, przejścia grani
P.L. - Podkowa Leśna
TORUŃ 205
WŁOCŁAWEK 117
PŁOCK 126
ŁÓDŹ
PIOTRKÓW TRYB. 78
RADOM 223
SKIERNIEWICE 49
CIECHANÓW 45
MŁAWA 30
INOWROCŁAW 76
KUTNO 46
ŁOWICZ 30
SIERADZ 44
ZGIERZ 58
PABIANICE 69
BEŁCHATÓW 61
TOMASZÓW MAZ. 65
ZDUŃSKA WOLA 44
PRUSZKÓW 58
ŻYRARDÓW 42
PIASECZNO 42
LEGIONOWO 52
PUŁTUSK 19
PŁOŃSK 22
SIERPC 18
GOSTYNIN 19
SOCHACZEW 38
Kampinoski Park Narodowy
Gostynińsko-Włocławski Park Krajobrazowy
Brudzeński P.K.
Bolimowski P.K.
Spalski P.K.
Sulejowski P.K.
Górznieńsko-Lidzbarski Park Krajobrazowy
P.K. Wzniesień Łódzkich
P.K. Międzyrzecza Warty i Widawki
Wisła
Warta
Pilica
Bzura
Narew

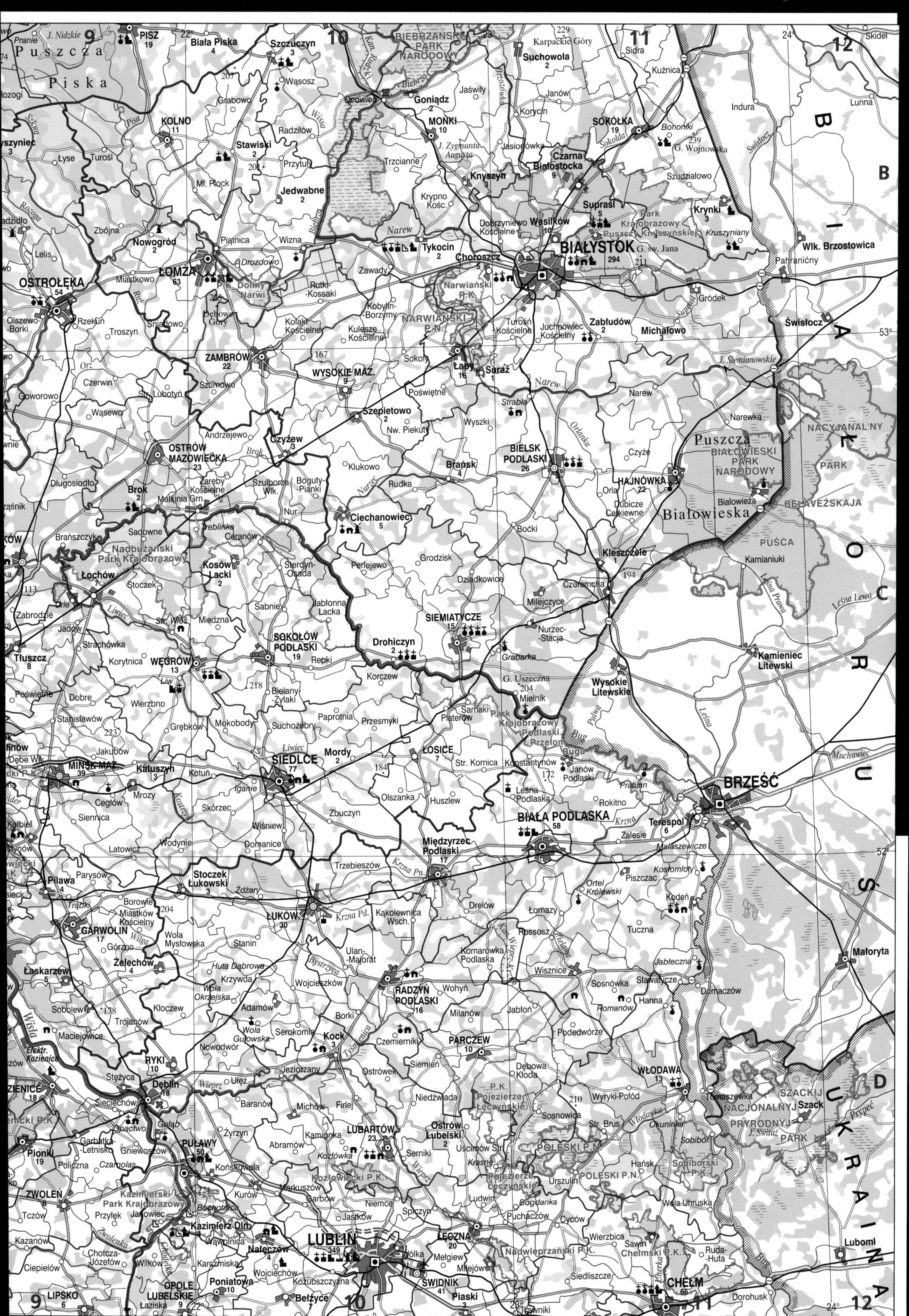

1:1 000 000

0   25   50 km

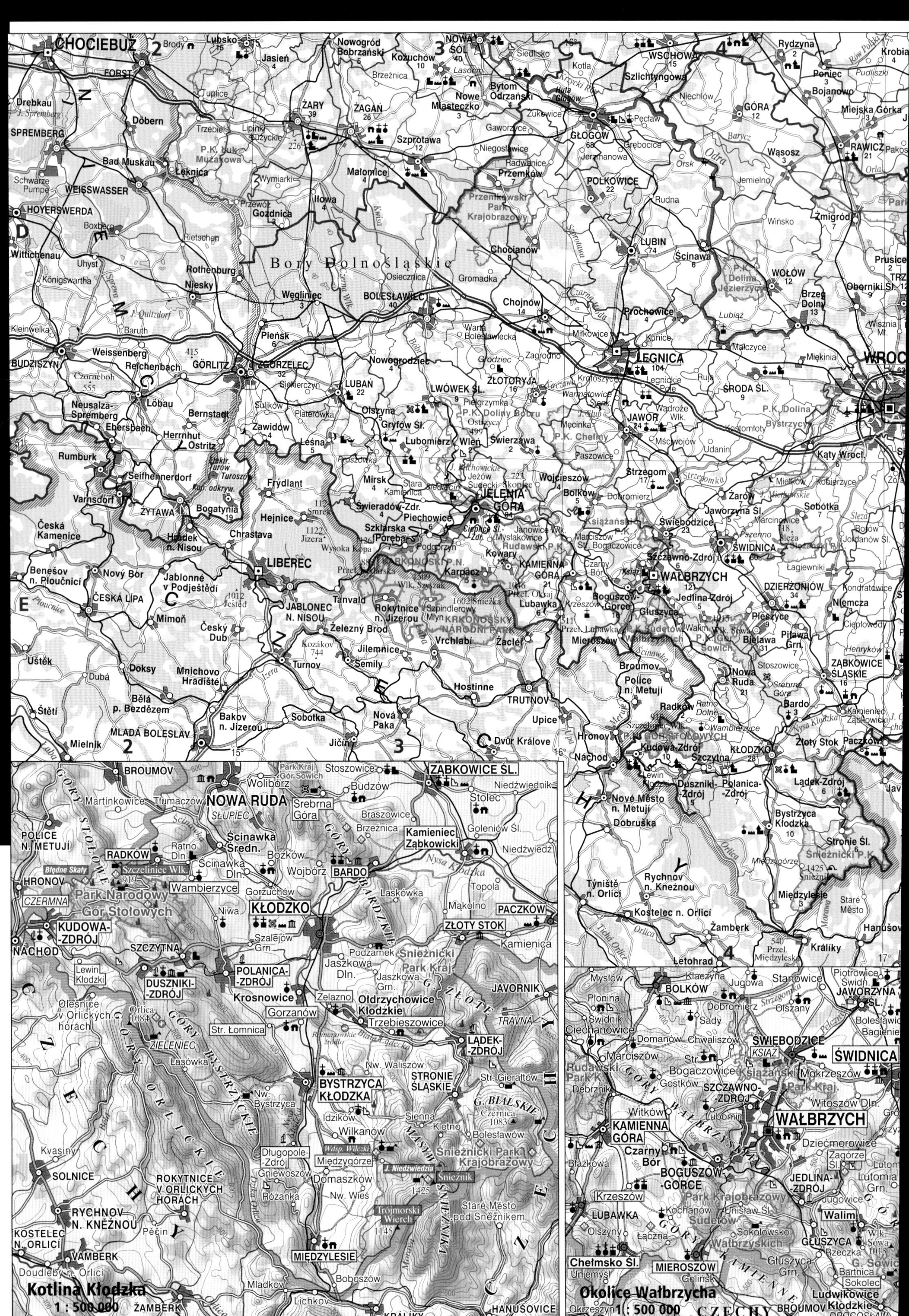
CHOCIEBUŻ
FORST
SPREMBERG
WEISSWASSER
HOYERSWERDA
Bad Muskau
Łęknica
Żary
Żagań
Nowogród Bobrzański
Kożuchów
Nowa Sól
Bytom Odrzański
Nowe Miasteczko
Szprotawa
Małomice
Iłowa
Gozdnica
Wschowa
Szlichtyngowa
Głogów
Góra
Polkowice
Przemków
Przemkowski Park Krajobrazowy
Lubin
Ścinawa
Chocianów
Bory Dolnośląskie
Rothenburg
Niesky
Węgliniec
Bolesławiec
Chojnów
Prochowice
Wołów
Brzeg Dolny
Oborniki Śl.
Rawicz
Wąsosz
Żmigród
Trzebnica
Prusice
Legnica
Wrocław
Środa Śl.
Jawor
Złotoryja
Lwówek Śl.
Nowogrodziec
Pieńsk
Budziszyn
Weissenberg
Reichenbach
Görlitz
Zgorzelec
Lubań
Olszyna
Gryfów Śl.
Leśna
Lubomierz
Wleń
Świerzawa
Bolków
Wojcieszów
Strzegom
Żarów
Sobótka
Świebodzice
Jaworzyna Śl.
Świdnica
Wałbrzych
Szczawno-Zdrój
Boguszów-Gorce
Jedlina-Zdrój
Głuszyca
Dzierżoniów
Bielawa
Pieszyce
Niemcza
Piława Grn.
Ząbkowice Śląskie
Bardo
Nowa Ruda
Radków
Kłodzko
Złoty Stok
Paczków
Lądek-Zdrój
Stronie Śl.
Bystrzyca Kłodzka
Międzylesie
Kudowa-Zdrój
Duszniki-Zdrój
Polanica-Zdrój
Szczytna
Jelenia Góra
Piechowice
Szklarska Poręba
Świeradów-Zdr.
Mirsk
Karpacz
Kowary
Kamienna Góra
Lubawka
Mieroszów
Krkonošský Národní Park
Liberec
Jablonec n. Nisou
Frýdlant
Hejnice
Chrastava
Hrádek n. Nisou
Bogatynia
Żytawa
Varnsdorf
Rumburk
Česká Lípa
Nový Bor
Mladá Boleslav
Turnov
Semily
Jilemnice
Vrchlabí
Trutnov
Hostinne
Žacléř
Broumov
Police n. Metují
Hronov
Náchod
Nové Město n. Metují
Dobruška
Rychnov n. Kněžnou
Týniště n. Orlicí
Kostelec n. Orlicí
Žamberk
Letohrad
Králíky
Dvůr Králové
Jičín
Nová Paka
Hanušovice
Kotlina Kłodzka
1 : 500 000
Okolice Wałbrzycha
1 : 500 000
CZECHY

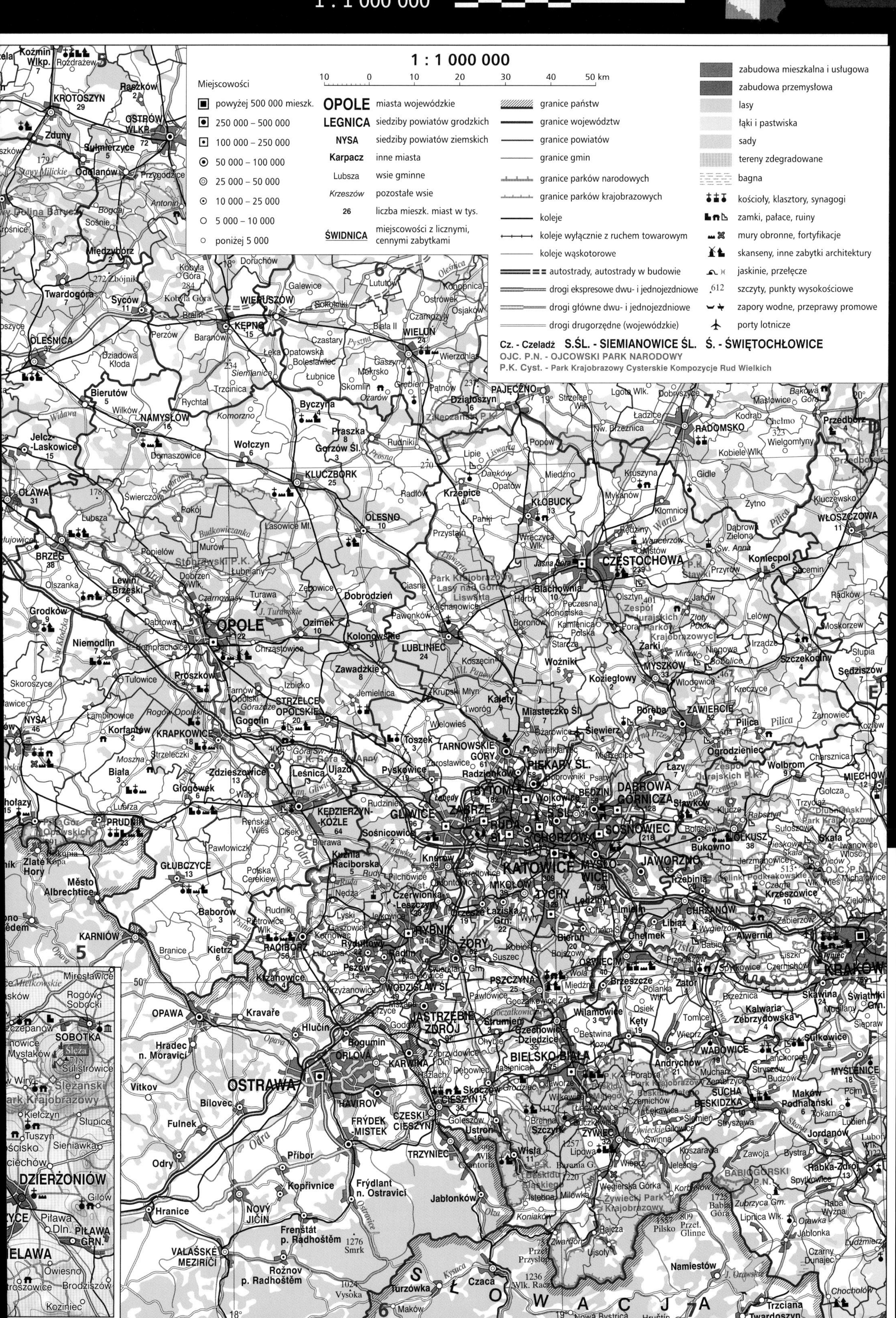

1 : 1 000 000

0   25   50 km

1 : 1 000 000

10   0   10   20   30   40   50 km

Miejscowości

- ◼ powyżej 500 000 mieszk.
- ◙ 250 000 – 500 000
- ⊡ 100 000 – 250 000
- ◉ 50 000 – 100 000
- ◎ 25 000 – 50 000
- ⊙ 10 000 – 25 000
- ○ 5 000 – 10 000
- ○ poniżej 5 000

OPOLE miasta wojewódzkie
LEGNICA siedziby powiatów grodzkich
NYSA siedziby powiatów ziemskich
Karpacz inne miasta
Lubsza wsie gminne
Krzeszów pozostałe wsie
26 liczba mieszk. miast w tys.
ŚWIDNICA miejscowości z licznymi, cennymi zabytkami

- granice państw
- granice województw
- granice powiatów
- granice gmin
- granice parków narodowych
- granice parków krajobrazowych
- koleje
- koleje wyłącznie z ruchem towarowym
- koleje wąskotorowe
- autostrady, autostrady w budowie
- drogi ekspresowe dwu- i jednojezdniowe
- drogi główne dwu- i jednojezdniowe
- drogi drugorzędne (wojewódzkie)

- zabudowa mieszkalna i usługowa
- zabudowa przemysłowa
- lasy
- łąki i pastwiska
- sady
- tereny zdegradowane
- bagna
- ✝ kościoły, klasztory, synagogi
- zamki, pałace, ruiny
- mury obronne, fortyfikacje
- skanseny, inne zabytki architektury
- jaskinie, przełęcze
- .612 szczyty, punkty wysokościowe
- zapory wodne, przeprawy promowe
- ✈ porty lotnicze

Cz. - Czeladź   S.ŚL. - SIEMIANOWICE ŚL.   Ś. - ŚWIĘTOCHŁOWICE
OJC. P.N. - OJCOWSKI PARK NARODOWY
P.K. Cyst. - Park Krajobrazowy Cysterskie Kompozycje Rud Wielkich

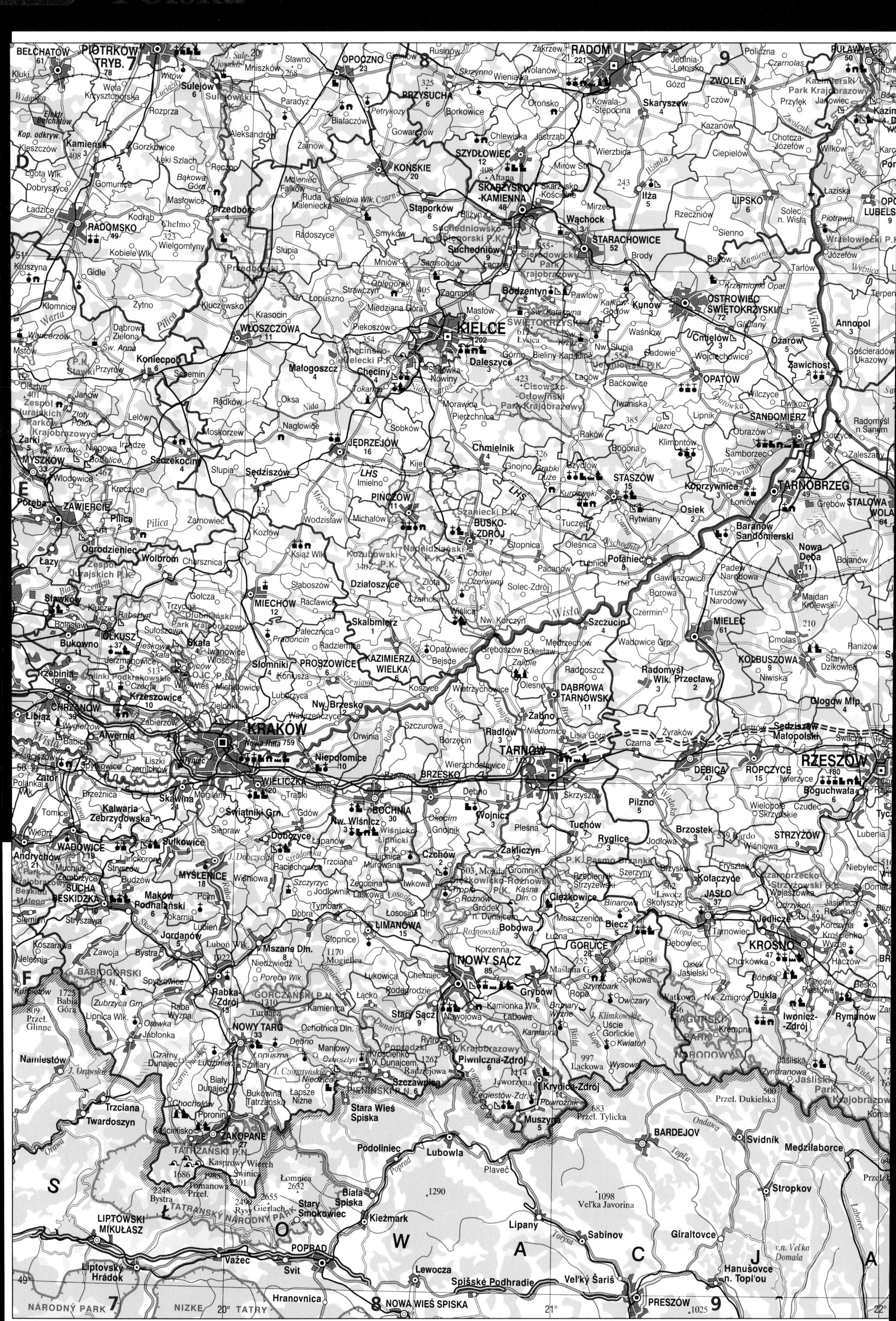

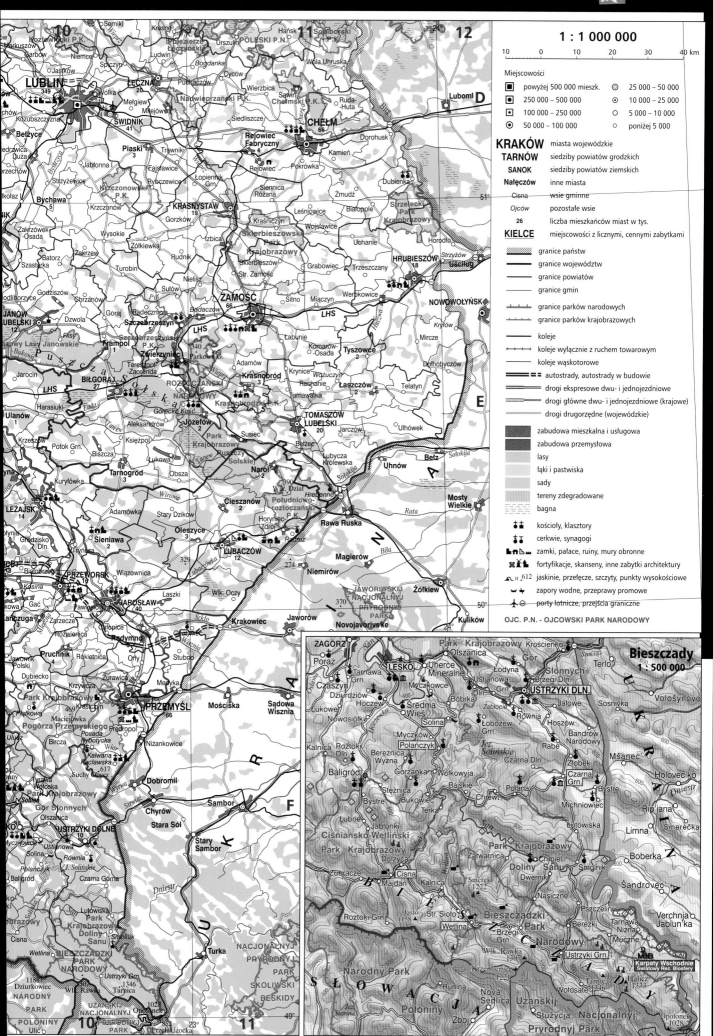

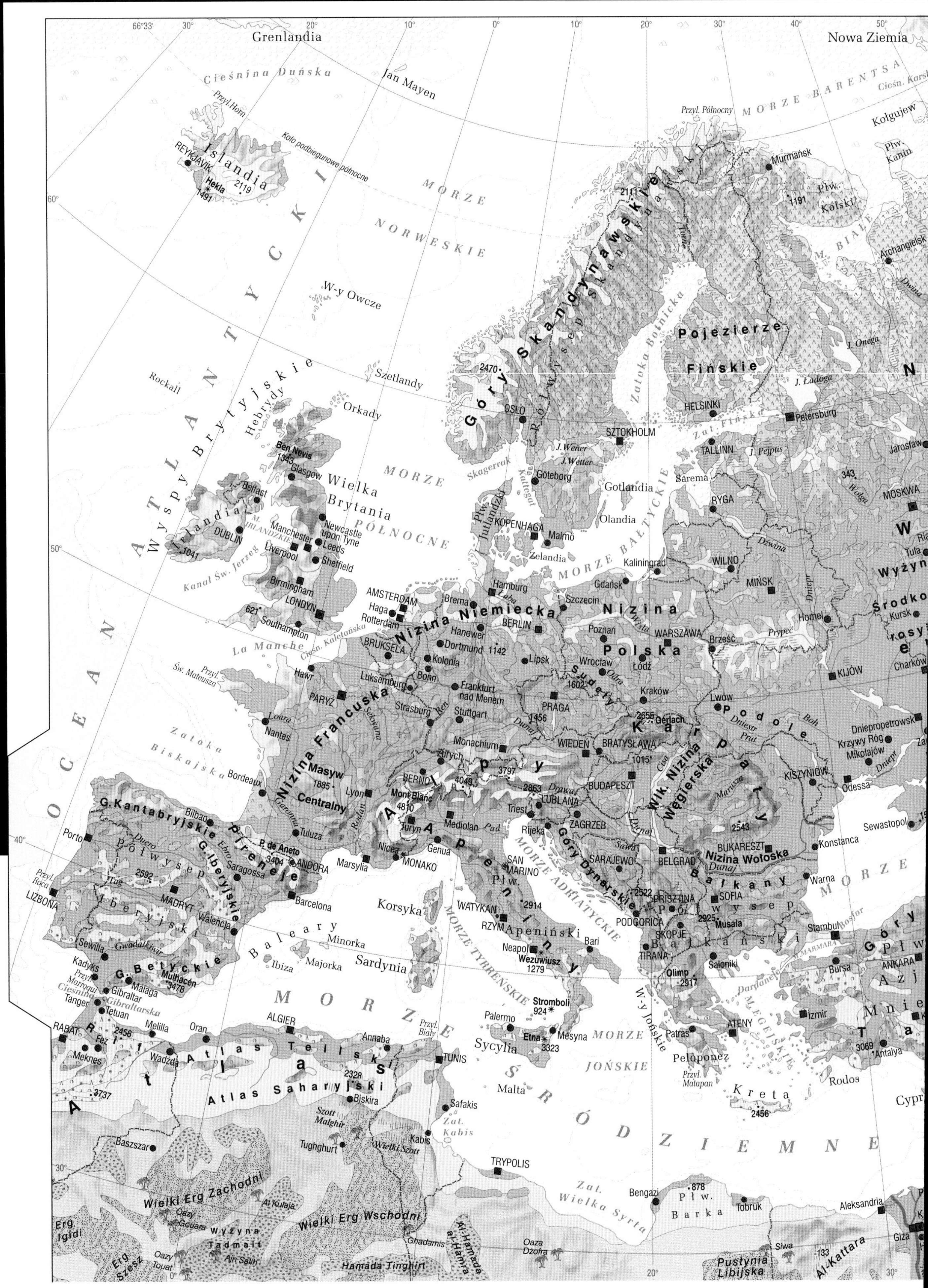

Grenlandia Nowa Ziemia

Cieśnina Duńska Jan Mayen

Przyl. Horn Koło podbiegunowe północne MORZE BARENTSA Cieśn. Karska

REYKJAVIK Islandia Przyl. Północny MORZE Kolgujew

Hekla 2119 Murmańsk

1491 Plw.
Kanin

MORZE Pojezierze Plw.
Kólski

NORWESKIE Finskie 191

J. Onega N

W-y Owcze 2470 J. Ładoga

OSLO HELSINKI Petersburg

SZTOKHOLM Zat. Finska

Szetlandy Zatoka Botnicka M. BIAŁE

Rockall J. Wener TALLINN J. Pejpus Jarosław

Skagerrak J. Wetter 343

Hebrydy Orkady Göteborg Gotlandia Sarema Wołga MOSKWA

Ben Nevis MORZE Kattegat RYGA Dźwina

1343 Olandia W

Glasgow Wielka KOPENHAGA Malmö Kaliningrad WILNO Wyżyna

Belfast Brytania Zelandia MINSK Środko

IRLANDZKIE PÓŁNOCNE Gdańsk Dniepr rosy

DUBLIN Manchester Newcastle Hamburg Szczecin Nizina Homel e

Irlandia upon Tyne Laba Dewina

1041 Liverpool Leeds AMSTERDAM Brema Poznań WARSZAWA Brześć Prypeć

Sheffield Haga Nizina Niemiecka BERLIN Polska KIJÓW

621 Birmingham Rotterdam Hanower Wisła Lipsk Wrocław Łódź Charków

LONDYN BRUKSELA Dortmund 1142 Kraków Lwów

Southampton Kolonia Bonn Lipsk Sudety Podole

La Manche Kanał Św. Jerzego Cieśn. Kaletańska Frankfurt 1602 Gerlach Karpaty Dniestr Dniepropetrowsk

Św. Mateusza Hawr nad Menem PRAGA 2655 Prut Krzywy Róg

Przyl. PARYŻ Strasburg Stuttgart 1456 Boh Dniestr

Roca Ren Monachium WIEDEŃ BRATYSŁAWA 1015 Maruesa KISZYNIÓW Odessa

Loara Sekwana Zürych 4049 BUDAPESZT Sawa 2543 Sewastopol

Nantes Nizina Francuska 3797 Drawa Wlk. Nizina Balkany

Masyw BERNO 2863 Węgierska Góry Dynarskie

1885 Mont Blanc Turyn Mediolan Triest Rjeka SARAJEWO BUKARESZT

Centralny 4810 Pad ZAGRZEB 2522 Nizina Wołoska MORZE

Bordeaux Lyon Rodan Genua SAN BELGRAD

G.Kantabryjskie Bilbao Ren Nicea MARINO 2925 SOFIA Warna

Porto Pireneje MONAKO RZYM Apeniński PRISZTINA Balkański Stambuł Bosfor

P. de Aneto Marsylia WATYKAN 2914 PODGORICA Musala Góry

LIZBONA 3404 ANDORA Korsyka 2925 SKOPJE Azji

Przyl. 2592 Saragossa Barcelona Neapol Bari TIRANA Balkański Plw. ANKARA M Mnie

Roca MADRYT Walencja Balary Minorka Wezuwiusz Olimp Saloniki Bursa a

Sewilla Gwadalkwir 1279 2917 Patras ATENY Izmir T

Kadyks Majorka Stromboli Pelopnez 3069

Przyl. G.Betyckie Ibiza Sardynia 924 Messyna MORZE Rodos Antalya

Marroqui Mulhacén Palermo Etna JOŃSKIE Przyl.

Cieśnina 3478 MORZE Sycylia 3323 Matapan Kreta Cypr

Tanger Gibraltar Korsyka MORZE TYRREŃSKIE 2456

RABAT Melilla Oran Malta ŚRÓDZIEMNE

Fez 2456 ALGIER Annaba Przyl. Palermo

Meknes Wadżda Atlas Telliski Biały TUNIS Bengazi 878 Plw. Aleksandria

Atlas Saharyjski 2328 Zat. Barka Tobruk Giza

3737 Biskira Kabis

Szott Safakis

A Malghir Zat.

Baszszar Tughghurt Kabis

Wielki Scott Kabis TRYPOLIS Zat. Pustynia

Wielki Erg Zachodni Al Kulaja Wielka Syrta Libijska

Erg Oazy Wyżyna Wielki Erg Wschodni Ghadamis Oaza Siwa -133

Igidi Gouara Tadmait Al-Hamada Dżofra Al-Kattara

Erg Oazy Ain Salih al-Hamra

Szesz Touat Hamada Tinghirt

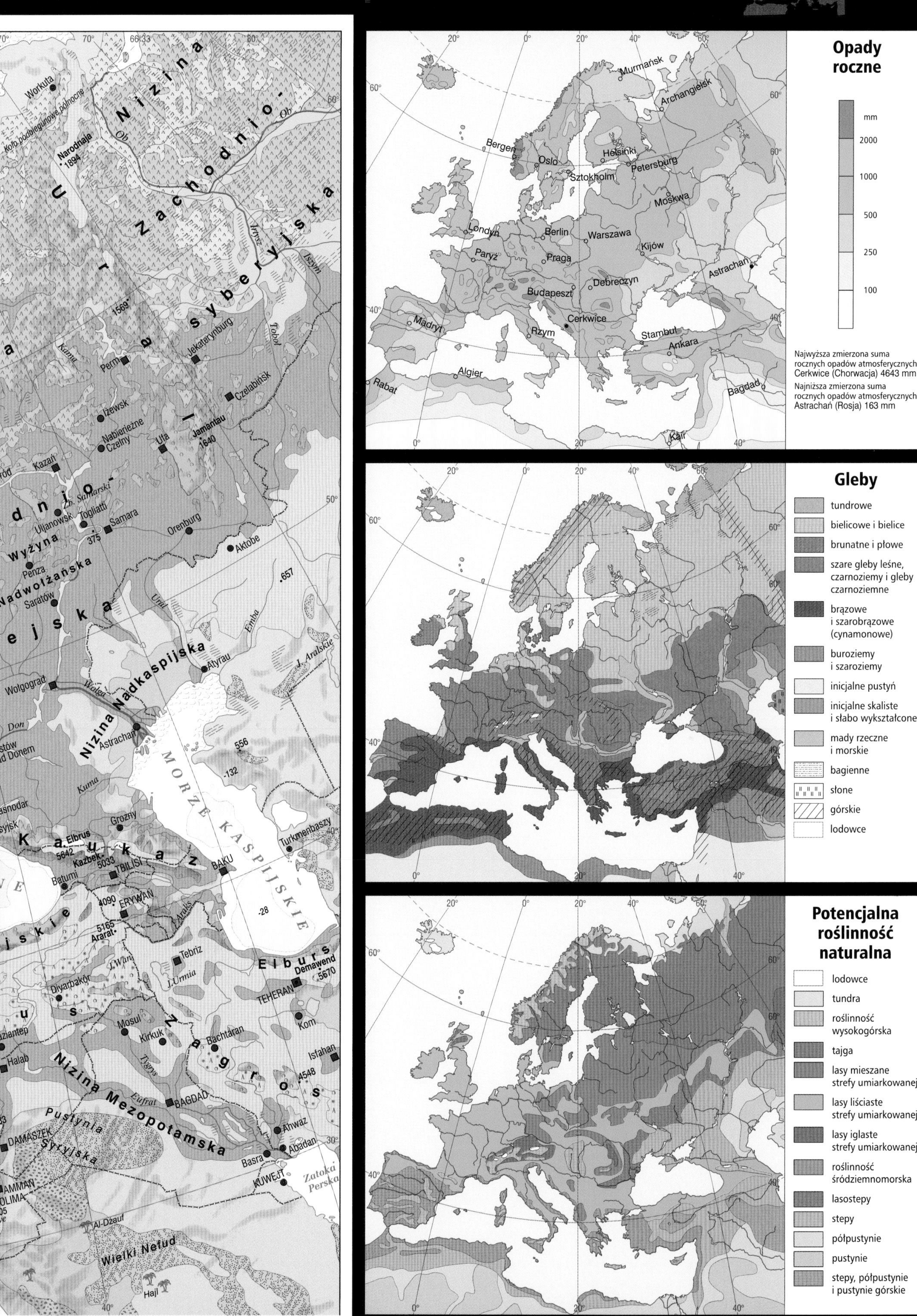
Opady roczne
mm
2000
1000
500
250
100
Najwyższa zmierzona suma rocznych opadów atmosferycznych: Cerkwice (Chorwacja) 4643 mm
Najniższa zmierzona suma rocznych opadów atmosferycznych: Astrachań (Rosja) 163 mm
Gleby
tundrowe
bielicowe i bielice
brunatne i płowe
szare gleby leśne, czarnoziemy i gleby czarnoziemne
brązowe i szarobrązowe (cynamonowe)
buroziemy i szaroziemy
inicjalne pustyń
inicjalne skaliste i słabo wykształcone
mady rzeczne i morskie
bagienne
słone
górskie
lodowce
Potencjalna roślinność naturalna
lodowce
tundra
roślinność wysokogórska
tajga
lasy mieszane strefy umiarkowanej
lasy liściaste strefy umiarkowanej
lasy iglaste strefy umiarkowanej
roślinność śródziemnomorska
lasostepy
stepy
półpustynie
pustynie
stepy, półpustynie i pustynie górskie
Nizina Zachodniosyberyjska
Ural
Nizina Nadkaspijska
Wyżyna Nadwołżańska
Kaukaz
Elburs
Zagros
Nizina Mezopotamska
Pustynia Syryjska
Wielki Nefud
MORZE KASPIJSKIE
Zatoka Perska
Workuta
Narodnaja 1894
Jekaterynburg
Perm
Czelabińsk
Iżewsk
Nabierieżne Czełny
Ufa
Jamantau 1640
Kazań
Uljanowsk
Togliatti
Samara
Orenburg
Aktobe
Penza
Saratów
Atyrau
Wołgograd
Astrachań
Rostów nad Donem
Krasnodar
Grozny
Elbrus 5642
Kazbek 5033
Batumi
TBILISI
BAKU
ERYWAŃ
Ararat 5165
Turkmenbaszy
Tebriz
Demawend 5670
TEHERAN
Kom
Diyarbakır
Mosul
Kirkuk
Bachtaran
Gaziantep
Halab
Isfahan
BAGDAD
Ahwaz
Abadan
Basra
KUWEJT
DAMASZEK
AMMAN
Al-Dżauf
Hajl
Murmańsk
Archangielsk
Bergen
Oslo
Helsinki
Petersburg
Sztokholm
Moskwa
Londyn
Berlin
Warszawa
Kijów
Paryż
Praga
Debreczyn
Budapeszt
Cerkwice
Madryt
Rzym
Stambuł
Ankara
Algier
Rabat
Bagdad
Kair
Ob
Irtysz
Tobol
Kama
Wołga
Don
Ural
Emba
Kuma
Eufrat
Tygrys
J. Aralskie
J. Urmia
Koło podbiegunowe północne

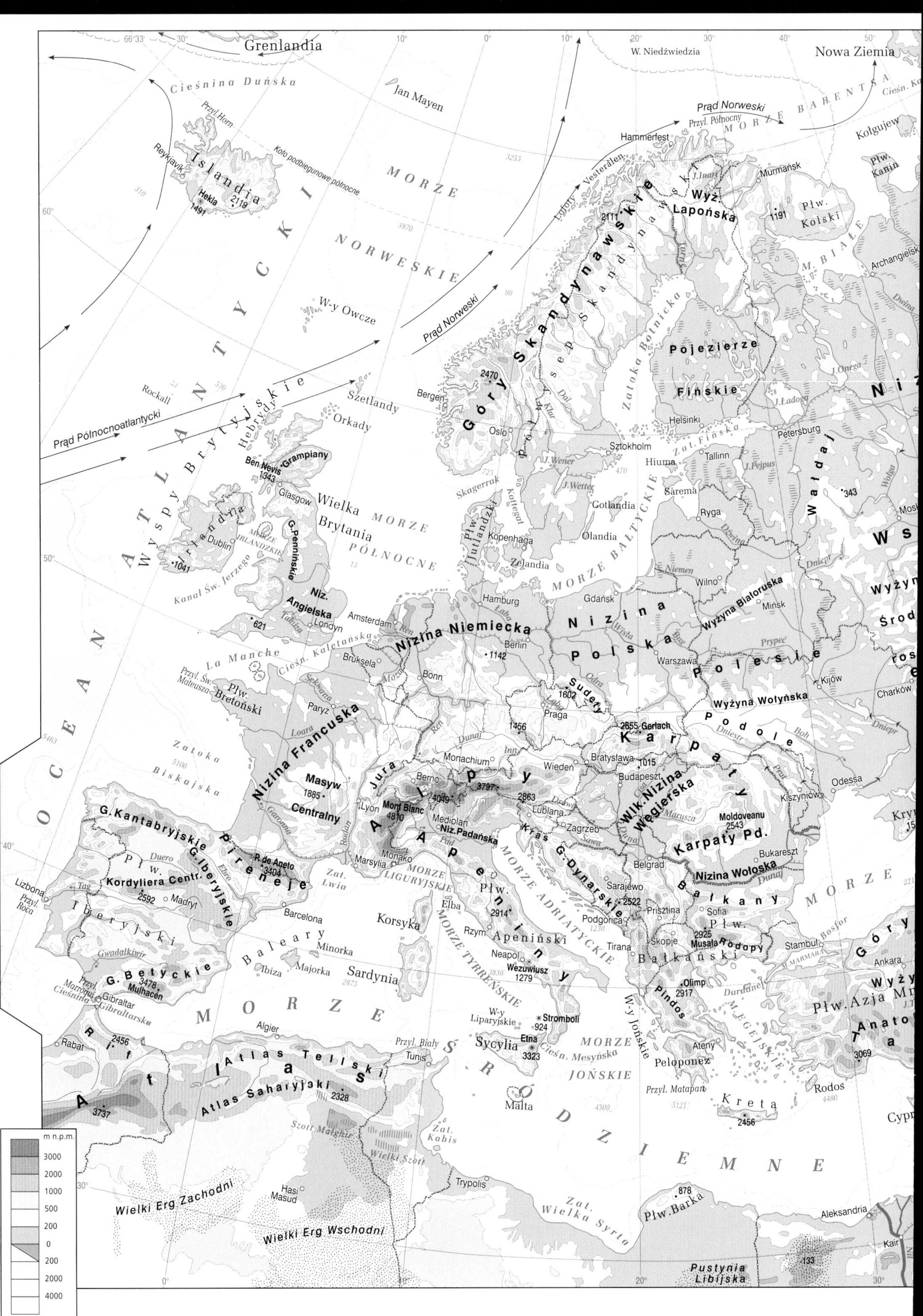

Grenlandia
Jan Mayen
W. Niedźwiedzia
Nowa Ziemia

Cieśnina Duńska
MORZE BARENTSA
Cieśn. K.

Przyl. Horn
Prąd Norweski
Przyl. Północny
Hammerfest
MORZE
Kolgujew

Reykjavik
Islandia
Hekla 1491
2119
Koło podbiegunowe północne
Wyż. Lapońska
Murmańsk
Płw. Kanin
Płw. Kolski

MORZE
NORWESKIE
3970
Wyż. Lapońska
1191

W-y Owcze
Prąd Norweski
Vesterålen
2470
2111
Waldaj
343

Szetlandy
Orkady
Bergen
Zatoka Botnicka
Pojezierze
Fińskie
M. BIAŁE
Archangielsk
Dźwina

Prąd Północnoatlantycki
Wyspy Brytyjskie
Hebrydy
Oslo
Helsinki
J. Ładoga
Petersburg
Wsc

Ben Nevis
1343
Grampiany
Glasgow
G. Penniński
Sztokholm
J. Wener
J. Wetter
Hiuma
Tallinn
J. Pejpus
Sarema
Ryga
Dźwina
Wyżyna Białoruska
Minsk
Dniepr
Wyżyna
Środ
ros

Irlandia
Dublin
1041
MORZE
IRLANDZKIE
Wielka
Brytania
PÓŁNOCNE
Gotlandia
Olandia
MORZE BAŁTYCKIE
Gdańsk
Wisła
Nizina
Polska
Warszawa
Polesie
Prypeć
Wyżyna Wołyńska
Podole
Kijów
Charków

Kanał Św. Jerzego
Niz. Angielska
621
Amsterdam
Hamburg
Łaba
Berlin
1142
Odra
Wilno
Niemen

La Manche
Londyn
Cieśn. Kaletańska
Bruksela
Ren
Bonn
Nizina Niemiecka
Sudety
1602
Praga
1456
Wyżyna Wołyńska
2655 Gierlach
Karpaty
Dniestr
Boh

Przyl. Św. Mateusza
Płw. Bretoński
Paryż
Sekwana
Loara
Dunaj
Monachium
Inn
Wiedeń
Bratysława
1015
Budapeszt
Wlk. Nizina Węgierska
Marusza
Odessa
Kiszyniów

Nizina Francuska
Masyw
1885
Centralny
Jura
Berno
4049
3797
Alpy
2863
Lublana
Drawa
Sawa
Zagrzeb
Moldoveanu
2543
Karpaty Pd.
Krym

Zatoka
Biskajska
5100
Garonna
Ródan
Lyon
Mont Blanc
4810
Mediolan
Niz. Padańska
Pad
G. Dynarskie
Kras
Sawa
2522
Nizina Wołoska
Dunaj
MORZE

G. Kantabryjskie
G. Iberyjskie
Pireneje
R. de Aneto
3404
Monako
Marsylia
MORZE
LIGURYJSKIE
Płw. Apeniński
MORZE ADRIATYCKIE
Belgrad
Sarajewo
1230
Bałkany
Podgorica
Płw.
2925 Musala Rodopy
Stambuł
Bosfor
Góry

Duero
Ebro
Płw.
Kordyliera Centr.
2592
Madryt
Zat. Lwia
Elba
2914
Rzym
Korsyka
Prisztina
Sofia
Skopje
Tirana
Bałkański
Olimp
2917
Pindos
Wyż
Płw. Azja Mn

Lizbona
Przyl. Roca
Iberyjski
Gwadalkiwir
Barcelona
Balеary
Minorka
Sardynia
2875
Apeniński
Neapol
Wezuwiusz
1279
MORZE TYRREŃSKIE
Anatolia
3069

Marmurica
Cieśnina Gibraltarska
G. Betyckie
3478
Mulhacén
Gibraltar
Ibiza
Majorka
MORZE
ŚRÓD
W-y
Liparyjskie
Stromboli
924
Etna
3323
Sycylia
Cieśn. Mesyńska
MORZE
JOŃSKIE
Ateny
Peloponez
Przyl. Matapan
Dardanele
MORZE EGEJSKIE
Rodos
4480
Ankara
Kair

Rabat
Rif
2456
Algier
Przyl. Biały
Tunis
Malta
4300
Kreta
2456
5121
Cypr

Atlas Tellski
Atlas
Saharyjski
2328
A t l a s
3737
Szott Malghir
Zat. Kabis
Z I E M N E
Przyl.
878
Płw. Barka

Wielki Szott
Zat.
Kabis
Trypolis
Zat. Wielka Syrta
-133
Aleksandria

Wielki Erg Zachodni
Hasi
Masud
Pustynia
Libijska

Wielki Erg Wschodni

m n.p.m.
3000
2000
1000
500
200
0
200
2000
4000

1 : 60 000 000

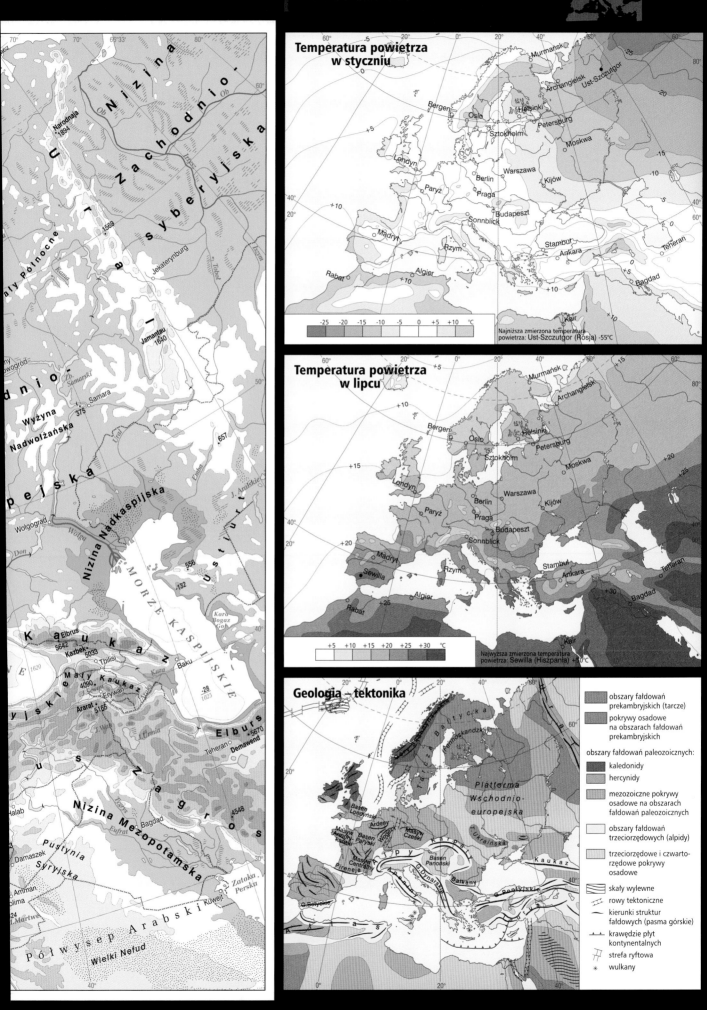

Temperatura powietrza w styczniu

| -25 | -20 | -15 | -10 | -5 | 0 | +5 | +10 | °C |

Najniższa zmierzona temperatura powietrza: Ust-Szczutgor (Rosja) -55°C

Temperatura powietrza w lipcu

| +5 | +10 | +15 | +20 | +25 | +30 | °C |

Najwyższa zmierzona temperatura powietrza: Sewilla (Hiszpania) +50°C

Geologia – tektonika

- obszary fałdowań prekambryjskich (tarcze)
- pokrywy osadowe na obszarach fałdowań prekambryjskich

obszary fałdowań paleozoicznych:
- kaledonidy
- hercynidy
- mezozoiczne pokrywy osadowe na obszarach fałdowań paleozoicznych
- obszary fałdowań trzeciorzędowych (alpidy)
- trzeciorzędowe i czwartorzędowe pokrywy osadowe
- skały wylewne
- rowy tektoniczne
- kierunki struktur fałdowych (pasma górskie)
- krawędzie płyt kontynentalnych
- strefa ryftowa
- wulkany

1 : 20 000 000

0 100 200 300 400 500 km

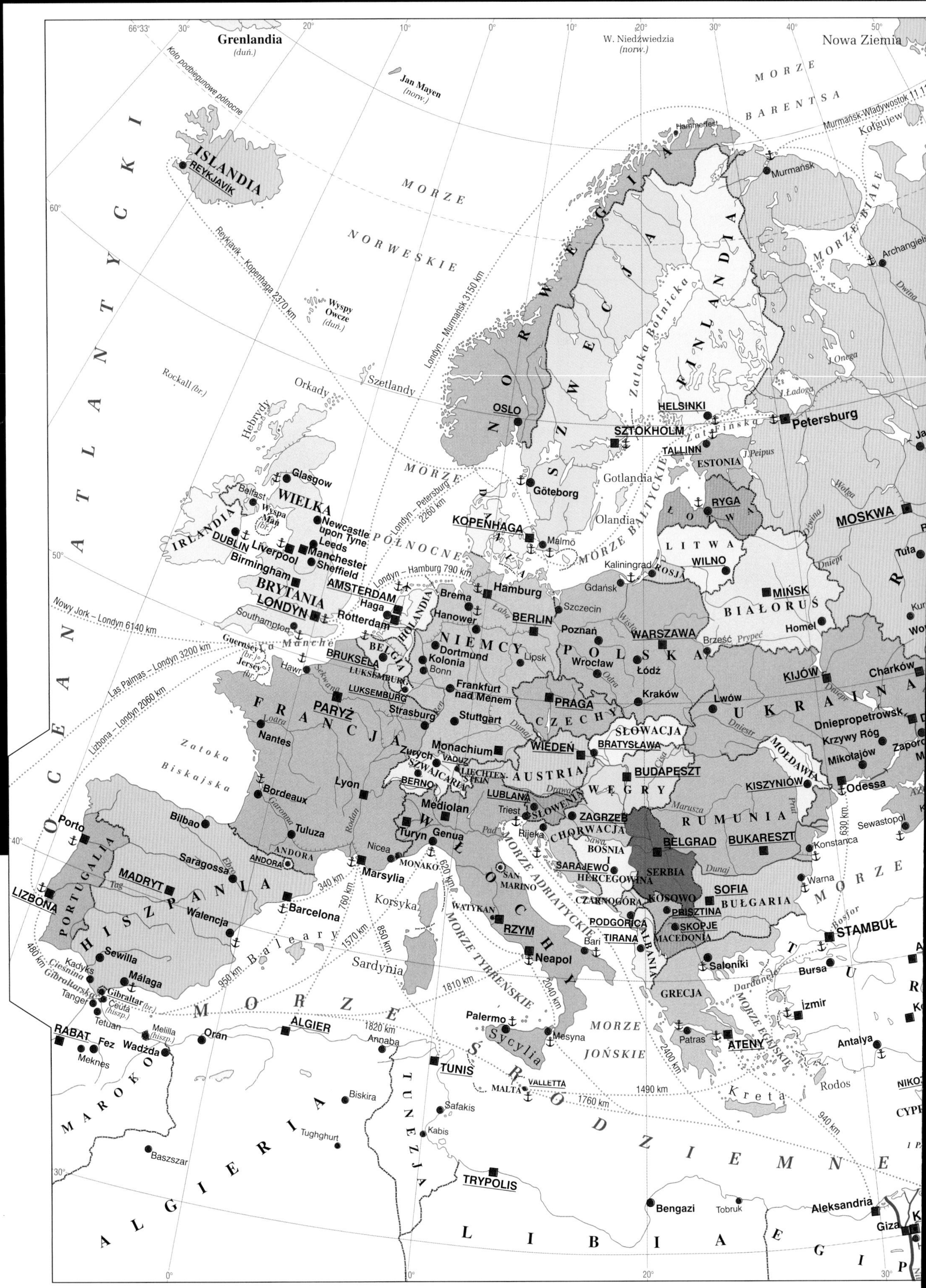
Grenlandia (duń.)
Koło podbiegunowe północne
Jan Mayen (norw.)
W. Niedźwiedzia (norw.)
Nowa Ziemia
MORZE BARENTSA
Murmańsk–Władywostok
Kołgujew
ISLANDIA
REYKJAVIK
MORZE NORWESKIE
Reykjavik – Kopenhaga 2370 km
Wyspy Owcze (duń.)
Londyn – Murmańsk 3150 km
OCEAN ATLANTYCKI
Rockall (br.)
Orkady
Szetlandy
Hebrydy
NORWEGIA
SZWECJA
FINLANDIA
Zatoka Botnicka
OSLO
SZTOKHOLM
HELSINKI
Petersburg
Murmańsk
Archangielsk
MORZE BIAŁE
J. Onega
J. Ładoga
Zat. Fińska
TALLINN
ESTONIA
J. Peipus
Gotlandia
Olandia
MORZE BAŁTYCKIE
RYGA
ŁOTWA
LITWA
WILNO
MOSKWA
Tula
Göteborg
KOPENHAGA
DANIA
Malmö
MORZE PÓŁNOCNE
Londyn – Petersburg 2260 km
Londyn – Hamburg 790 km
Glasgow
WIELKA BRYTANIA
IRLANDIA
Belfast
Wyspa Man (br.)
DUBLIN
Liverpool
Newcastle upon Tyne
Leeds
Manchester
Sheffield
Birmingham
LONDYN
Southampton
Nowy Jork – Londyn 6140 km
Las Palmas – Londyn 3200 km
Lizbona – Londyn 2060 km
Guernsey (br.)
Jersey (br.)
La Manche
AMSTERDAM
Haga
Rotterdam
HOLANDIA
BRUKSELA
BELGIA
LUKSEMBURG
Brema
Hamburg
Hanower
BERLIN
NIEMCY
Dortmund
Kolonia
Bonn
Lipsk
Frankfurt nad Menem
Stuttgart
Monachium
Kaliningrad
ROSJA
Gdańsk
Szczecin
Poznań
WARSZAWA
POLSKA
Wrocław
Łódź
Kraków
Brześć
Prypeć
MIŃSK
BIAŁORUŚ
Homel
Dniepr
KIJÓW
Charków
UKRAINA
Lwów
Dniestr
Dniepropetrowsk
Krzywy Róg
Mikołajów
Odessa
Sewastopol
MOŁDAWIA
KISZYNIÓW
PRAGA
CZECHY
SŁOWACJA
BRATYSŁAWA
WIEDEŃ
AUSTRIA
BUDAPESZT
WĘGRY
Dunaj
Cisa
Drawa
Hawr
Sekwana
PARYŻ
FRANCJA
Loara
Nantes
Strasburg
Zatoka Biskajska
Bordeaux
Garonna
Tuluza
Lyon
Rodan
Nicea
Marsylia
MONAKO
ANDORA
Zurych
VADUZ
LIECHTENSTEIN
SZWAJCARIA
BERNO
LUBLANA
SŁOWENIA
Triest
Mediolan
Turyn
Genua
Pad
WŁOCHY
ZAGRZEB
Rijeka
CHORWACJA
Sawa
BOŚNIA I HERCEGOWINA
SARAJEWO
BELGRAD
SERBIA
RUMUNIA
BUKARESZT
Konstanca
Marusza
Prut
Warna
SOFIA
BUŁGARIA
KOSOWO
PRISZTINA
SKOPJE
MACEDONIA
CZARNOGÓRA
PODGORICA
TIRANA
ALBANIA
Saloniki
GRECJA
Patras
ATENY
Dardanele
MORZE EGEJSKIE
Kreta
Rodos
Bosfor
STAMBUŁ
Bursa
Izmir
Antalya
TURCJA
MORZE CZARNE
SAN MARINO
MORZE ADRIATYCKIE
WATYKAN
RZYM
Bari
Neapol
MORZE TYRREŃSKIE
MORZE JOŃSKIE
Korsyka
Sardynia
Baleary
Palermo
Sycylia
Mesyna
MALTA
VALLETTA
Porto
PORTUGALIA
LIZBONA
Bilbao
Saragossa
Ebro
MADRYT
Tag
HISZPANIA
Walencja
Barcelona
Sewilla
Malaga
Kadyks
Cieśnina Gibraltarska
Gibraltar (br.)
Tanger
Ceuta (hiszp.)
Tetuan
Melilla (hiszp.)
MORZE ŚRÓDZIEMNE
RABAT
Fez
Meknes
Wadżda
Oran
ALGIER
Annaba
TUNIS
MAROKO
ALGIERIA
Biskira
Tughghurt
Baszszar
TUNEZJA
Safakis
Kabis
TRYPOLIS
LIBIA
Bengazi
Tobruk
Aleksandria
Giza
EGIPT
NIKOZJA
CYPR
340 km
760 km
1570 km
850 km
620 km
950 km
480 km
1810 km
1820 km
2040 km
2400 km
1490 km
1760 km
940 km
630 km

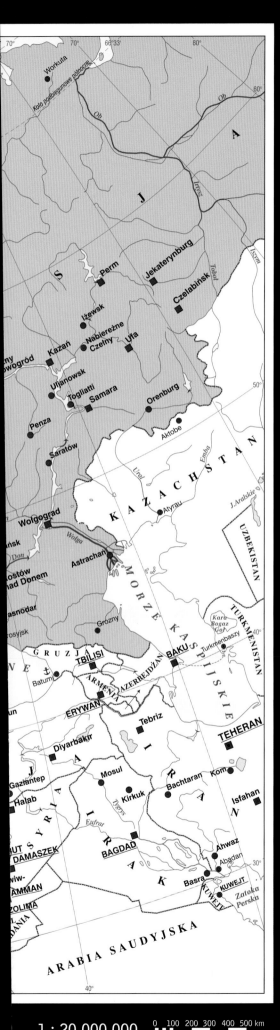

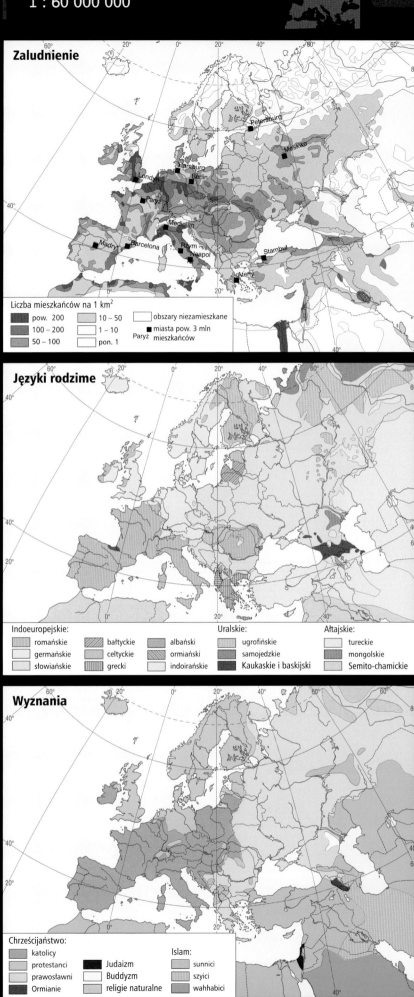

Zaludnienie

Liczba mieszkańców na 1 km²
- pow. 200
- 100 – 200
- 50 – 100
- 10 – 50
- 1 – 10
- pon. 1
- obszary niezamieszkane
- Paryż ■ miasta pow. 3 mln mieszkańców

Języki rodzime

Indoeuropejskie:
- romańskie
- germańskie
- słowiańskie
- bałtyckie
- celtyckie
- grecki
- albański
- ormiański
- indoirańskie

Uralskie:
- ugrofińskie
- samojedzkie
- Kaukaskie i baskijski

Ałtajskie:
- tureckie
- mongolskie
- Semito-chamickie

Wyznania

Chrześcijaństwo:
- katolicy
- protestanci
- prawosławni
- Ormianie
- Judaizm
- Buddyzm
- religie naturalne

Islam:
- sunnici
- szyici
- wahhabici

Znaczenie sektorów w strukturze PKB:

rolnictwo
- bardzo ważne
- ważne z udziałem przemysłu
- ważne z udziałem usług

przemysł
- bardzo ważny
- ważne z udziałem rolnictwa
- ważne z udziałem usług

usługi
- bardzo ważne
- ważne z udziałem rolnictwa
- ważne z udziałem przemysłu

obszary niezagospodarowane lub słabo zagospodarowane

brak danych

Ośrodki gospodarcze

oddziaływanie:
- światowe
- ważniejsze regionalne
- regionalne
- lokalne

funkcje:
- wielofunkcyjne
- przemysłowe i górnicze
- innowacyjne
- transportowe
- handlowe, finansowe i administracyjne
- turystyczne i kulturalne

Górnictwo
- ropy naftowej
- gazu ziemnego
- węgla kamiennego
- węgla brunatnego
- rud uranu
- rud żelaza
- rud manganu
- rud chromu
- rud niklu
- rud miedzi
- rud cynku i ołowiu
- rud cyny
- rtęci
- boksytów
- srebra
- platyny
- soli potasowych
- fosforytów i a
- siarki

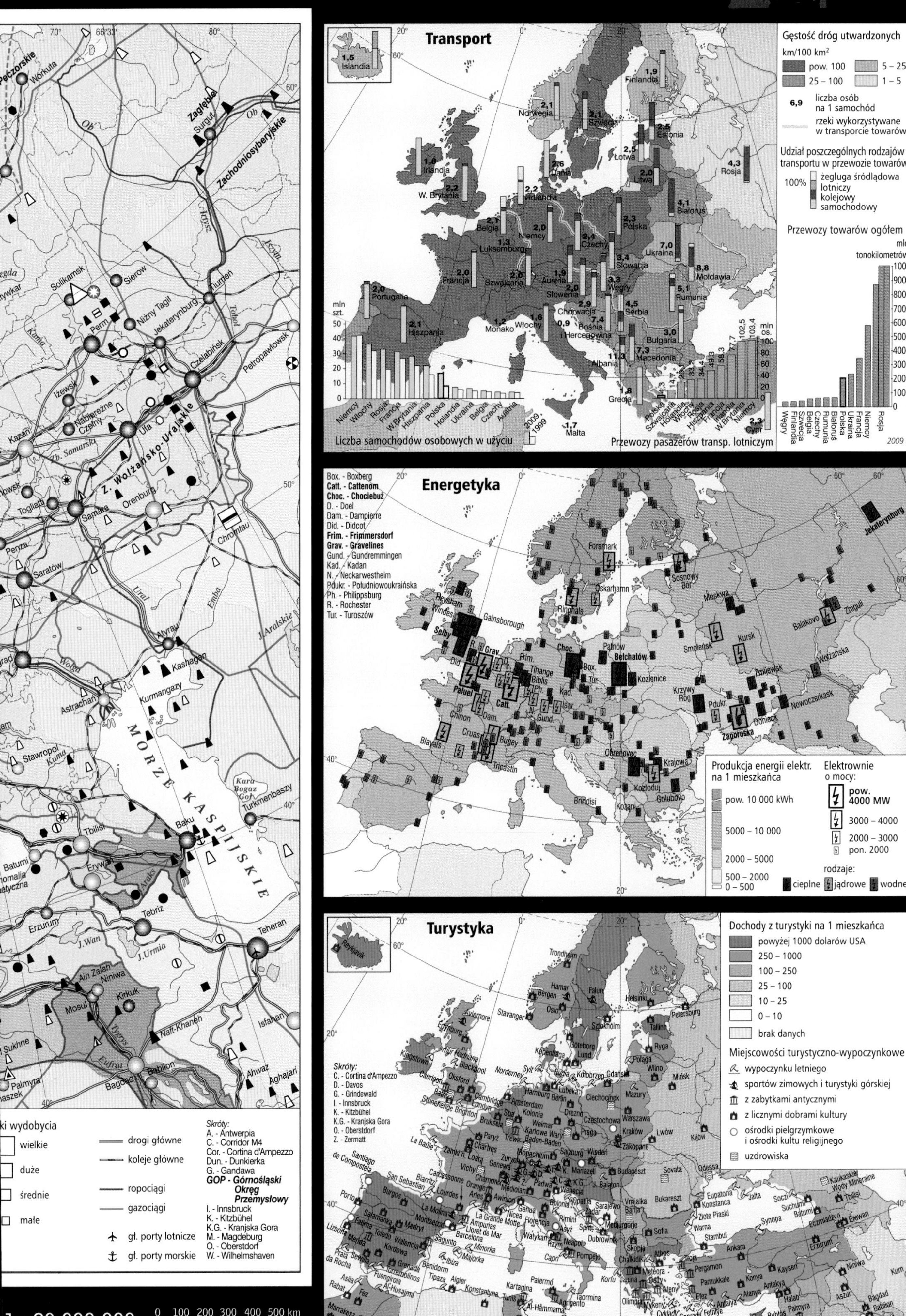
Transport
Gęstość dróg utwardzonych
km/100 km²
pow. 100
25 – 100
5 – 25
1 – 5
6,9 liczba osób na 1 samochód
rzeki wykorzystywane w transporcie towarów
Udział poszczególnych rodzajów transportu w przewozie towarów:
100%
żegluga śródlądowa
lotniczy
kolejowy
samochodowy
Przewozy towarów ogółem
mld tonokilometrów
Węgry
Finlandia
Szwecja
Belgia
Czechy
Rumunia
Białoruś
Polska
Ukraina
Francja
Niemcy
Rosja
2009 r.
Liczba samochodów osobowych w użyciu
mln szt.
Niemcy
Włochy
Rosja
Francja
W.Brytania
Hiszpania
Polska
Holandia
Ukraina
Belgia
Czechy
Austria
2009
1999
Przewozy pasażerów transp. lotniczym
mln os.
Polska
Szwajcaria
Holandia
Włochy
Rosja
Hiszpania
Francja
Irlandia
W.Brytania
Niemcy
1,5 Islandia
1,9 Finlandia
2,1 Norwegia
2,1 Szwecja
2,5 Estonia
2,5 Łotwa
4,3 Rosja
1,8 Irlandia
2,6 Dania
2,0 Litwa
2,2 W. Brytania
2,2 Holandia
4,1 Białoruś
2,1 Belgia
2,0 Niemcy
2,3 Polska
1,3 Luksemburg
2,4 Czechy
7,0 Ukraina
3,4 Słowacja
2,0 Francja
2,0 Szwajcaria
1,9 Austria
8,8 Mołdawia
2,0 Słowenia
3,3 Węgry
5,1 Rumunia
2,0 Portugalia
2,9 Chorwacja
4,5 Serbia
2,1 Hiszpania
1,2 Monako
1,6 Włochy
0,9
7,4 Bośnia i Hercegowina
3,0 Bułgaria
11,3 Albania
7,3 Macedonia
1,8 Grecja
1,7 Malta
2,3 Cypr
Energetyka
Box. - Boxberg
Catt. - Cattenom
Choc. - Chociebuż
D. - Doel
Dam. - Dampierre
Did. - Didcot
Frim. - Frimmersdorf
Grav. - Gravelines
Gund. - Gundremmingen
Kad. - Kadan
N. - Neckarwestheim
Pdukr. - Południowoukraińska
Ph. - Philippsburg
R. - Rochester
Tur. - Turoszów
Jekaterynburg
Forsmark
Sosnowy Bór
Oskarhamn
Ringhals
Moskwa
Balakovo
Zhiguli
Heysham
Windscale
Gainsborough
Selby
Smoleńsk
Kursk
Wołżańska
Bełchatów
Patnów
Kozienice
Tihange
Biblis
Paluel
Chinon
Cruas
Bugey
Blayais
Tricastin
Krzywy Róg
Żmijewsk
Zaporoska
Nowoczerkask
Doniecki
Obrenovac
Krajowa
Kozłoduj
Gołubowo
Brindisi
Kozani
Produkcja energii elektr. na 1 mieszkańca
pow. 10 000 kWh
5000 – 10 000
2000 – 5000
500 – 2000
0 – 500
Elektrownie o mocy:
pow. 4000 MW
3000 – 4000
2000 – 3000
pon. 2000
rodzaje:
cieplne
jądrowe
wodne
Turystyka
Dochody z turystyki na 1 mieszkańca
powyżej 1000 dolarów USA
250 – 1000
100 – 250
25 – 100
10 – 25
0 – 10
brak danych
Miejscowości turystyczno-wypoczynkowe
wypoczynku letniego
sportów zimowych i turystyki górskiej
z zabytkami antycznymi
z licznymi dobrami kultury
ośrodki pielgrzymkowe i ośrodki kultu religijnego
uzdrowiska
Skróty:
C. - Cortina d'Ampezzo
D. - Davos
G. - Grindewald
I. - Innsbruck
K. - Kitzbühel
K.G. - Kranjska Gora
O. - Oberstdorf
Z. - Zermatt
Reykjavik
Trondheim
Bergen
Oslo
Stavanger
Sztokholm
Helsinki
Petersburg
Tallinn
Ryga
Göteborg
Kopenhaga
Kingstown
Edynburg
Oksford
Londyn
Amsterdam
Hamburg
Berlin
Gdańsk
Kołobrzeg
Ciechocinek
Mazury
Wilno
Mińsk
Kolonia
Drezno
Praga
Częstochowa
Warszawa
Kraków
Zakopane
Lwów
Kijów
Paryż
Wiedeń
Salzburg
Budapeszt
Odessa
Lourdes
Genewa
Nicea
Florencja
Rzym
Neapol
Pompeje
Sofia
Bukareszt
Stambuł
Ateny
Santiago de Compostela
Madryt
Lizbona
Barcelona
Majorka
Malta
Taormina
Kartagina
Tunis
Algier
Marrakesz
Fez
Jałta
Soczi
Tbilisi
Erewan
Ankara
Pergamon
Efez
Antalya
Konya
Kayseri
Halab
Bagdad
Babilon
Palmyra
Bejrut
Damaszek
Cypr
Knosos
Kair
1 : 20 000 000
Z. Peczorskie
Workuta
Zagłębie Surgut
Zachodniosyberyjskie
Ob
Irtysz
Solikamsk
Sierow
Perm
Niżny Tagił
Jekaterynburg
Tiumeń
Czelabińsk
Iżewsk
Nabierieżne Czełny
Ufa
Kazań
Z. Wołżańsko-Uralskie
Samara
Orenburg
Togliatti
Penza
Saratów
Chromtau
Atyrau
Kashagan
Kurmangazy
Astrachań
Stawropol
MORZE KASPIJSKIE
Baku
Tbilisi
Batumi
Erywań
Erzurum
Tebriz
Teheran
Turkmenbaszy
Kara Bogaz Goł
J. Aralskie
J.Wan
J.Urmia
Ain Zalah
Niniwa
Mosul
Kirkuk
Naft-Khaneh
Bagdad
Babilon
Isfahan
Ahwaz
Aghajari
Sukhne
Palmyra
Tygrys
Eufrat
Wołga
Ural
Emba
Tobol
Kama
ki wydobycia
wielkie
duże
średnie
małe
drogi główne
koleje główne
ropociągi
gazociągi
gł. porty lotnicze
gł. porty morskie
Skróty:
A. - Antwerpia
C. - Corridor M4
Cor. - Cortina d'Ampezzo
Dun. - Dunkierka
G. - Gandawa
GOP - Górnośląski Okręg Przemysłowy
I. - Innsbruck
K. - Kitzbühel
K.G. - Kranjska Gora
M. - Magdeburg
O. - Oberstdorf
W. - Wilhelmshaven
0 100 200 300 400 500 km

Typy gospodarki rolnej

- rolnictwo mieszane zmechanizowane (miejscami wysoko rozwinięte)
- gospodarka zbożowa wielkoobszarowa
- rolnictwo mieszane intensywne (miejscami nawadniane)
- rolnictwo śródziemnomorskie
- rolnictwo w oazach, wyspecjalizowane
- gospodarka hodowlana mleczna
- hodowla pastwiskowa
- pasterstwo koczownicze
- lasy (leśnictwo, łowiectwo, zbieractwo)
- obszary słabo lub niewykorzystane rolniczo
- obszary łowiskowe

Uprawy

- pszenica
- kukurydza
- ryż
- żyto
- ziemniaki
- buraki cukrowe
- rzepak i rzepik
- słonecznik
- oliwki
- palma daktylowa
- owoce i warzywa
- owoce cytrusowe
- winorośl
- herbata
- tytoń
- chmiel
- bawełna
- len
- dąb korkowy

Hodowla

- bydło
- trzoda chlewna
- owce
- kozy
- wielbłądy
- renifery

1 : 40 000 000

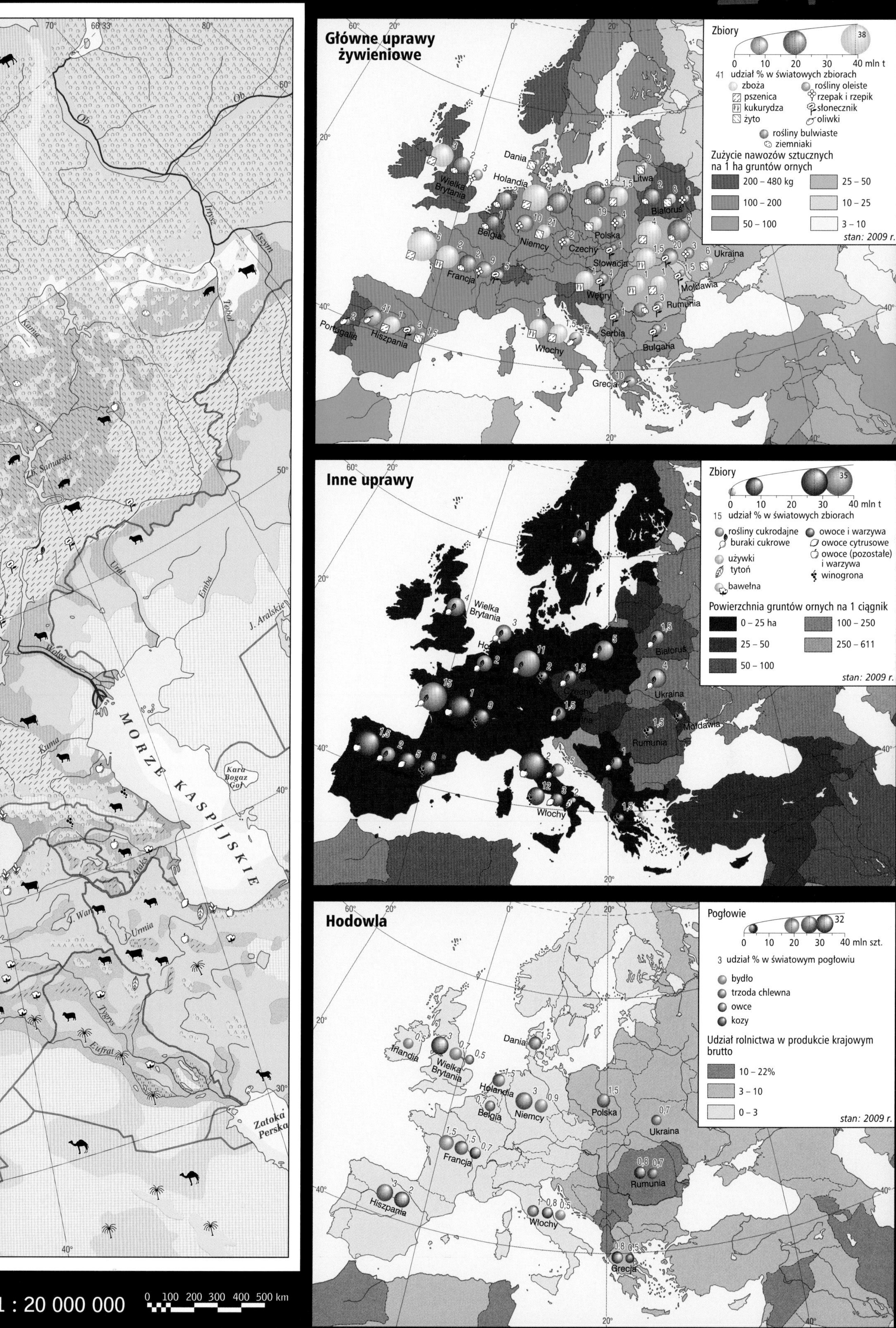
Główne uprawy żywieniowe
Zbiory
0 10 20 30 40 mln t
41 udział % w światowych zbiorach
zboża
pszenica
kukurydza
żyto
rośliny oleiste
rzepak i rzepik
słonecznik
oliwki
rośliny bulwiaste
ziemniaki
Zużycie nawozów sztucznych na 1 ha gruntów ornych
200 – 480 kg
100 – 200
50 – 100
25 – 50
10 – 25
3 – 10
stan: 2009 r.
Inne uprawy
Zbiory
0 10 20 30 40 mln t
15 udział % w światowych zbiorach
rośliny cukrodajne
buraki cukrowe
używki
tytoń
bawełna
owoce i warzywa
owoce cytrusowe
owoce (pozostałe) i warzywa
winogrona
Powierzchnia gruntów ornych na 1 ciągnik
0 – 25 ha
25 – 50
50 – 100
100 – 250
250 – 611
stan: 2009 r.
Hodowla
Pogłowie
0 10 20 30 40 mln szt.
3 udział % w światowym pogłowiu
bydło
trzoda chlewna
owce
kozy
Udział rolnictwa w produkcie krajowym brutto
10 – 22%
3 – 10
0 – 3
stan: 2009 r.
MORZE KASPIJSKIE
Kara Bogaz Goł
Zatoka Perska
J. Aralskie
J. Wan
J. Urmia
Ob
Irtysz
Iszym
Toboł
Ural
Emba
Wołga
Kuma
Araks
Tygrys
Eufrat
Kama
Zb. Samarski
Wielka Brytania
Dania
Holandia
Belgia
Niemcy
Francja
Portugalia
Hiszpania
Włochy
Litwa
Białoruś
Polska
Czechy
Słowacja
Węgry
Ukraina
Mołdawia
Rumunia
Serbia
Bułgaria
Grecja
Irlandia

0 100 200 300 400 500 km

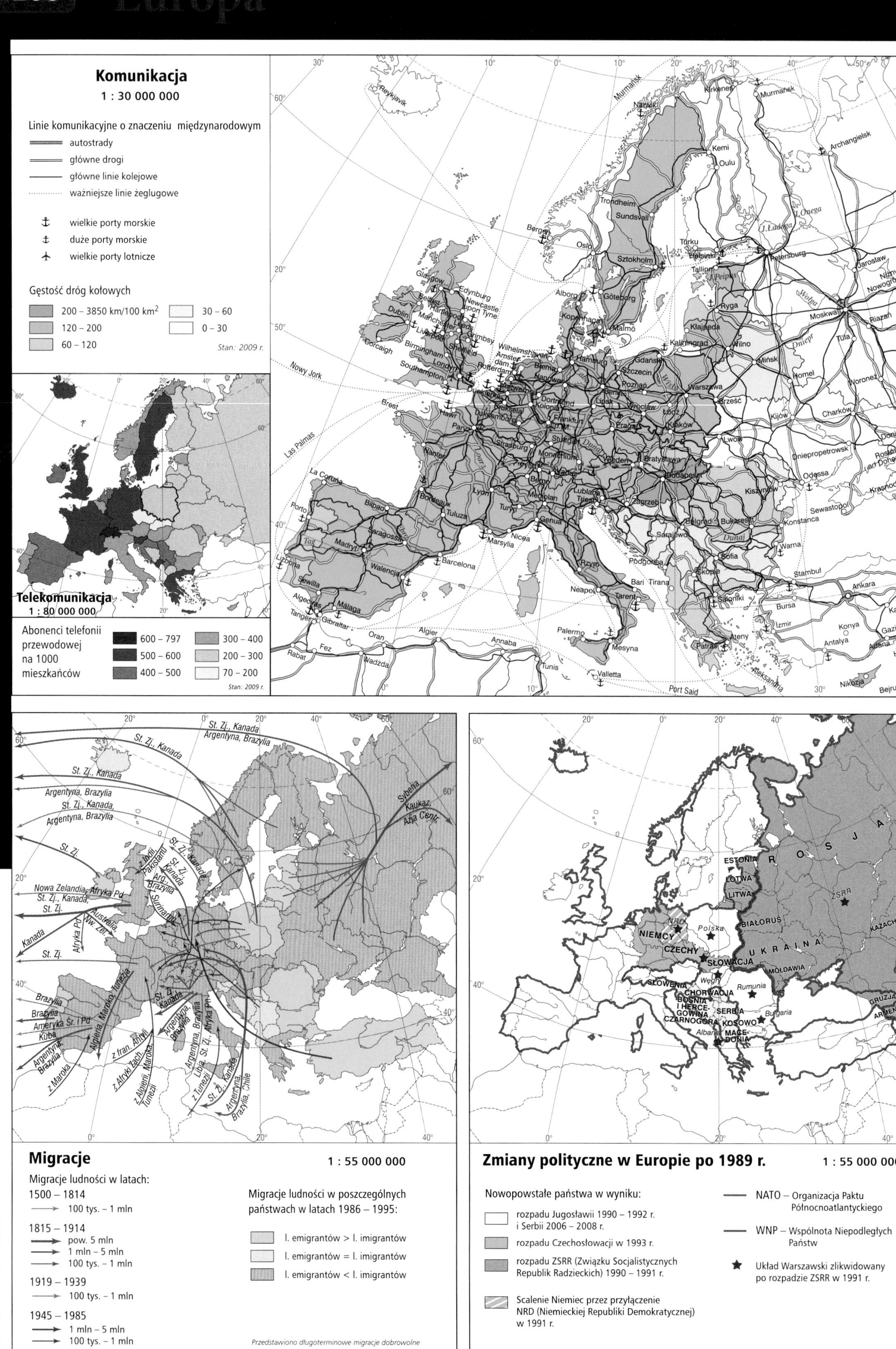

Komunikacja
1 : 30 000 000

Linie komunikacyjne o znaczeniu międzynarodowym

- autostrady
- główne drogi
- główne linie kolejowe
- ważniejsze linie żeglugowe

⚓ wielkie porty morskie
⚓ duże porty morskie
✈ wielkie porty lotnicze

Gęstość dróg kołowych

- 200 – 3850 km/100 km²
- 120 – 200
- 60 – 120
- 30 – 60
- 0 – 30

Stan: 2009 r.

Telekomunikacja
1 : 80 000 000

Abonenci telefonii przewodowej na 1000 mieszkańców

- 600 – 797
- 500 – 600
- 400 – 500
- 300 – 400
- 200 – 300
- 70 – 200

Stan: 2009 r.

Migracje
1 : 55 000 000

Migracje ludności w latach:

1500 – 1814
→ 100 tys. – 1 mln

1815 – 1914
→ pow. 5 mln
→ 1 mln – 5 mln
→ 100 tys. – 1 mln

1919 – 1939
→ 100 tys. – 1 mln

1945 – 1985
→ 1 mln – 5 mln
→ 100 tys. – 1 mln

Migracje ludności w poszczególnych państwach w latach 1986 – 1995:

- l. emigrantów > l. imigrantów
- l. emigrantów = l. imigrantów
- l. emigrantów < l. imigrantów

Przedstawiono długoterminowe migracje dobrowolne

Zmiany polityczne w Europie po 1989 r.
1 : 55 000 000

Nowopowstałe państwa w wyniku:

- rozpadu Jugosławii 1990 – 1992 r. i Serbii 2006 – 2008 r.
- rozpadu Czechosłowacji w 1993 r.
- rozpadu ZSRR (Związku Socjalistycznych Republik Radzieckich) 1990 – 1991 r.
- Scalenie Niemiec przez przyłączenie NRD (Niemieckiej Republiki Demokratycznej) w 1991 r.

— NATO – Organizacja Paktu Północnoatlantyckiego

— WNP – Wspólnota Niepodległych Państw

★ Układ Warszawski zlikwidowany po rozpadzie ZSRR w 1991 r.

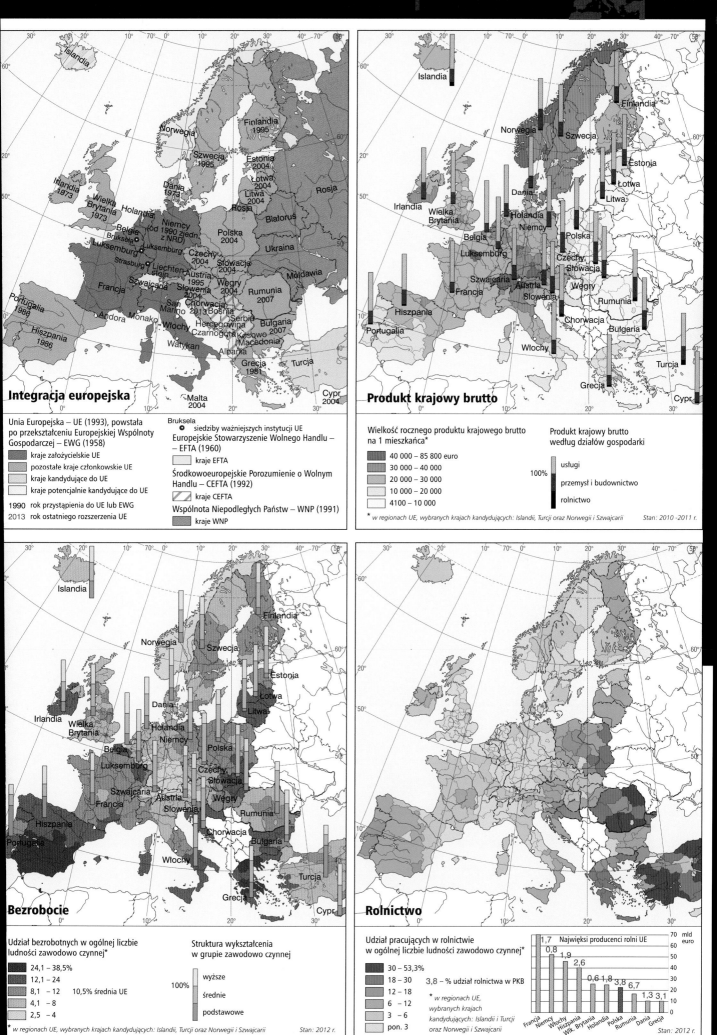

Integracja europejska

Unia Europejska – UE (1993), powstała
po przekształceniu Europejskiej Wspólnoty
Gospodarczej – EWG (1958)

- kraje założycielskie UE
- pozostałe kraje członkowskie UE
- kraje kandydujące do UE
- kraje potencjalnie kandydujące do UE

1990 rok przystąpienia do UE lub EWG
2013 rok ostatniego rozszerzenia UE

Bruksela
- siedziby ważniejszych instytucji UE

Europejskie Stowarzyszenie Wolnego Handlu –
– EFTA (1960)
- kraje EFTA

Środkowoeuropejskie Porozumienie o Wolnym
Handlu – CEFTA (1992)
- kraje CEFTA

Wspólnota Niepodległych Państw – WNP (1991)
- kraje WNP

Produkt krajowy brutto

Wielkość rocznego produktu krajowego brutto
na 1 mieszkańca*

- 40 000 – 85 800 euro
- 30 000 – 40 000
- 20 000 – 30 000
- 10 000 – 20 000
- 4100 – 10 000

Produkt krajowy brutto
według działów gospodarki

100%
- usługi
- przemysł i budownictwo
- rolnictwo

* w regionach UE, wybranych krajach kandydujących: Islandii, Turcji oraz Norwegii i Szwajcarii   Stan: 2010 -2011 r.

Bezrobocie

Udział bezrobotnych w ogólnej liczbie
ludności zawodowo czynnej*

- 24,1 – 38,5%
- 12,1 – 24
- 8,1 – 12   10,5% średnia UE
- 4,1 – 8
- 2,5 – 4

Struktura wykształcenia
w grupie zawodowo czynnej

100%
- wyższe
- średnie
- podstawowe

* w regionach UE, wybranych krajach kandydujących: Islandii, Turcji oraz Norwegii i Szwajcarii   Stan: 2012 r.

Rolnictwo

Udział pracujących w rolnictwie
w ogólnej liczbie ludności zawodowo czynnej*

- 30 – 53,3%
- 18 – 30
- 12 – 18
- 6 – 12
- 3 – 6
- pon. 3

3,8 – % udział rolnictwa w PKB

* w regionach UE,
wybranych krajach
kandydujących: Islandii i Turcji
oraz Norwegii i Szwajcarii

Najwięksi producenci rolni UE

	70 mld euro
1,7	60
0,8	50
1,9	40
2,6	30
0,6 1,8	20
3,8 6,7	
1,3 3,1	10

Francja Niemcy Włochy Hiszpania Wlk. Brytania Holandia Polska Rumunia Dania Grecja

Stan: 2012 r.

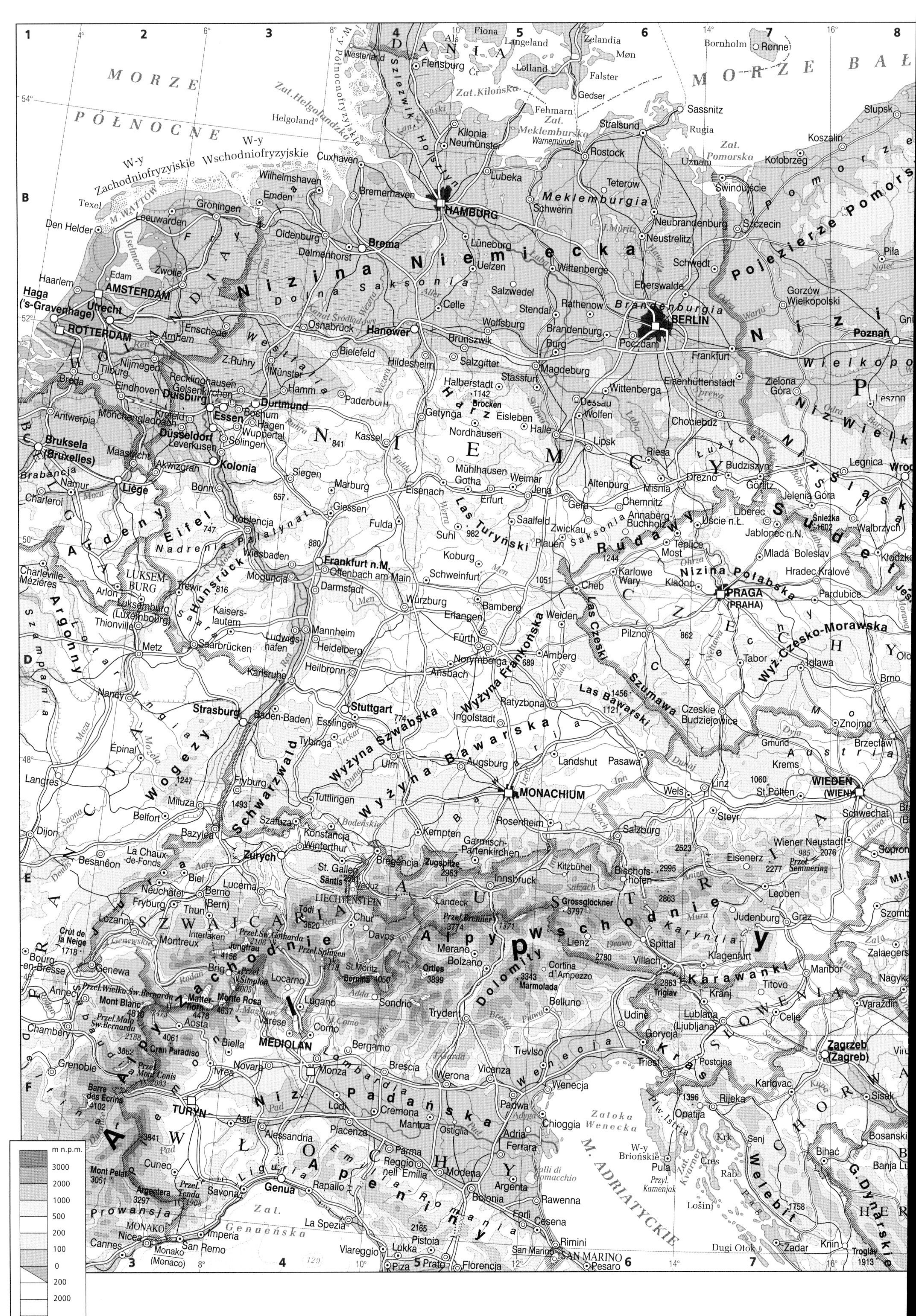
MORZE PÓŁNOCNE
MORZE BAŁ
DANIA
Fiona
Langeland
Zelandia
Møn
Falster
Lolland
Bornholm
Rønne
Flensburg
Szlezwik-Holsztyn
Zat. Kilońska
Zat. Meklemburska
Fehmarn
Gedser
Sassnitz
Rugia
Stralsund
Zat. Pomorska
Słupsk
Koszalin
Kołobrzeg
Świnoujście
Szczecin
Pojezierze Pomorskie
Helgoland
Zat. Helgolandzka
W-y Północnofryzyjskie
W-y Zachodniofryzyjskie
W-y Wschodniofryzyjskie
Cuxhaven
Wilhelmshaven
Emden
Bremerhaven
HAMBURG
Kilonia
Neumünster
Lubeka
Rostock
Teterow
Meklemburgia
Schwerin
Neubrandenburg
Neustrelitz
Texel
Groningen
Leeuwarden
Den Helder
Oldenburg
Brema
Delmenhorst
Lüneburg
Uelzen
Wittenberge
Schwedt
Piła
Haarlem
Edam
Zwolle
AMSTERDAM
Haga ('s-Gravenhage)
Utrecht
ROTTERDAM
Nizina Niemiecka
Dolna Saksonia
Salzwedel
Stendal
Rathenow
Eberswalde
Gorzów Wielkopolski
Brandenburgia
BERLIN
Poczdam
Celle
Wolfsburg
Brandenburg
Osnabrück
Hanower
Brunszwik
Enschede
Arnhem
Westfalia
Bielefeld
Salzgitter
Magdeburg
Frankfurt
Poznań
Nijmegen
Tilburg
Breda
Z.Ruhry
Hildesheim
Halberstadt
Stassfurt
Eisenhüttenstadt
Zielona Góra
Leszno
Recklinghausen
Gelsenkirchen
Münster
Hamm
Eindhoven
Duisburg
Dortmund
Paderborn
Harz
Brocken
1142
Dessau
Wittenberga
Wolfen
Antwerpia
Mönchengladbach
Krefeld
Bochum
Essen
Hagen
Wuppertal
Düsseldorf
Solingen
Leverkusen
Getynga
Eisleben
Halle
Chociebuż
Nordhausen
Bruksela (Bruxelles)
Maastricht
Akwizgran
Kolonia
Kassel
Lipsk
Riesa
Budziszyn
Legnica
Brabancja
Namur
Liège
Charleroi
Siegen
Marburg
Mühlhausen
Gotha
Weimar
Jena
Erfurt
Altenburg
Miśnia
Drezno
Görlitz
Jelenia Góra
Bonn
Eisenach
Chemnitz
Gera
Annaberg-Buchholz
Ujście n.Ł.
Liberec
Śnieżka 1602
Wałbrzych
Sudety
Ardeny
Eifel
Koblencja
Giessen
Fulda
Las Turyński
Saalfeld
Zwickau
Saksonia
Rudawy
Jablonec n.N.
Nadrenia-Palatynat
Wiesbaden
Frankfurt n.M.
Suhl
Plauen
Teplice
Most
Mladá Boleslav
Kłodzko
Charleville-Mézières
LUKSEMBURG
Hunsrück
Trewir
Moguncja
Offenbach am Main
Koburg
Schweinfurt
Karlowe Wary
Kladno
Nizina Połabska
Hradec Králové
Cheb
PRAGA (PRAHA)
Pardubice
Arlon
Luksemburg (Luxembourg)
Darmstadt
Würzburg
Bamberg
Erlangen
Argonny
Szampania
Thionville
Kaiserslautern
Mannheim
Heidelberg
Ludwigshafen
Fürth
Weiden
Las Czeski
Pilzno
CZECHY
Wyż. Czesko-Morawska
Metz
Saarbrücken
Saara
Lotaryngia
Norymberga
Amberg
Wyżyna Frankońska
Tabor
Igława
Karlsruhe
Heilbronn
Ansbach
Las Bawarski
Szumawa
Brno
Nancy
Strasburg
Baden-Baden
Stuttgart
Esslingen
Ratyzbona
Ingolstadt
Czeskie Budziejowice
Znojmo
Wogezy
Épinal
Tybinga
Wyżyna Szwabska
Schwarzwald
Ulm
Augsburg
Wyżyna Bawarska
Landshut
Pasawa
Gmünd
Krems
Brzecław
Austria
Langres
Fryburg
Tuttlingen
MONACHIUM
Linz
Wels
St. Pölten
WIEDEŃ (WIEN)
Miluza
Belfort
Dijon
Bazylea
Szafuza
Konstancja
Jez. Bodeńskie
Rosenheim
Salzburg
Steyr
Schwechat
Besançon
La Chaux-de-Fonds
Zurych
Winterthur
Kempten
Garmisch-Partenkirchen
Wiener Neustadt
Eisenerz
Przeł. Semmering
Biel
Neuchâtel
Berno (Bern)
Lucerna
St. Gallen
Säntis
Bregencja
Zugspitze 2963
Innsbruck
Kitzbühel
Bischofshofen
Leoben
Fryburg
Thun
Vaduz
LIECHTENSTEIN
Landeck
Grossglockner 3797
Taury
Lozanna
SZWAJCARIA
Tödi 3620
Chur
Przeł. Brenner 1371
Judenburg
Graz
Crêt de la Neige 1718
Montreux
Interlaken
Jungfrau 4158
Przeł. Św. Gotharda 2108
Davos
Alpy Wschodnie
Lienz
Spittal
Karyntia
Bourg-en-Bresse
Genewa
Przeł. Splügen
Przeł. Simplon 2005
St. Moritz
Bernina 4050
Merano
Bolzano
Ortles 3899
Dolomity
Cortina d'Ampezzo
Villach
Klagenfurt
Maribor
Annecy
Przeł. Wielka Św. Bernarda
Matterhorn 4478
Monte Rosa 4637
Locarno
Lugano
Marmolada 3343
Karawanki
Triglav 2863
Kranj
Titovo
Mont Blanc 4810
Przeł. Mała Św. Bernarda 2188
Aosta
Jez. Maggiore
Sondrio
Trydent
Belluno
Udine
Lublana (Ljubljana)
Celje
Varaždin
Chambéry
Biella
Varese
Como
Jez. Como
Gorycja
SŁOWENIA
Gran Paradiso 4061
Alpy Zachodnie
MEDIOLAN
Bergamo
Jez. Garda
Treviso
Wenecja Euganejska
Kras
Zagrzeb (Zagreb)
Grenoble
Przeł. Mont Cenis 2083
Ivrea
Novara
Monza
Lombardia
Brescia
Werona
Vicenza
Triest
Postojna
Karlovac
Barre des Ecrins 4102
TURYN
Asti
Niz. Padańska
Padwa
Wenecja
Rijeka
Sisak
Lodi
Cremona
Mantua
Ostiglia
Adria
Chioggia
Zatoka Wenecka
Opatija
Alessandria
Piacenza
Półw. Istria
Krk
Senj
Parma
Reggio nell'Emilia
Modena
Ferrara
W-y Briońskie
Pula
Cres
Rab
Bihać
Banja Luka
Cuneo
Liguria
Genua
Rapallo
Apeniny
Emilia-Romania
Argenta
Valli di Comacchio
Rawenna
M. ADRIATYCKIE
Welebit
Przeł. Tenda 1908
Argentera 3297
Savona
Bolonia
Mont Pelat 3051
Prowansja
Zat. Genueńska
La Spezia
Forlì
Cesena
Lošinj
Zat. Kvarner
1758
Dynarskie
MONAKO
Nicea
Imperia
San Remo
Pistoia
Rimini
Cannes
Monako (Monaco)
Viareggio
Lukka
Prato
Florencja
San Marino
SAN MARINO
Pesaro
Dugi Otok
Zadar
Knin
Troglav 1913
Piza
m n.p.m.
3000
2000
1000
500
200
100
0
200
2000

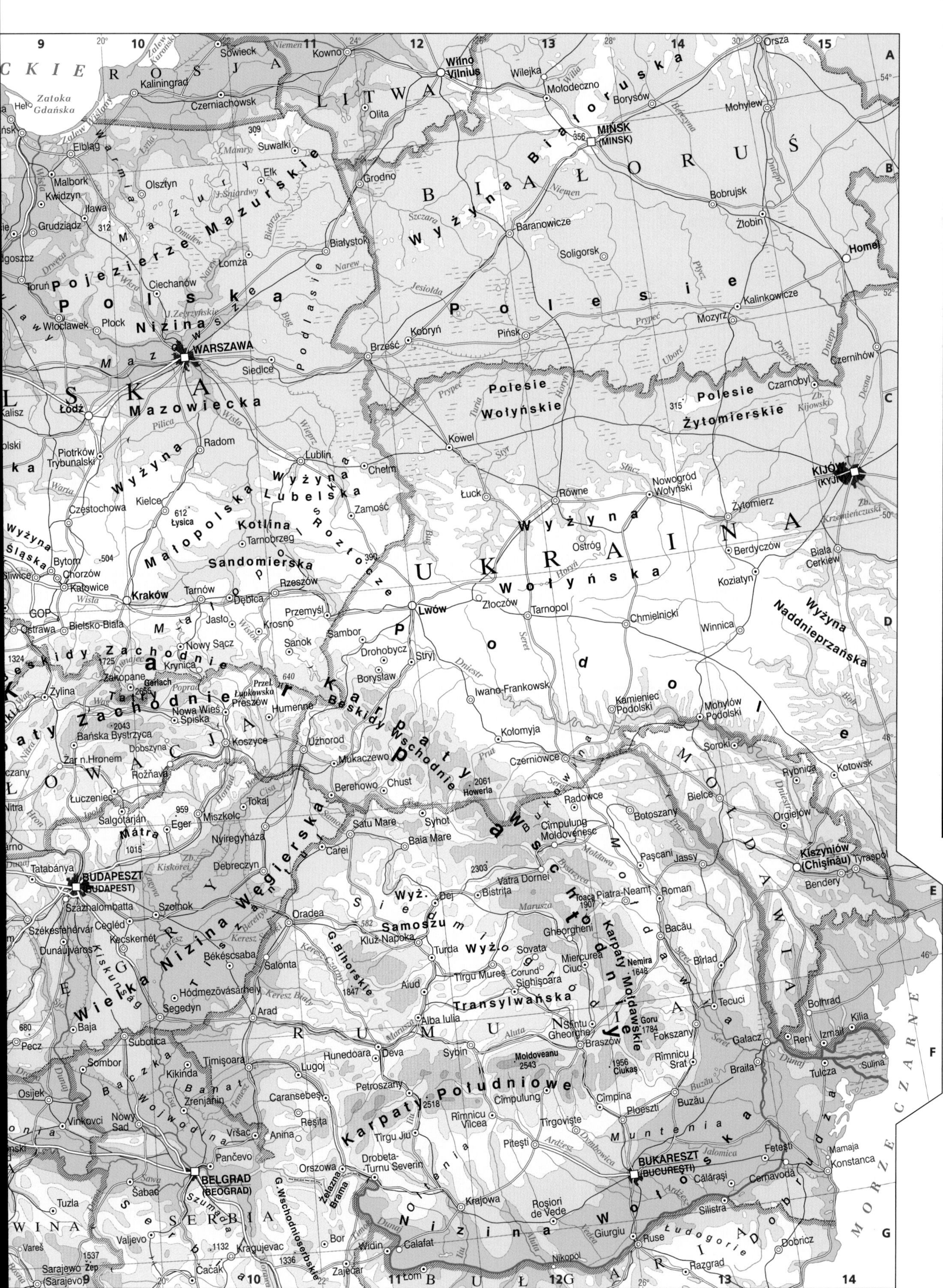

 C K I E   R O S J A   LITWA   B I A Ł O R U Ś

9   20°   10   11   24°   12   13   28°   14   30   15

Zatoka Gdańska
Hel
Zalew Wiślany
Kaliningrad
Sowieck
Kowno
Wilno
Vilnius
Wilejka
Mołodeczno
Borysów
Orsza
54°
A

Elbląg
Czerniachowsk
Olita
Wilia
MIŃSK
(MINSK)
356
Mohylew
B

Malbork
Kwidzyn
Olsztyn
309
Suwałki
Ełk
Grodno
Białystok
Szczara
Baranowicze
Soligorsk
Bobrujsk
Żłobin
Homel

Iława
312
J.Śniardwy
Pojezierze Mazurskie
Mazury
Warmia
Biebrza
Narew
Wyżyna Białoruska
Niemen
Płn.
Pilica
Polesie
Kalinkowicze
52°

Grudziądz
Toruń
Polska
Nizina
Łomża
Ciechanów
Płock
WARSZAWA
Jesiołda
Pińsk
Brześć
Kobryń
Prypeć
Mozyrz
Uborć
Dniepr
Czernihów

Włocławek
Łódź
Mazowiecka
Siedlce
Bug
Podlasie
Polesie Wołyńskie
Turia
Horyń
315
Polesie Żytomierskie
Czarnobyl
Zb. Kijowski
C

Kalisz
Piotrków Trybunalski
Radom
Wyżyna
Lublin
Chełm
Kowel
Styr
Równe
Nowogród Wołyński
Żytomierz
KIJÓW
(KYJIW)
50

Częstochowa
Kielce
612 Łysica
Małopolska
Wyżyna Lubelska
Roztocze
Zamość
Łuck
Wyżyna
Ostróg
Berdyczów
Biała Cerkiew
D

Wyżyna Śląska
Bytom
504
Tarnobrzeg
Kotlina Sandomierska
390
Lwów
Wołyńska
Horyń
Koziatyn
Wyżyna Naddnieprzańska

GOP
Chorzów
Katowice
Kraków
Tarnów
Dębica
Rzeszów
Przemyśl
Złoczów
Tarnopol
U K R A I N A
Winnica

Ostrawa
Gliwice
Bielsko-Biała
Jasło
Krosno
Sanok
Sambor
Drohobycz
Stryj
Iwano-Frankowsk
Chmielnicki
Kamieniec Podolski
Mohylów Podolski
Rybnica
Kotowsk

1324
Żylina
Beskidy Zachodnie
725
Zakopane
Gerlach 2655
Przeł. Łupkowska
640
Borysław
Dniestr
Seret
P o d o l e
Soroki
Orgiejów

Karpaty Zachodnie
Nowa Wieś
Poprad
Spiska
Presów
Humenné
Beskidy Wschodnie
Kołomyja
Czerniowce
Prut
M O Ł D A W I A
46°

2043
Bańska Bystrzyca
Dobszyna
Koszyce
Użhorod
Mukaczewo
Karpaty
Howerla 2061
Bukowina
Seret
Radowce
Botoszany
Kiszyniów
(Chişinău)
Tyraspol

Żar n.Hronem
Rożnawa
Łuczeniec
Berehowo
Chust
Cisa
Wschodnie
2303
Cimpulung Moldovénesc
Suczawa
Paşcani
Jassy
Bendery

Nitra
Hron
Salgótarján
959
Miszkolc
Tokaj
Satu Mare
Syhot
Baia Mare
Wyż.
Vatra Dornei
Bistrita
Toaca Piatra-Neamţ 1907
Roman
Birlad

Mátra 1015
Eger
Nyíregyháza
Carei
Dej
Wyżo
Sereth
Karpaty Mołdawskie
Bacău
E

Tatabánya
BUDAPESZT
(BUDAPEST)
Szolnok
Debreczyn
Oradea
Kluż Napoka
Turda
Sovata
Mures
Gheorgheni
Miercurea Ciuc
Nemira 1648
Birlad

Százhalombatta
Nizina
Békéscsaba
582
Samoszu
Wyż.
Sighişoara
Sighişoara
Tecuci

Székesfehérvár
Cegléd
Kecskemét
Wielka
Węgierska
G.Bihorskie
Aiud
Tirgu Mureş
Corund
Ciuc
Goru 1784
Fokszany

Dunaújváros
Hódmezővásárhely
Salonta
1847
Alba Iulia
Transylwańska
Sfintu Gheorghe
Bacău
Foksany
46°

680
Baja
Segedyn
Arad
R U M U N I A
Mures
Braszów
1956 Ciukas
Rimnicu Sarat
Galacz
Reni
Izmaił
Kilia

Pecz
Subotica
Timişoara
Hunedoara
Deva
Sybin
Moldoveanu 2543
Karpaty Południowe
Cimpina
Buzău
Braiła
Tulcza
Sulina
F

Sombor
Kikinda
Lugoj
Caransebeş
Petroszany
2518
Tirgu Jiu
Cimpulung
Ploeszti
Buzău
Ialomica

Osijek
Nowy Sad
Banat
Reşita
Anina
Rimnicu Vilcea
Tirgovişte
Muntenia
Mamaja
Konstanca

Wojwodina
Zrenjanin
Piteşti
BUKARESZT
(BUCUREŞTI)
Feteşti
Cernavodă

Vinkovci
Bačka
Pančevo
Orszowa
Żelazna Brama
Drobeta-Turnu Severin
Roşiori de Vede
Giurgiu
Călăraşi
Silistra

BELGRAD
(BEOGRAD)
Szabac
Szumadia
Nizina Wołoska
Krajowa
Ruse
Cernavodă
Dobricz

Tuzla
Sava
S E R B I A
G.Wschodnioserbskie
Calafat
Dunaj
Łudogorie
Razgrad
G

WINA
Vareš
1537 Žep
Sarajewo
1132
Kragujevac
1336
Bor
Widin
Nikopol
Jantra
B U Ł G A R I A
Dobricz
MORZE CZARNE

9   10   11   Łom   12   26°   13   14

B U Ł   G

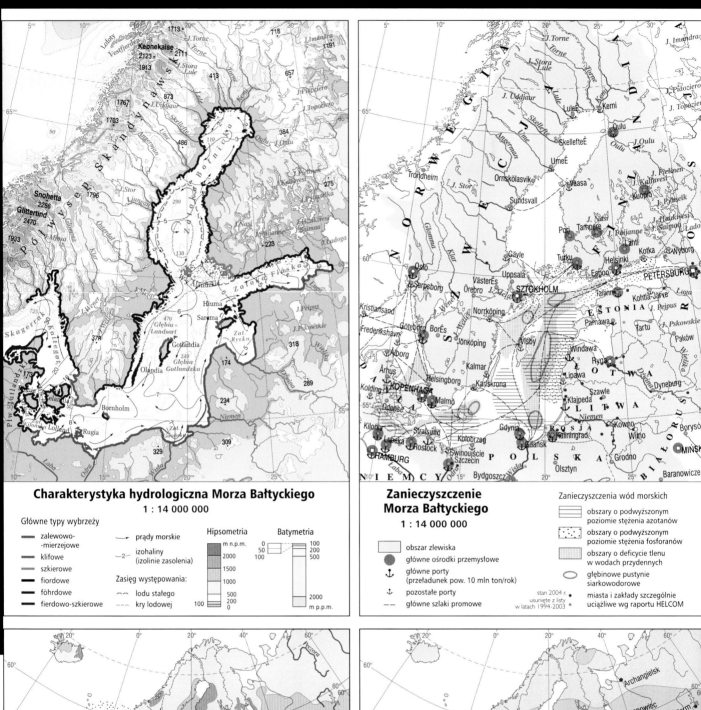

Charakterystyka hydrologiczna Morza Bałtyckiego
1 : 14 000 000

Główne typy wybrzeży

— zalewowo-
-mierzejowe
— klifowe
— szkierowe
— fiordowe
— föhrdowe
— fierdowo-szkierowe

→ prądy morskie
—2— izohaliny
(izolinie zasolenia)

Zasięg występowania:
⌒⌒ lodu stałego
- - - kry lodowej

Hipsometria
m n.p.m.
0
50
100
2000
1500
1000
500
200
0
100

Batymetria
100
200
500
2000
m p.p.m.

Zanieczyszczenie Morza Bałtyckiego
1 : 14 000 000

☐ obszar zlewiska
● główne ośrodki przemysłowe
⚓ główne porty
(przeładunek pow. 10 mln ton/rok)
⚓ pozostałe porty
- - - główne szlaki promowe

Zanieczyszczenia wód morskich

▤ obszary o podwyższonym
poziomie stężenia azotanów
⦂⦂⦂ obszary o podwyższonym
poziomie stężenia fosforanów
▨ obszary o deficycie tlenu
w wodach przydennych
⬭ głębinowe pustynie
siarkowodorowe

stan 2004 r.
usunięte z listy
w latach 1994-2003

● miasta i zakłady szczególnie
uciążliwe wg raportu HELCOM

Zanieczyszczenie wód
1 : 50 000 000

⌇ zanieczyszczone odcinki rzek
▰ wody przybrzeżne silnie zanieczyszczone
▱ wody stale zanieczyszczone
⦂⦂⦂ wody z plamami olejów i ropy naftowej

Stopień zanieczyszczenia
związkami azotu:
☐ czyste
▱ mało zanieczyszczone
▨ silnie zanieczyszczone
▰ bardzo silnie zanieczyszczone
☐ brak danych

Zanieczyszczenie powietrza
1 : 50 000 000

Stopień zanieczyszczenia gazami i pyłami:
☐ czyste
▱ mało zanieczyszczone
▨ silnie zanieczyszczone
▰ bardzo silnie
zanieczyszczone

● miasta o wysokim stopniu
skażenia powietrza
▨ obszary skażone radioaktywnie

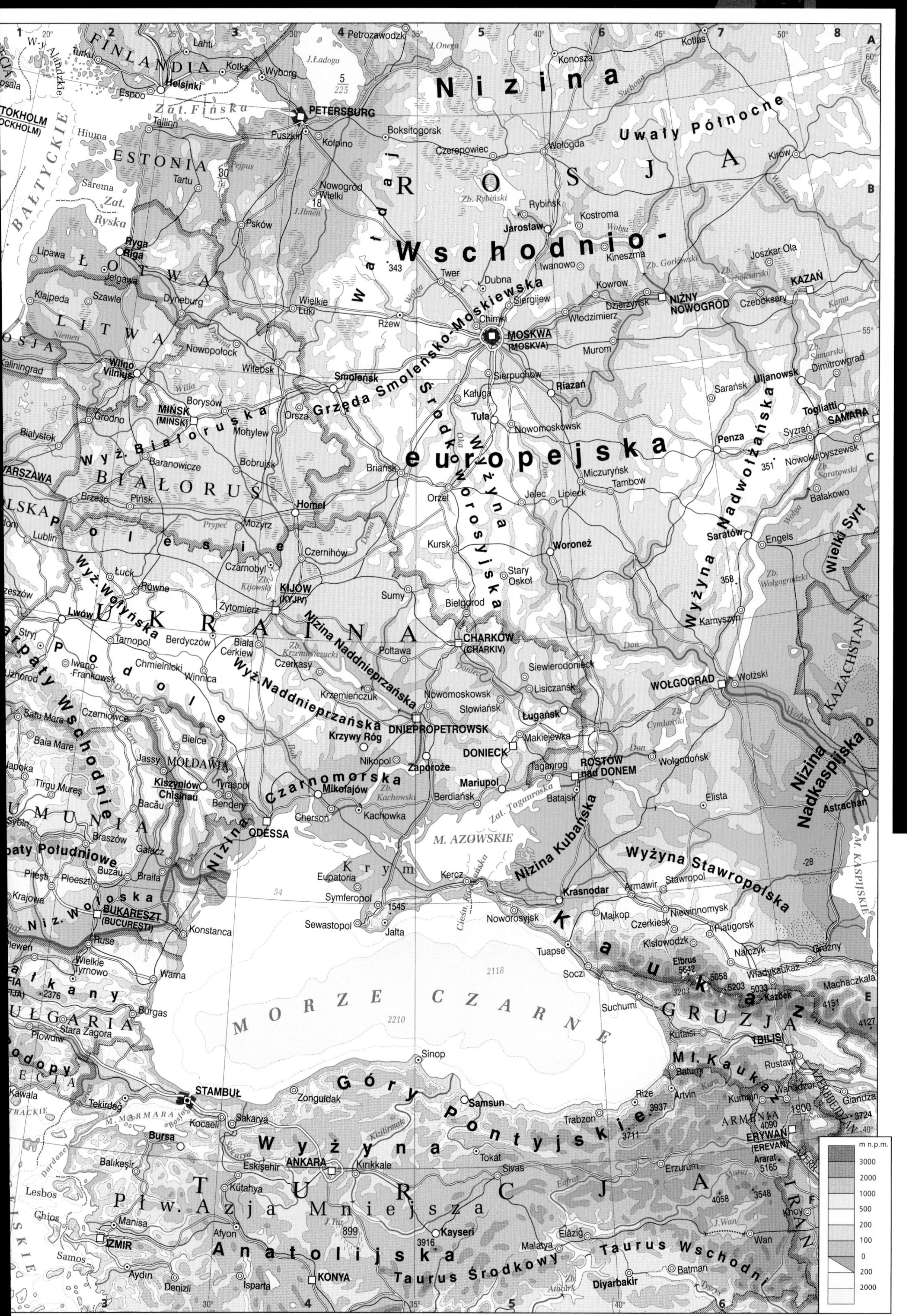
FINLANDIA
Helsinki
Espoo
Turku
Lahti
Kotka
Wyborg
Petrozawodzk
J.Ładoga
J.Onega
Zat. Fińska
PETERSBURG
Tallinn
Hiuma
ESTONIA
Tartu
Sarema
Zat. Ryska
Psków
Ryga Riga
Lipawa
ŁOTWA
Jełgawa
Dyneburg
Kłajpeda
Szawle
LITWA
Kaliningrad
Wilno Vilnius
Grodno
Białystok
Nowopołock
Witebsk
Smoleńsk
Orsza
Borysów
MIŃSK (MINSK)
Mohylew
Baranowicze
Bobrujsk
BIAŁORUŚ
Brześć
Pińsk
Homel
Mozyrz
Lublin
Polesie
Łuck
Równe
Żytomierz
KIJÓW (KYJIV)
Czernihów
Czarnobyl
Lwów
Tarnopol
Stryj
Iwano-Frankowsk
Użhorod
Chmielnicki
Winnica
Berdyczów
Biała Cerkiew
Czerkasy
UKRAINA
Wyż. Wołyńska
Podole
Czerniowce
Satu Mare
Baia Mare
Bielce
MOŁDAWIA
Kiszyniów Chişinău
Tyraspol
Bendery
Bacău
Jassy
Tîrgu Mureş
Braszów
Gałacz
Buzău
Braiła
Ploeszti
Piteşti
Krajowa
BUKARESZT (BUCUREŞTI)
Konstanca
Ruse
Wielkie Tyrnowo
Warna
Burgas
Stara Zagora
Płowdiw
BUŁGARIA
Karpaty Wschodnie
Karpaty Południowe
Niz. Wołoska
Bałkany
Rodopy
Kawala
Tekirdağ
STAMBUŁ
M. MARMARA
Kocaeli
Sakarya
Bursa
Balıkeşir
Eskişehir
Kütahya
Lesbos
Chios
Manisa
IZMIR
Samos
Aydın
Denizli
Afyon
Isparta
KONYA
ANKARA
Kırıkkale
Zonguldak
Sinop
Samsun
Tokat
Sivas
Kayseri
Erzurum
Trabzon
Rize
Artvin
Batumi
Malatya
Elâzığ
Diyarbakır
Batman
Wan
J.Wan
J.Tuz
TURCJA
Płw. Azja Mniejsza
Wyżyna Anatolijska
Góry Pontyjskie
Taurus Środkowy
Taurus Wschodni
Lahti
Nowogród Wielki
J.Ilmeń
Puszkin
Kołpino
Boksitogorsk
Czerepowiec
Wołogda
Konosza
Kotlas
Kirow
Nizina Wschodnioeuropejska
Uwały Północne
ROSJA
Zb. Rybiński
Rybińsk
Jarosław
Kostroma
Kineszma
Iwanowo
Twer
Dubna
Wał Wałdajski
Wielkie Łuki
Rżew
Siergijew
Chimki
MOSKWA (MOSKVA)
Włodzimierz
Kowrow
Dzierżyńsk
NIŻNY NOWOGRÓD
Murom
Czeboksary
KAZAŃ
Joszkar-Oła
Dimitrowgrad
Uljanowsk
Togliatti
SAMARA
Syzrań
Penza
Sarańsk
Riazań
Sierpuchow
Kaługa
Tuła
Nowomoskowsk
Grzęda Smoleńsko-Moskiewska
Wyżyna Środkoworosyjska
Briańsk
Orzeł
Jelec
Lipieck
Miczuryńsk
Tambow
Kursk
Woroneż
Stary Oskoł
Biełgorod
Sumy
CHARKÓW (CHARKIV)
Połtawa
Nizina Naddnieprzańska
Wyż. Naddnieprzańska
Krzemieńczuk
Nowomoskowsk
Słowiańsk
Siewierodonieck
Lisiczańsk
Ługańsk
DNIEPROPETROWSK
Krzywy Róg
Nikopol
Zaporoże
DONIECK
Makiejewka
Mariupol
Berdiańsk
Taganrog
ROSTÓW nad DONEM
Batajsk
Wołgodońsk
Elista
Mikołajów
Chersoń
Kachowka
Zb. Kachowski
ODESSA
Nizina Czarnomorska
Zat. Taganroska
M. AZOWSKIE
Krym
Eupatoria
Symferopol
Sewastopol
Jałta
Kercz
Cieśn. Kerczeńska
Nizina Kubańska
Krasnodar
Noworosyjsk
Armawir
Stawropol
Wyżyna Stawropolska
Majkop
Czerkiesk
Niewinnomyssk
Piatigorsk
Kisłowodzk
Nalczyk
Tuapse
Soczi
Elbrus 5642
Kaukaz
Władykaukaz
Groznyj
Machaczkała
Kazbek
Suchumi
Kutaisi
TBILISI
GRUZJA
Mł. Kaukaz
Rustawi
Wanadzor
Giandża
ARMENIA
ERYWAŃ (EREVAN)
Ararat 5165
AZERBEJDŻAN
IRAN
Chvoy
MORZE CZARNE
Saratów
Engels
Bałakowo
Nowokujbyszewsk
Wyżyna Nadwołżańska
Kamyszyn
Wielki Syrt
Zb. Wołgogradzki
WOŁGOGRAD
Wołżski
KAZACHSTAN
Nizina Nadkaspijska
Astrachań
M. KASPIJSKIE
Wołga
Don
Dniepr
m n.p.m.
3000
2000
1000
500
200
100
0
200
2000

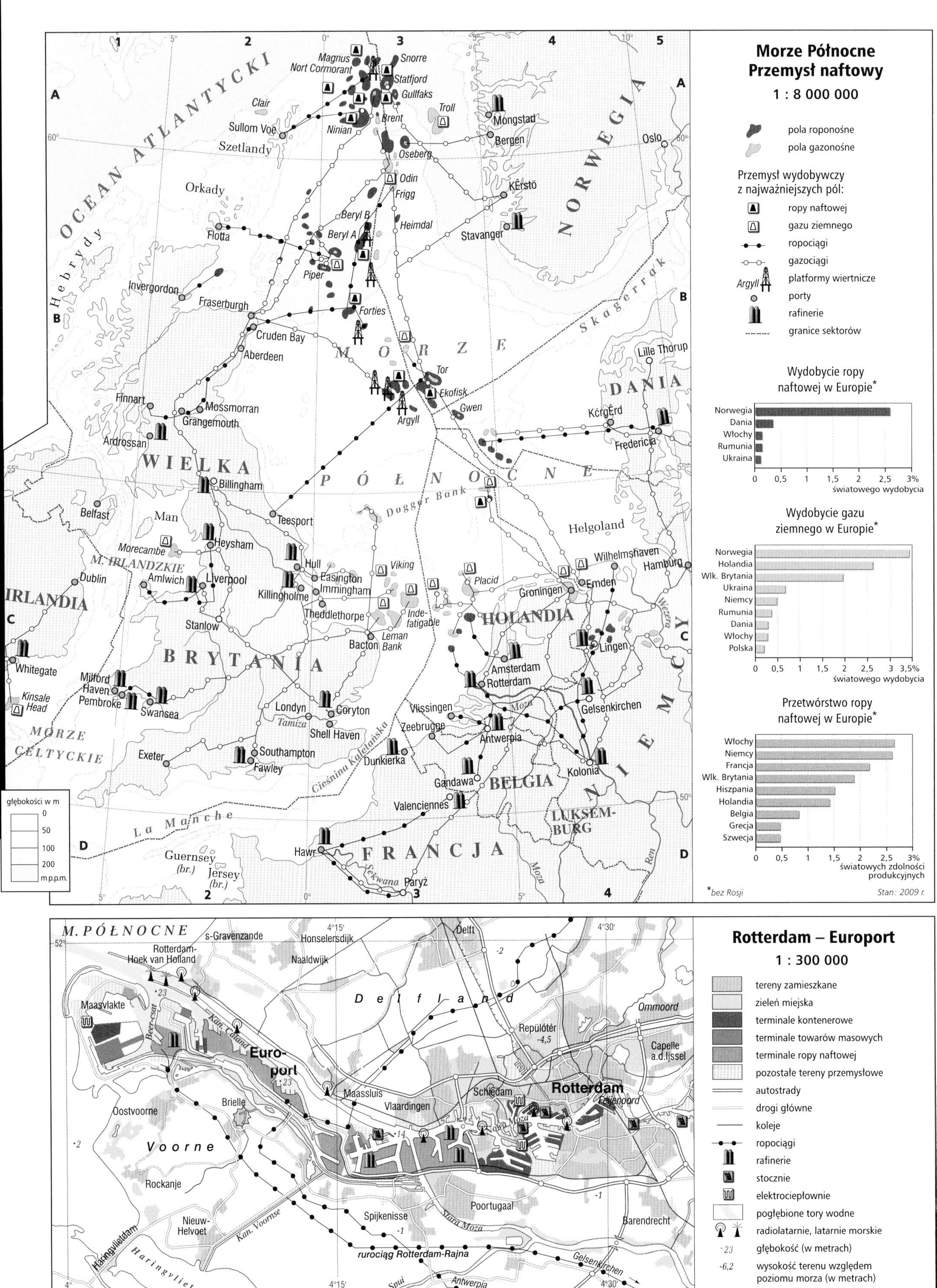

Morze Północne Przemysł naftowy

1 : 8 000 000

pola roponośne
pola gazonośne

Przemysł wydobywczy z najważniejszych pól:
ropy naftowej
gazu ziemnego
ropociągi
gazociągi
platformy wiertnicze
porty
rafinerie
granice sektorów

Wydobycie ropy naftowej w Europie*

Norwegia
Dania
Włochy
Rumunia
Ukraina

0   0,5   1   1,5   2   2,5   3%
światowego wydobycia

Wydobycie gazu ziemnego w Europie*

Norwegia
Holandia
Wlk. Brytania
Ukraina
Niemcy
Rumunia
Dania
Włochy
Polska

0   0,5   1   1,5   2   2,5   3   3,5%
światowego wydobycia

Przetwórstwo ropy naftowej w Europie*

Włochy
Niemcy
Francja
Wlk. Brytania
Hiszpania
Holandia
Belgia
Grecja
Szwecja

0   0,5   1   1,5   2   2,5   3%
światowych zdolności produkcyjnych

*bez Rosji   Stan: 2009 r.

głębokości w m
0
50
100
200
m p.p.m.

Rotterdam – Europort

1 : 300 000

tereny zamieszkane
zieleń miejska
terminale kontenerowe
terminale towarów masowych
terminale ropy naftowej
pozostałe tereny przemysłowe
autostrady
drogi główne
koleje
ropociągi
rafinerie
stocznie
elektrociepłownie
pogłębione tory wodne
radiolatarnie, latarnie morskie
· 23   głębokość (w metrach)
-6,2   wysokość terenu względem poziomu morza (w metrach)

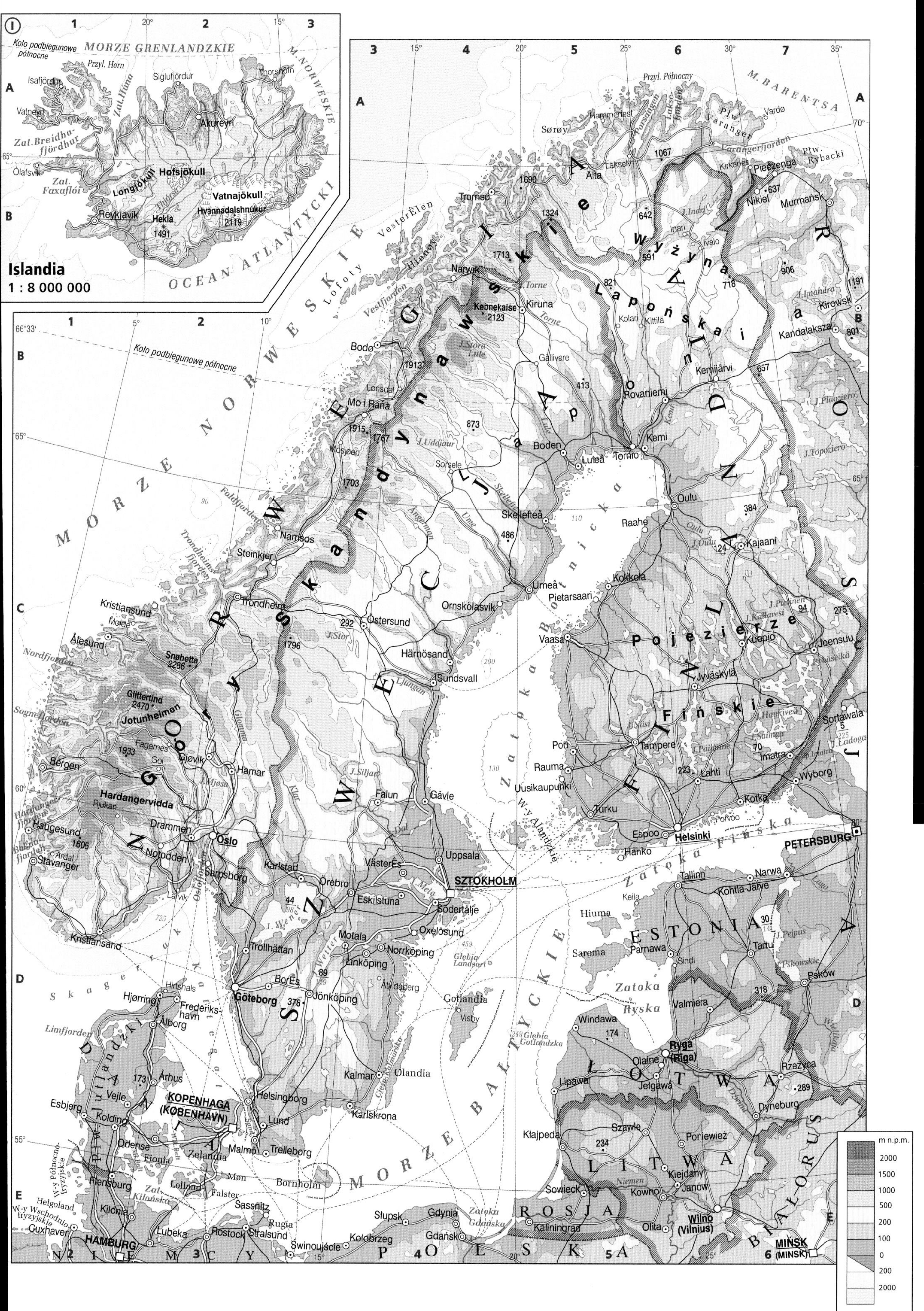
0 100 200 300 km
Islandia
1 : 8 000 000
MORZE GRENLANDZKIE
M. NORWESKIE
OCEAN ATLANTYCKI
Koło podbiegunowe północne
Przyl. Horn
Isafjördur
Siglufjördur
Thorshöfn
Akureyri
Vatneyri
Zat. Breidhafjördhur
Zat. Húna
Olafsvik
Zat. Faxaflói
Langjökull
Hofsjökull
Vatnajökull
Hvannadalshnúkur 2119
Reykjavik
Hekla 1491
MORZE NORWESKIE
M. BARENTSA
Przyl. Północny
Hammerfest
Sørøy
Vardø
Plw. Varanger
Varangerfjorden
Plw. Rybacki
Kirkenes
Pieczenga
Nikiel
Murmańsk
Alta
Lakselv
Tromsø
Vesterålen
Lofoty
Narwik
Kebnekaise 2123
Kiruna
Bodø
Gällivare
Mo i Rana
Rovaniemi
Kemijärvi
Kandalaksza
Kirowsk
Inari
Ivalo
Kolari
Kittilä
Wyżyna Lapońska
Góry Skandynawskie
Lapończyka
Boden
Luleå
Tornio
Kemi
Oulu
Raahe
Kajaani
Skellefteå
Zatoka Botnicka
Umeå
Örnskölsvik
Kokkola
Pietarsaari
Vaasa
Pojezierze Fińskie
Kuopio
Joensuu
Jyväskylä
Tampere
Pori
Rauma
Uusikaupunki
Turku
Lahti
Imatra
Sortawala
J. Ładoga
Wyborg
Kotka
Helsinki
Espoo
Hanko
Porvoo
PETERSBURG
Zatoka Fińska
Trondheim
Kristiansund
Molde
Ålesund
Nordfjorden
Snøhetta 2286
Glittertind 2470
Jotunheimen
Sognefjorden
Bergen
Hardangervidda
Hardangerfjorden
Haugesund
Stavanger
Oslo
Drammen
Notodden
Sarpsborg
Larvik
Kristiansand
Hamar
Gjøvik
Steinkjer
Namsos
Östersund
Härnösand
Sundsvall
Falun
Gävle
Uppsala
Västerås
SZTOKHOLM
Karlstad
Örebro
Eskilstuna
Södertälje
Oxelösund
Motala
Norrköping
Linköping
Trollhättan
Göteborg
Borås
Jönköping
Gotlandia
Visby
Kalmar
Olandia
Karlskrona
Helsingborg
Lund
Malmö
Trelleborg
Skagerrak
Kattegat
Hirtshals
Hjørring
Frederikshavn
Ålborg
Limfjorden
Århus
Vejle
Esbjerg
Kolding
Odense
Fionia
Zelandia
KOPENHAGA (KØBENHAVN)
Lolland
Falster
Møn
Bornholm
Flensburg
Kilonia
Helgoland
Cuxhaven
HAMBURG
Lubeka
Rostock
Stralsund
Sassnitz
Rugia
Świnoujście
Kołobrzeg
Słupsk
Gdynia
Gdańsk
Zatoka Gdańska
Kaliningrad
MORZE BAŁTYCKIE
NIEMCY
POLSKA
ROSJA
Tallinn
Narwa
Kohtla-Järve
Keila
Hiuma
Sarema
ESTONIA
Parnawa
Tartu
Pskow
Zatoka Ryska
Windawa
Ryga (Riga)
Olaine
Jełgawa
Lipawa
Valmiera
ŁOTWA
Rzeżyca
Dyneburg
Kłajpeda
Szawle
Poniewież
LITWA
Kiejdany
Janów
Kowno
Sowieck
Olita
Wilno (Vilnius)
BIAŁORUŚ
MIŃSK (MINSK)
FINLANDIA
SZWECJA
NORWEGIA
DANIA
m n.p.m.
2000
1500
1000
500
200
100
0
200
2000

Posiadłości brytyjskie w 1920 r.

OCEAN ARKTYCZNY

WIELKA BRYTANIA
Irlandia

Kanada

OCEAN
OCEAN
OCEAN
SPOKOJNY

Sudan
Anglo-
Egipski

Indie
Bryt.

OCEAN
SPOKOJNY

ATLANTYCKI
INDYJSKI

SPOKOJNY

Zw. Pd.
Afryki

Australia

Nowa Zelandia

OCEAN POŁUDNIOWY

Szetlandy

91
100

Orkady

295

MORZE

WIELKA

Przyl. Wrath
Thurso
Przyl. Duncansby
Wick

Przyl. Kinnairds

Moray Firth

Góry Kaledońskie
1109
J.Loch Ness
Kanał Kaledoński
Ben Nevis
1343

Aberdeen

M. SZKOCKIE

Hebrydy

M. HEBRYDZKIE

Grampiany

PÓŁNOCNE

238

Dundee

OCEAN ATLANTYCKI

Przyl. Malin
Kanał Północny

29

Greenock
Glasgow
Edynburg

Firth of Forth

113

Firth of Clyde

Cheviot

Londonderry
842

Newcastle-upon-Tyne

BRYTANIA

82

Zat. Donegal

Irlandia Pn.
J.Neagh
Belfast

272

Carlisle
Cross Fell
893

Sunderland

Middlesbrough

13

Béal an Átha

852

MORZE

Wyspa Man
(br.)

17

Sellafield

Góry Pennińskie

Nizina
Środkowoirlandzka

Man

Lancaster

York

J.Loch Coirib

IRLANDZKIE

Blackpool
Preston
Halifax
Bradford
Leeds

Kingston-upon-Hull

Gaillimh

Anglesey
MANCHESTER
LIVERPOOL

Sheffield

Grimsby

159

IRLANDIA

Dublin
(Baile Átha Cliath)

1085
Snowdon

Stoke-on-Trent
Derby

Nottingham

Nizina Angielska

Luimneach

926
G. Wicklów

Góry Kambryjskie

Shrewsbury

Leicester

Norwich

The Wash

Siúir

Kanał Św. Jerzego

Walia

Wolverhampton
BIRMINGHAM
Coventry
Northampton

Cambridge

1041

Fishguard

Oksford

Ipswich

53

Corcaigh

73

Swansea

Severn

Newport

Basen
LONDYN
(LONDON)

Southend-on-Sea

Przyl. Mizen

Cardiff

Bristol

Tamiza

GREENWICH
Londyński

Chatham

Ostenda

MORZE

128

Kanał Bristolski

Southampton

Portsmouth

Brighton

Dover
Eurotunel
Hastings

Cieśnina Kaletańska

Dunkierka
Calais

CELTYCKIE

Exeter
621

Bournemouth

Wight

25

Artois

38

Plymouth

Zat. Lyme

56

FRANCJA

Land's End

Plw. Kornwalijski

La

Manche

Dieppe
Amiens

W-y Scilly

172

Przyl. La Hague

Guernsey
(br.)

Cherbourg
Plw. Cotentin

Zat. Sekwany

Hawr

Caen

Jersey (br.)

W-y Normandzkie

m n.p.m.
1000
500
200
100
0
50
200
2000

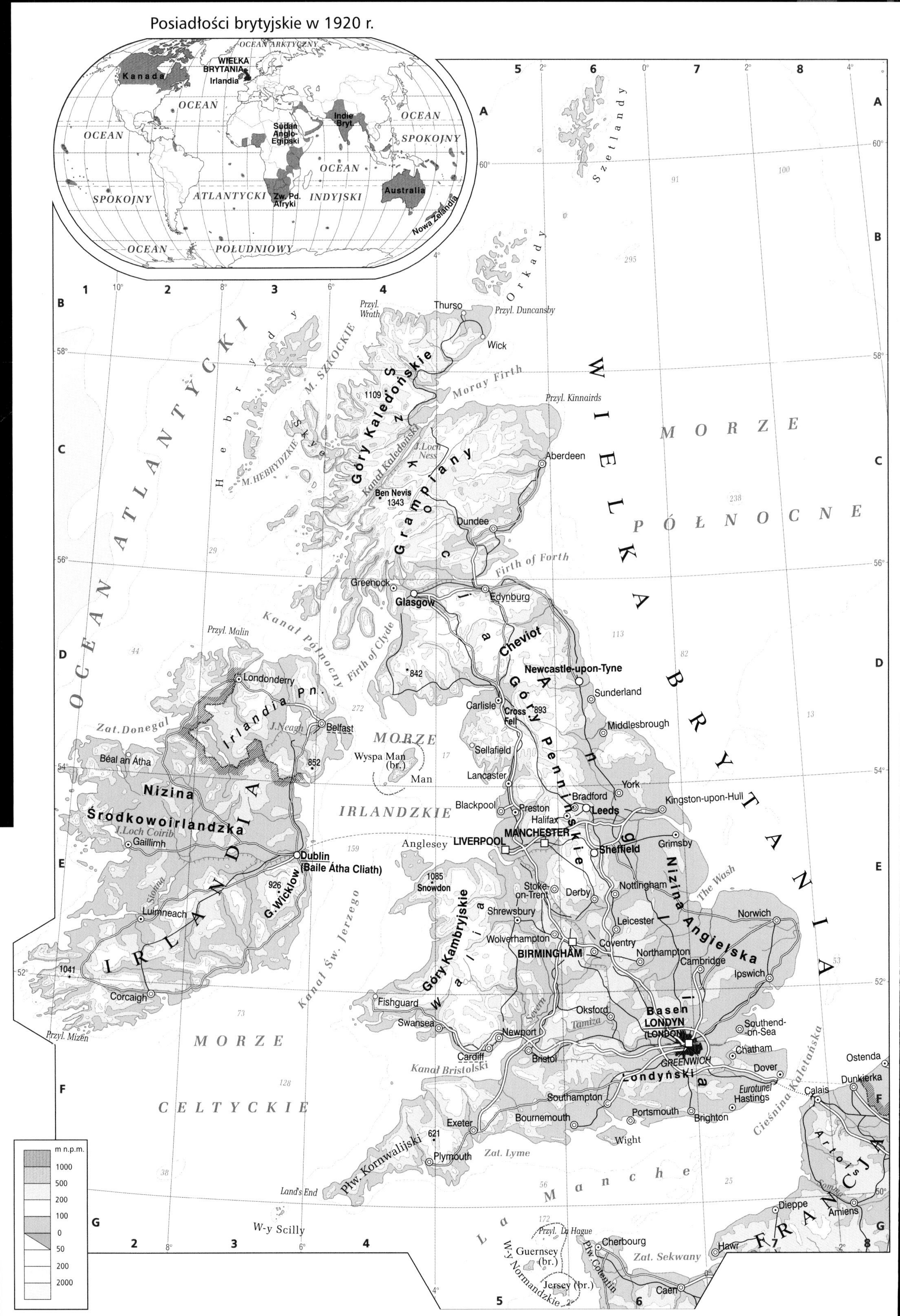

1 : 5 000 000

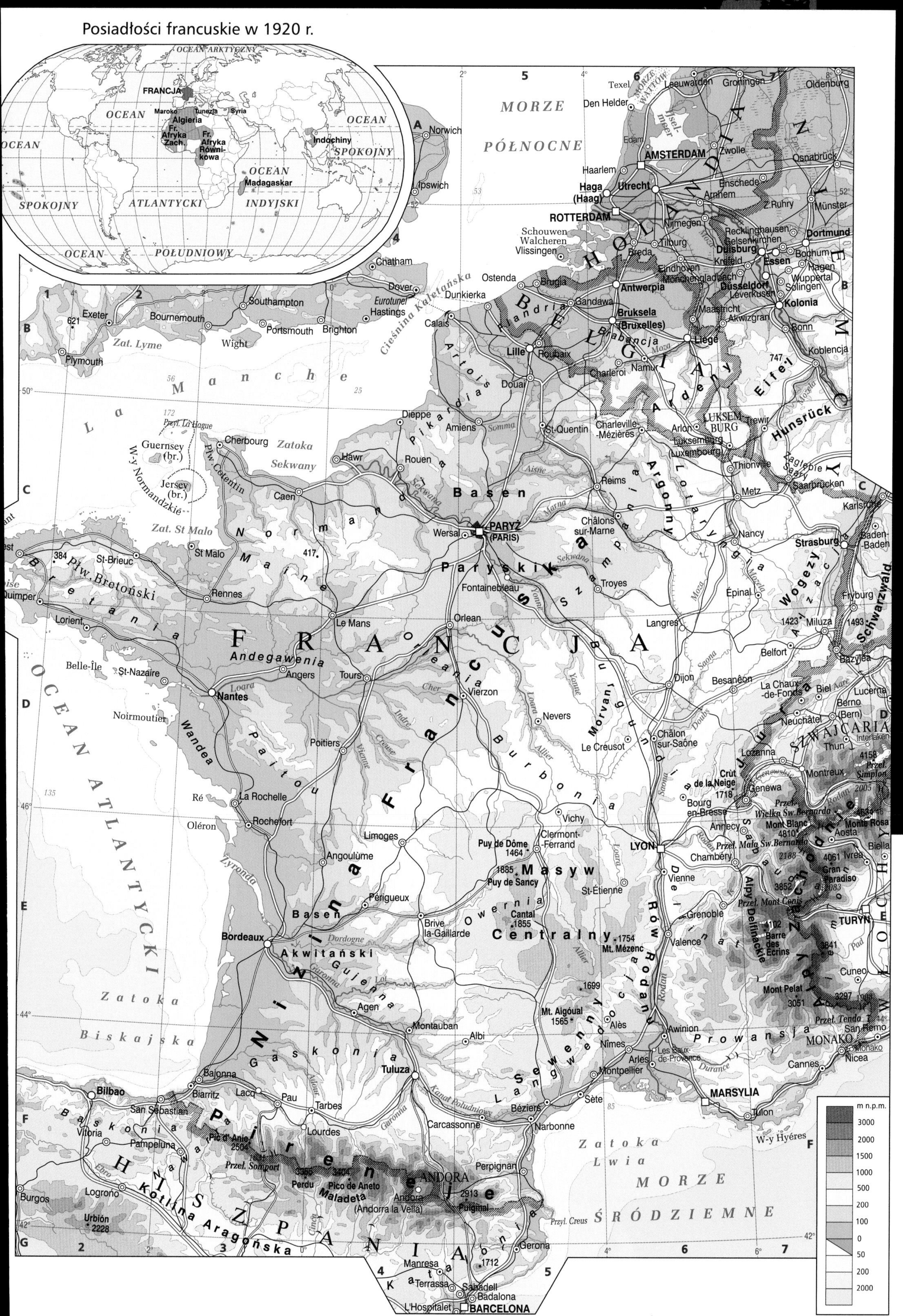
0 50 100 150 km
Posiadłości francuskie w 1920 r.
OCEAN ARKTYCZNY
FRANCJA
Maroko
Tunezja
Syria
Algieria
Fr. Afryka Zach.
Fr. Afryka Równikowa
Indochiny
Madagaskar
OCEAN SPOKOJNY
OCEAN ATLANTYCKI
OCEAN INDYJSKI
OCEAN POŁUDNIOWY
MORZE PÓŁNOCNE
La Manche
OCEAN ATLANTYCKI
Zatoka Biskajska
Zatoka Lwia
MORZE ŚRÓDZIEMNE
FRANCJA
HOLANDIA
BELGIA
NIEMCY
SZWAJCARIA
HISZPANIA
ANDORA
LUKSEMBURG
MONAKO
PARYŻ (PARIS)
Lyon
Marsylia
Bordeaux
Tuluza
Nantes
Lille
Strasburg
Nicea
Barcelona
Basen Paryski
Masyw Centralny
Basen Akwitański
Niz. Francuska
Pireneje
Alpy Zachodnie
Jura
Wogezy
Ardeny
Sewenny
m n.p.m.
3000
2000
1500
1000
500
200
100
0
50
200
2000

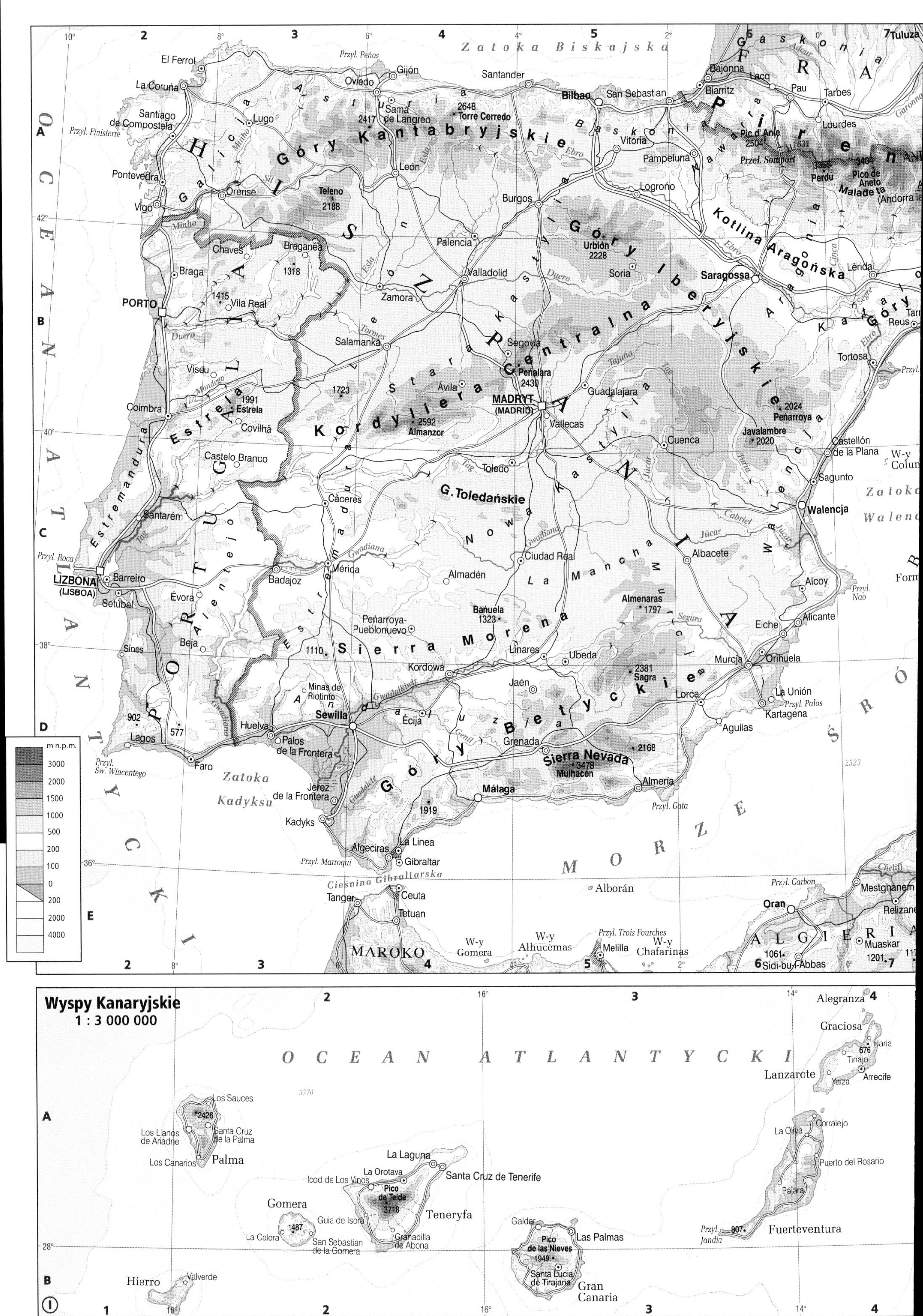

0 50 100 150 km

Wyspy Kanaryjskie
1 : 3 000 000

m n.p.m.
3000
2000
1500
1000
500
200
100
0
200
2000
4000

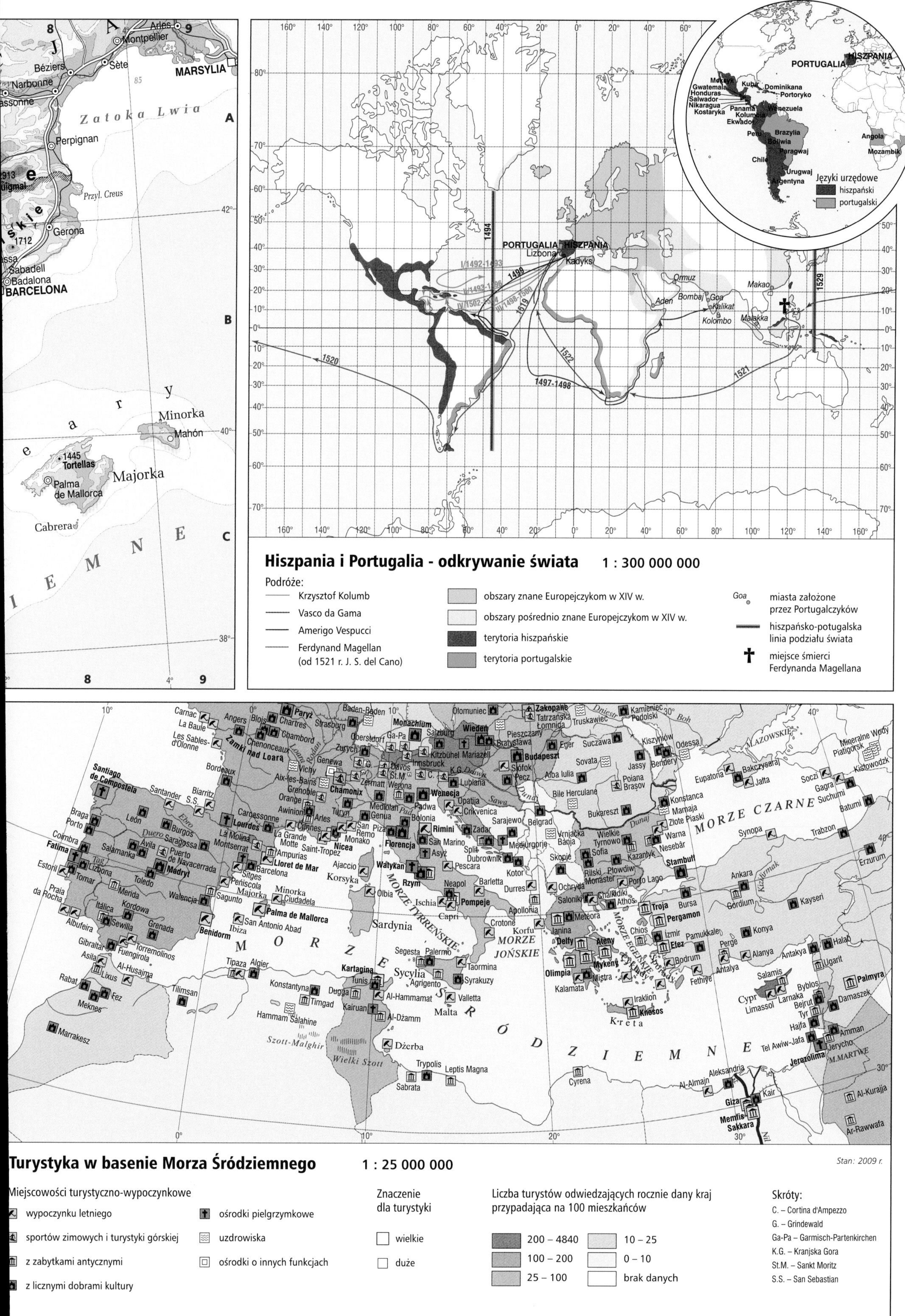

Hiszpania i Portugalia - odkrywanie świata   1 : 300 000 000

Podróże:

— Krzysztof Kolumb
— Vasco da Gama
— Amerigo Vespucci
— Ferdynand Magellan (od 1521 r. J. S. del Cano)

▨ obszary znane Europejczykom w XIV w.
▨ obszary pośrednio znane Europejczykom w XIV w.
■ terytoria hiszpańskie
■ terytoria portugalskie

Goa○ miasta założone przez Portugalczyków
— hiszpańsko-potugalska linia podziału świata
✝ miejsce śmierci Ferdynanda Magellana

Języki urzędowe
■ hiszpański
■ portugalski

Turystyka w basenie Morza Śródziemnego   1 : 25 000 000

Stan: 2009 r.

Miejscowości turystyczno-wypoczynkowe

▨ wypoczynku letniego
▨ sportów zimowych i turystyki górskiej
▨ z zabytkami antycznymi
▨ z licznymi dobrami kultury
✝ ośrodki pielgrzymkowe
▨ uzdrowiska
▣ ośrodki o innych funkcjach

Znaczenie dla turystyki
☐ wielkie
☐ duże

Liczba turystów odwiedzających rocznie dany kraj przypadająca na 100 mieszkańców

■ 200 – 4840
■ 100 – 200
■ 25 – 100
■ 10 – 25
■ 0 – 10
☐ brak danych

Skróty:
C. – Cortina d'Ampezzo
G. – Grindewald
Ga-Pa – Garmisch-Partenkirchen
K.G. – Kranjska Gora
St.M. – Sankt Moritz
S.S. – San Sebastian

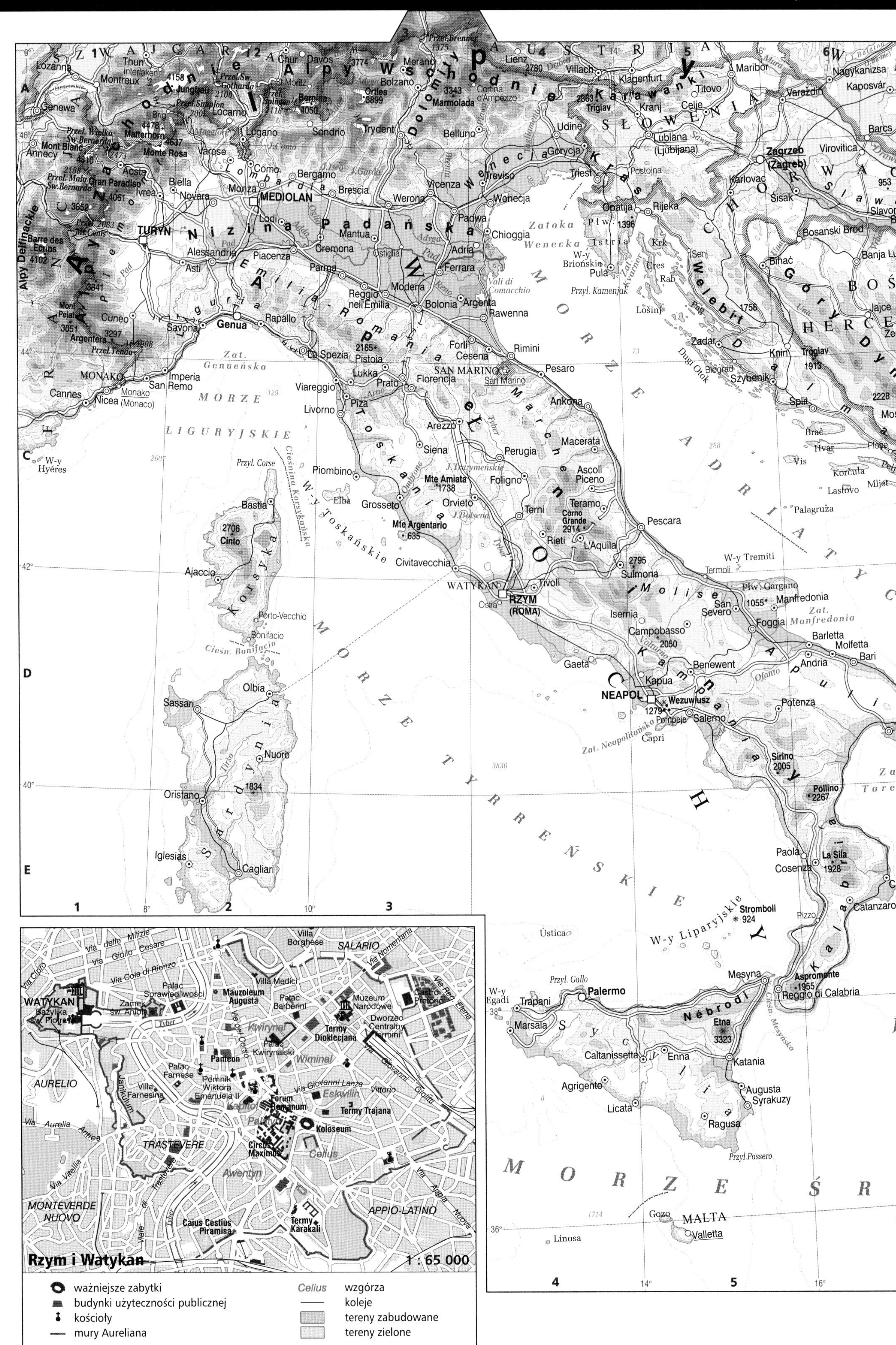

Rzym i Watykan

1 : 65 000

⊘ ważniejsze zabytki	*Celius* wzgórza
◼ budynki użyteczności publicznej	— koleje
⚲ kościoły	▨ tereny zabudowane
— mury Aureliana	▨ tereny zielone

1 : 5 000 000

0   50   100   150 km

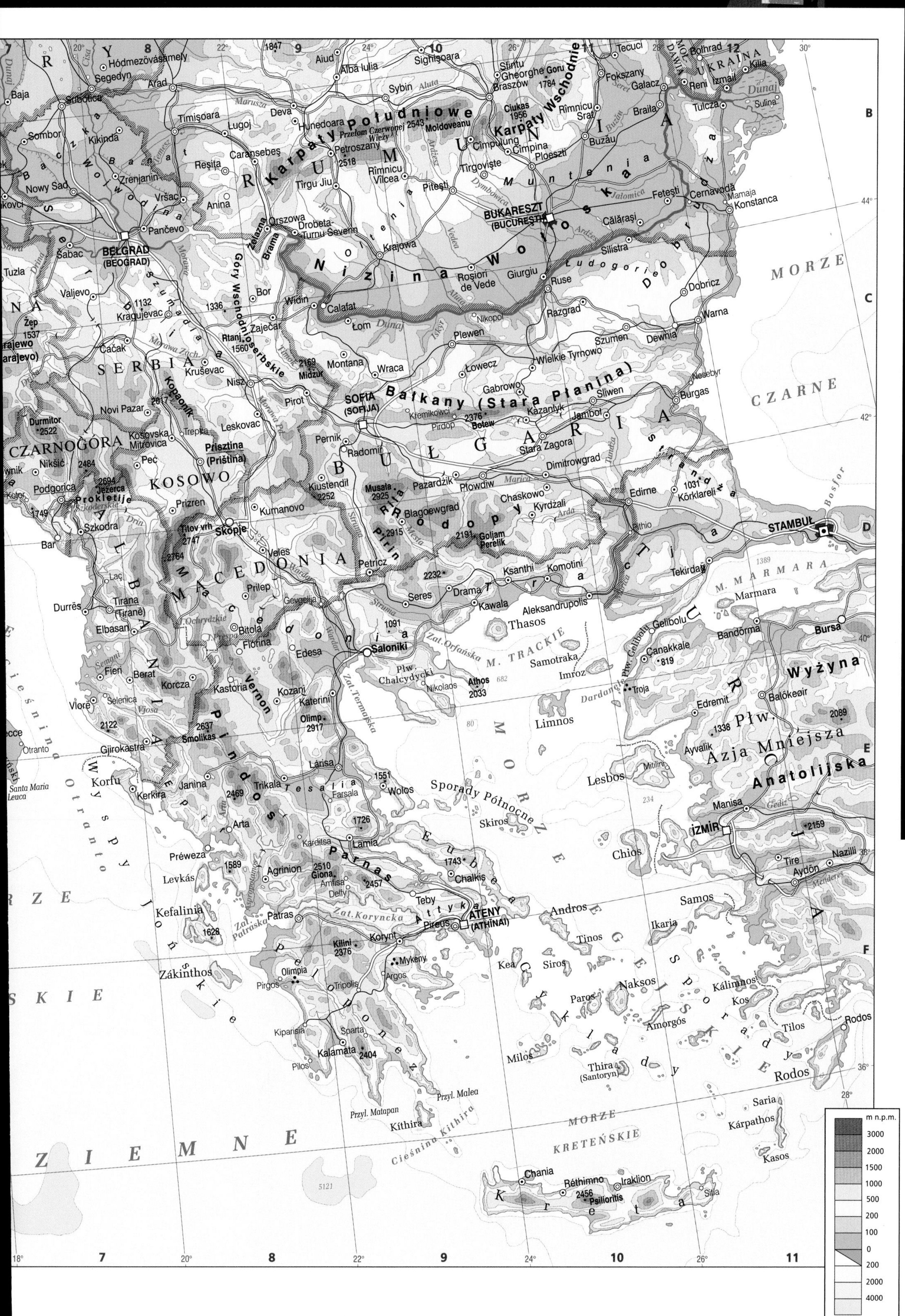

m n.p.m.

3000
2000
1500
1000
500
200
100
0
200
2000
4000

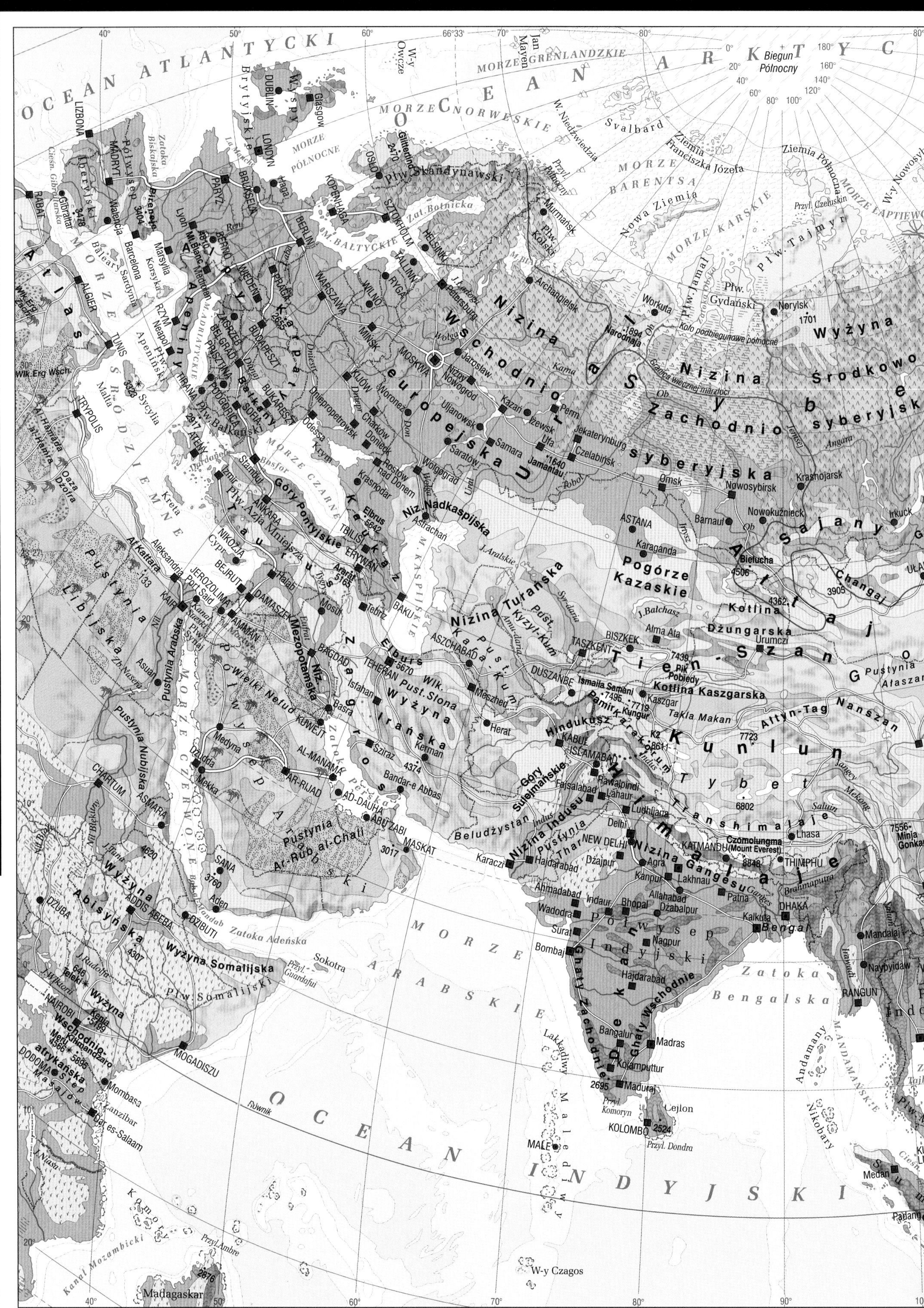
OCEAN ATLANTYCKI
OCEAN ARKTYCZNY
MORZE NORWESKIE
MORZE GRENLANDZKIE
MORZE PÓŁNOCNE
MORZE BARENTSA
MORZE KARSKIE
MORZE ŁAPTIEWÓW
MORZE ŚRÓDZIEMNE
MORZE CZARNE
M. KASPIJSKIE
MORZE CZERWONE
MORZE ARABSKIE
OCEAN INDYJSKI
Zatoka Bengalska
Zatoka Adeńska
Zatoka Perska
Biegun Północny
Nizina Wschodnioeuropejska
Ural
Nizina Zachodniosyberyjska
Wyżyna Środkowosyberyjska
Kotlina Dżungarska
Tien-szan
Kunlun
Tybet
Himalaje
Nizina Turańska
Pogórze Kazaskie
Wyżyna Irańska
Zagros
Półwysep Arabski
Półwysep Indyjski
Ałtaj
Sajany
Kaukaz
Góry Pontyjskie
Taurus
Atlas
Pustynia Libijska
Pustynia Nubijska
Wyżyna Abisyńska
Wyżyna Somalijska
Czomolungma (Mount Everest)
8848
MOSKWA
NEW DELHI
PEKIN

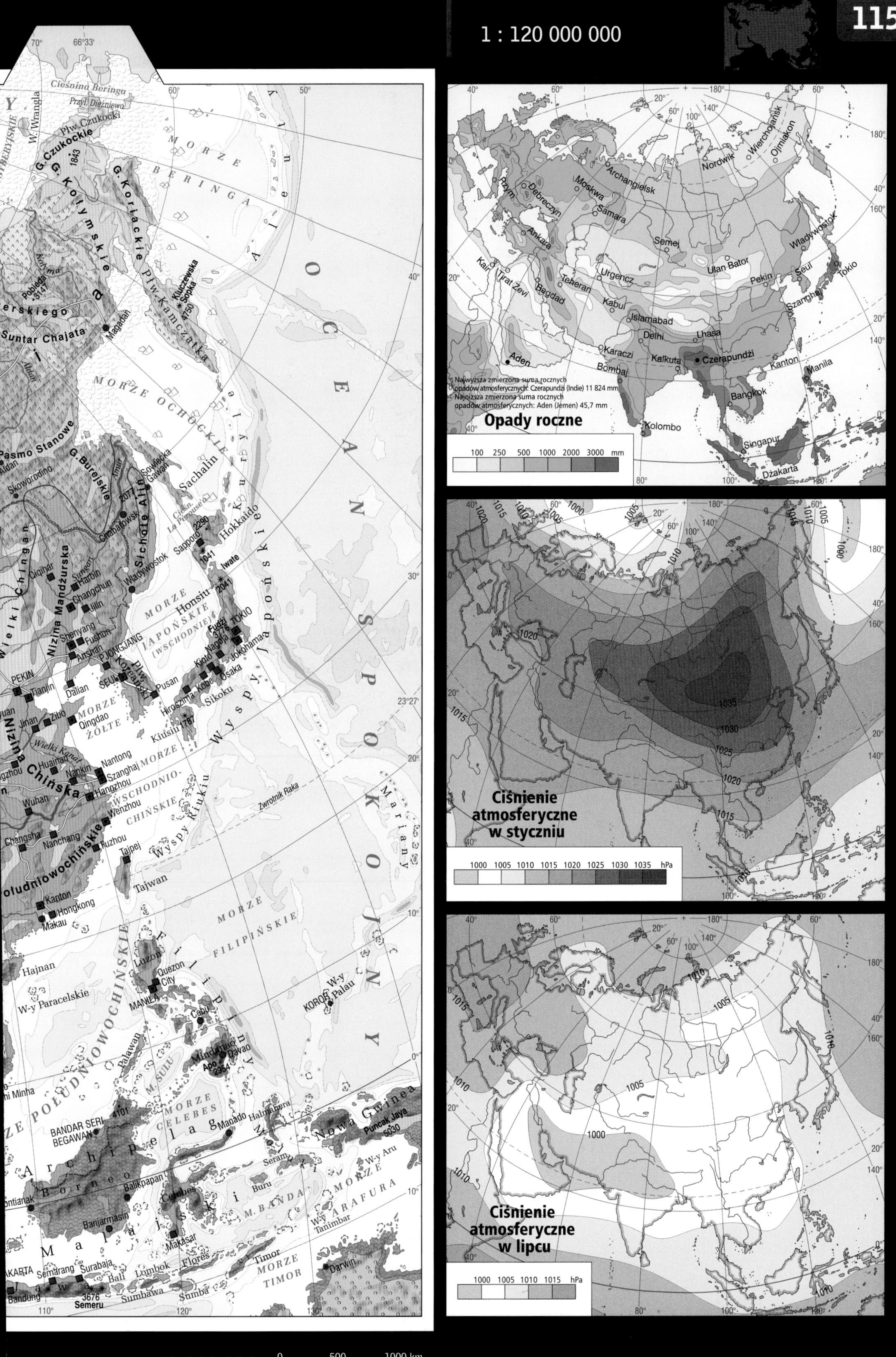

1 : 120 000 000

Opady roczne

100 250 500 1000 2000 3000 mm

Ciśnienie atmosferyczne w styczniu

1000 1005 1010 1015 1020 1025 1030 1035 hPa

Ciśnienie atmosferyczne w lipcu

1000 1005 1010 1015 hPa

1 : 40 000 000

0 500 1000 km

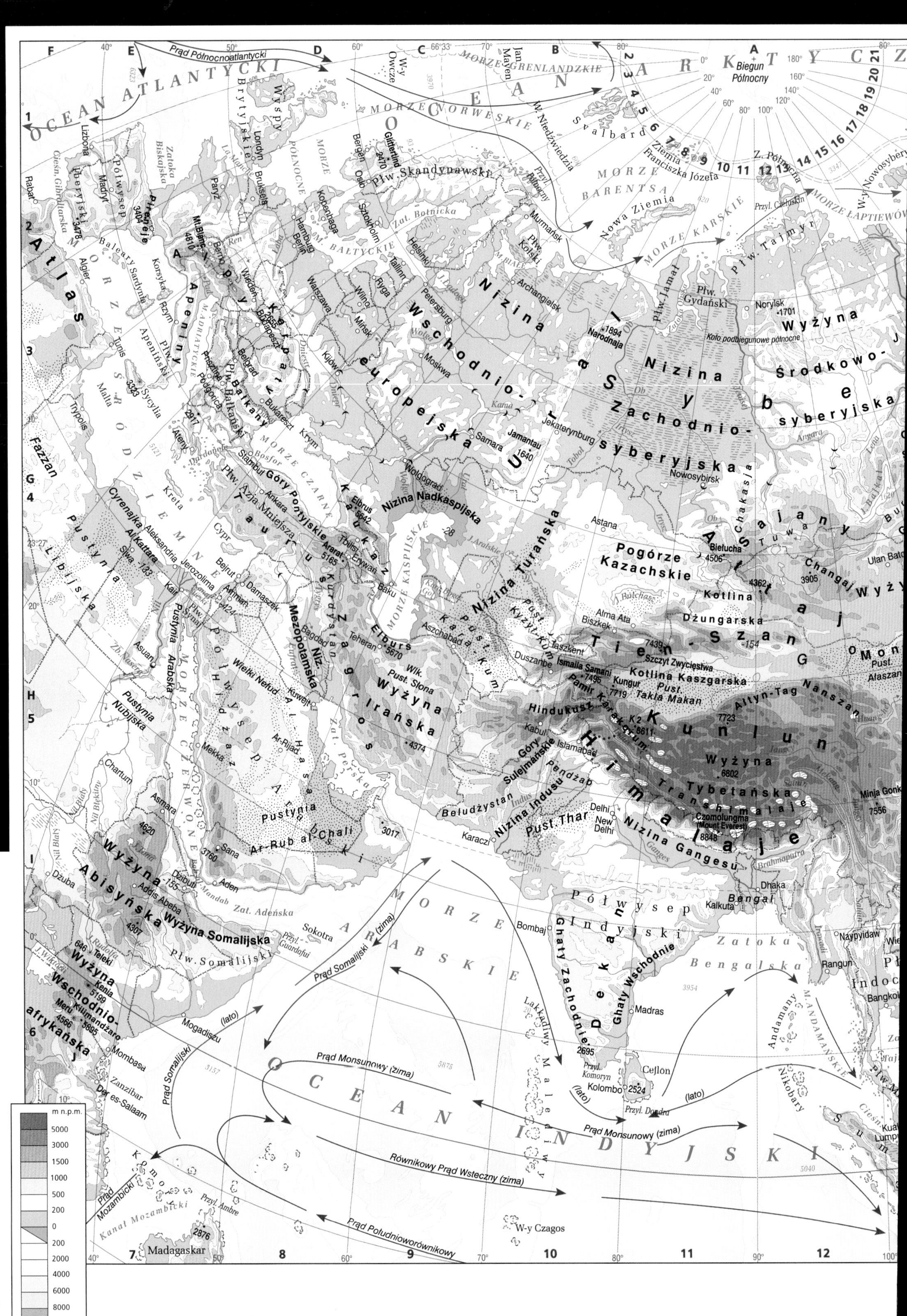

OCEAN ATLANTYCKI
Prąd Północnoatlantycki
MORZE GRENLANDZKIE
MORZE NORWESKIE
OCEAN ARKTYCZNY
Biegun Północny
Svalbard
Ziemia Franciszka Józefa
MORZE BARENTSA
Nowa Ziemia
MORZE KARSKIE
Z. Północna
MORZE ŁAPTIEWÓW
Plw. Tajmyr
Plw. Skandynawski
Wyspy Brytyjskie
Półwysep Iberyjski
Pireneje 3404
Alpy
Mt Blanc 4810
Karpaty
Apeniny
Plw. Apeniński
Plw. Bałkański
Bałkany
MORZE PÓŁNOCNE
M. BAŁTYCKIE
Zat. Botnicka
Atlas
MORZE ŚRÓDZIEMNE
MORZE CZARNE
Nizina Wschodnioeuropejska
Ural
Narodnaja 1894
Nizina Zachodniosyberyjska
Wyżyna Środkowosyberyjska
Plw. Gydański
Plw. Jamał
Kaukaz
Elbrus 5642
Nizina Nadkaspijska
MORZE KASPIJSKIE
Góry Pontyjskie
Plw. Azja Mniejsza
Taurus
Ararat 5165
Kurdystan
Elburs 5670
Zagros
Wyżyna Irańska
Niz. Mezopotamska
Nizina Turańska
Pust. Kyzył-Kum
Pust. Kara-Kum
Pogórze Kazachskie
Ałtaj
Biełucha 4506
Sajany
Changaj
Kotlina Dżungarska
Tien-Szan
Szczyt Zwycięstwa 7439
Kotlina Kaszgarska
Pust. Takla Makan
Pamir
Ismaila Samani 7495
Kungur 7719
Hindukusz
Karakorum
K2 8611
Kunlun
Altyn-Tag
Nanszan
Wyżyna Tybetańska
Transhimalaje
Himalaje
Czomolungma (Mount Everest) 8848
Nizina Gangesu
Nizina Indusu
Pust. Thar
Góry Sulejmańskie
Beludżystan
Półwysep Arabski
Pustynia Arabska
Wielki Nefud
Pustynia Ar-Rub al-Chali
Hidżaz
Zat. Perska
Pustynia Libijska
Pustynia Nubijska
Cyrenajka
Fazzan
Wyżyna Abisyńska
Wyżyna Somalijska
Plw. Somalijski
Wyżyna Wschodnioafrykańska
Kenia 5199
Kilimandżaro 5895
Zat. Adeńska
MORZE ARABSKIE
Półwysep Indyjski
Dekan
Ghaty Zachodnie
Ghaty Wschodnie
Zatoka Bengalska
Cejlon
Lakkadiwy
Malediwy
W-y Czagos
Andamany
Nikobary
Madagaskar
Kanał Mozambicki
OCEAN INDYJSKI
Prąd Somalijski (zima)
Prąd Somalijski (lato)
Prąd Monsunowy (zima)
Prąd Monsunowy (lato)
Równikowy Prąd Wsteczny (zima)
Prąd Południoworównikowy
Prąd Mozambicki
Koło podbiegunowe północne
m n.p.m.
5000
3000
1500
1000
500
200
0
200
2000
4000
6000
8000

1 : 120 000 000

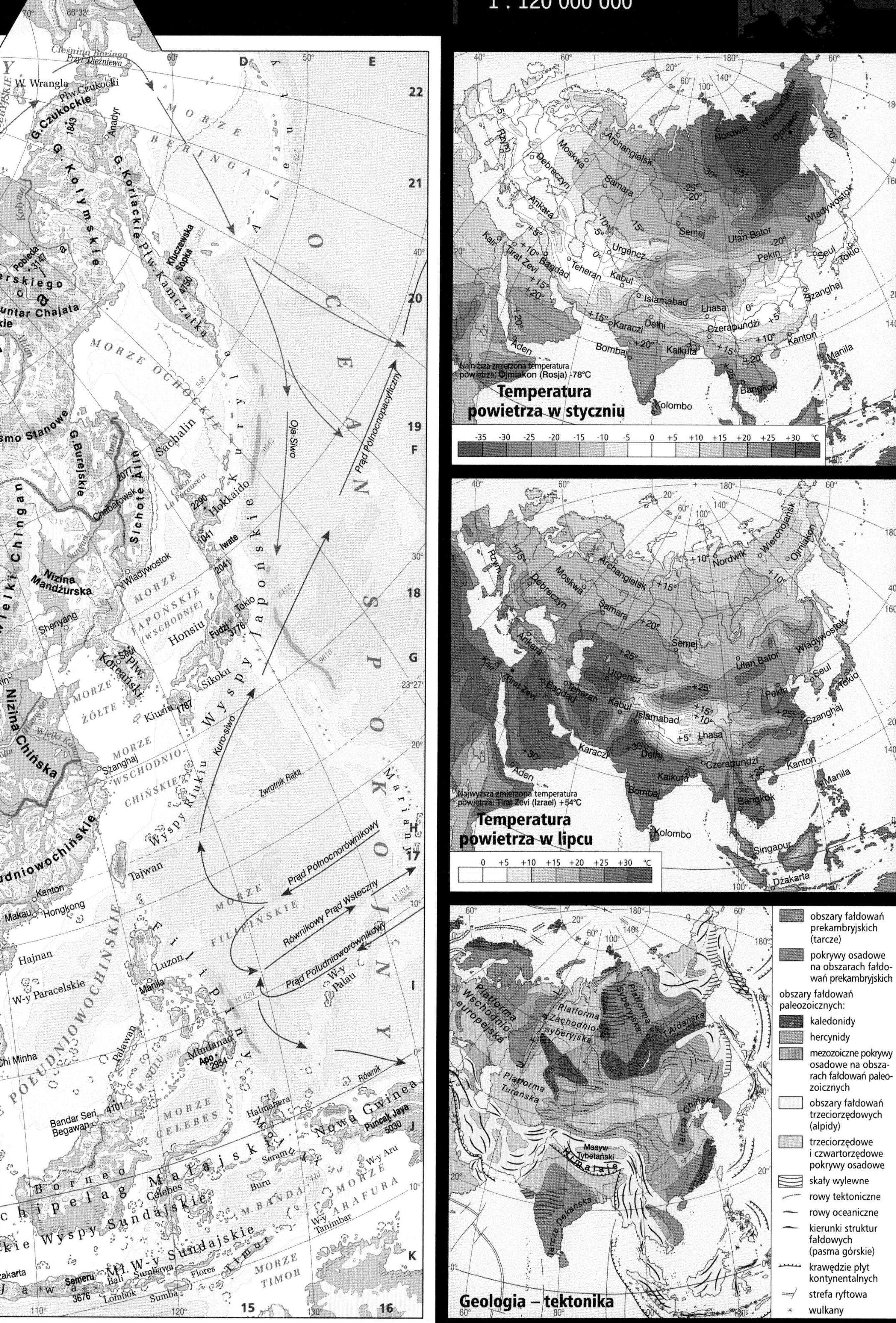

Temperatura powietrza w styczniu

Najniższa zmierzona temperatura powietrza: Ojmiakon (Rosja) -78°C

| -35 | -30 | -25 | -20 | -15 | -10 | -5 | 0 | +5 | +10 | +15 | +20 | +25 | +30 | °C |

Temperatura powietrza w lipcu

Najwyższa zmierzona temperatura powietrza: Tirat Zevi (Izrael) +54°C

| 0 | +5 | +10 | +15 | +20 | +25 | +30 | °C |

Geologia – tektonika

- obszary fałdowań prekambryjskich (tarcze)
- pokrywy osadowe na obszarach fałdowań prekambryjskich

obszary fałdowań paleozoicznych:
- kaledonidy
- hercynidy
- mezozoiczne pokrywy osadowe na obszarach fałdowań paleozoicznych
- obszary fałdowań trzeciorzędowych (alpidy)
- trzeciorzędowe i czwartorzędowe pokrywy osadowe
- skały wylewne
- rowy tektoniczne
- rowy oceaniczne
- kierunki struktur fałdowych (pasma górskie)
- krawędzie płyt kontynentalnych
- strefa ryftowa
- wulkany

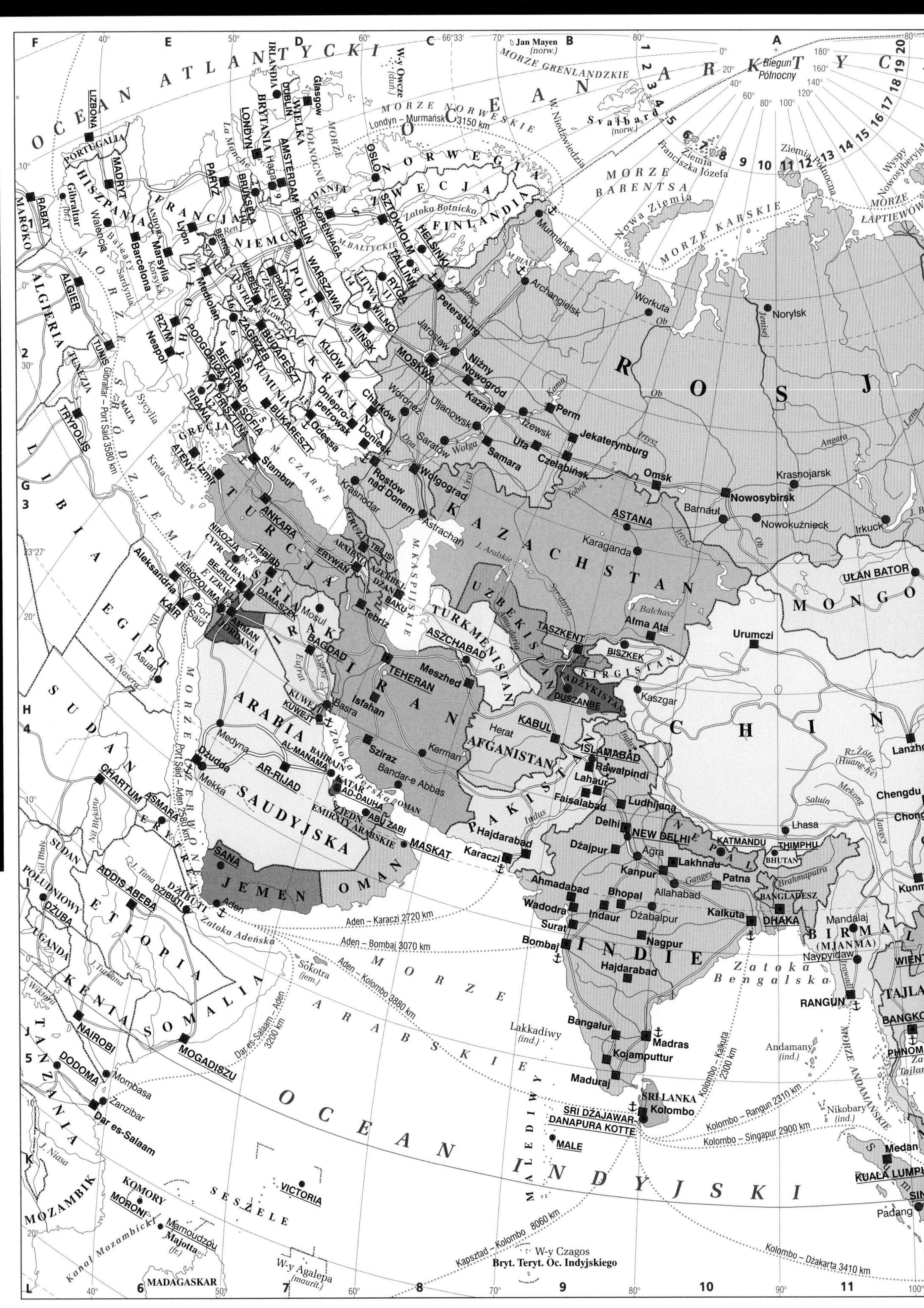
OCEAN ATLANTYCKI
OCEAN ARKTYCZNY
Biegun Północny
Jan Mayen (norw.)
MORZE GRENLANDZKIE
MORZE NORWESKIE
Londyn – Murmańsk 3150 km
Svalbard (norw.)
W. Niedźwiedzia
Ziemia Franciszka Józefa
Ziemia Północna
Wyspy Nowosyberyjskie
MORZE ŁAPTIEWÓW
MORZE BARENTSA
Nowa Ziemia
MORZE KARSKIE
W-y Owcze (duń.)
MORZE PÓŁNOCNE
Glasgow
WIELKA BRYTANIA
IRLANDIA
DUBLIN
LONDYN
AMSTERDAM
Haga
BRUKSELA
PARYŻ
FRANCJA
Lyon
Marsylia
HISZPANIA
MADRYT
Barcelona
Walencja
PORTUGALIA
LIZBONA
Gibraltar (bryt.)
RABAT
MAROKO
ALGIER
ALGIERIA
TUNIS
TUNEZJA
TRYPOLIS
LIBIA
NIEMCY
BERLIN
DANIA
KOPENHAGA
NORWEGIA
OSLO
SZWECJA
SZTOKHOLM
Zatoka Botnicka
FINLANDIA
HELSINKI
TALLIN
RYGA
WILNO
LITWA
MINSK
POLSKA
WARSZAWA
PRAGA
WIEDEŃ
BERNO
Mediolan
WŁOCHY
RZYM
Neapol
Sycylia
Sardynia
Korsyka
Baleary
BUDAPESZT
ZAGRZEB
BELGRAD
PODGORICA
PRISZTINA
SOFIA
BUKARESZT
RUMUNIA
TIRANA
GRECJA
ATENY
Kreta
MALTA
UKRAINA
KIJÓW
Charków
Dniepropetrowsk
Odessa
Doniecki
M. CZARNE
MORZE ŚRÓDZIEMNE
Gibraltar – Port Said 3580 km
Murmańsk
M. BIAŁE
Archangielsk
Petersburg
J. Ładoga
Jarosław
MOSKWA
Niżny Nowogród
Kazań
Woroneż
Uljanowsk
Saratów
Samara
Wołgograd
Rostów nad Donem
Krasnodar
Astrachań
Perm
Iżewsk
Ufa
Jekaterynburg
Czelabińsk
Omsk
Workuta
ROSJA
Norylsk
Krasnojarsk
Nowosybirsk
Barnauł
Nowokuźnieck
Irkuck
KAZACHSTAN
ASTANA
Karaganda
J. Aralskie
J. Bałchasz
Ałma Ata
M. KASPIJSKIE
UZBEKISTAN
TASZKENT
TURKMENISTAN
ASZCHABAD
KIRGISTAN
BISZKEK
TADŻYKISTAN
DUSZANBE
MONGOLIA
UŁAN BATOR
CHINY
Urumczi
Kaszgar
Lanzhou
Chengdu
Lhasa
TURCJA
ANKARA
Stambuł
Izmit
GRUZJA
TBILISI
ARMENIA
ERYWAŃ
AZERBEJDŻAN
BAKU
CYPR
NIKOZJA
LIBAN
BEJRUT
SYRIA
DAMASZEK
Halab
IZRAEL
JEROZOLIMA
JORDANIA
AMMAN
IRAK
BAGDAD
Mosul
Basra
KUWEJT
IRAN
TEHERAN
Tebriz
Meszhed
Isfahan
Sziraz
Kerman
Bandar-e Abbas
AFGANISTAN
KABUL
Herat
PAKISTAN
ISLAMABAD
Rawalpindi
Lahaur
Faisalabad
Hajdarabad
Karaczi
EGIPT
KAIR
Aleksandria
Port Said
Asuan
Zb. Nasera
SUDAN
CHARTUM
SUDAN POŁUDNIOWY
DŻUBA
ERYTREA
ASMARA
ETIOPIA
ADDIS ABEBA
DŻIBUTI
SOMALIA
MOGADISZU
KENIA
NAIROBI
UGANDA
TANZANIA
DODOMA
Dar es-Salaam
Zanzibar
Mombasa
MOZAMBIK
KOMORY
MORONI
Mamoudzou
Majotta (fr.)
MADAGASKAR
Kanał Mozambicki
SESZELE
VICTORIA
W-y Agalepa (maurit.)
ARABIA SAUDYJSKA
AR-RIJAD
Medyna
Dżudda
Mekka
BAHRAJN
AL-MANAMA
KATAR
AD-DAUHA
ZJEDN. EMIRATY ARABSKIE
ABU ZABI
OMAN
MASKAT
JEMEN
SANA
Aden
Sokotra (jem.)
Zatoka Adeńska
Zatoka Perska
MORZE CZERWONE
Port Said – Aden 2580 km
Aden – Karaczi 2720 km
Aden – Bombaj 3070 km
Aden – Kolombo 3880 km
Dar es-Salaam – Aden 3200 km
MORZE ARABSKIE
OCEAN INDYJSKI
INDIE
NEW DELHI
Delhi
Ludhijana
Agra
Dżajpur
Kanpur
Lakhnau
Allahabad
Patna
Ahmadabad
Wadodra
Surat
Bhopal
Indaur
Dżabalpur
Nagpur
Bombaj
Hajdarabad
Bangalur
Madras
Kojamputtur
Maduraj
Kalkuta
NEPAL
KATMANDU
BHUTAN
THIMPHU
BANGLADESZ
DHAKA
BIRMA (MJANMA)
Mandalaj
Naypyidaw
RANGUN
Zatoka Bengalska
Lakkadiwy (ind.)
MALEDIWY
MALE
SRI LANKA
Kolombo
SRI DŻAJAWARDANAPURA KOTTE
Kolombo – Kalkuta 2300 km
Kolombo – Rangun 2310 km
Kolombo – Singapur 2900 km
Kolombo – Dżakarta 3410 km
Kapsztad – Kolombo 8060 km
Andamany (ind.)
Nikobary (ind.)
MORZE ANDAMAŃSKIE
W-y Czagos
Bryt. Teryt. Oc. Indyjskiego
Medan
KUALA LUMPUR
Padang
TAJLANDIA
BANGKOK

1 : 120 000 000

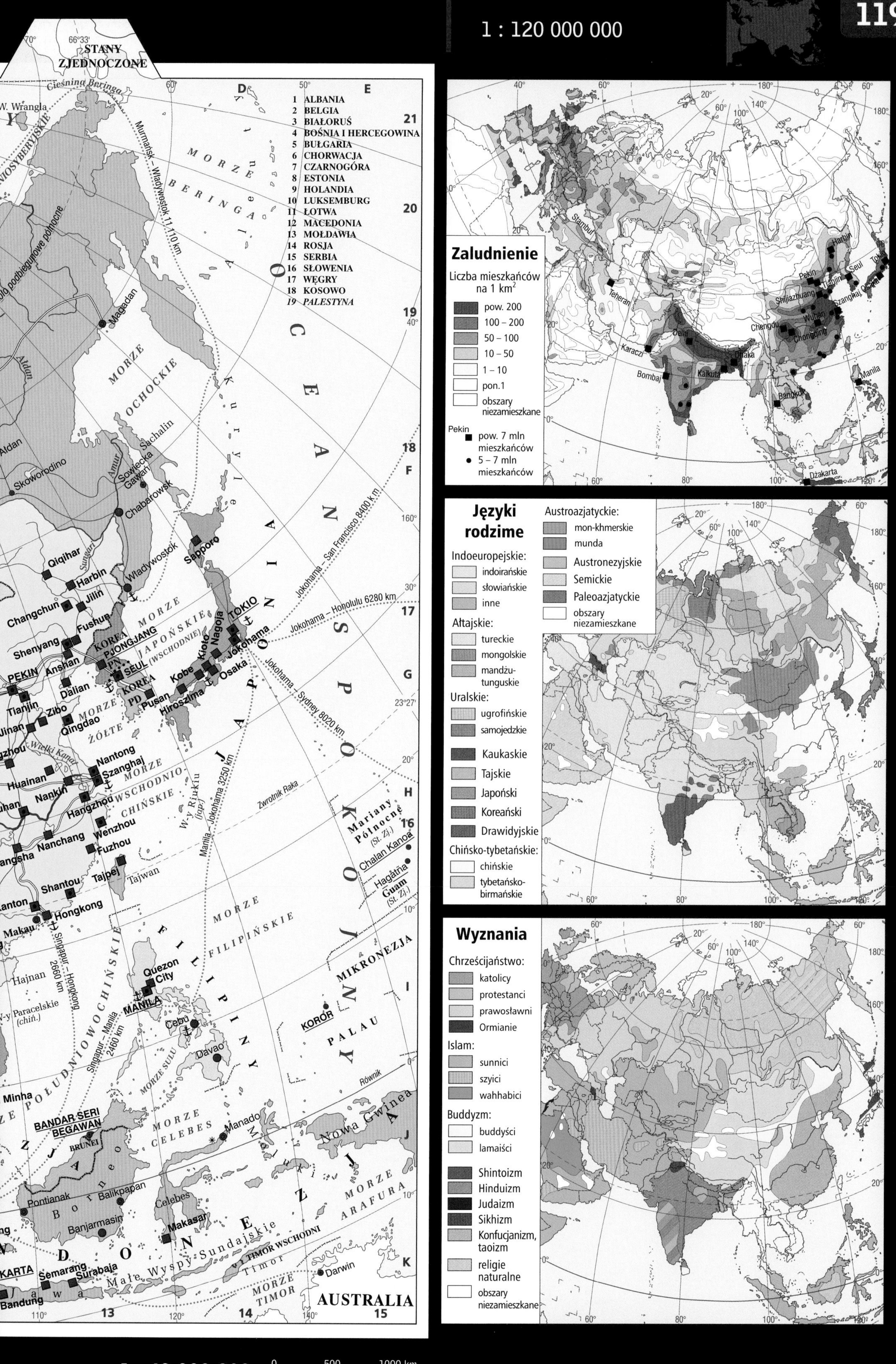

1 ALBANIA
2 BELGIA
3 BIAŁORUŚ
4 BOŚNIA I HERCEGOWINA
5 BUŁGARIA
6 CHORWACJA
7 CZARNOGÓRA
8 ESTONIA
9 HOLANDIA
10 LUKSEMBURG
11 ŁOTWA
12 MACEDONIA
13 MOŁDAWIA
14 ROSJA
15 SERBIA
16 SŁOWENIA
17 WĘGRY
18 KOSOWO
19 PALESTYNA

Zaludnienie

Liczba mieszkańców
na 1 km²

- pow. 200
- 100 – 200
- 50 – 100
- 10 – 50
- 1 – 10
- pon.1
- obszary niezamieszkane

Pekin
- ■ pow. 7 mln mieszkańców
- ● 5 – 7 mln mieszkańców

Języki rodzime

Indoeuropejskie:
- indoirańskie
- słowiańskie
- inne

Ałtajskie:
- tureckie
- mongolskie
- mandżu-tunguskie

Uralskie:
- ugrofińskie
- samojedzkie

- Kaukaskie
- Tajskie
- Japoński
- Koreański
- Drawidyjskie

Chińsko-tybetańskie:
- chińskie
- tybetańsko-birmańskie

Austroazjatyckie:
- mon-khmerskie
- munda

- Austronezyjskie
- Semickie
- Paleoazjatyckie
- obszary niezamieszkane

Wyznania

Chrześcijaństwo:
- katolicy
- protestanci
- prawosławni
- Ormianie

Islam:
- sunnici
- szyici
- wahhabici

Buddyzm:
- buddyści
- lamaiści

- Shintoizm
- Hinduizm
- Judaizm
- Sikhizm
- Konfucjanizm, taoizm
- religie naturalne
- obszary niezamieszkane

1 : 40 000 000

0   500   1000 km

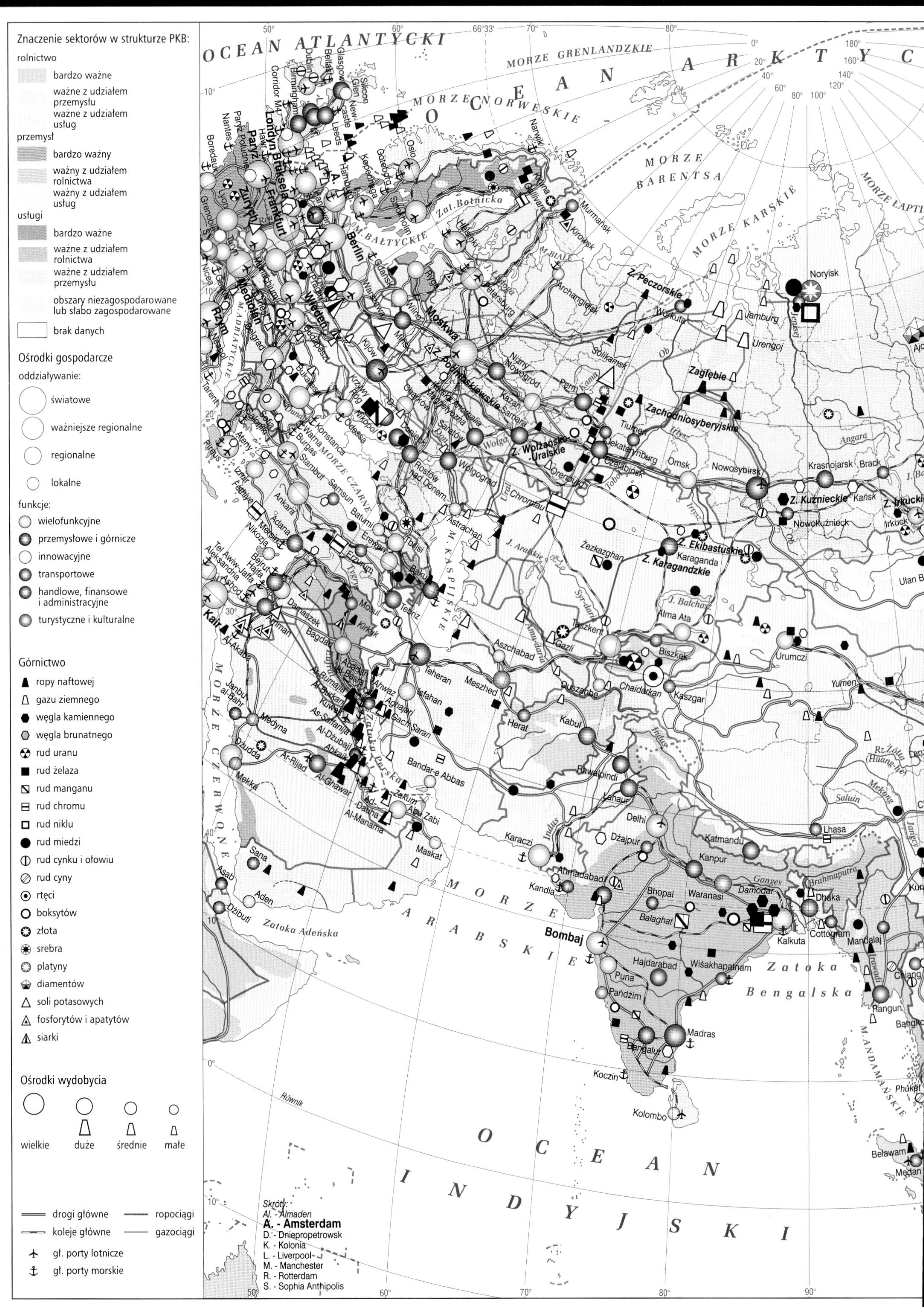

1 : 95 000 000

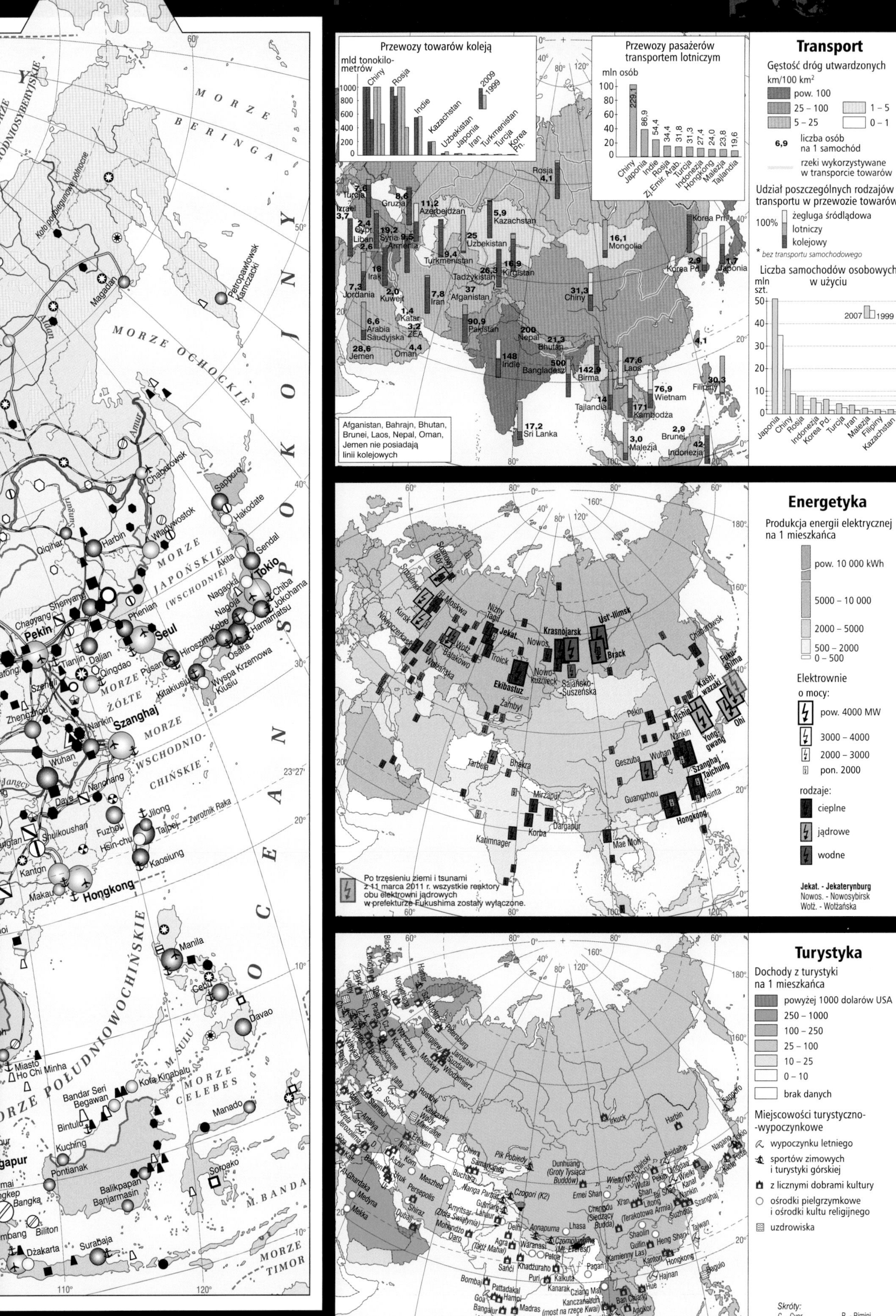

Transport

Gęstość dróg utwardzonych
km/100 km²
- pow. 100
- 25 – 100
- 5 – 25
- 1 – 5
- 0 – 1

6,9 liczba osób na 1 samochód

rzeki wykorzystywane w transporcie towarów

Udział poszczególnych rodzajów transportu w przewozie towarów*
100% żegluga śródlądowa / lotniczy / kolejowy
* bez transportu samochodowego

Liczba samochodów osobowych w użyciu
mln szt.
2007 / 1999

Japonia, Chiny, Rosja, Indonezja, Korea Pd, Turcja, Iran, Malezja, Filipiny, Kazachstan

Przewozy towarów koleją
mld tonokilometrów
2009 / 1999
Chiny, Rosja, Indie, Kazachstan, Uzbekistan, Japonia, Iran, Turkmenistan, Turcja, Korea Pn.

Przewozy pasażerów transportem lotniczym
mln osób
229,1 Chiny
86,9 Japonia
54,4 Indie
34,4 Z.j. Emir. Arab.
31,8 Rosja
31,3 Turcja
27,4 Indonezja
24,0 Hongkong
23,8 Malezja
19,6 Tajlandia

Afganistan, Bahrajn, Bhutan, Brunei, Laos, Nepal, Oman, Jemen nie posiadają linii kolejowych

Energetyka

Produkcja energii elektrycznej na 1 mieszkańca
- pow. 10 000 kWh
- 5000 – 10 000
- 2000 – 5000
- 500 – 2000
- 0 – 500

Elektrownie o mocy:
- pow. 4000 MW
- 3000 – 4000
- 2000 – 3000
- pon. 2000

rodzaje:
- cieplne
- jądrowe
- wodne

Po trzęsieniu ziemi i tsunami z 11 marca 2011 r. wszystkie reaktory obu elektrowni jądrowych w prefekturze Fukushima zostały wyłączone.

Jekat. - Jekaterynburg
Nowos. - Nowosybirsk
Wołż. - Wołżańska

Turystyka

Dochody z turystyki na 1 mieszkańca
- powyżej 1000 dolarów USA
- 250 – 1000
- 100 – 250
- 25 – 100
- 10 – 25
- 0 – 10
- brak danych

Miejscowości turystyczno-wypoczynkowe
- wypoczynku letniego
- sportów zimowych i turystyki górskiej
- z licznymi dobrami kultury
- ośrodki pielgrzymkowe i ośrodki kultu religijnego
- uzdrowiska

Skróty:
C. - Cypr
Ch. - Chamonix
Cz. - Częstochowa
D. - Damaszek
K. - Kitzbühel
R. - Rimini
S. - Sporady
Z. - Zermatt
Z.P. - Złote Piaski

1 : 40 000 000   0   500   1000 km

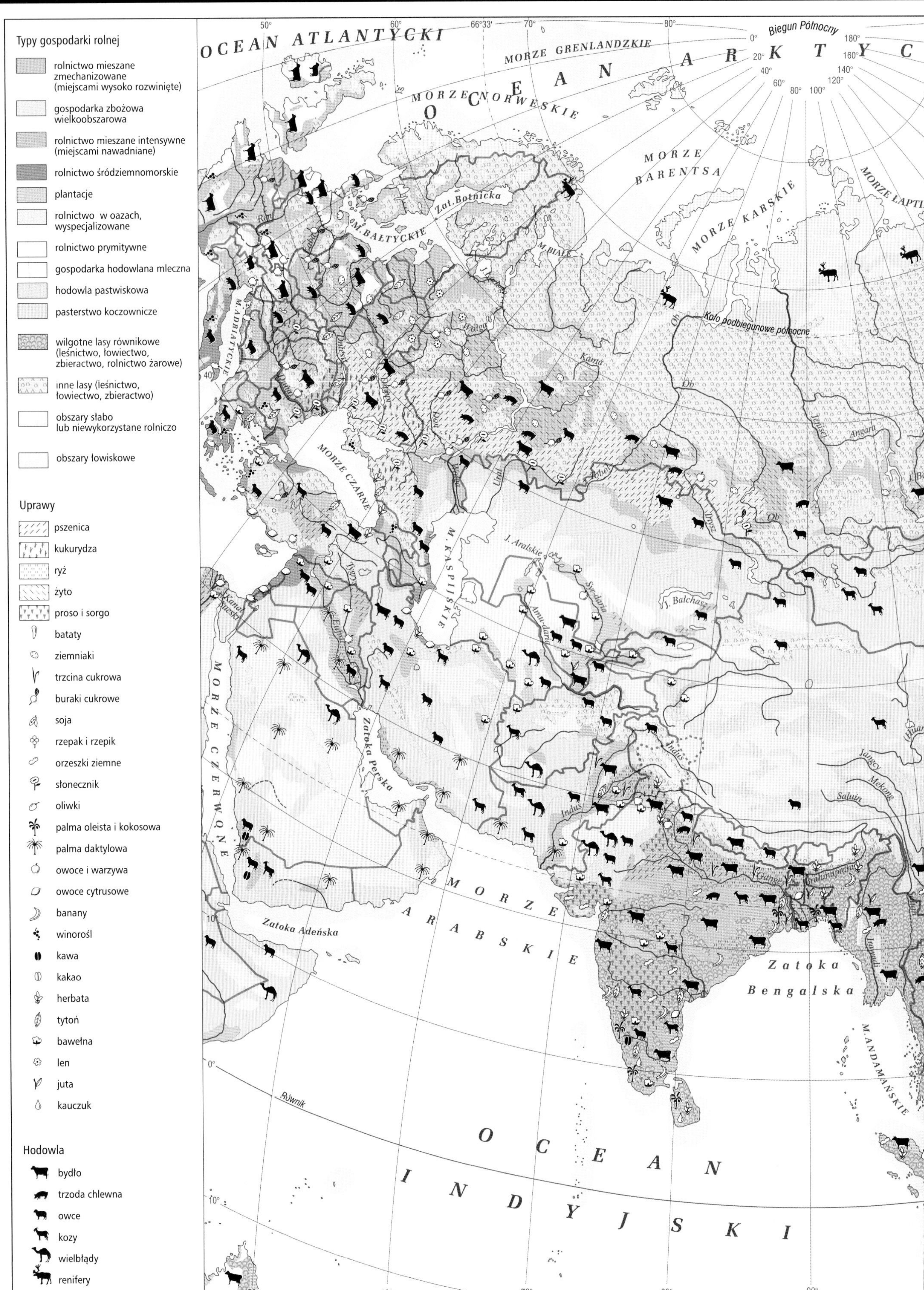

Typy gospodarki rolnej

- rolnictwo mieszane zmechanizowane (miejscami wysoko rozwinięte)
- gospodarka zbożowa wielkoobszarowa
- rolnictwo mieszane intensywne (miejscami nawadniane)
- rolnictwo śródziemnomorskie
- plantacje
- rolnictwo w oazach, wyspecjalizowane
- rolnictwo prymitywne
- gospodarka hodowlana mleczna
- hodowla pastwiskowa
- pasterstwo koczownicze
- wilgotne lasy równikowe (leśnictwo, łowiectwo, zbieractwo, rolnictwo żarowe)
- inne lasy (leśnictwo, łowiectwo, zbieractwo)
- obszary słabo lub niewykorzystane rolniczo
- obszary łowiskowe

Uprawy

- pszenica
- kukurydza
- ryż
- żyto
- proso i sorgo
- bataty
- ziemniaki
- trzcina cukrowa
- buraki cukrowe
- soja
- rzepak i rzepik
- orzeszki ziemne
- słonecznik
- oliwki
- palma oleista i kokosowa
- palma daktylowa
- owoce i warzywa
- owoce cytrusowe
- banany
- winorośl
- kawa
- kakao
- herbata
- tytoń
- bawełna
- len
- juta
- kauczuk

Hodowla

- bydło
- trzoda chlewna
- owce
- kozy
- wielbłądy
- renifery

1 : 95 000 000

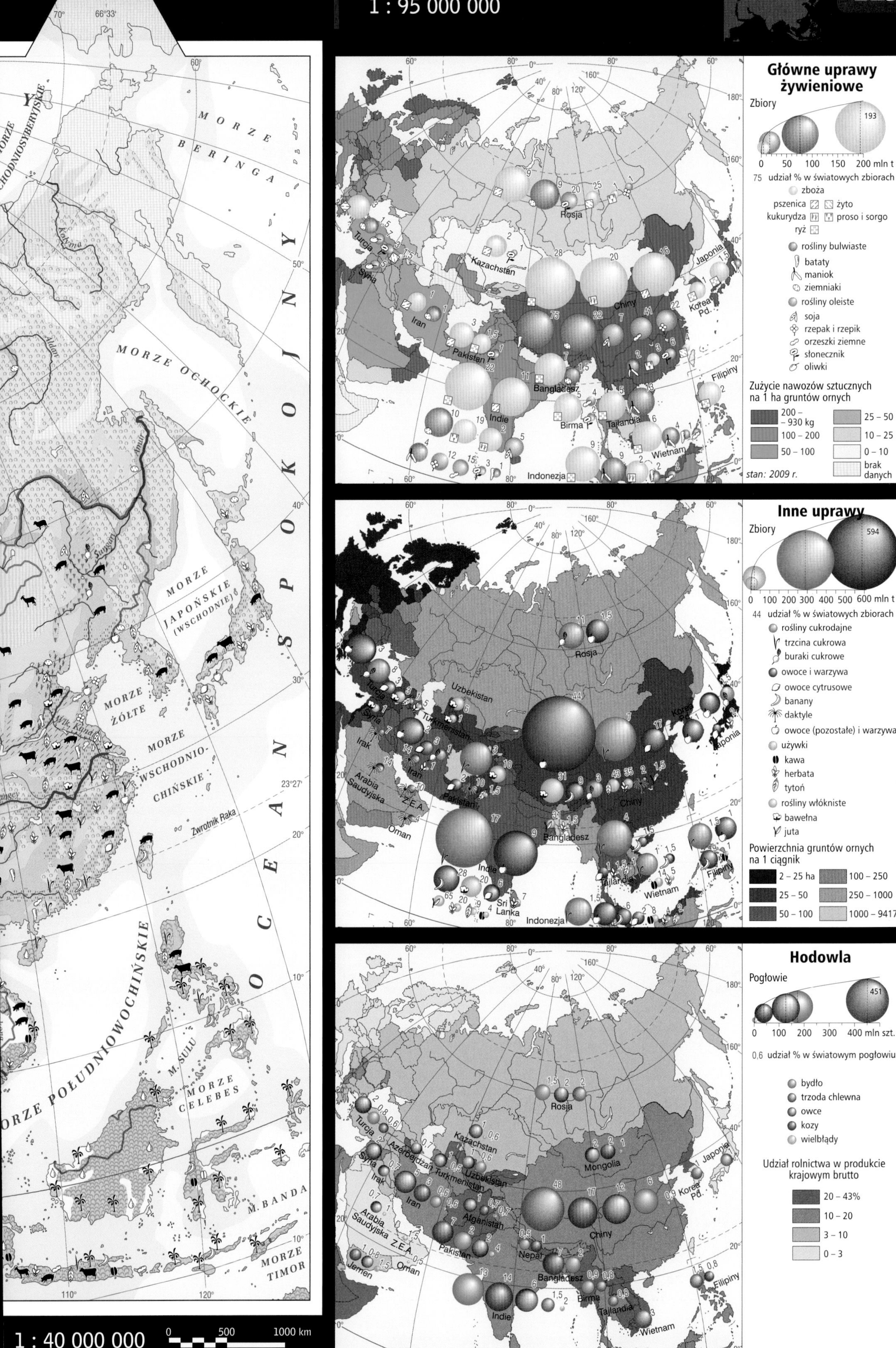

Główne uprawy żywieniowe

Zbiory

0 50 100 150 200 mln t
193

75 udział % w światowych zbiorach

- zboża

pszenica žyto
kukurydza proso i sorgo
ryż

- rośliny bulwiaste
  - bataty
  - maniok
  - ziemniaki
- rośliny oleiste
  - soja
  - rzepak i rzepik
  - orzeszki ziemne
  - słonecznik
  - oliwki

Zużycie nawozów sztucznych
na 1 ha gruntów ornych

200 – – 930 kg	25 – 50
100 – 200	10 – 25
50 – 100	0 – 10
	brak danych

stan: 2009 r.

Inne uprawy

Zbiory

0 100 200 300 400 500 600 mln t
594

44 udział % w światowych zbiorach

- rośliny cukrodajne
  - trzcina cukrowa
  - buraki cukrowe
- owoce i warzywa
  - owoce cytrusowe
  - banany
  - daktyle
  - owoce (pozostałe) i warzywa
- używki
  - kawa
  - herbata
  - tytoń
- rośliny włókniste
  - bawełna
  - juta

Powierzchnia gruntów ornych
na 1 ciągnik

2 – 25 ha	100 – 250
25 – 50	250 – 1000
50 – 100	1000 – 9417

Hodowla

Pogłowie

0 100 200 300 400 mln szt.
451

0,6 udział % w światowym pogłowiu

- bydło
- trzoda chlewna
- owce
- kozy
- wielbłądy

Udział rolnictwa w produkcie
krajowym brutto

20 – 43%	
10 – 20	
3 – 10	
0 – 3	

stan: 2009 r.

1 : 40 000 000

0 500 1000 km

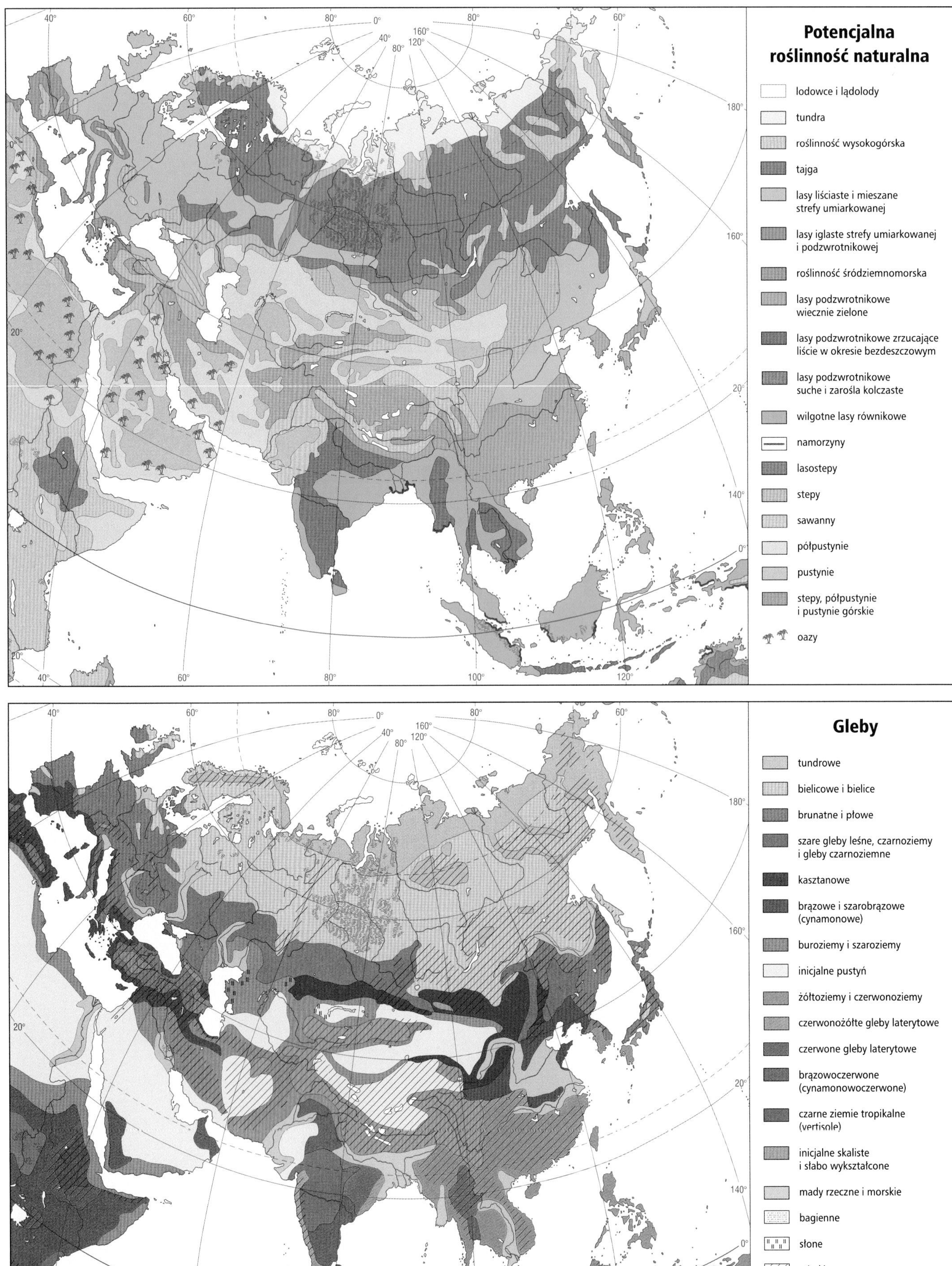

Potencjalna roślinność naturalna

- lodowce i lądolody
- tundra
- roślinność wysokogórska
- tajga
- lasy liściaste i mieszane strefy umiarkowanej
- lasy iglaste strefy umiarkowanej i podzwrotnikowej
- roślinność śródziemnomorska
- lasy podzwrotnikowe wiecznie zielone
- lasy podzwrotnikowe zrzucające liście w okresie bezdeszczowym
- lasy podzwrotnikowe suche i zarośla kolczaste
- wilgotne lasy równikowe
- namorzyny
- lasostepy
- stepy
- sawanny
- półpustynie
- pustynie
- stepy, półpustynie i pustynie górskie
- oazy

Gleby

- tundrowe
- bielicowe i bielice
- brunatne i płowe
- szare gleby leśne, czarnoziemy i gleby czarnoziemne
- kasztanowe
- brązowe i szarobrązowe (cynamonowe)
- buroziemy i szaroziemy
- inicjalne pustyń
- żółtoziemy i czerwonoziemy
- czerwonożółte gleby laterytowe
- czerwone gleby laterytowe
- brązowoczerwone (cynamonowoczerwone)
- czarne ziemie tropikalne (vertisole)
- inicjalne skaliste i słabo wykształcone
- mady rzeczne i morskie
- bagienne
- słone
- górskie
- lodowce i lądolody

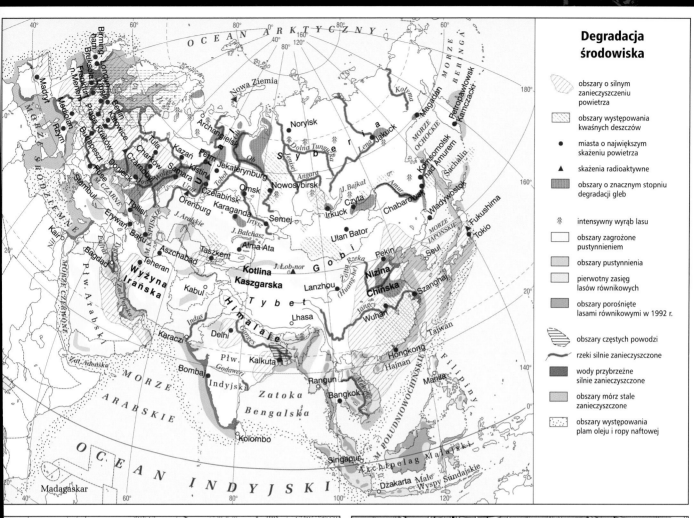

Degradacja środowiska

- obszary o silnym zanieczyszczeniu powietrza
- obszary występowania kwaśnych deszczów
- ● miasta o największym skażeniu powietrza
- ▲ skażenia radioaktywne
- obszary o znacznym stopniu degradacji gleb
- ⚶ intensywny wyrąb lasu
- obszary zagrożone pustynnieniem
- obszary pustynnienia
- pierwotny zasięg lasów równikowych
- obszary porośnięte lasami równikowymi w 1992 r.
- obszary częstych powodzi
- rzeki silnie zanieczyszczone
- wody przybrzeżne silnie zanieczyszczone
- obszary mórz stale zanieczyszczone
- obszary występowania plam oleju i ropy naftowej

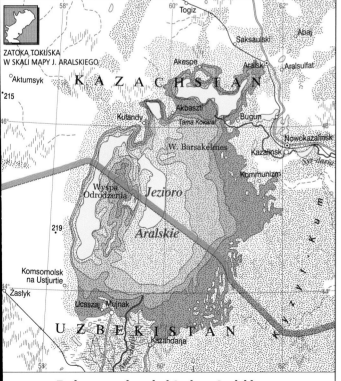

Zmiany powierzchni Jeziora Aralskiego

1 : 5 000 000

W 1992 roku podjęto pierwsze próby ratowania północnej części jeziora. W 2005 roku zbudowano tamę Kokaral, co pozwoliło na podniesienie poziomu wód w północnej części, jednak kosztem południowego zbiornika, o ciągle zmieniającej się linii brzegowej.

- dawne wyspy
- pustynie
- obszary silnego pustynnienia
- rok 1957
- rok 1984
- rok 1990
- rok 2000
- rok 2011

Sztuczne nabrzeża w Zatoce Tokijskiej

1 : 500 000

- zabudowa miejska
- zabudowane sztuczne nabrzeża
- planowane sztuczne nabrzeża
- watty
- autostrady
- inne drogi
- podwodne tunele drogowe
- kolej magnetyczna Shinkansen
- koleje państwowe
- tunele kolejowe

0
20
50
m p.p.m.

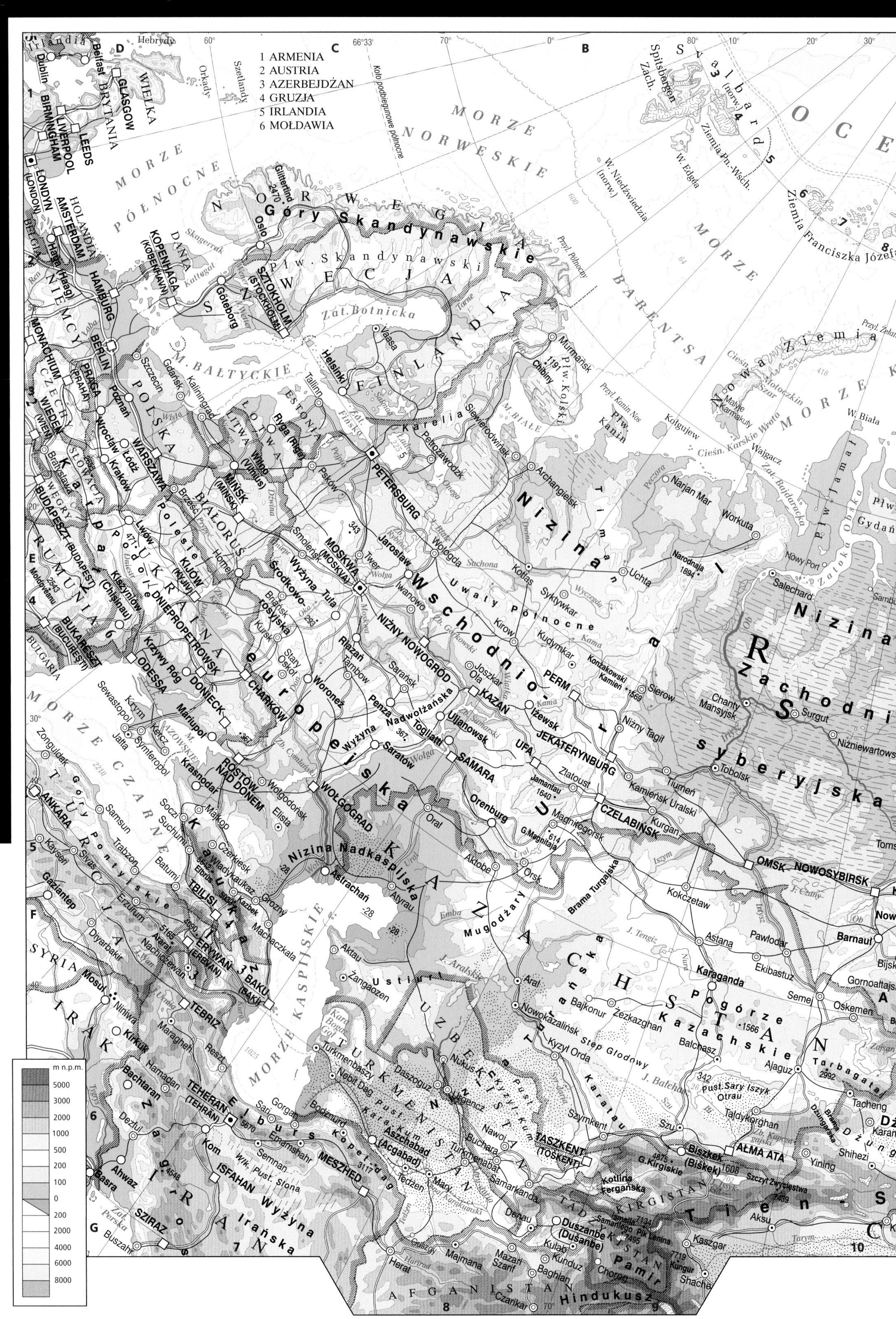
1 ARMENIA
2 AUSTRIA
3 AZERBEJDŻAN
4 GRUZJA
5 IRLANDIA
6 MOŁDAWIA
MORZE NORWESKIE
MORZE PÓŁNOCNE
MORZE BARENTSA
M. BAŁTYCKIE
MORZE CZARNE
MORZE KASPIJSKIE
Koło podbiegunowe północne
Góry Skandynawskie
Płw. Skandynawski
NORWEGIA
SZWECJA
FINLANDIA
POLSKA
BIAŁORUŚ
UKRAINA
RUMUNIA
WIELKA BRYTANIA
NIEMCY
HOLANDIA
DANIA
LITWA
ŁOTWA
ESTONIA
CZECHY
SŁOWACJA
WĘGRY
BUŁGARIA
TURCJA
SYRIA
IRAK
IRAN
TURKMENISTAN
UZBEKISTAN
KAZACHSTAN
KIRGISTAN
TADŻYKISTAN
AFGANISTAN
ROSJA
Nizina Wschodnioeuropejska
Nizina Zachodniosyberyjska
Nizina Nadkaspijska
Wyżyna Środkowo-rosyjska
Wyżyna Nadwołżańska
Uwały Północne
Ural
Timan
Karpaty
Kaukaz
Góry Pontyjskie
Elburs
Zagros
Wyżyna Irańska
Kopet-dag
Pogórze Kazachskie
Tien-szan
Pamir
Hindukusz
Spitsbergen Zach.
Svalbard (norw.)
Ziemia Pn.-Wsch.
W. Edgea
W. Niedźwiedzia (norw.)
Ziemia Franciszka Józefa
Nowa Ziemia
Płw. Kolski
Płw. Kanin
Płw. Jamał
Płw. Gydański
Zat. Botnicka
Zat. Fińska
Zat. Bajdaracka
Zatoka Obska
Cieśn. Karskie Wrota
Kołgujew
Wajgacz
MOSKWA
PETERSBURG
WARSZAWA
BERLIN
LONDYN (LONDON)
KIJÓW (KYJIW)
MIŃSK
WILNO (VILNIUS)
RYGA (RIGA)
Tallinn
Helsinki
SZTOKHOLM (STOCKHOLM)
Oslo
KOPENHAGA (KØBENHAVN)
PRAGA (PRAHA)
WIEDEŃ (WIEN)
BUDAPESZT (BUDAPEST)
BUKARESZT (BUCUREŞTI)
KISZYNIÓW (CHIŞINĂU)
ANKARA
TBILISI
ERYWAŃ (EREVAN)
BAKU
TEHERAN (TEHRĀN)
ASZCHABAD (Acgabad)
TASZKENT (TOSKENT)
BISZKEK (Biskek)
DUSZANBE (Dušanbe)
AŁMA ATA
Astana
KAZAŃ
SAMARA
PERM
JEKATERYNBURG
CZELABIŃSK
OMSK
NOWOSYBIRSK
UFA
NIŻNY NOWOGRÓD
WOŁGOGRAD
ROSTÓW NAD DONEM
CHARKÓW
DONIECK
DNIEPROPETROWSK
ODESSA
Murmańsk
Archangielsk
Workuta
Astrachań
Orenburg
Saratów
Tobolsk
Surgut
Barnauł
Karaganda
Semej
Szymkent
Samarkanda
Buchara
MESZHED
ISFAHAN
SZIRAZ
Basra
Mosul
TEBRIZ
m n.p.m.
5000
3000
2000
1000
500
200
100
0
200
2000
4000
6000
8000

1 : 22 000 000

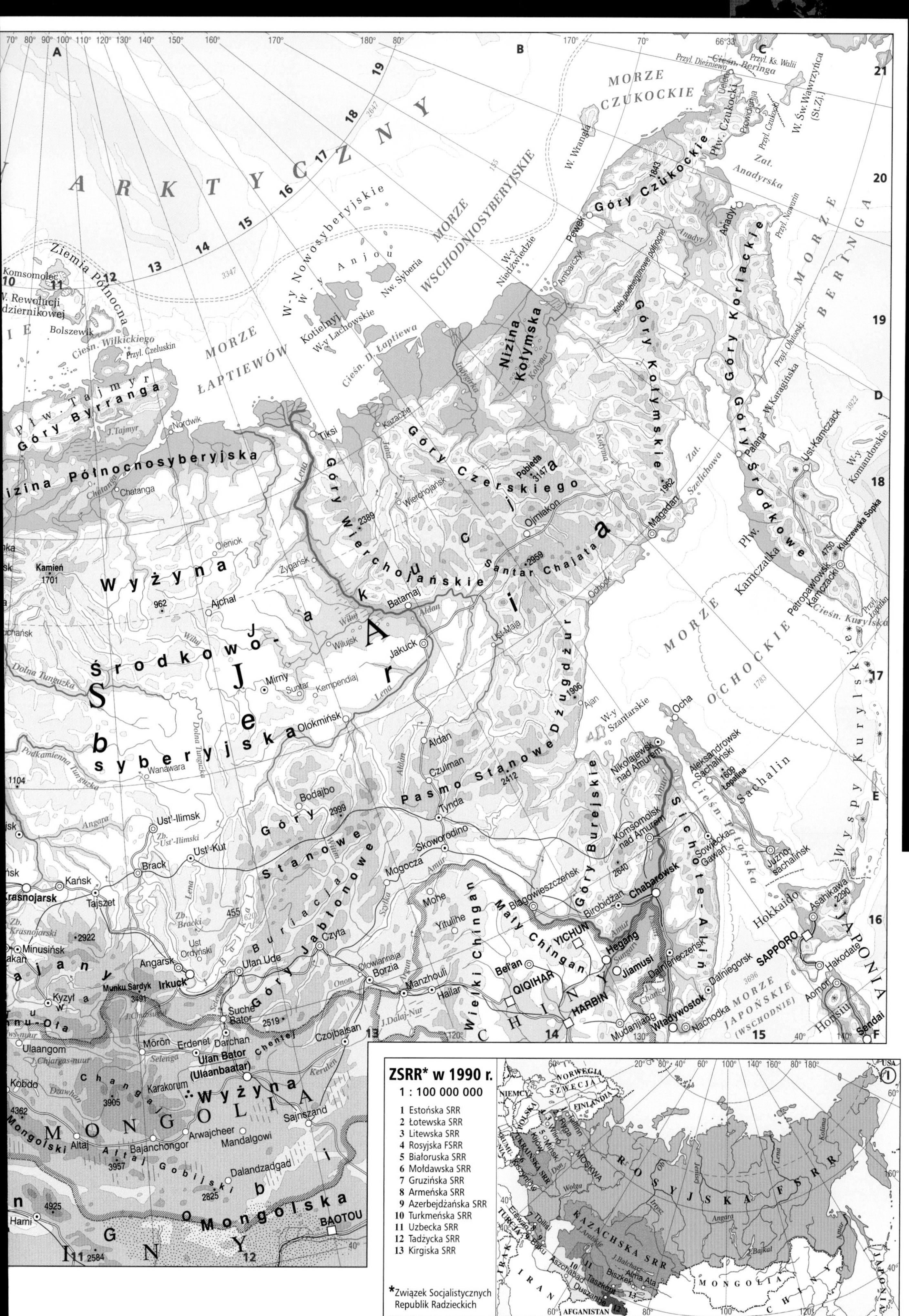

ZSRR* w 1990 r.
1 : 100 000 000

1 Estońska SRR
2 Łotewska SRR
3 Litewska SRR
4 Rosyjska FSRR
5 Białoruska SRR
6 Mołdawska SRR
7 Gruzińska SRR
8 Armeńska SRR
9 Azerbejdżańska SRR
10 Turkmeńska SRR
11 Uzbecka SRR
12 Tadżycka SRR
13 Kirgiska SRR

*Związek Socjalistycznych
Republik Radzieckich

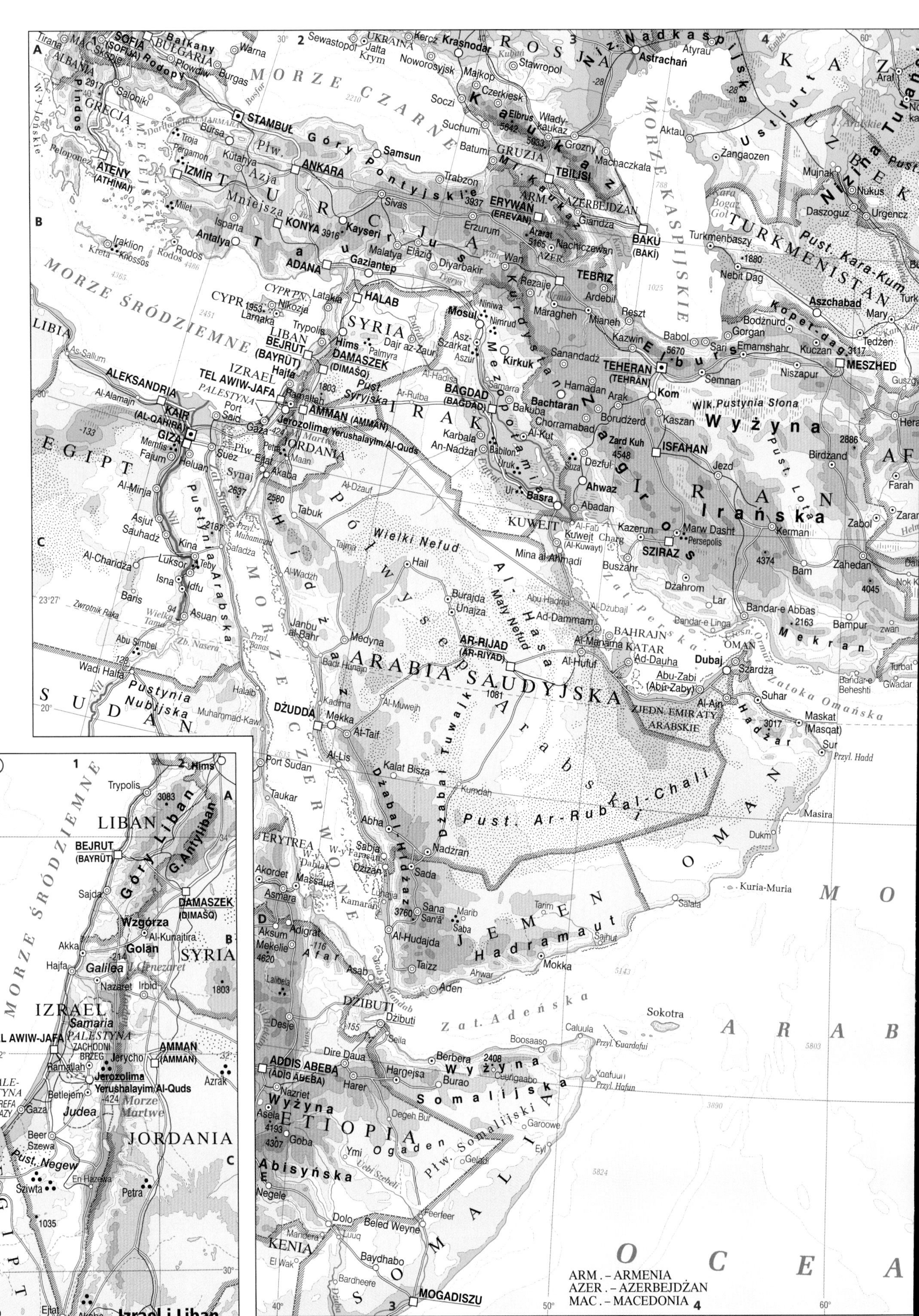

MORZE CZARNE
MORZE KASPIJSKIE
MORZE ŚRÓDZIEMNE
MORZE EGEJSKIE
MORZE CZERWONE
Zat. Perska
Zat. Adeńska
Zatoka Omańska
MORZE ARABSKIE
OCEAN
ROSJA
UKRAINA
KAZACHSTAN
UZBEKISTAN
TURKMENISTAN
TURCJA
GRUZJA
ARM.
AZER.
CYPR
SYRIA
LIBAN
IZRAEL
PALESTYNA
JORDANIA
IRAK
KUWEJT
BAHRAJN
KATAR
ZJEDN. EMIRATY ARABSKIE
OMAN
ARABIA SAUDYJSKA
JEMEN
ERYTREA
DŻIBUTI
ETIOPIA
SOMALIA
KENIA
SUDAN
EGIPT
LIBIA
GRECJA
BUŁGARIA
ALBANIA
MAC.
Kaukaz
Wyżyna Irańska
Góry Pontyjskie
Nizina Turańska
Ustiurt
Pust. Kara-Kum
Koper-dag
Elburs
Zagros
Kurdystan
Mezopotamia
Płw. Azja Mniejsza
Taurus
Płw. Synaj
Pustynia Arabska
Pustynia Nubijska
Półwysep Arabski
Wielki Nefud
Mały Nefud
Al-Hasa
Pust. Syryjska
Pust. Ar-Rub al-Chali
Pust. Lota
Wlk. Pustynia Słona
Dżabal Tuwaik
Hidżaz
Dżabal al-Hidżaz
Hadramaut
Hadżar
Mekran
Wyżyna Somalijska
Wyżyna Abisyńska
Ogaden
Płw. Somalijski
Afar
Sokotra
Kuria-Muria
STAMBUŁ
ANKARA
IZMIR
KONYA
ADANA
Samsun
Trabzon
Erzurum
Sivas
Kayseri
Gaziantep
Antalya
Bursa
Kütahya
Isparta
Malatya
Elazığ
Diyarbakır
Wan
Rodos
Iraklion
Knossos
Kreta
Troja
Pergamon
Milet
ATENY (ATHÍNAI)
Saloniki
SOFIA (SOFIJA)
Skopje
Tirana
Warna
Burgas
Płowdiw
Rodopy
Bałkany
Pindos
Peloponez
Sewastopol
Jałta
Krym
Kercz
Krasnodar
Noworosyjsk
Majkop
Stawropol
Czerkiesk
Soczi
Suchumi
Batumi
Elbrus 5642
Władykaukaz
Kazbek 5033
Grozny
Machaczkała
Astrachań
Atyrau
Aktau
Żangaozen
Kara-Bogaz-Gol
Turkmenbaszy
Nebit Dag
Aszchabad
Mary
Tedżen
Daszoguz
Urgencz
Nukus
Mujnak
TBILISI
ERYWAŃ (EREVAN)
Ararat 5165
Nachiczewan
Giandża
BAKU (BAKI)
TEBRIZ
Ardebil
Rezaije
Maragheh
Mianeh
Reszt
Kazwin
Babol
Sari
Gorgan
Emamshahr
Bodżnurd
Kuczan
MESZHED
Niszapur
Semnan
TEHERAN (TEHRĀN)
Damawand 5670
Kom
Kaszan
Hamadan
Arak
Sanandadż
Bachtaran
Chorramabad
Borudżerd
Zard Kuh 4548
ISFAHAN
Jezd
Dezful
Suza
Ahwaz
Abadan
Basra
Kazerun
Marw Dasht
Persepolis
SZIRAZ
Kerman
Bam
Zahedan
Zabol
Birdżand
Bandar-e Abbas
Bandar-e Linga
Lar
Dżahrom
Buszahr
Bampur
Mosul
Niniwa
Nimrud
Aszur
Asz-Szarkat
Kirkuk
Samarra
BAGDAD (BAGDĀD)
Bakuba
Al-Kut
Karbala
An-Nadżaf
Babilon
Uruk
Ur
Eufrat
Tygrys
Ar-Rutba
Al-Hadisa
HALAB
Latakia
Nikozja
Larnaka
Trypolis
BEJRUT (BAYRŪT)
Hims
Palmyra
Dajr az-Zaur
DAMASZEK (DIMAŠQ)
Hajfa
TEL AWIW-JAFA
Ramallah
Jerozolima/Yerushalayim/Al-Quds
AMMAN (AMMĀN)
Gaza
Petra
Maan
Ejlat
Akaba
ALEKSANDRIA
Al-Alamajn
As-Sallum
KAIR (AL-QAHIRA)
GIZA
Memfis
Fajum
Port Said
Suez
Heluan
Synaj 2637
Al-Minja
Asjut
Sauhadż
Kina
Luksor
Teby
Isna
Idfu
Asuan
Al-Charidża
Baris
Abu Simbel
Wadi Halfa
Zwrotnik Raka
Zb. Nasera
Nil
Halaib
Muhammad-Kawl
Port Sudan
Taukar
Al-Dżauf
Tabuk
Tajma
Al-Wadżh
Hail
Burajda
Unajza
Janbu al-Bahr
Medyna
Badr Hunajn
DŻUDDA
Mekka
At-Taif
Al-Muwejh
AR-RIJAD (AR-RIYĀD)
Al-Hufuf
Ad-Dammam
Abu-Hadrija
Al-Dżubajl
Al-Kuwajt
Kuwejt (Al-Kuwayt)
Mina al-Ahmadi
Al-Manama
Ad-Dauha
Abu-Zabi (Abū-Zaby)
Dubaj
Szardża
Al-Ajn
Suhar
Maskat (Masqat)
Sur
Przyl. Hadd
Masira
Dukm
Salala
Al-Lis
Kalat Bisza
Abha
Kumdah
Nadżran
Sabia
Dżizan
Sada
Sana San'ā' 3760
Marib
Saba
Tarim
Sajhut
Mokka
Ahwar
Al-Hudajda
Taizz
Aden
Kamaran
Luhajja
Akordet
Massaua
Asmara
Adigrat
Aksum
Mekele
Asab
Dżibuti
Bab al-Mandab
Desje
ADDIS ABEBA (ADIS ABEBA)
Dire Daua
Harer
Hargejsa
Berbera
Burao
Boosaaso
Caluula
Przyl. Guardafui
Xaafuun
Przyl. Hafun
Nazriet
Asela
Goba
Degeh Bur
Garoowe
Eyl
Ymi
Gelati
Negele
Dolo
Luuq
Mandera
Beled Weyne
Ferfeer
Baydhabo
Bardheere
El Wak
MOGADISZU
Uebi Szebeli
Dżuba

Izrael i Liban
1 : 5 000 000
MORZE ŚRÓDZIEMNE
Trypolis
Hims
Góry Liban
G. Antyliban
LIBAN
BEJRUT (BAYRŪT)
Sajda
DAMASZEK (DIMAŠQ)
Wzgórza Golan
Al-Kunajtira
SYRIA
Akka
Hajfa
Galilea
J. Genezaret
Nazaret
Irbid
IZRAEL
Samaria
PALESTYNA ZACHODNI BRZEG
TEL AWIW-JAFA
Ramallah
Jerycho
AMMAN (AMMĀN)
Jerozolima Yerushalayim/Al-Quds
Betlejem
Azrak
PALESTYNA STREFA GAZY
Gaza
Judea
Morze Martwe
Beer Szewa
JORDANIA
Pust. Negew
En Hazewa
Sziwta
Petra
EGIPT
Ejlat
Akaba

ARM. – ARMENIA
AZER. – AZERBEJDŻAN
MAC. – MACEDONIA

1 : 20 000 000 0 100 200 300 400 500 km

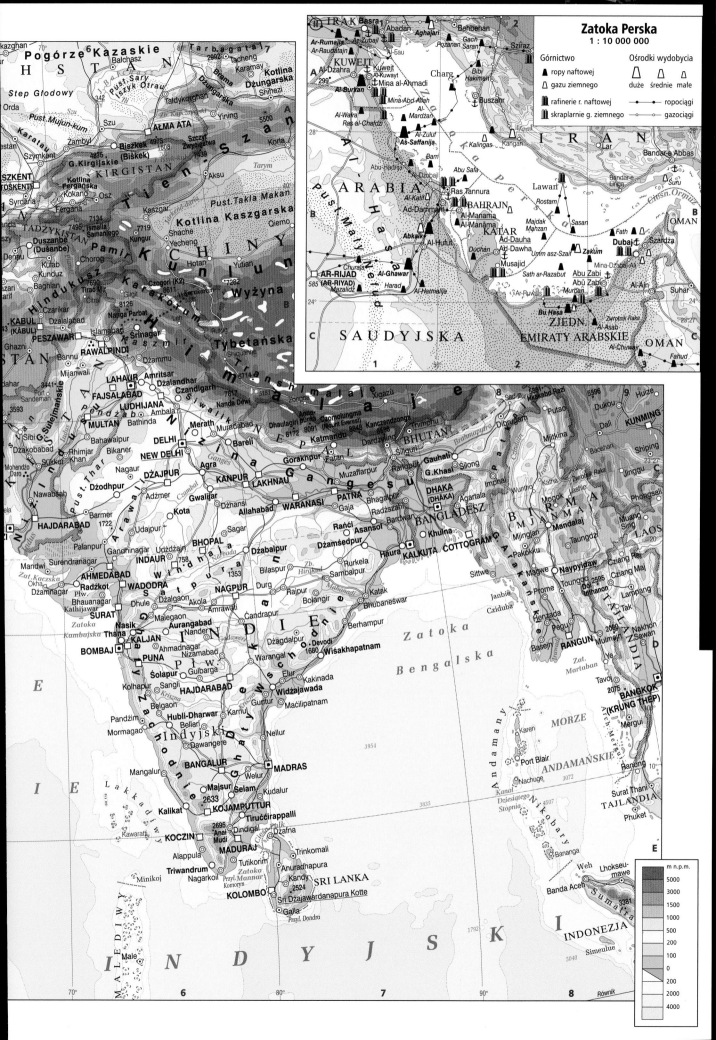

Zatoka Perska

1 : 10 000 000

Górnictwo
- ropy naftowej
- gazu ziemnego
- rafinerie r. naftowej
- skraplarnie g. ziemnego

Ośrodki wydobycia: duże, średnie, małe

ropociągi

gazociągi

m n.p.m.: 5000, 3000, 1500, 1000, 500, 200, 100, 0, 200, 2000, 4000

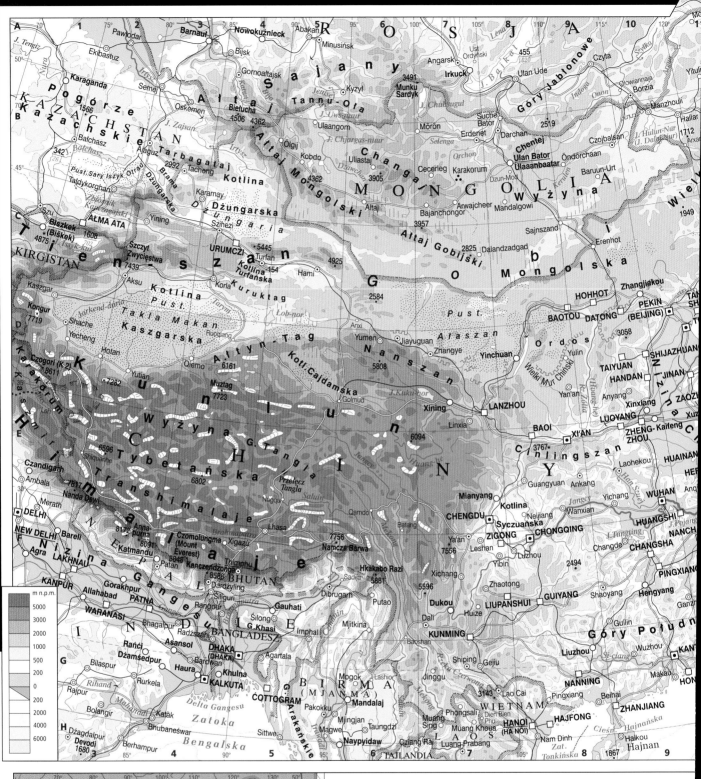

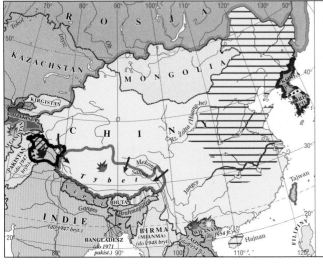

Konflikty po II wojnie światowej

1 : 60 000 000

- ▬ tereny objęte wojną koreańską w latach 1950–1953 z udziałem wojsk amerykańskich pod egidą ONZ w celu niedopuszczenia do przejęcia kontroli nad demokratyczną Koreą Pd. przez komunistyczną Koreę Pn.
- ••••• strefa demarkacyjna rozdzielająca Koreę Pn. i Koreę Pd.
- ▬ granice Kaszmiru w 1947 r.
- ▨ część Kaszmiru pod kontrolą Pakistanu od 1947 r.
- ▨ część Kaszmiru pod kontrolą Chin od 1950 i 1962 r.
- ✹ konflikty Indie – Pakistan o Kaszmir w latach 1947–1948, 1965, 1971, 1999
- ▦ granice Tybetu pod kontrolą Dalajlamy do 1951 r.

- ← wkroczenie wojsk chińskich do Tybetu w 1950 r.
- ✹ konflikt chińsko-tybetański (1950 – 1960) zakończony aneksją Tybetu przez komunistyczne władze Chin
- ▤ tereny objęte wojną domową (1945 – 1950)
- ▨ Tajwan pod kontrolą chińskich władz antykomunistycznych od 1950 r.
- ▬ granice ZSRR do 1991 r.
- ✹ konflikt ZSRR – Afganistan w latach 1979 – 1989
- ✹ wojna indochińska w latach 1946 – 1954 o utrzymanie posiadłości kolonialnych przez Francję w Indochinach
- ✹ wojna wietnamska w latach 1964 – 1975 z udziałem wojsk amerykańskich o niedopuszczenie do rozprzestrzeniania się wpływów komunistycznych w Wietnamie

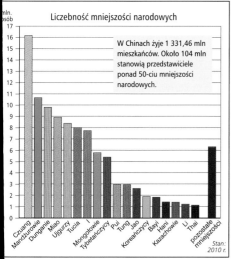

Liczebność mniejszości narodowych

W Chinach żyje 1 331,46 mln mieszkańców. Około 104 mln stanowią przedstawiciele ponad 50-ciu mniejszości narodowych.

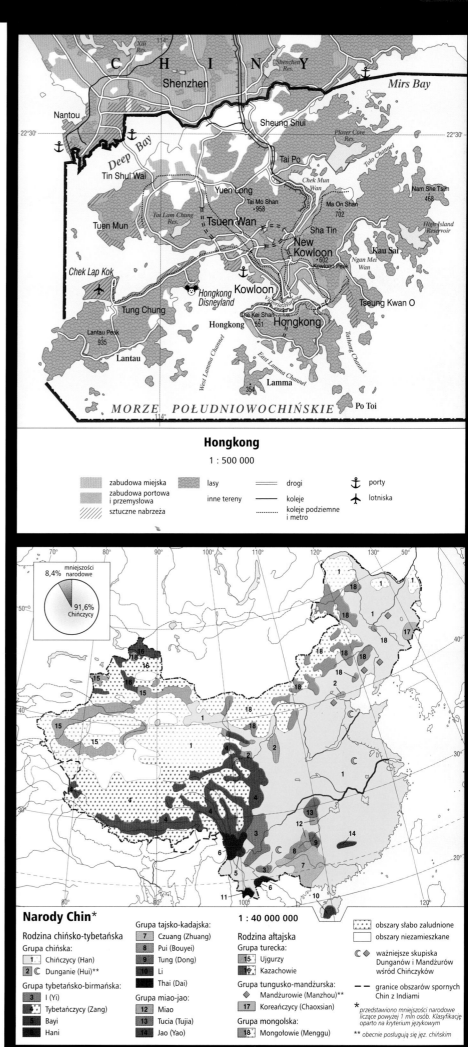

Hongkong

1 : 500 000

zabudowa miejska	lasy	drogi
zabudowa portowa i przemysłowa	inne tereny	koleje
sztuczne nabrzeża		koleje podziemne i metro
		porty
		lotniska

Narody Chin*

1 : 40 000 000

Rodzina chińsko-tybetańska

Grupa chińska:
- 1 Chińczycy (Han)
- 2 Dunganie (Hui)**

Grupa tybetańsko-birmańska:
- 3 I (Yi)
- Tybetańczycy (Zang)
- 5 Bayi
- Hani

Grupa tajsko-kadajska:
- 7 Czuang (Zhuang)
- 8 Pui (Bouyei)
- 9 Tung (Dong)
- 10 Li
- Thai (Dai)

Grupa miao-jao:
- 12 Miao
- 13 Tucia (Tujia)
- 14 Jao (Yao)

Rodzina ałtajska

Grupa turecka:
- 15 Ujgurzy
- 16 Kazachowie

Grupa tunguso-mandżurska:
- Mandżurowie (Manzhou)**
- 17 Koreańczycy (Chaoxsian)

Grupa mongolska:
- 18 Mongołowie (Menggu)

- obszary słabo zaludnione
- obszary niezamieszkane
- ważniejsze skupiska Dunganów i Mandżurów wśród Chińczyków
- granice obszarów spornych Chin z Indiami

* przedstawiono mniejszości narodowe liczące powyżej 1 mln osób. Klasyfikację oparto na kryterium językowym

** obecnie posługują się jęz. chińskim

8,4% mniejszości narodowe
91,6% Chińczycy

Stan: 2010 r.

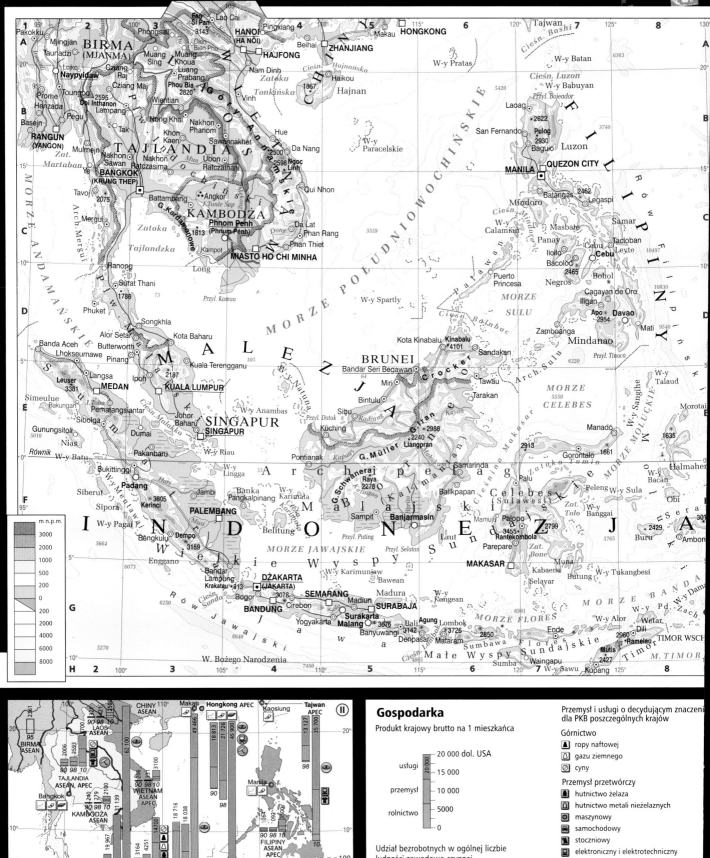

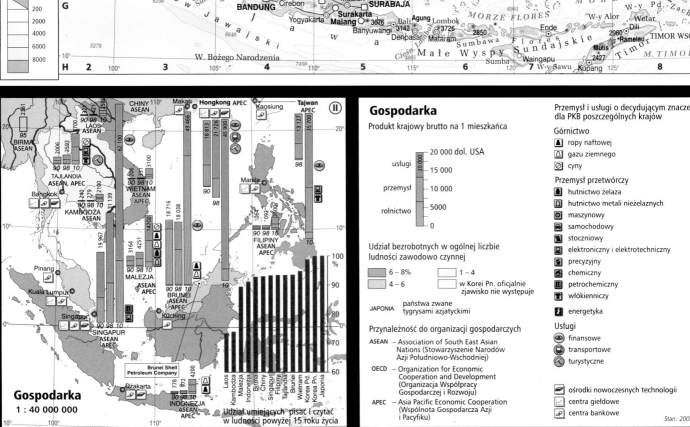

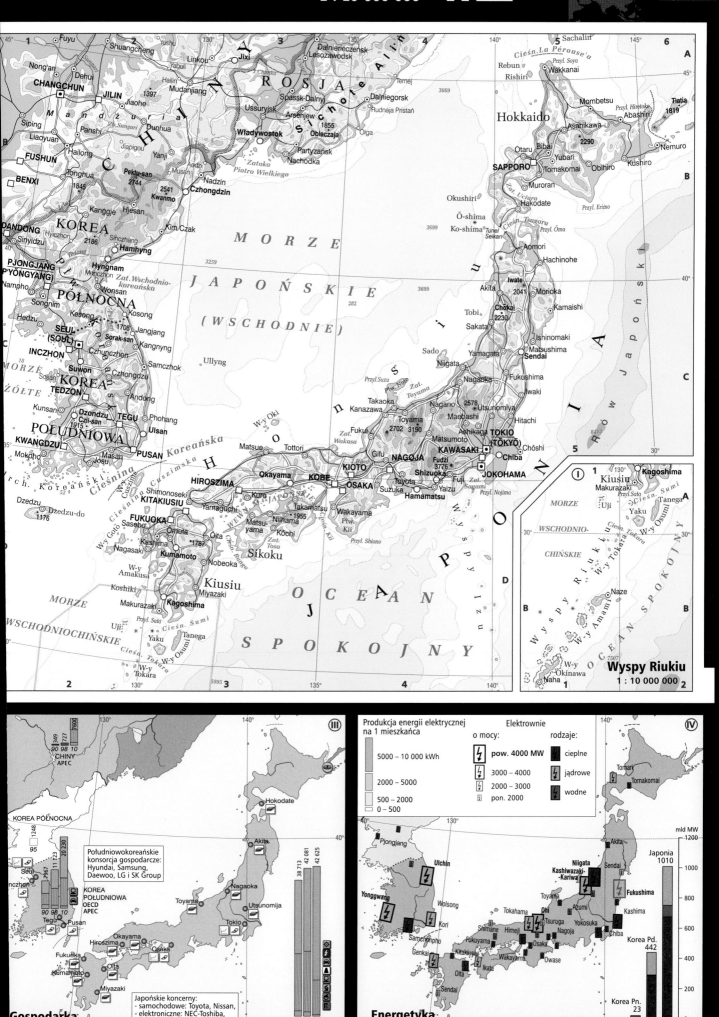

0   100   200   300 km

A

Map (main)

Fuyu, Shuangcheng, Yushu, Linkou, Jixi, Dalniereczeńsk, Lesozawodsk, Sachalin, Cieśn. La Pérouse'a, Przyl. Soya, Rebun, Wakkanai, Rishiri, Mombetsu

Nong'an, Dehui, CHANGCHUN, JILIN, Jiaohe, 1397, Mudanjiang, Spassk-Dalnyj, Ternej, Przyl. Hiretoko, Abashiri, Tiatia 1819

Siping, Panshi, Dunhua, Ussuryjsk, Arsénjew, Dalniegorsk, Rudnaja Pristań, Olga, Hokkaido, Asahikawa, 2290, Nemuro

Liaoyuan, Hailong, Jiapigou, Yanji, WŁADYWOSTOK, Oblaczaja, Otaru, Bibai, Yubari, Kushiro, Obihiro

FUSHUN, Tonghua, Pektu-san 2744, Adzi, Musan, Partyzańsk, Nachodka, SAPPORO, Tomakomai

BENXI, 1845, Kwanmo 2541, Nadzin, Czhongdzin, Okushiri, Muroran, Hakodate, Przyl. Erimo

DANDONG, Kanggje, Hjesan, Kim Czak, Zatoka Piotra Wielkiego, Ō-shima, Ko-shima, Tunel Seikan, Przyl. Ōma, Aomori, Hachinohe

Sinyidzu, Hyiczhon, 2186, Sinczhang, Hamhyng, Iwate 2041, Morioka

KOREA, PJONGJANG (P'YŎNGYANG), Hyngnam, Mũnczhon, Zat. Wschodnio-koreańska, Wonsan, Akita, Chōkai 2230, Kamaishi

Nampho, Songnim, Kesong, 1708, Kosong, Jangjang, Tobi, Sakata, Ishinomaki, Matsushima

Hedzu, SEUL (SOUL), Sorak-san, Kangnyng, Sado, Niigata, Yamagata, Sendai

PÓŁNOCNA, INCZHON, Suwon, Czhungczhon, Samczhok, Ullyng, Nagaoka, Fukushima

KOREA, TEDZON, Andong, Czhongdzu, Przyl. Suzu, Półw. Noto, Zat. Toyama, Nagano 2578, Utsunomiya, Iwaki

Kunsan, Phohang, Takaoka, Kanazawa, Toyama 2702, 3190, Maebashi, Hitachi, Ashikaga

POŁUDNIOWA, KWANGDZU, Dzondzu, Czil-san 1915, TEGU, Ulsan, Fukui, Zat. Wakasa, Gifu, NAGOJA, Ashikaga, TOKIO (TŌKYŌ), Chōshi

Mokpho, Masan, Josu, PUSAN, Cieśnina Koreańska, Matsue, Tottori, KIOTO, Fudżi 3776, KAWASAKI, Chiba, JOKOHAMA

Dzedzu, Dzedzu-do 1176, W-y Goto, Sasebo, Shimonoseki, Yamaguchi, Kure, Okayama, KOBE, OSAKA, Shizuoka, Yaizu, HAMAMATSU

HIROSZIMA, KITAKIUSIU, Matsuyama, Nihama, 1955, Takamatsu, Suzuka, Toyota, Fuji, Sagami, Przyl. Nojima

FUKUOKA, Nagasaki, Kashima, Oita, 1787, Kōchi, Wakayama, Płw. Kii, Przyl. Shiono

Ōmuta, Kumamoto, Nobeoka, Sikoku, Zat. Tosa, Zat. Bingo, Wyspy Izu

W-y Amakusa, Koshiki, Miyazaki, Kiusiu, Wyspy Izu

MORZE, Makurazaki, Kagoshima, Przyl. Sata, Cieśn. Sumi, Yaku, Cieśn. Tokara, W-y Tokara, OCEAN SPOKOJNY

WSCHODNIOCHIŃSKIE, Uji, Tanega

M a n d ż u r i a, CHINY, ROSJA, Sichote Aliń, MORZE JAPOŃSKIE (WSCHODNIE), Honsiu, JAPONIA, Rów Japoński

MORZE ŻÓŁTE, Korea Płw., Arch. Koreański, Cieśnina Cuszimska, Cieśn. Cuszima, Kiusiu, W-y Japońskie

Inset: Wyspy Riukiu

Wyspy Riukiu
1 : 10 000 000

MORZE WSCHODNIO-CHIŃSKIE, Kiusiu, Kagoshima, Makurazaki, Przyl. Sata, Uji, Yaku, Tanega, Cieśn. Tokara, W-y Tokara, W-y Osumi, Naze, W-y Amami, W-y Riukiu, W-y Okinawa, Naha, OCEAN SPOKOJNY, 7507

Map III — Gospodarka

Gospodarka
1 : 20 000 000

CHINY APEC, 7600, 349, 727, 90 98 10

KOREA PÓŁNOCNA, 1248, 95

KOREA POŁUDNIOWA OECD APEC, 967, 11 123, 20 230, 90 98 10

Seul, Tegu, Inczhon, Pusan, Hokodate, Akita, Nagaoka, Utsunomija, Tokio, Toyama, Hiroszima, Okayama, Osaka, Fukueka, Oita, Kumamoto, Miyazaki

Południowokoreańskie konsorcja gospodarcze: Hyundai, Samsung, Daewoo, LG i SK Group

Japońskie koncerny:
- samochodowe: Toyota, Nissan,
- elektroniczne: NEC-Toshiba, Fujitsu-Hitachi, Mitsubishi-OKI, Sony

38 713, 42 081, 42 625, 90 98 10, JAPONIA OECD, APEC

Map IV — Energetyka

Produkcja energii elektrycznej na 1 mieszkańca

- 5000 – 10 000 kWh
- 2000 – 5000
- 500 – 2000
- 0 – 500

Elektrownie

o mocy:
- pow. 4000 MW
- 3000 – 4000
- 2000 – 3000
- pon. 2000

rodzaje:
- cieplne
- jądrowe
- wodne

Energetyka
1 : 20 000 000

Pjongjang, Ulchin, Yonggwang, Wolsong, Kori, Samcheonpho, Genkai, Sendai, Oita, Ikata, Kitakiusiu, Fukuyama, Shimane, Himeji, Osaka, Tsuruga, Ohi, Tokahama, Azumi, Nagoya, Yokosuka, Kashima, Fukushima, Kashiwazaki-Kariwa, Niigata, Sendai, Akita, Toyama, Chiba, Yokoyuka, Tomari, Tomakomai

mld MW, 1200, 1000, 800, 600, 400, 200

Japonia 1010, Korea Pd. 442, Korea Pn. 23, Globalna produkcja energii

Po trzęsieniu ziemi i tsunami z 11 marca 2011 r. wszystkie reaktory obu elektrowni jądrowych w prefekturze Fukushima zostały wyłączone.

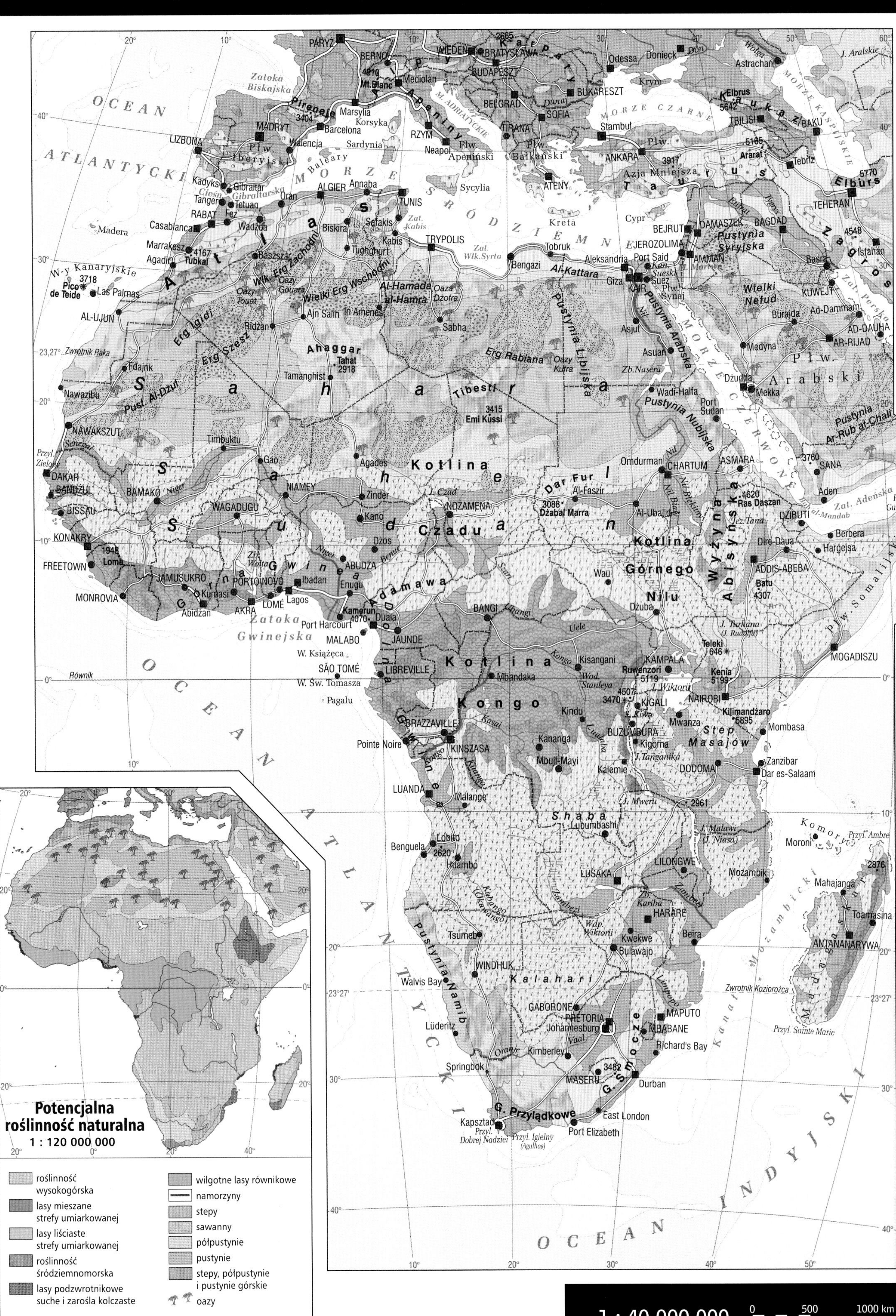

Potencjalna roślinność naturalna

1 : 120 000 000

- roślinność wysokogórska
- lasy mieszane strefy umiarkowanej
- lasy liściaste strefy umiarkowanej
- roślinność śródziemnomorska
- lasy podzwrotnikowe suche i zarośla kolczaste
- wilgotne lasy równikowe
- namorzyny
- stepy
- sawanny
- półpustynie
- pustynie
- stepy, półpustynie i pustynie górskie
- oazy

1 : 40 000 000   0   500   1000 km

1 : 90 000 000

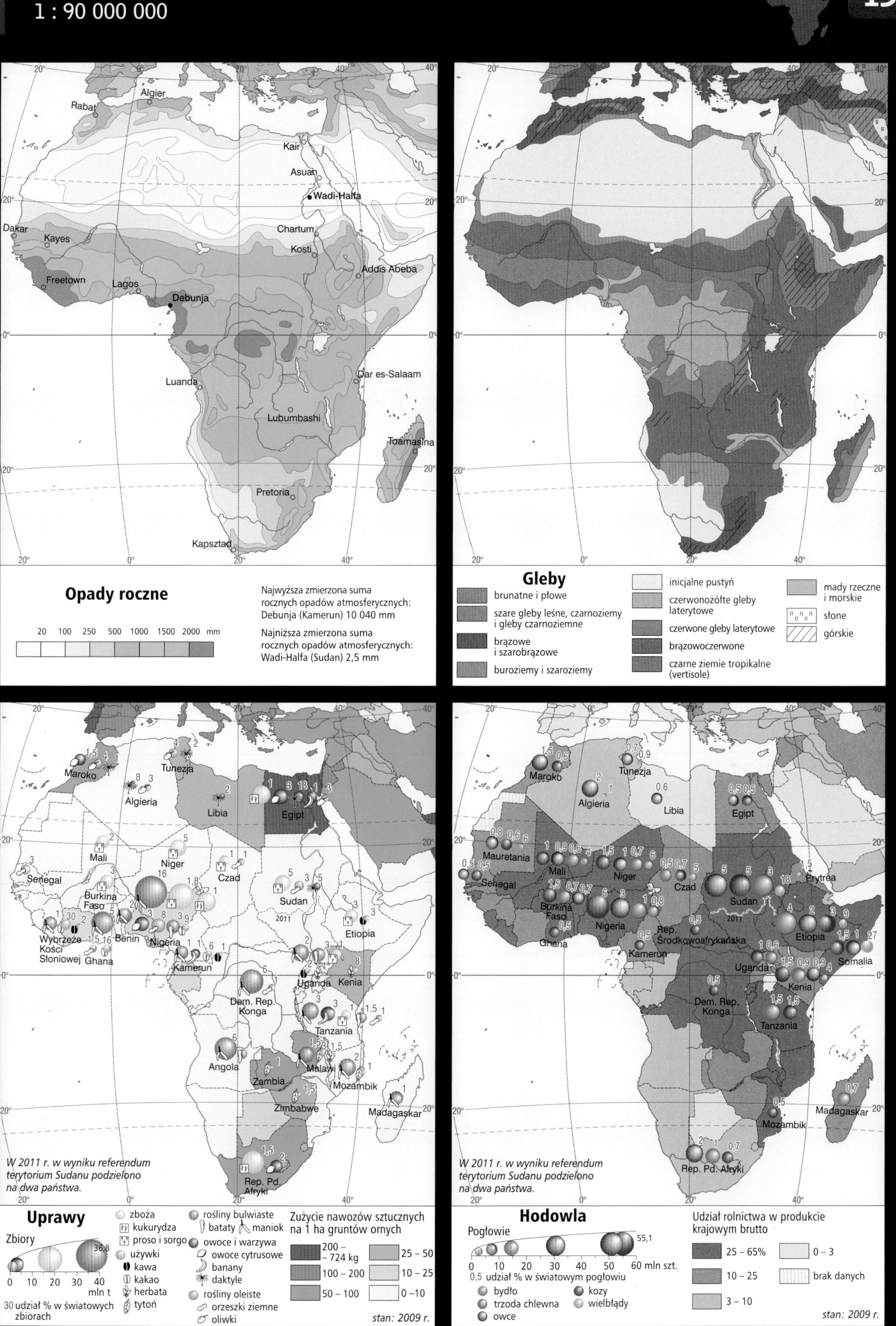

Opady roczne

20 100 250 500 1000 1500 2000 mm

Najwyższa zmierzona suma rocznych opadów atmosferycznych: Debunja (Kamerun) 10 040 mm

Najniższa zmierzona suma rocznych opadów atmosferycznych: Wadi-Halfa (Sudan) 2,5 mm

Gleby

- brunatne i płowe
- szare gleby leśne, czarnoziemy i gleby czarnoziemne
- brązowe i szarobrązowe
- buroziemy i szaroziemy
- inicjalne pustyń
- czerwonożółte gleby laterytowe
- czerwone gleby laterytowe
- brązowoczerwone
- czarne ziemie tropikalne (vertisole)
- mady rzeczne i morskie
- słone
- górskie

W 2011 r. w wyniku referendum terytorium Sudanu podzielono na dwa państwa.

Uprawy

Zbiory

0 10 20 30 40 mln t

30 udział % w światowych zbiorach

- zboża
- kukurydza
- proso i sorgo
- używki
- kawa
- kakao
- herbata
- tytoń
- rośliny bulwiaste
- bataty / maniok
- owoce i warzywa
- owoce cytrusowe
- banany
- daktyle
- rośliny oleiste
- orzeszki ziemne
- oliwki

Zużycie nawozów sztucznych na 1 ha gruntów ornych

- 200 – 724 kg
- 100 – 200
- 50 – 100
- 25 – 50
- 10 – 25
- 0 –10

stan: 2009 r.

W 2011 r. w wyniku referendum terytorium Sudanu podzielono na dwa państwa.

Hodowla

Pogłowie

0 10 20 30 40 50 60 mln szt.

55,1

0,5 udział % w światowym pogłowiu

- bydło
- trzoda chlewna
- owce
- kozy
- wielbłądy

Udział rolnictwa w produkcie krajowym brutto

- 25 – 65%
- 10 – 25
- 3 – 10
- 0 – 3
- brak danych

stan: 2009 r.

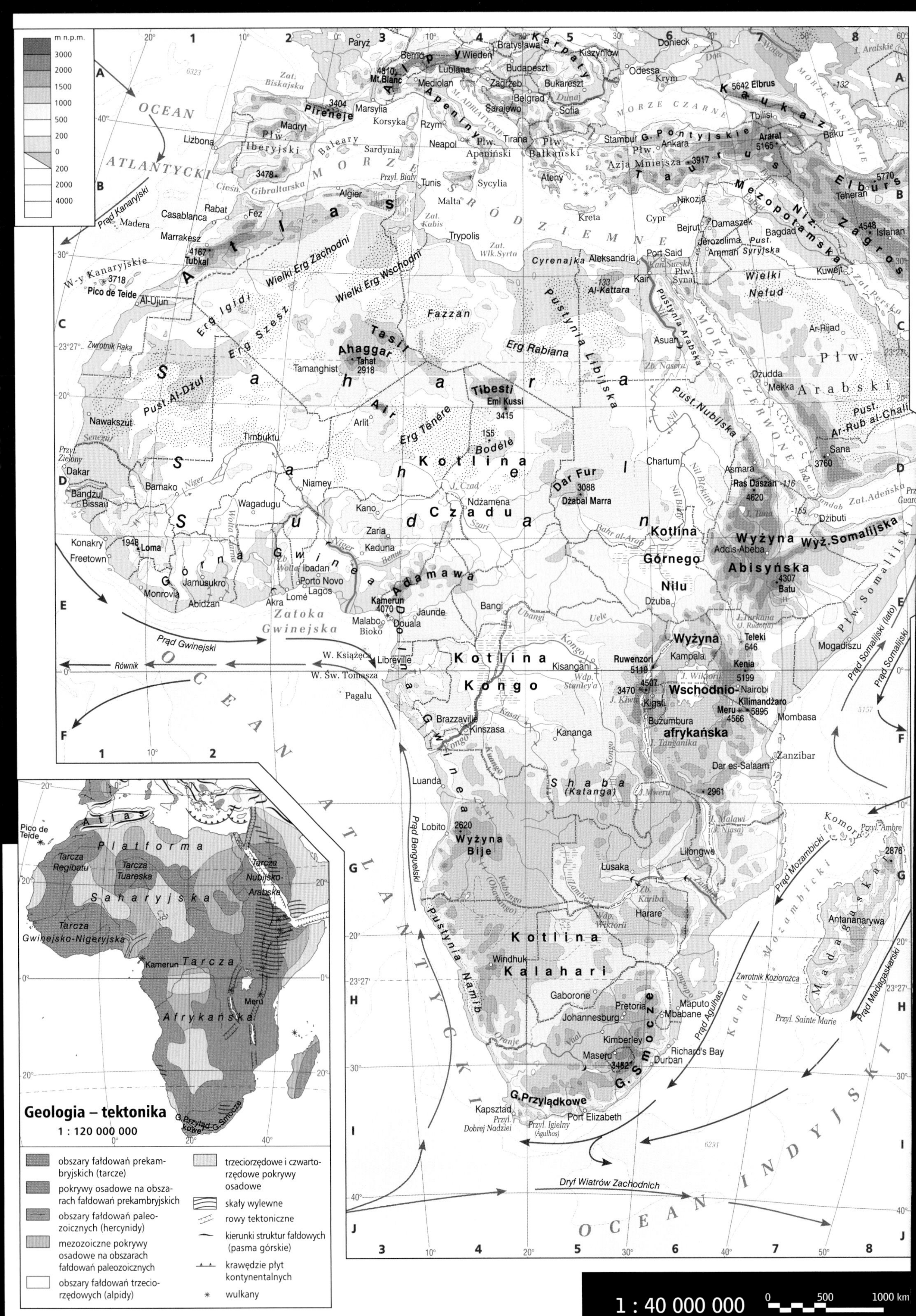

Geologia – tektonika
1 : 120 000 000

obszary fałdowań prekambryjskich (tarcze)

pokrywy osadowe na obszarach fałdowań prekambryjskich

obszary fałdowań paleozoicznych (hercynidy)

mezozoiczne pokrywy osadowe na obszarach fałdowań paleozoicznych

obszary fałdowań trzeciorzędowych (alpidy)

trzeciorzędowe i czwartorzędowe pokrywy osadowe

skały wylewne

rowy tektoniczne

kierunki struktur fałdowych (pasma górskie)

krawędzie płyt kontynentalnych

wulkany

1 : 40 000 000

0   500   1000 km

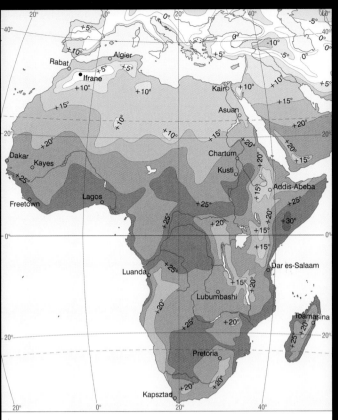

Temperatura powietrza w styczniu

-10   -5   0   +5   +10   +15   +20   +25   +30   °C

Najniższa zmierzona temperatura powietrza: Ifrane (Maroko) -24°C

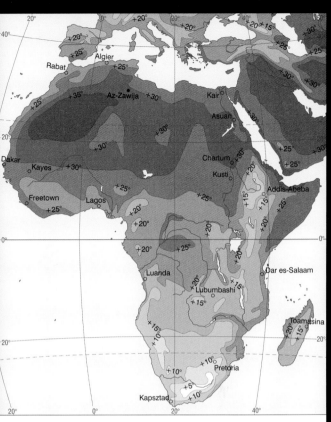

Temperatura powietrza w lipcu

+5   +10   +15   +20   +25   +30   +35   °C

Najwyższa zmierzona temperatura powietrza: Az-Zawija (Libia) +58°C

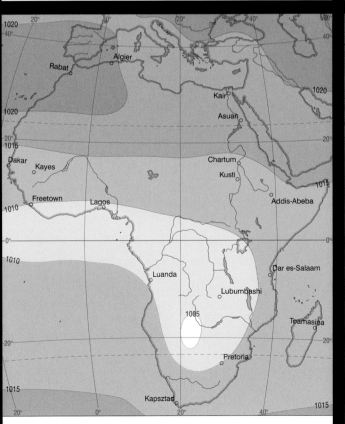

Ciśnienie atmosferyczne w styczniu

1005   1010   1015   1020   hPa

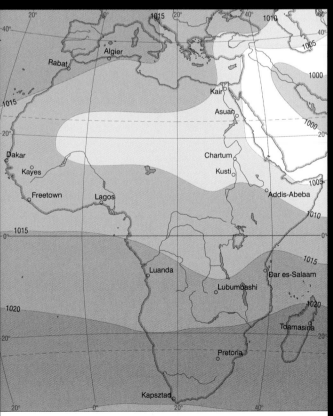

Ciśnienie atmosferyczne w lipcu

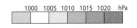

1000   1005   1010   1015   1020   hPa

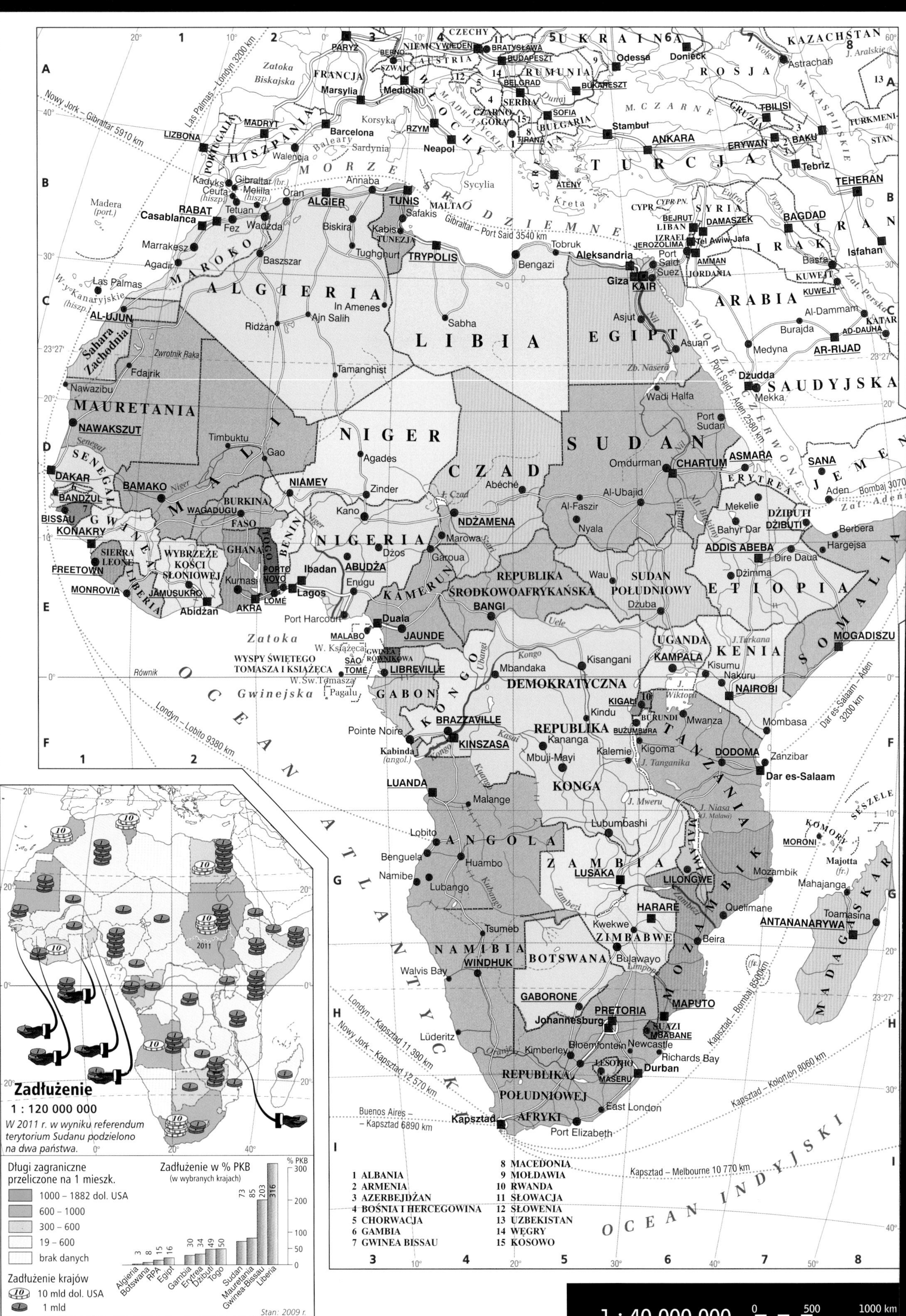
MAROKO
ALGIERIA
TUNEZJA
LIBIA
EGIPT
Sahara Zachodnia
MAURETANIA
MALI
NIGER
CZAD
SUDAN
SUDAN POŁUDNIOWY
ERYTREA
DŻIBUTI
ETIOPIA
SOMALIA
SENEGAL
GAMBIA
GWINEA BISSAU
GWINEA
SIERRA LEONE
LIBERIA
WYBRZEŻE KOŚCI SŁONIOWEJ
BURKINA FASO
GHANA
TOGO
BENIN
NIGERIA
KAMERUN
REPUBLIKA ŚRODKOWOAFRYKAŃSKA
GWINEA RÓWNIKOWA
WYSPY ŚWIĘTEGO TOMASZA I KSIĄŻĘCA
GABON
KONGO
DEMOKRATYCZNA REPUBLIKA KONGA
UGANDA
KENIA
RWANDA
BURUNDI
TANZANIA
ANGOLA
ZAMBIA
MALAWI
MOZAMBIK
ZIMBABWE
NAMIBIA
BOTSWANA
REPUBLIKA POŁUDNIOWEJ AFRYKI
SUAZI
LESOTHO
MADAGASKAR
KOMORY
SESZELE
HISZPANIA
PORTUGALIA
FRANCJA
WŁOCHY
TURCJA
ROSJA
UKRAINA
IRAK
IRAN
ARABIA SAUDYJSKA
JEMEN
SYRIA
JORDANIA
KAZACHSTAN
TURKMENISTAN
GRUZJA
GRECJA
CZECHY
NIEMCY
AUSTRIA
SZWAJCARIA
RUMUNIA
BUŁGARIA
SERBIA
CZARNOGÓRA
CYPR
LIBAN
IZRAEL
KUWEJT
KATAR
MORZE ŚRÓDZIEMNE
MORZE CZERWONE
M. CZARNE
M. KASPIJSKIE
OCEAN ATLANTYCKI
OCEAN INDYJSKI
Zatoka Gwinejska
Zatoka Biskajska
Zat. Adeńska
Zat. Perska
Nowy Jork – Gibraltar 5910 km
Las Palmas – Londyn 3200 km
Gibraltar – Port Said 3540 km
Port Said – Aden 2580 km
Londyn – Lobito 9380 km
Dar es-Salaam – Aden 3200 km
Londyn – Kapsztad 11 390 km
Nowy Jork – Kapsztad 12 570 km
Kapsztad – Bombaj 8500 km
Kapsztad – Kolombo 8060 km
Buenos Aires – – Kapsztad 6890 km
Kapsztad – Melbourne 10 770 km
1 ALBANIA
2 ARMENIA
3 AZERBEJDŻAN
4 BOŚNIA I HERCEGOWINA
5 CHORWACJA
6 GAMBIA
7 GWINEA BISSAU
8 MACEDONIA
9 MOŁDAWIA
10 RWANDA
11 SŁOWACJA
12 SŁOWENIA
13 UZBEKISTAN
14 WĘGRY
15 KOSOWO
Zadłużenie
1 : 120 000 000
W 2011 r. w wyniku referendum terytorium Sudanu podzielono na dwa państwa.
Długi zagraniczne przeliczone na 1 mieszk.
1000 – 1882 dol. USA
600 – 1000
300 – 600
19 – 600
brak danych
Zadłużenie krajów
10 mld dol. USA
1 mld
Zadłużenie w % PKB (w wybranych krajach)
% PKB
Algieria 3
Botswana 8
RPA 15
Egipt 16
Gambia 30
Erytrea 34
Dżibuti 39
Togo 50
Sudan 73
Mauretania 85
Gwinea-Bissau 203
Liberia 316
Stan: 2009 r.
1 : 40 000 000
0 500 1000 km

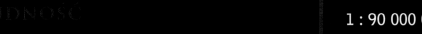
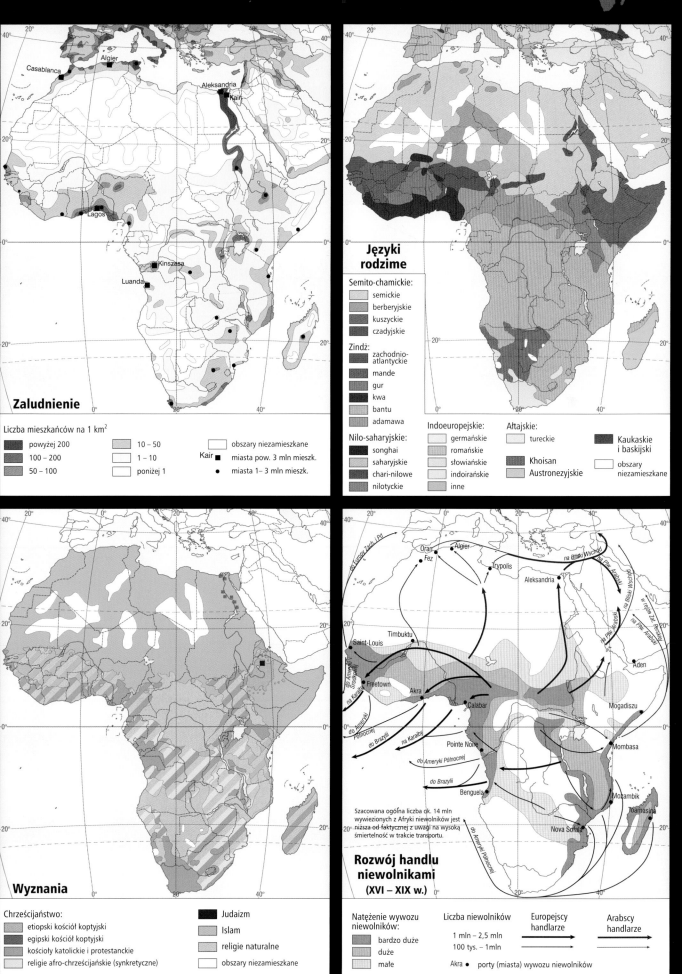

Zaludnienie

Liczba mieszkańców na 1 km²

- powyżej 200
- 100 – 200
- 50 – 100
- 10 – 50
- 1 – 10
- poniżej 1
- obszary niezamieszkane
- Kair ■ miasta pow. 3 mln mieszk.
- ● miasta 1– 3 mln mieszk.

Języki rodzime

Semito-chamickie:
- semickie
- berberyjskie
- kuszyckie
- czadyjskie

Zindż:
- zachodnio-atlantyckie
- mande
- gur
- kwa
- bantu
- adamawa

Nilo-saharyjskie:
- songhai
- saharyjskie
- chari-nilowe
- nilotyckie

Indoeuropejskie:
- germańskie
- romańskie
- słowiańskie
- indoirańskie
- inne

Ałtajskie:
- tureckie

- Khoisan
- Austronezyjskie

- Kaukaskie i baskijski
- obszary niezamieszkane

Wyznania

Chrześcijaństwo:
- etiopski kościół koptyjski
- egipski kościół koptyjski
- kościoły katolickie i protestanckie
- religie afro-chrześcijańskie (synkretyczne)

- Judaizm
- Islam
- religie naturalne
- obszary niezamieszkane

Rozwój handlu niewolnikami
(XVI – XIX w.)

Szacowana ogólna liczba ok. 14 mln wywiezionych z Afryki niewolników jest niższa od faktycznej z uwagi na wysoką śmiertelność w trakcie transportu.

Natężenie wywozu niewolników:
- bardzo duże
- duże
- małe

Liczba niewolników
- 1 mln – 2,5 mln
- 100 tys. – 1mln

Europejscy handlarze →

Arabscy handlarze →

Akra ● porty (miasta) wywozu niewolników

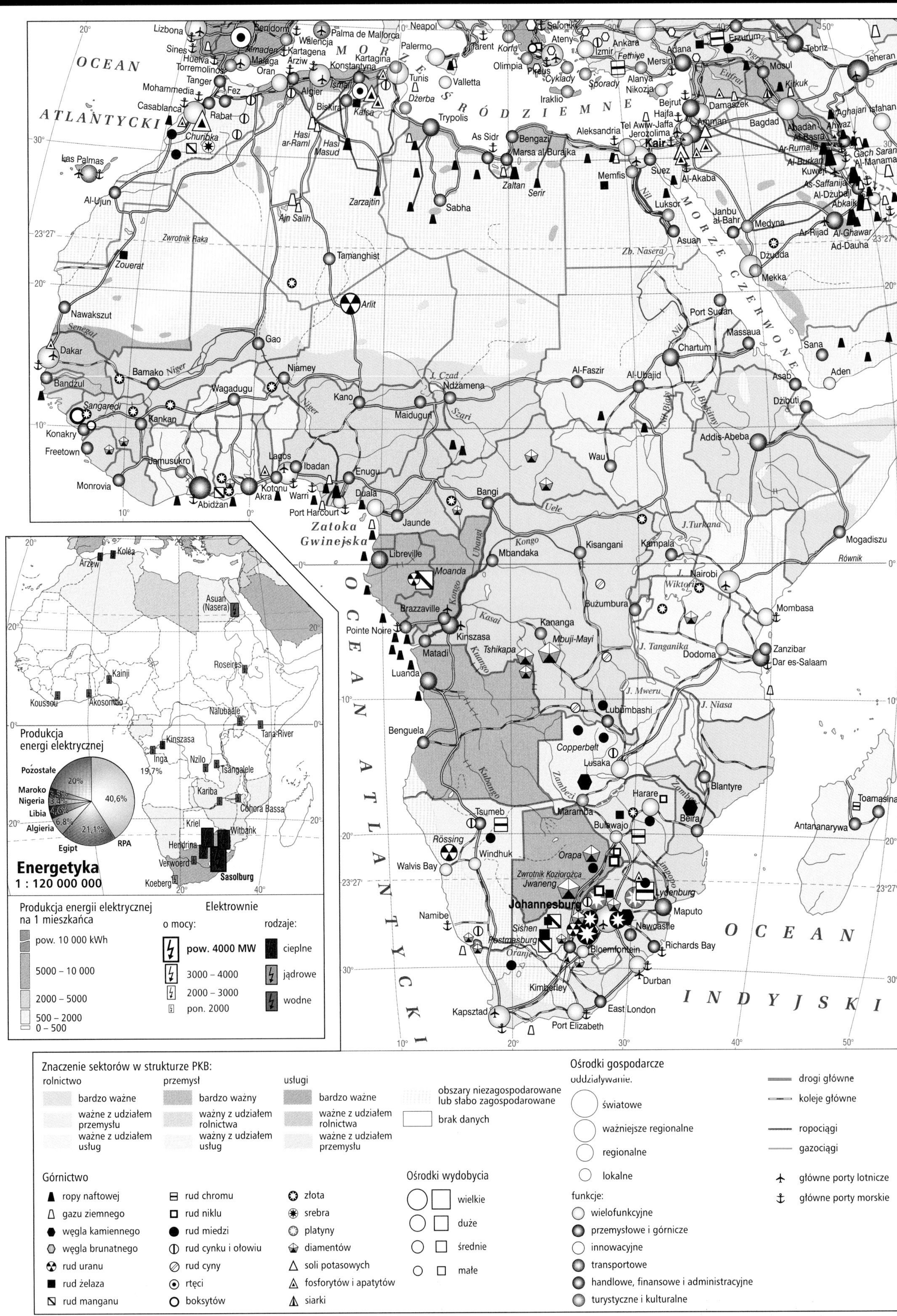

Produkcja energii elektrycznej

Pozostałe 20%
Maroko
Nigeria
Libia 4,6%
Algieria 6,8%
19,7%
40,6%
21,1%
Egipt
RPA

Energetyka
1 : 120 000 000

Produkcja energii elektrycznej na 1 mieszkańca

	pow. 10 000 kWh
	5000 – 10 000
	2000 – 5000
	500 – 2000
	0 – 500

Elektrownie

o mocy:
- pow. 4000 MW
- 3000 – 4000
- 2000 – 3000
- pon. 2000

rodzaje:
- cieplne
- jądrowe
- wodne

Znaczenie sektorów w strukturze PKB:

rolnictwo
- bardzo ważne
- ważne z udziałem przemysłu
- ważne z udziałem usług

przemysł
- bardzo ważny
- ważny z udziałem rolnictwa
- ważny z udziałem usług

usługi
- bardzo ważne
- ważne z udziałem rolnictwa
- ważne z udziałem przemysłu

- obszary niezagospodarowane lub słabo zagospodarowane
- brak danych

Górnictwo

- ropy naftowej
- gazu ziemnego
- węgla kamiennego
- węgla brunatnego
- rud uranu
- rud żelaza
- rud manganu
- rud chromu
- rud niklu
- rud miedzi
- rud cynku i ołowiu
- rud cyny
- rtęci
- boksytów
- złota
- srebra
- platyny
- diamentów
- soli potasowych
- fosforytów i apatytów
- siarki

Ośrodki wydobycia

◯ ▢	wielkie
◯ ▢	duże
◯ ▢	średnie
◯ ▢	małe

Ośrodki gospodarcze

oddziaływanie:
- światowe
- ważniejsze regionalne
- regionalne
- lokalne

funkcje:
- wielofunkcyjne
- przemysłowe i górnicze
- innowacyjne
- transportowe
- handlowe, finansowe i administracyjne
- turystyczne i kulturalne

- drogi główne
- koleje główne
- ropociągi
- gazociągi
- główne porty lotnicze
- główne porty morskie

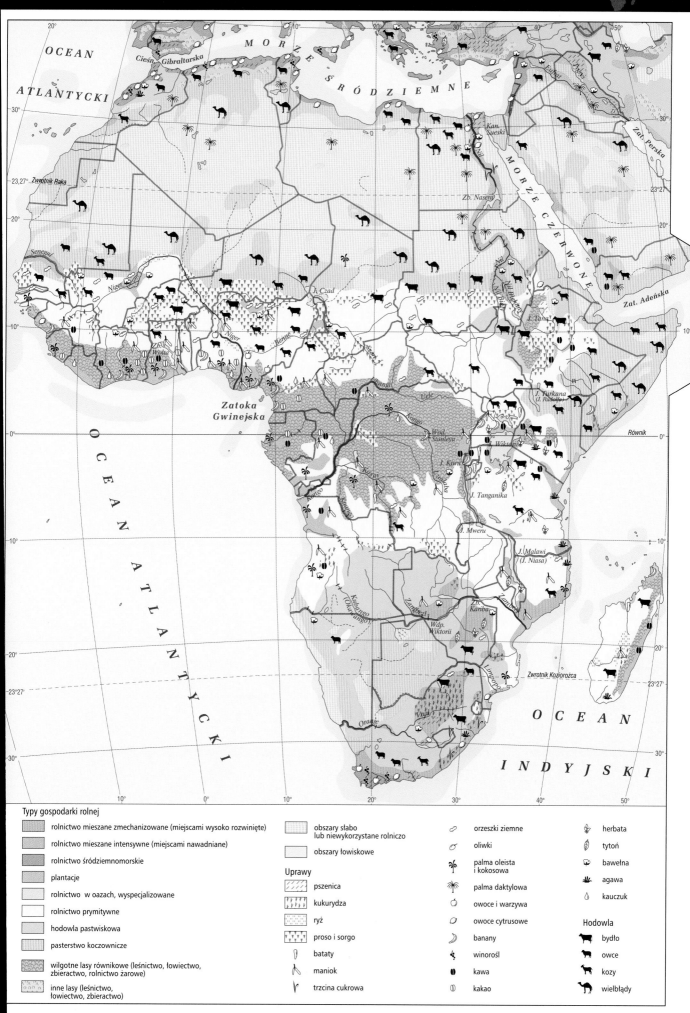

Typy gospodarki rolnej

- rolnictwo mieszane zmechanizowane (miejscami wysoko rozwinięte)
- rolnictwo mieszane intensywne (miejscami nawadniane)
- rolnictwo śródziemnomorskie
- plantacje
- rolnictwo w oazach, wyspecjalizowane
- rolnictwo prymitywne
- hodowla pastwiskowa
- pasterstwo koczownicze
- wilgotne lasy równikowe (leśnictwo, łowiectwo, zbieractwo, rolnictwo żarowe)
- inne lasy (leśnictwo, łowiectwo, zbieractwo)

- obszary słabo lub niewykorzystane rolniczo
- obszary łowiskowe

Uprawy

- pszenica
- kukurydza
- ryż
- proso i sorgo
- bataty
- maniok
- trzcina cukrowa

- orzeszki ziemne
- oliwki
- palma oleista i kokosowa
- palma daktylowa
- owoce i warzywa
- owoce cytrusowe
- banany
- winorośl
- kawa
- kakao

- herbata
- tytoń
- bawełna
- agawa
- kauczuk

Hodowla

- bydło
- owce
- kozy
- wielbłądy

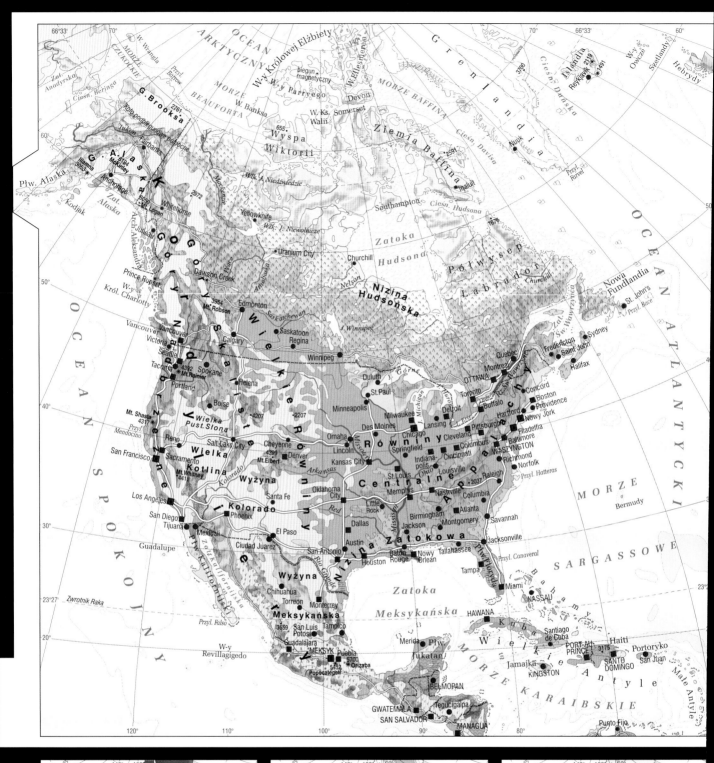

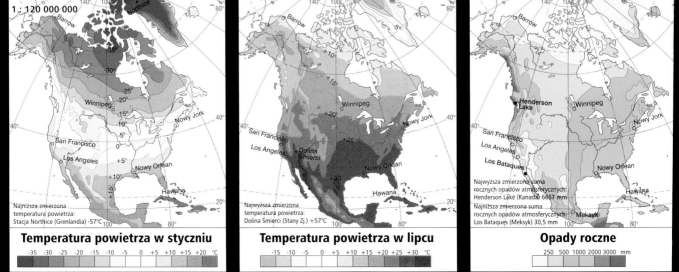

Temperatura powietrza w styczniu

Najniższa zmierzona temperatura powietrza: Stacja Northice (Grenlandia) -57°C

-35 -30 -25 -20 -15 -10 -5 0 +5 +10 +15 +20 °C

Temperatura powietrza w lipcu

Najwyższa zmierzona temperatura powietrza: Dolina Śmierci (Stany Zj.) +57°C

-15 -10 -5 0 +5 +10 +15 +20 +25 +30 °C

Opady roczne

Najwyższa zmierzona suma rocznych opadów atmosferycznych: Henderson Lake (Kanada) 6657 mm
Najniższa zmierzona suma rocznych opadów atmosferycznych: Los Bataques (Meksyk) 30,5 mm

250 500 1000 2000 3000 mm

1 : 120 000 000

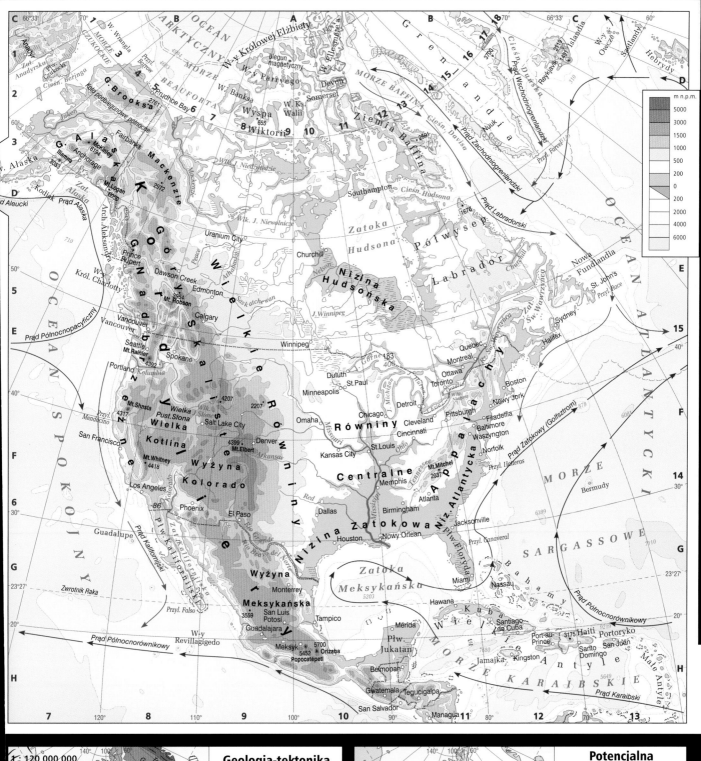

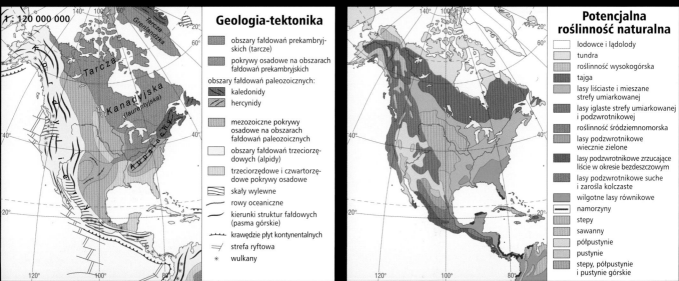

Geologia-tektonika

- obszary fałdowań prekambryjskich (tarcze)
- pokrywy osadowe na obszarach fałdowań prekambryjskich

obszary fałdowań paleozoicznych:
- kaledonidy
- hercynidy

- mezozoiczne pokrywy osadowe na obszarach fałdowań paleozoicznych
- obszary fałdowań trzeciorzędowych (alpidy)
- trzeciorzędowe i czwartorzędowe pokrywy osadowe
- skały wylewne
- rowy oceaniczne
- kierunki struktur fałdowych (pasma górskie)
- krawędzie płyt kontynentalnych
- strefa ryftowa
- * wulkany

Potencjalna roślinność naturalna

- lodowce i lądolody
- tundra
- roślinność wysokogórska
- tajga
- lasy liściaste i mieszane strefy umiarkowanej
- lasy iglaste strefy umiarkowanej i podzwrotnikowej
- roślinność śródziemnomorska
- lasy podzwrotnikowe wiecznie zielone
- lasy podzwrotnikowe zrzucające liście w okresie bezdeszczowym
- lasy podzwrotnikowe suche i zarośla kolczaste
- wilgotne lasy równikowe
- namorzyny
- stepy
- sawanny
- półpustynie
- pustynie
- stepy, półpustynie i pustynie górskie

Jednostki podziału administracyjnego:

STANY ZJEDNOCZONE:
1 CONNECTICUT
2 DELAWARE
3 DYSTRYKT KOLUMBII
4 MAINE
5 MARYLAND
6 MASSACHUSETTS
7 NEW HAMPSHIRE
8 NEW JERSEY
9 PENSYLWANIA
10 RHODE ISLAND
11 VERMONT
12 WIRGINIA ZACHODNIA

KANADA:
13 NOWY BRUNSZWIK

A. — Annapolis

Hawaje
1 : 20 000 000

1 : 40 000 000
0   500   1000 km

1 : 90 000 000

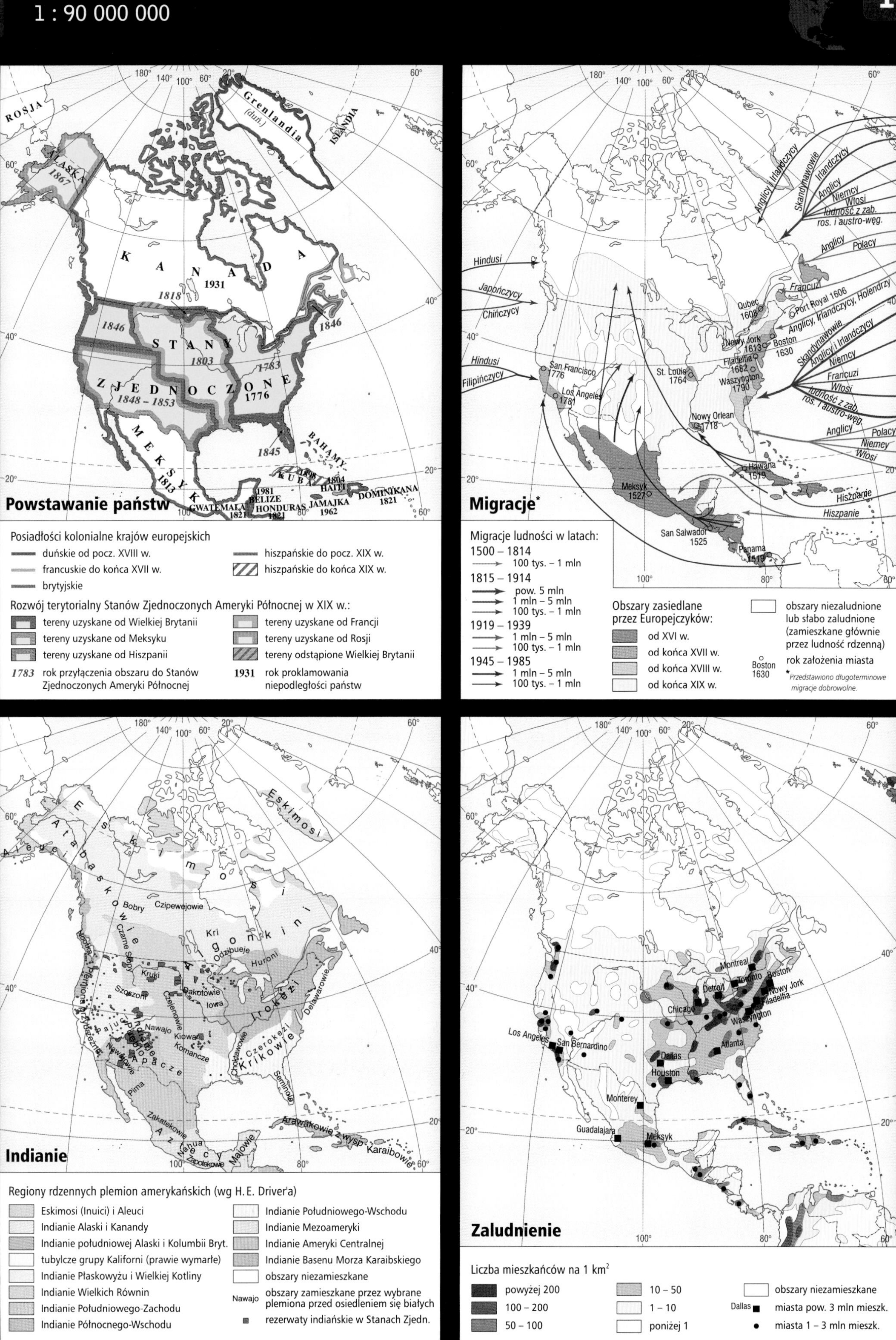

Powstawanie państw

Posiadłości kolonialne krajów europejskich

— duńskie od pocz. XVIII w.
— francuskie do końca XVII w.
— brytyjskie
▨ hiszpańskie do pocz. XIX w.
▨ hiszpańskie do końca XIX w.

Rozwój terytorialny Stanów Zjednoczonych Ameryki Północnej w XIX w.:

■ tereny uzyskane od Wielkiej Brytanii
■ tereny uzyskane od Meksyku
■ tereny uzyskane od Hiszpanii
■ tereny uzyskane od Francji
■ tereny uzyskane od Rosji
▨ tereny odstąpione Wielkiej Brytanii

1783 rok przyłączenia obszaru do Stanów Zjednoczonych Ameryki Północnej

1931 rok proklamowania niepodległości państw

Migracje*

Migracje ludności w latach:

1500 – 1814
→ 100 tys. – 1 mln

1815 – 1914
→ pow. 5 mln
→ 1 mln – 5 mln
→ 100 tys. – 1 mln

1919 – 1939
→ 1 mln – 5 mln
→ 100 tys. – 1 mln

1945 – 1985
→ 1 mln – 5 mln
→ 100 tys. – 1 mln

Obszary zasiedlane przez Europejczyków:

■ od XVI w.
■ od końca XVII w.
■ od końca XVIII w.
□ od końca XIX w.

□ obszary niezaludnione lub słabo zaludnione (zamieszkane głównie przez ludność rdzenną)

Boston 1630 rok założenia miasta

*Przedstawiono długoterminowe migracje dobrowolne.

Indianie

Regiony rdzennych plemion amerykańskich (wg H. E. Driver'a)

■ Eskimosi (Inuici) i Aleuci
■ Indianie Alaski i Kanandy
■ Indianie południowej Alaski i Kolumbii Bryt.
□ tubylcze grupy Kalifornii (prawie wymarłe)
■ Indianie Płaskowyżu i Wielkiej Kotliny
■ Indianie Wielkich Równin
■ Indianie Południowo-Zachodu
■ Indianie Północnego-Wschodu

■ Indianie Południowego-Wschodu
■ Indianie Mezoameryki
▨ Indianie Ameryki Centralnej
▨ Indianie Basenu Morza Karaibskiego
□ obszary niezamieszkane

Nawajo obszary zamieszkane przez wybrane plemiona przed osiedleniem się białych

■ rezerwaty indiańskie w Stanach Zjedn.

Zaludnienie

Liczba mieszkańców na 1 km²

■ powyżej 200
■ 100 – 200
■ 50 – 100
■ 10 – 50
□ 1 – 10
□ poniżej 1
□ obszary niezamieszkane

Dallas ■ miasta pow. 3 mln mieszk.
● miasta 1 – 3 mln mieszk.

Ameryka Północna GOSPODARKA

Ośrodki gospodarcze

oddziaływanie:
- światowe
- ważniejsze regionalne
- regionalne
- lokalne

funkcje:
- wielofunkcyjne
- przemysłowe i górnicze
- innowacyjne
- transportowe
- handlowe, finansowe i administracyjne
- turystyczne i kulturalne

Górnictwo
- ropy naftowej
- gazu ziemnego
- węgla kamiennego
- węgla brunatnego
- rud uranu
- rud żelaza
- rud manganu
- rud niklu
- rud miedzi
- rud cynku i ołowiu
- rtęci
- boksytów
- złota
- srebra
- platyny
- soli potasowych
- fosforytów i apatytów
- siarki

Ośrodki wydobycia
- wielkie
- duże
- średnie
- małe

- drogi główne
- koleje główne
- ropociągi
- gazociągi
- główne porty lotnicze
- główne porty morskie

Znaczenie sektorów w strukturze PKB:

rolnictwo
- ważne z udziałem usług

przemysł
- bardzo ważny
- ważny z udziałem rolnictwa
- ważny z udziałem usług

usługi
- bardzo ważne
- ważne z udziałem rolnictwa
- ważne z udziałem przemysłu

- obszary niezagospodarowane lub słabo zagospodarowane

OCEAN ARKTYCZNY · MORZE CZUKOCKIE · M. BERINGA · MORZE BEAUFORTA · MORZE BAFFINA · Zatoka Hudsona · Zat. Alaska · OCEAN SPOKOJNY · MORZE SARGASSOWE · Zatoka Meksykańska · MORZE KARAIBSKIE · Koło podbiegunowe północne · Zwrotnik Raka

Prudhoe Bay · Fairbanks · Anchorage · Jukon · Whitehorse · Juneau · Mackenzie · Wlk. J. Niedźwiedzie · Yellowknife · Wlk. J. Niewolnicze · Uranium City · Peace · Athabaska · Prince Rupert · Edmonton · Saskatchewan · Nelson · J. Winnipeg · Churchill · Vancouver · Calgary · Seattle · Spokane · Regina · Winnipeg · Thunder Bay · Mesabi · J. Górne · Sudbury · Québec · Montreal · Saint John · Halifax · Labrador City · Sept-Iles · Port Cartier · St. John's · Coeur d'Alene · Williston · Portland · Duluth · St. Paul · Minneapolis · Michigan · Huron · Ontario · Toronto · Kanata · Rochester · Droga 128 · Boston · Nowy Jork · Carlin Eureka · Milwaukee · Detroit · Cleveland · Pittsburgh · Filadelfia · Waszyngton · Newport News · Norfolk · Omaha · Chicago · Columbus · Cincinnati · Salt Lake City · Reno · San Francisco · Dolina Krzemowa · Las Vegas · Denver · Colorado Springs · Arkansas · Kansas City · Missouri · Saint Louis · Ohio · Z. Wewn. Zach. · Z. Appalaskie · Nashville · Tennessee · Durham · Wichita · Memphis · Huntsville · Charlotte · Atlanta · Savannah · San Juan · Panhandle · Kolorado · Los Angeles · Orange County · San Diego · Albuquerque · Phoenix · Tucson · Tijuana · El Paso · Midland · Dallas · Red · Monroe · Mississippi · Ciudad Juárez · San Antonio · Houston · Port Arthur · Nowy Orlean · Tampa · Miami · Freeport · Nassau · Rio Grande · Rio Bravo del Norte · Guaymas · Chihuahua · Corpus Christi · Monterrey · Torreón · Mazatlán · Zacatecas · Tampico · Hawana · Mérida · Cancún · Puerto Vallarta · Guadalajara · Chicontepec · Meksyk · Veracruz · Coatzacoalcos · Acapulco · Santiago de Cuba · Kirkvine · Kingston · Port-au-Prince · Santo Domingo · Gwatemala · Tegucigalpa · Managua · Willemstad

Przewozy towarów koleją

mld tonokilometrów; 2008, 1999; Stany Zjedn., Kanada, Meksyk, Kuba

Bahamy, Belize, Haiti, Portoryko nie posiadają linii kolejowych

Liczba samochodów osobowych w użyciu (mln szt.; 2008, 1999): Stany Zjedn., Meksyk, Kanada, Portoryko, Gwatemala, Dominikana

Liczba osób na 1 samochód: Kanada 1,7; Stany Zjednoczone 1,2; Meksyk 4,5; Bahamy 12,2; Kuba 26,3; Haiti 121; Jamajka 5,3; Belize 5,6; Dominikana 8,1; Gwatemala 8,5; Honduras 10,3; Salwador 11,9; Nikaragua 17,5; Panama 8,3; Kostaryka 7,6

Transport

Gęstość dróg utwardzonych km/100 km²
- pow. 100
- 25 – 100
- 5 – 25
- 1 – 5

6,9 liczba osób na 1 samochód

rzeki i jeziora wykorzystywane w transporcie towarów

Udział poszczególnych rodzajów transportu w przewozie towarów *
- żegluga śródlądowa
- lotniczy
- kolejowy
- samochodowy

* W Kanadzie, Stanach Zjedn., Meksyku

Lotniczy transport pasażerski na liniach:
- międzynarodowych
- wewnętrznych

(%) Antigua i Barbuda, Bahamy, Dominikana, Gwatemala, Jamajka, Kanada, Kostaryka, Kuba, Meksyk, Nikaragua, Panama, Salwador, St. Zjedn., Trynidad i Tobago

Energetyka

Produkcja energii elektrycznej na 1 mieszkańca
- pow. 10 000 kWh
- 5000 – 10 000
- 2000 – 5000
- 500 – 2000
- 0 – 500

Elektrownie o mocy:
- pow. 4000 MW
- 3000 – 4000
- 2000 – 3000
- pon. 2000

rodzaje:
- cieplne
- wodne
- jądrowe

Grand Coulee · La Grande · Churchill Falls · Bruce · Nanticoke · Darlington · Monroe · Princeton · Diablo Canyon · Palo Verde · San Onofre · Comanche Peak · Browns Ferry · Roxboro · South Texas Project · Tampa · Chicoasen · J. - Juliette · Tayl. - Taylorville

Produkcja energii elektrycznej na kontynentach: 3,1% Afryka; 6,5% Ameryka Pd.; 1,5% Australia i Oceania; 25,2% Europa; 25,1% Ameryka Pn.; 38,6% Azja

Globalna produkcja energii elektrycznej (mld MW): Stany Zjedn. 3713; Kanada 520

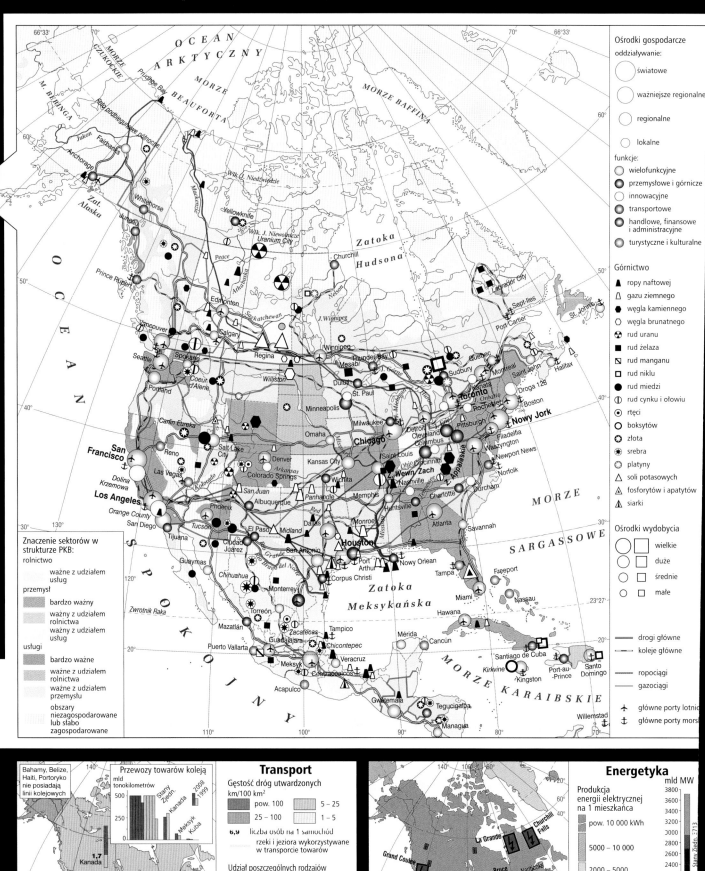

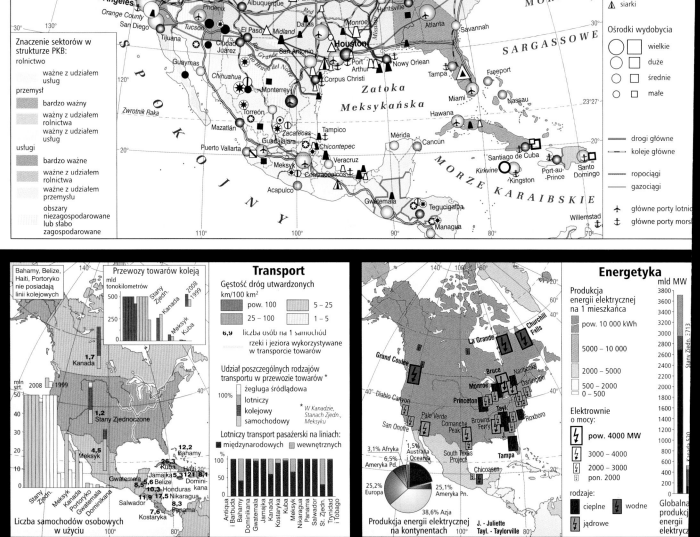

1 : 40 000 000

0 500 1000 km

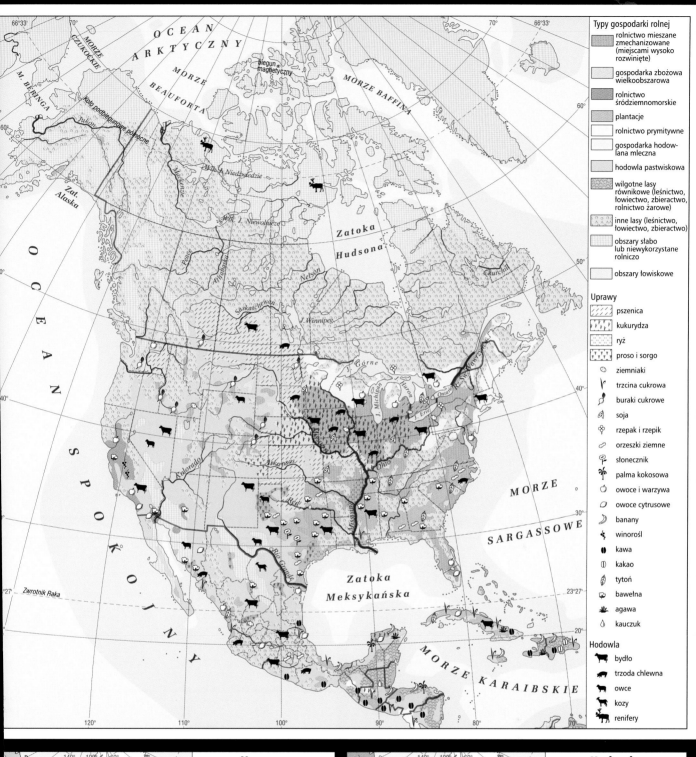

Typy gospodarki rolnej

- rolnictwo mieszane zmechanizowane (miejscami wysoko rozwinięte)
- gospodarka zbożowa wielkoobszarowa
- rolnictwo śródziemnomorskie
- plantacje
- rolnictwo prymitywne
- gospodarka hodowlana mleczna
- hodowla pastwiskowa
- wilgotne lasy równikowe (leśnictwo, łowiectwo, zbieractwo, rolnictwo żarowe)
- inne lasy (leśnictwo, łowiectwo, zbieractwo)
- obszary słabo lub niewykorzystane rolniczo
- obszary łowiskowe

Uprawy

- pszenica
- kukurydza
- ryż
- proso i sorgo
- ziemniaki
- trzcina cukrowa
- buraki cukrowe
- soja
- rzepak i rzepik
- orzeszki ziemne
- słonecznik
- palma kokosowa
- owoce i warzywa
- owoce cytrusowe
- banany
- winorośl
- kawa
- kakao
- tytoń
- bawełna
- agawa
- kauczuk

Hodowla

- bydło
- trzoda chlewna
- owce
- kozy
- renifery

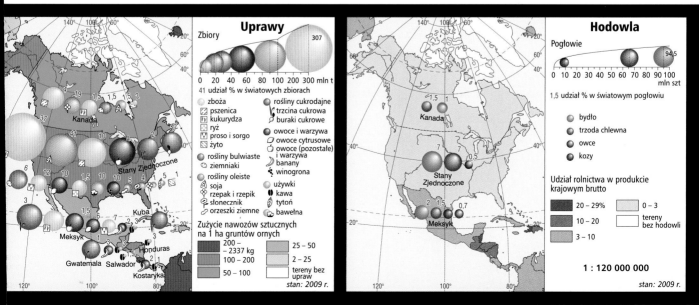

Uprawy

Zbiory

0 20 40 60 80 100 200 300 mln t

307

41 udział % w światowych zbiorach

- zboża
  - pszenica
  - kukurydza
  - ryż
  - proso i sorgo
  - żyto
- rośliny bulwiaste
  - ziemniaki
- rośliny oleiste
  - soja
  - rzepak i rzepik
  - słonecznik
  - orzeszki ziemne
- rośliny cukrodajne
  - trzcina cukrowa
  - buraki cukrowe
- owoce i warzywa
  - owoce cytrusowe
  - owoce (pozostałe) i warzywa
  - banany
  - winogrona
- używki
  - kawa
  - tytoń
  - bawełna

Kanada

Stany Zjednoczone

Kuba

Meksyk

Gwatemala Salwador Honduras

Kostaryka

Zużycie nawozów sztucznych na 1 ha gruntów ornych

- 200 – 2337 kg
- 100 – 200
- 50 – 100
- 25 – 50
- 2 – 25
- tereny bez upraw

stan: 2009 r.

Hodowla

Pogłowie

0 10 20 30 40 50 60 70 80 90 100 mln szt

94,5

1,5 udział % w światowym pogłowiu

- bydło
- trzoda chlewna
- owce
- kozy

Kanada

Stany Zjednoczone

Meksyk

Udział rolnictwa w produkcie krajowym brutto

- 20 – 29%
- 10 – 20
- 3 – 10
- 0 – 3
- tereny bez hodowli

1 : 120 000 000

stan: 2009 r.

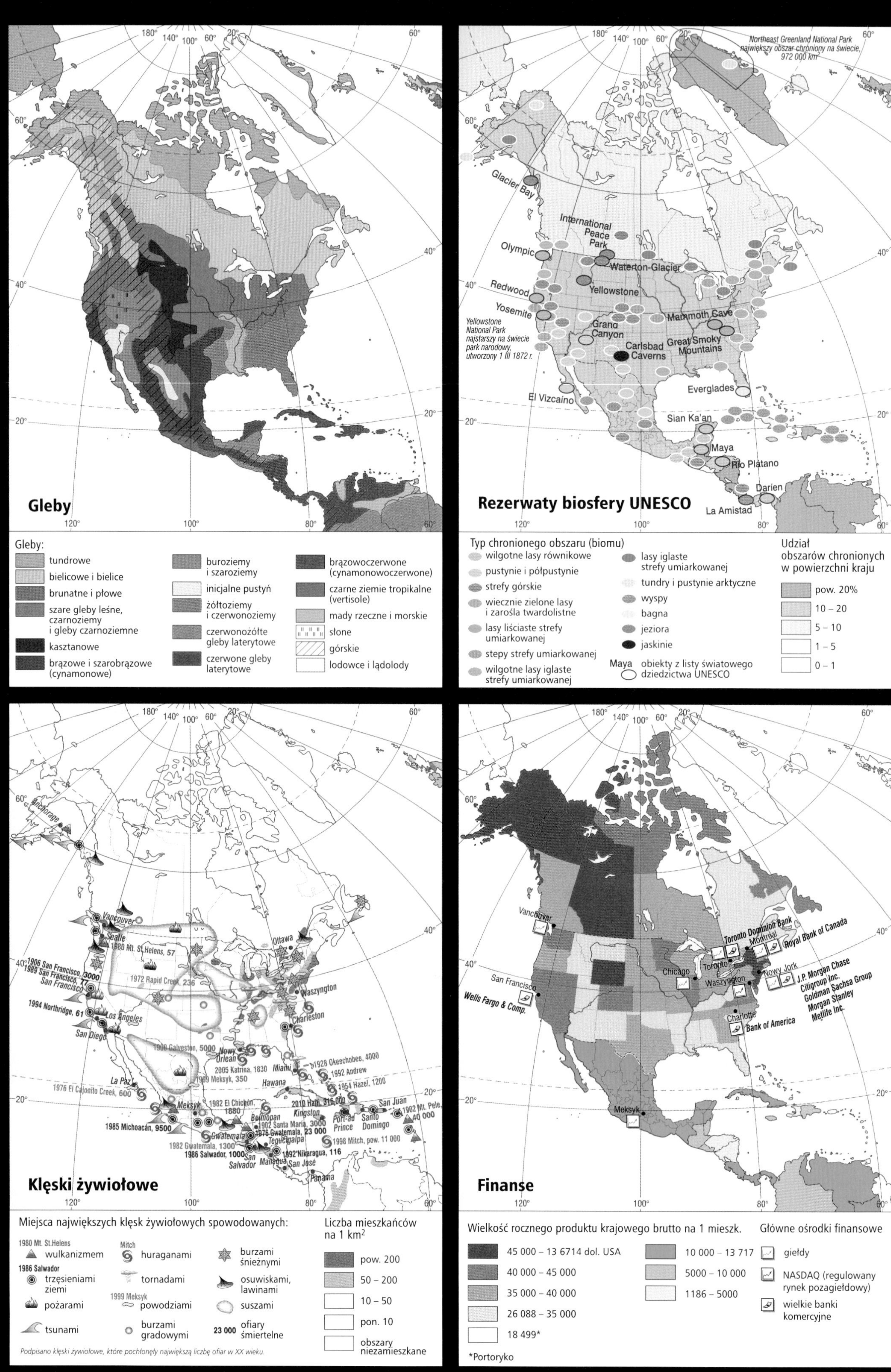

Gleby

Gleby:
- tundrowe
- bielicowe i bielice
- brunatne i płowe
- szare gleby leśne, czarnoziemy i gleby czarnoziemne
- kasztanowe
- brązowe i szarobrązowe (cynamonowe)
- buroziemy i szaroziemy
- inicjalne pustyń
- żółtoziemy i czerwonoziemy
- czerwonożółte gleby laterytowe
- czerwone gleby laterytowe
- brązowoczerwone (cynamonowoczerwone)
- czarne ziemie tropikalne (vertisole)
- mady rzeczne i morskie
- słone
- górskie
- lodowce i lądolody

Rezerwaty biosfery UNESCO

Yellowstone National Park najstarszy na świecie park narodowy, utworzony 1 III 1872 r.

Northeast Greenland National Park największy obszar chroniony na świecie, 972 000 km²

Glacier Bay, International Peace Park, Olympic, Waterton-Glacier, Redwood, Yellowstone, Yosemite, Mammoth Cave, Grand Canyon, Carlsbad Caverns, Great Smoky Mountains, El Vizcaíno, Everglades, Sian Ka'an, Maya, Río Plátano, Darién, La Amistad

Typ chronionego obszaru (biomu)
- wilgotne lasy równikowe
- pustynie i półpustynie
- strefy górskie
- wiecznie zielone lasy i zarośla twardolistne
- lasy liściaste strefy umiarkowanej
- stepy strefy umiarkowanej
- wilgotne lasy iglaste strefy umiarkowanej
- lasy iglaste strefy umiarkowanej
- tundry i pustynie arktyczne
- wyspy
- bagna
- jeziora
- jaskinie

Maya — obiekty z listy światowego dziedzictwa UNESCO

Udział obszarów chronionych w powierzchni kraju
- pow. 20%
- 10 – 20
- 5 – 10
- 1 – 5
- 0 – 1

Klęski żywiołowe

Andreanof, Vancouver, Seattle, 1880 Mt. St. Helens, 57, Ottawa, 1906 San Francisco, 3000, 1989 San Francisco, 77, San Francisco, 1972 Rapid Creek, 236, Waszyngton, 1994 Northridge, 61, Los Angeles, Charleston, San Diego, 1906 Galveston, 5000, Nowy Orlean, 2005 Katrina, 1830, Miami, 1928 Okeechobee, 4000, 1992 Andrew, La Paz, 1989 Meksyk, 350, Hawana, 1954 Hazel, 1200, 1976 El Cajonito Creek, 600, Meksyk, 1982 El Chichón, 1880, Belmopan, Kingston, Santo Domingo, San Juan, 1902 Mt. Pelée, 40 000, 1985 Michoacán, 9500, 1902 Santa María, 3000, Port-au-Prince, 2010 Haiti, 316 000, 1998 Mitch, pow. 11 000, Gwatemala, 1976 Gwatemala, 23 000, Tegucigalpa, 1982 Gwatemala, 1300, San Salvador, Managua, San José, 1986 Salwador, 1000, 1992 Nikaragua, 116, Panama

Miejsca największych klęsk żywiołowych spowodowanych:
- 1980 Mt. St. Helens — wulkanizmem
- 1986 Salwador — trzęsieniami ziemi
- pożarami
- tsunami
- Mitch — huraganami
- tornadami
- 1999 Meksyk — powodziami
- burzami gradowymi
- burzami śnieżnymi
- osuwiskami, lawinami
- suszami
- 23 000 — ofiary śmiertelne

Podpisano klęski żywiołowe, które pochłonęły największą liczbę ofiar w XX wieku.

Liczba mieszkańców na 1 km²
- pow. 200
- 50 – 200
- 10 – 50
- pon. 10
- obszary niezamieszkane

Finanse

Vancouver, Toronto Dominion Bank, Montréal, Royal Bank of Canada, Chicago, Toronto, Nowy Jork, J.P. Morgan Chase, San Francisco, Waszyngton, Citigroup Inc., Goldman Sachs Group, Morgan Stanley, Wells Fargo & Comp., MetLife Inc., Charlotte, Bank of America, Meksyk

Wielkość rocznego produktu krajowego brutto na 1 mieszk.
- 45 000 – 13 6714 dol. USA
- 40 000 – 45 000
- 35 000 – 40 000
- 26 088 – 35 000
- 18 499*
- 10 000 – 13 717
- 5000 – 10 000
- 1186 – 5000

*Portoryko

Główne ośrodki finansowe
- giełdy
- NASDAQ (regulowany rynek pozagiełdowy)
- wielkie banki komercyjne

1 : 30 000 000

0 500 1000 km

m n.p.m.: 5000, 3000, 1500, 1000, 500, 200, 100, 0, 200, 2000, 4000, 6000

A. – Annapolis

I Hawaje 1 : 30 000 000

Przemysły zaawansowanych technologii

1 : 55 000 000

Przemysły zaawansowanych technologii:
- elektronika i mikroelektronika
- przemysł lotniczy i kosmiczny
- przemysł chemiczny (biotechnologie i nowe tworzywa sztuczne
- przemysł zbrojeniowy

DROGA 128 główne obszary koncentracji przemysłu zaawansowanych technologii (technopolie)

Berkeley ▲ główne ośrodki badań naukowych

Nakłady na badania naukowe na 1 mieszk.:
- powyżej 500 dol. USA
- 200 – 500
- 150 – 200
- 100 – 150
- 67 – 100

średnie nakłady w Stanach Zj.: 181 dol. USA

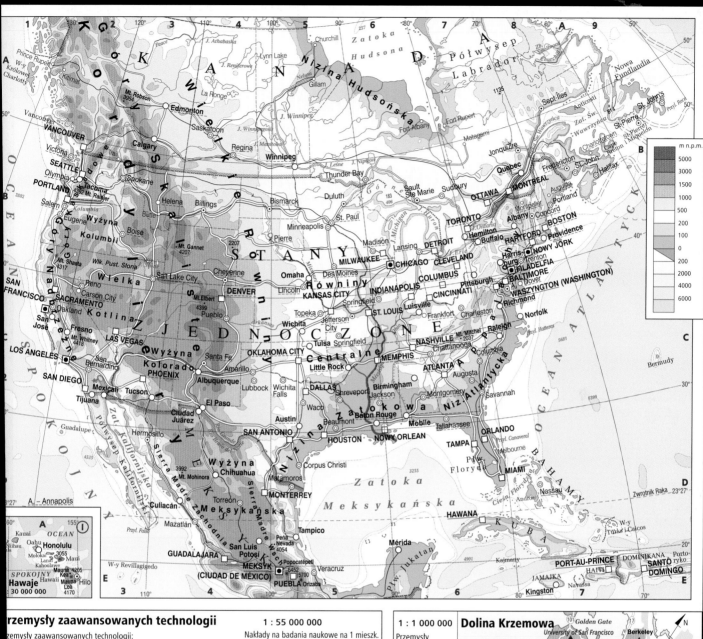

Dolina Krzemowa

1 : 1 000 000

Przemysły zaawansowanych technologii:
- biotechnologie
- internet
- komputery
- oprogramowanie
- półprzewodniki

Stanford University ▲ uniwersytety z zapleczem naukowym

Belmont - miejscowości tworzące Dolinę Krzemową

drogi międzystanowe

drogi federalne

drogi stanowe

lotniska

tereny zabudowane

tereny zielone

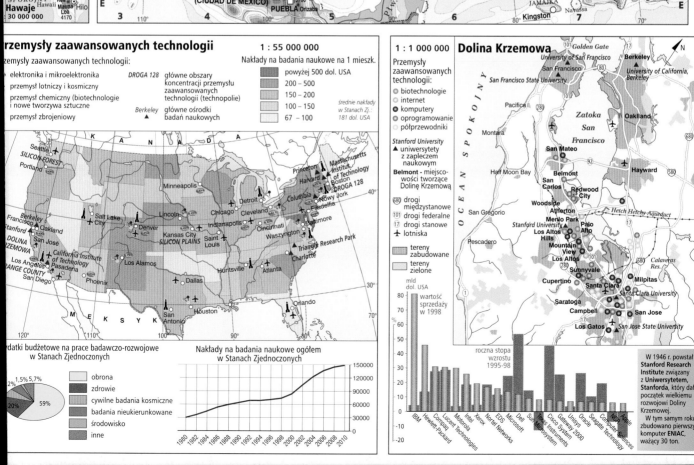

W 1946 r. powstał **Stanford Research Institute** związany z **Uniwersytetem Stanforda**, który dał początek wielkiemu rozwojowi Doliny Krzemowej.

W tym samym roku zbudowano pierwszy komputer **ENIAC**, ważący 30 ton.

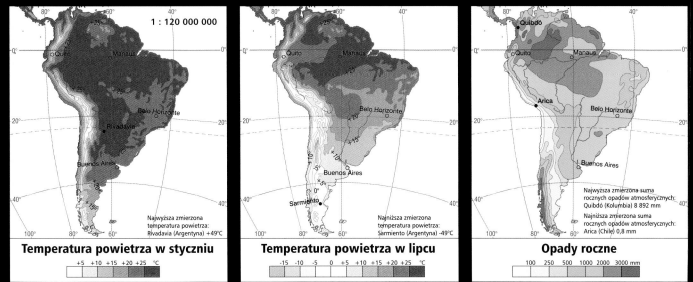

Temperatura powietrza w styczniu

Najwyższa zmierzona temperatura powietrza: Rivadavia (Argentyna) +49°C

+5 +10 +15 +20 +25 °C

Temperatura powietrza w lipcu

Najniższa zmierzona temperatura powietrza: Sarmiento (Argentyna) -49°C

-15 -10 -5 0 +5 +10 +15 +20 +25 °C

Opady roczne

Najwyższa zmierzona suma rocznych opadów atmosferycznych: Quibdó (Kolumbia) 8 892 mm

Najniższa zmierzona suma rocznych opadów atmosferycznych: Arica (Chile) 0,8 mm

100 250 500 1000 2000 3000 mm

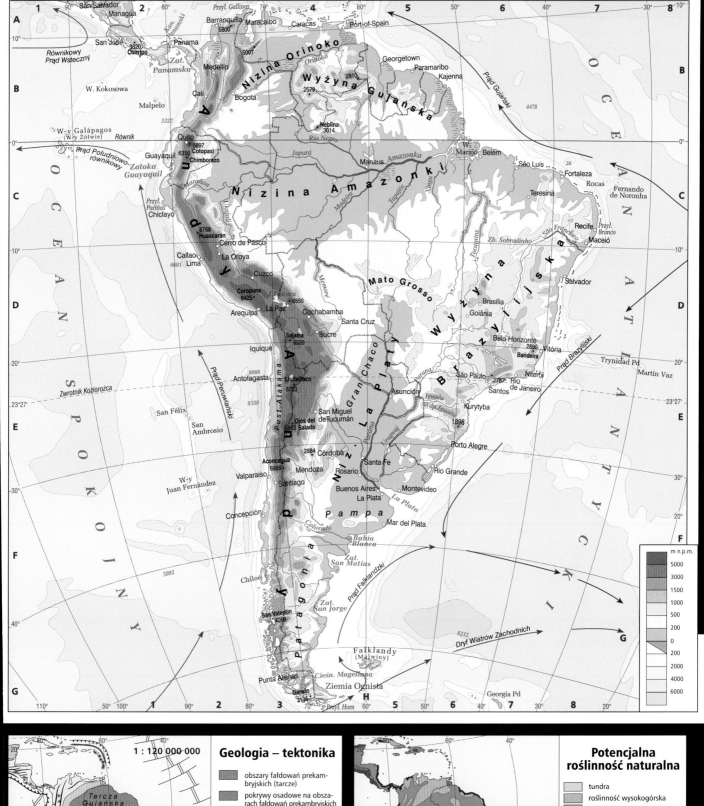

0   500   1000 km

Ocean Spokojny   **Ocean Atlantycki**

Równikowy Prąd Wsteczny

San Salvador   Managua   Przyl. Gallinas   Barranquilla   Maracaibo   Caracas   Port-of-Spain
San José   Panama   5800   Zat. Panamska
Chirripo 3820   5007
W. Kokosowa   Medellin   Cali   Bogota   Nizina Orinoko   Orinoko   Georgetown   Paramaribo   Kajenna
Malpelo   Wyżyna Gujańska   2810   Prąd Gujański
5327   2579   4478

W-y Galápagos (W-y Żółwie)   Równik   Quito   Neblina 3014   Rio Negro
Prąd Południowo-równikowy   Guayaquil   Cotopaxi 5897 6310   Chimborazo   Manaus   Amazonka   W. Marajó   Belém
Zatoka Guayaquil   Marañon   Nizina Amazonki   Madeira   Tapajós   Xingú   São Luís   26   Fortaleza   Rocas   Fernando de Noronha

Przyl. Pariñas   Chiclayo   Ucayali   Japurá   Teresina
Huascarán 6768   Cerro de Pasco   São Francisco   Recife   Przyl. Branco
Callao   La Oroya   Lima   6601   Madeira   Tocantins   Maceió
Cuzco   Mato Grosso   Memoré   Salvador
Coropuna 6425   Titicaca 6550   La Paz   Cochabamba   Santa Cruz   Brasília   Goiânia   Belo Horizonte
Arequipa   Sucre   Wyżyna Brazylijska   2890   Vitória
Iquique   Sajama 6520   Bandeira
8066   Gran Chaco   Paraná   São Paulo   2787 Rio de Janeiro
Antofagasta   Llullaillaco 6723   Asunción   Iguaçu   Santos   Niterói
8350   Pustynia Atakama   La Plata   Kurytyba   Trynidad Pd   Martin Vaz
San Félix   San Miguel de Tucumán   Ojos del Salado 6863   Wdp. Iguaçu 1898
San Ambrosio   2884   Córdoba   Porto Alegre   Prąd Brazylijski
Zwrotnik Koziorożca 23°27'   Aconcagua 6959   Mendoza   Rosario   Santa Fe   Rio Grande
W-y Juan Fernández   Valparaíso   Santiago   Buenos Aires   Montevideo
La Plata   La Plata   Mar del Plata
Concepción   Pampa   Colorado
Chiloé   Patagonia   Bahía Blanca   Zat. San Matías
5092   Zat. San Jorge
San Valentín 4058   Prąd Falklandzki
Punta Arenas   Cieśn. Magellana   Falklandy (Malwiny)   Dryf Wiatrów Zachodnich   6212
Darwin 2135   Ziemia Ognista   Georgia Pd
Przyl. Horn

Prąd Peruwiański

m n.p.m.	
5000	
3000	
1500	
1000	
500	
200	
0	
200	
2000	
4000	
6000	

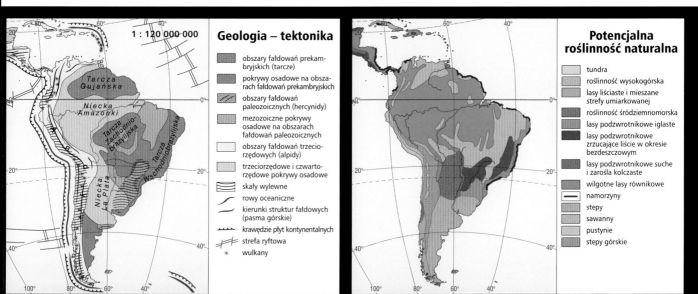

1 : 120 000 000

Geologia – tektonika

- obszary fałdowań prekambryjskich (tarcze)
- pokrywy osadowe na obszarach fałdowań prekambryjskich
- obszary fałdowań paleozoicznych (hercynidy)
- mezozoiczne pokrywy osadowe na obszarach fałdowań paleozoicznych
- obszary fałdowań trzeciorzędowych (alpidy)
- trzeciorzędowe i czwartorzędowe pokrywy osadowe
- skały wylewne
- rowy oceaniczne
- kierunki struktur fałdowych (pasma górskie)
- krawędzie płyt kontynentalnych
- strefa ryftowa
- * wulkany

Tarcza Gujańska   Niecka Amazonki   Tarcza Zachodnio-brazylijska   Tarcza Wschodniobrazylijska   Niecka La Plata

Potencjalna roślinność naturalna

- tundra
- roślinność wysokogórska
- lasy liściaste i mieszane strefy umiarkowanej
- roślinność śródziemnomorska
- lasy podzwrotnikowe iglaste
- lasy podzwrotnikowe zrzucające liście w okresie bezdeszczowym
- lasy podzwrotnikowe suche i zarośla kolczaste
- wilgotne lasy równikowe
- namorzyny
- stepy
- sawanny
- pustynie
- stepy górskie

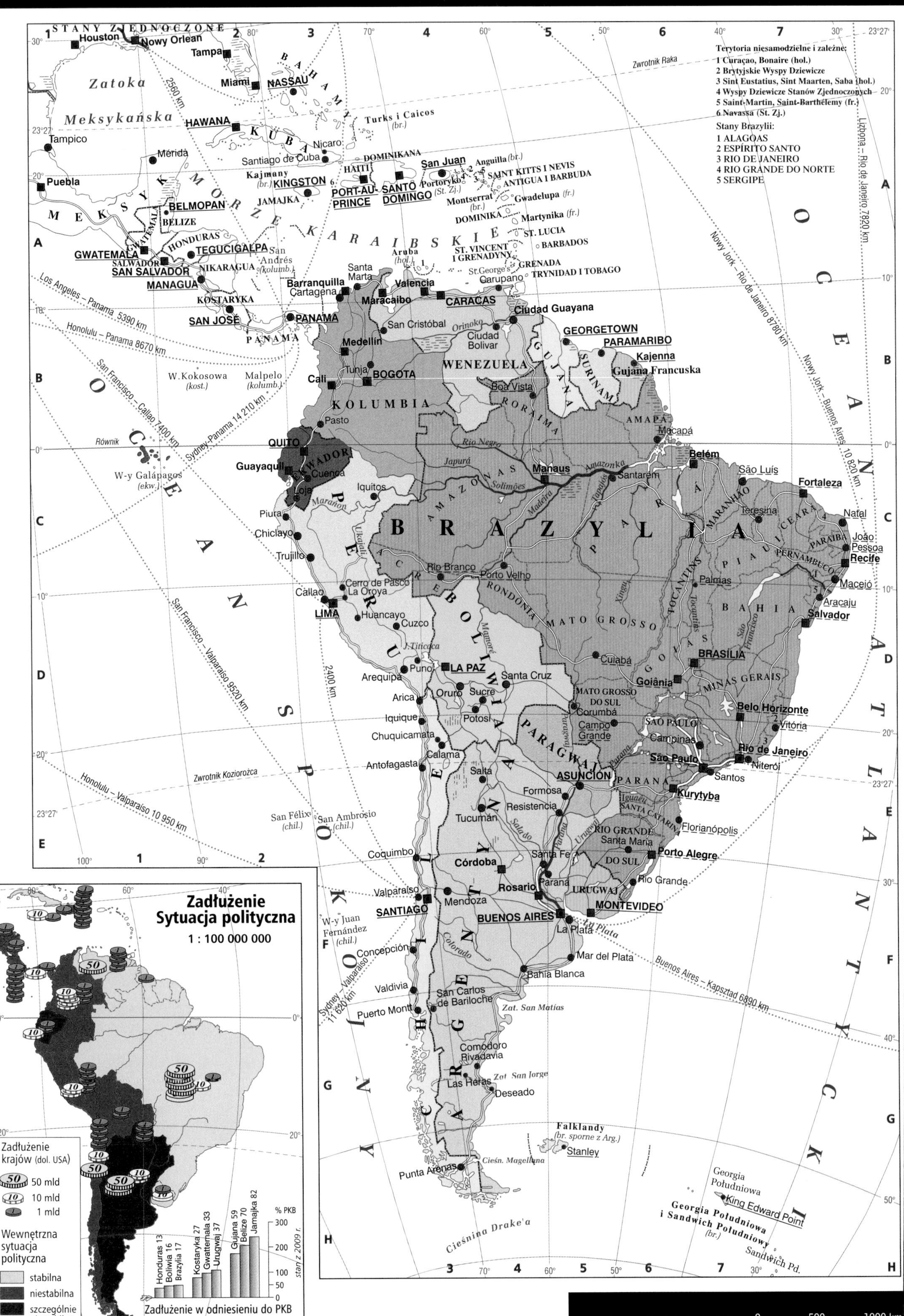

Terytoria niesamodzielne i zależne:
1 Curaçao, Bonaire (hol.)
2 Brytyjskie Wyspy Dziewicze
3 Sint Eustatius, Sint Maarten, Saba (hol.)
4 Wyspy Dziewicze Stanów Zjednoczonych
5 Saint-Martin, Saint-Barthélemy (fr.)
6 Navassa (St. Zj.)
Stany Brazylii:
1 ALAGOAS
2 ESPÍRITO SANTO
3 RIO DE JANEIRO
4 RIO GRANDE DO NORTE
5 SERGIPE
STANY ZJEDNOCZONE
Houston
Nowy Orlean
Tampa
Miami
NASSAU
BAHAMY
Zatoka Meksykańska
HAWANA
KUBA
Tampico
Mérida
Santiago de Cuba
Puebla
MEKSYK
Turks i Caicos (br.)
DOMINIKANA
HAITI
PORT-AU-PRINCE
SANTO DOMINGO
San Juan
Portoryko (St. Zj.)
Anguilla (br.)
SAINT KITTS I NEVIS
ANTIGUA I BARBUDA
Montserrat (br.)
Gwadelupa (fr.)
DOMINIKA
Martynika (fr.)
ST. LUCIA
BARBADOS
ST. VINCENT I GRENADYNY
GRENADA
St.George's
TRYNIDAD I TOBAGO
Kajmany (br.)
KINGSTON
JAMAJKA
BELMOPAN
BELIZE
GWATEMALA
HONDURAS
TEGUCIGALPA
SALWADOR
SAN SALVADOR
NIKARAGUA
MANAGUA
San Andrés (kolumb.)
KOSTARYKA
SAN JOSÉ
PANAMA
MORZE KARAIBSKIE
Aruba (hol.)
Los Angeles – Panama 5390 km
Honolulu – Panama 8670 km
San Francisco – Callao 7400 km
Sydney-Panama 14 210 km
2560 km
Barranquilla
Cartagena
Santa Marta
Maracaibo
Valencia
CARACAS
Carupano
Ciudad Guayana
San Cristóbal
Orinoko
Ciudad Bolívar
WENEZUELA
GEORGETOWN
GUJANA
PARAMARIBO
SURINAM
Kajenna
Gujana Francuska
Medellín
BOGOTA
Tunja
Cali
KOLUMBIA
Pasto
W.Kokosowa (kost.)
Malpelo (kolumb.)
Równik
QUITO
EKWADOR
Guayaquil
Cuenca
Loja
W-y Galápagos (ekw.)
Iquitos
Marañon
Piura
Chiclayo
Trujillo
PERU
Ucajali
Cerro de Pasco
La Oroya
Callao
LIMA
Huancayo
Cuzco
J.Titicaca
Puno
LA PAZ
Arequipa
Arica
BOLIWIA
Santa Cruz
Oruro
Sucre
Potosí
Iquique
Chuquicamata
Calama
Antofagasta
Zwrotnik Koziorożca
Zwrotnik Raka
Honolulu – Valparaiso 10 950 km
San Francisco – Valparaiso 9520 km
2400 km
San Félix (chil.)
San Ambrosio (chil.)
Boa Vista
RORAIMA
AMAPÁ
Macapá
Belém
Rio Negro
Japurá
AMAZONAS
Manaus
Amazonka
Solimões
Santarém
Tapajós
Madeira
São Luís
Fortaleza
MARANHÃO
Teresina
CEARÁ
Natal
PARAÍBA
João Pessoa
Recife
PERNAMBUCO
PIAUÍ
Maceió
Aracaju
Salvador
BAHIA
BRAZYLIA
PARÁ
ACRE
Rio Branco
Porto Velho
RONDÔNIA
MATO GROSSO
Xingu
TOCANTINS
Palmas
São Francisco
Cuiabá
GOIÁS
BRASÍLIA
Goiânia
MINAS GERAIS
Belo Horizonte
Vitória
MATO GROSSO DO SUL
Corumbá
Campo Grande
SÃO PAULO
Campinas
Rio de Janeiro
Niterói
São Paulo
Santos
PARAGWAJ
ASUNCIÓN
PARANÁ
Kurytyba
SANTA CATARINA
Florianópolis
RIO GRANDE DO SUL
Santa Maria
Porto Alegre
Rio Grande
URUGWAJ
MONTEVIDEO
Salta
Formosa
Resistencia
Tucumán
Coquimbo
Santa Fe
Córdoba
Paraná
Rosario
Valparaíso
SANTIAGO
Mendoza
BUENOS AIRES
La Plata
W-y Juan Fernández (chil.)
Concepción
Mar del Plata
Bahía Blanca
Colorado
Valdivia
San Carlos de Bariloche
Zat. San Matías
Puerto Montt
Sydney – Valparaíso 11 620 km
Comodoro Rivadavia
Zat. San Jorge
Las Heras
Deseado
ARGENTYNA
CHILE
Falklandy (br. sporne z Arg.)
Stanley
Cieśn. Magellana
Punta Arenas
Cieśnina Drake'a
Georgia Południowa
King Edward Point
Georgia Południowa i Sandwich Południowy (br.)
Sandwich Pd.
Lizbona – Rio de Janeiro 7820 km
Nowy Jork – Rio de Janeiro 8780 km
Nowy Jork – Buenos Aires 10 820 km
Buenos Aires – Kapsztad 6890 km
OCEAN SPOKOJNY
OCEAN ATLANTYCKI
Zadłużenie
Sytuacja polityczna
1 : 100 000 000
Zadłużenie krajów (dol. USA)
50 mld
10 mld
1 mld
Wewnętrzna sytuacja polityczna
stabilna
niestabilna
szczególnie niestabilna
Honduras 13
Boliwia 16
Brazylia 17
Kostaryka 27
Gwatemala 33
Urugwaj 37
Gujana 59
Belize 70
Jamajka 82
% PKB
stan z 2009 r.
Zadłużenie w odniesieniu do PKB
(w wybranych krajach)

1 : 40 000 000 — 0 — 500 — 1000 km

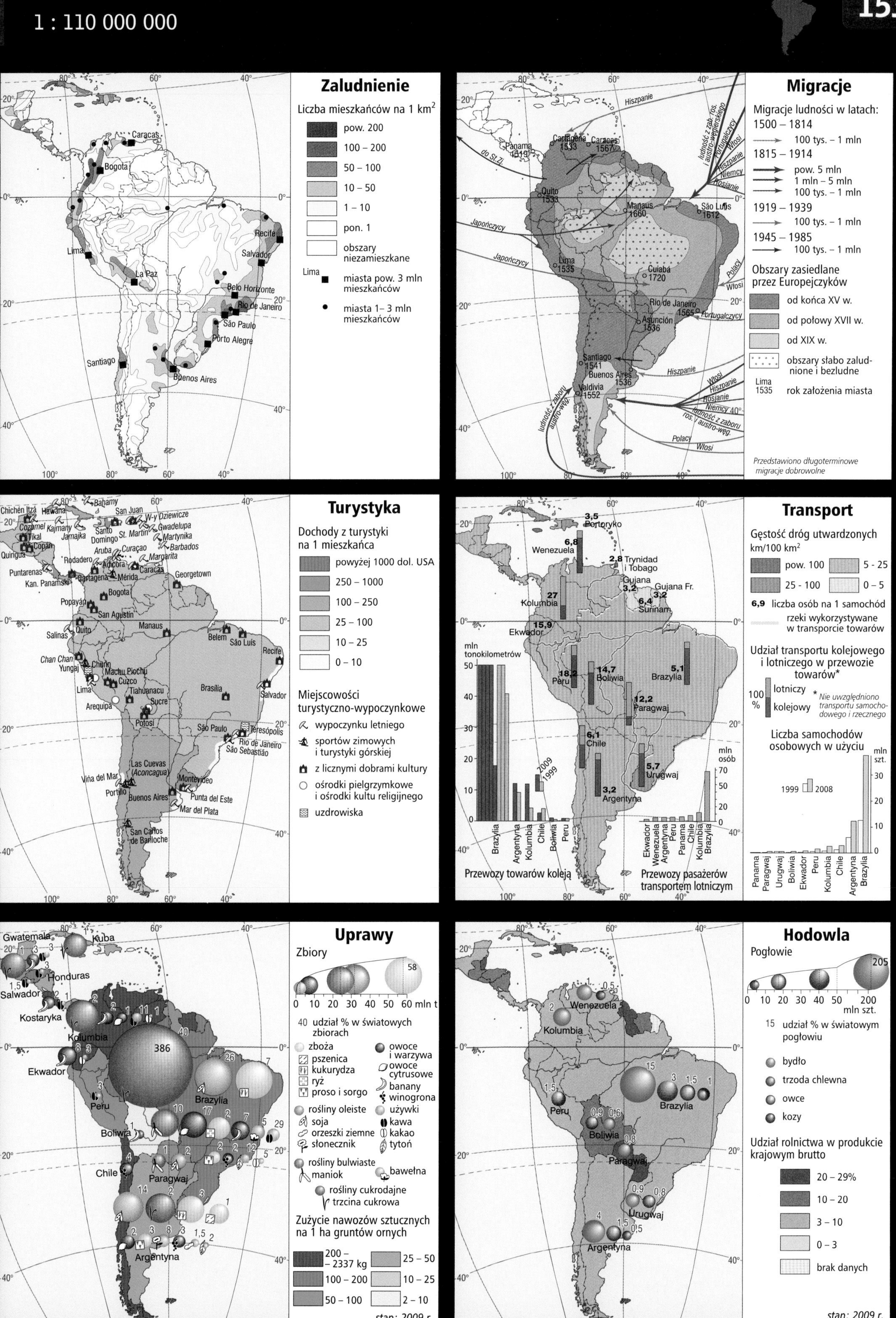

Zaludnienie

Liczba mieszkańców na 1 km²

- pow. 200
- 100 – 200
- 50 – 100
- 10 – 50
- 1 – 10
- pon. 1
- obszary niezamieszkane

Lima ■ miasta pow. 3 mln mieszkańców

• miasta 1– 3 mln mieszkańców

Migracje

Migracje ludności w latach:

1500 – 1814
- 100 tys. – 1 mln

1815 – 1914
- pow. 5 mln
- 1 mln – 5 mln
- 100 tys. – 1 mln

1919 – 1939
- 100 tys. – 1 mln

1945 – 1985
- 100 tys. – 1 mln

Obszary zasiedlane przez Europejczyków
- od końca XV w.
- od połowy XVII w.
- od XIX w.
- obszary słabo zaludnione i bezludne

Lima 1535 rok założenia miasta

Przedstawiono długoterminowe migracje dobrowolne

Turystyka

Dochody z turystyki na 1 mieszkańca
- powyżej 1000 dol. USA
- 250 – 1000
- 100 – 250
- 25 – 100
- 10 – 25
- 0 – 10

Miejscowości turystyczno-wypoczynkowe
- ☾ wypoczynku letniego
- sportów zimowych i turystyki górskiej
- z licznymi dobrami kultury
- ○ ośrodki pielgrzymkowe i ośrodki kultu religijnego
- uzdrowiska

Transport

Gęstość dróg utwardzonych km/100 km²
- pow. 100
- 25 - 100
- 5 - 25
- 0 - 5

6,9 liczba osób na 1 samochód

rzeki wykorzystywane w transporcie towarów

Udział transportu kolejowego i lotniczego w przewozie towarów*

100 % lotniczy kolejowy

* Nie uwzględniono transportu samochodowego i rzecznego

Liczba samochodów osobowych w użyciu

mln szt.

1999 2008

mln tonokilometrów

Przewozy towarów koleją

mln osób

Przewozy pasażerów transportem lotniczym

Uprawy

Zbiory

0 10 20 30 40 50 60 mln t

58

40 udział % w światowych zbiorach

zboża
- ▦ pszenica
- ▦ kukurydza
- ▦ ryż
- ▣ proso i sorgo

rośliny oleiste
- ◉ soja
- ◯ orzeszki ziemne
- 𑗅 słonecznik

rośliny bulwiaste
- maniok

owoce i warzywa
- owoce cytrusowe
- banany
- winogrona

używki
- kawa
- kakao
- tytoń

bawełna

rośliny cukrodajne
- trzcina cukrowa

Zużycie nawozów sztucznych na 1 ha gruntów ornych
- 200 – 2337 kg
- 100 – 200
- 50 – 100
- 25 – 50
- 10 – 25
- 2 – 10

stan: 2009 r.

Hodowla

Pogłowie

0 10 20 30 40 50 200 mln szt.

205

15 udział % w światowym pogłowiu
- bydło
- trzoda chlewna
- owce
- kozy

Udział rolnictwa w produkcie krajowym brutto
- 20 – 29%
- 10 – 20
- 3 – 10
- 0 – 3
- brak danych

stan: 2009 r.

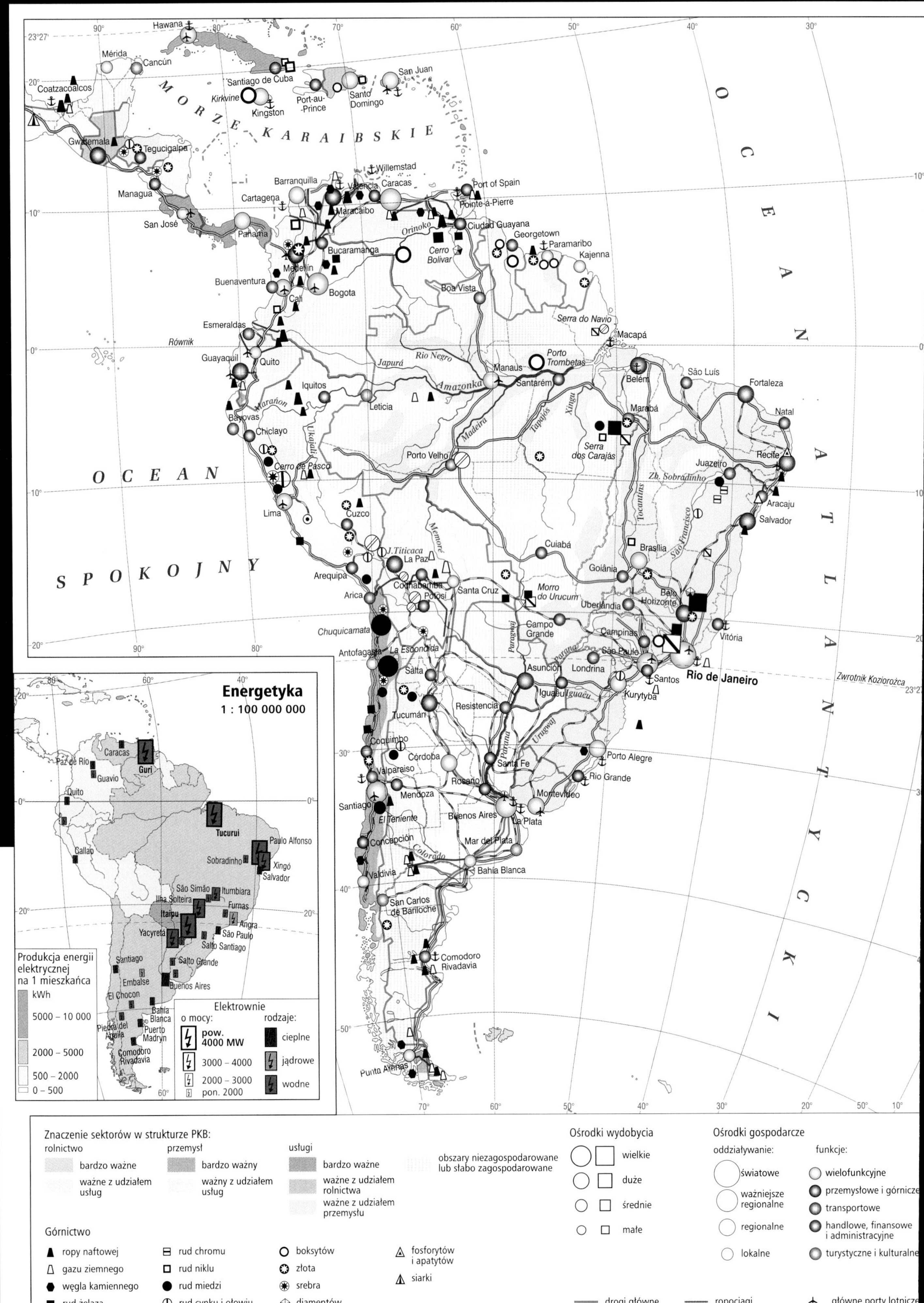

Energetyka
1 : 100 000 000

Produkcja energii elektrycznej na 1 mieszkańca
kWh
- 5000 – 10 000
- 2000 – 5000
- 500 – 2000
- 0 – 500

Elektrownie

o mocy:
- pow. 4000 MW
- 3000 – 4000
- 2000 – 3000
- pon. 2000

rodzaje:
- cieplne
- jądrowe
- wodne

Znaczenie sektorów w strukturze PKB:

rolnictwo
- bardzo ważne
- ważne z udziałem usług

przemysł
- bardzo ważny
- ważny z udziałem usług

usługi
- bardzo ważne
- ważne z udziałem rolnictwa
- ważne z udziałem przemysłu

obszary niezagospodarowane lub słabo zagospodarowane

Ośrodki wydobycia
- wielkie
- duże
- średnie
- małe

Ośrodki gospodarcze

oddziaływanie:
- światowe
- ważniejsze regionalne
- regionalne
- lokalne

funkcje:
- wielofunkcyjne
- przemysłowe i górnicze
- transportowe
- handlowe, finansowe i administracyjne
- turystyczne i kulturalne

Górnictwo
- ropy naftowej
- gazu ziemnego
- węgla kamiennego
- rud żelaza
- rud manganu
- rud chromu
- rud niklu
- rud miedzi
- rud cynku i ołowiu
- rud cyny
- boksytów
- złota
- srebra
- diamentów
- soli potasowych
- fosforytów i apatytów
- siarki

- drogi główne
- koleje główne
- ropociągi
- gazociągi
- główne porty lotnicze
- główne porty morskie

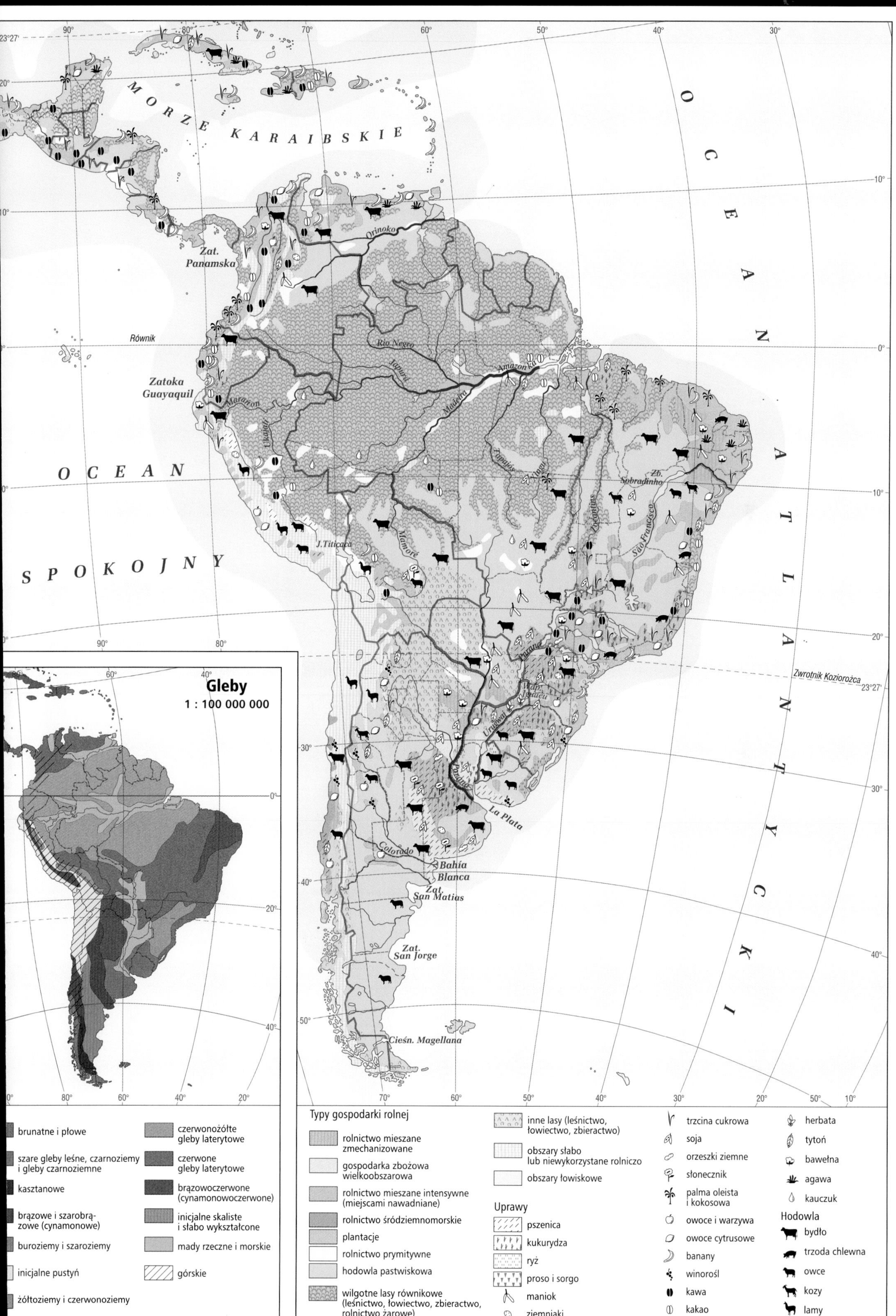

1 : 40 000 000

0 500 1000 km

Gleby
1 : 100 000 000

MORZE KARAIBSKIE

OCEAN SPOKOJNY

OCEAN ATLANTYCKI

Zat. Panamska

Równik

Orinoko

Rio Negro

Amazonka

Zatoka Guayaquil

Marañon

Ukajali

J.Titicaca

Madeira

Tapajós

Xingu

Tocantins

São Francisco

Zb. Sobradinho

Mamoré

Parnaíba

Zwrotnik Koziorożca 23°27'

Paragwaj

Urugwaj

Paraná

La Plata

Colorado

Bahía Blanca

Zat. San Matias

Zat. San Jorge

Cieśn. Magellana

Typy gospodarki rolnej

- rolnictwo mieszane zmechanizowane
- gospodarka zbożowa wielkoobszarowa
- rolnictwo mieszane intensywne (miejscami nawadniane)
- rolnictwo śródziemnomorskie
- plantacje
- rolnictwo prymitywne
- hodowla pastwiskowa
- wilgotne lasy równikowe (leśnictwo, łowiectwo, zbieractwo, rolnictwo żarowe)
- inne lasy (leśnictwo, łowiectwo, zbieractwo)
- obszary słabo lub niewykorzystane rolniczo
- obszary łowiskowe

Uprawy

- pszenica
- kukurydza
- ryż
- proso i sorgo
- maniok
- ziemniaki

- trzcina cukrowa
- soja
- orzeszki ziemne
- słonecznik
- palma oleista i kokosowa
- owoce i warzywa
- owoce cytrusowe
- banany
- winorośl
- kawa
- kakao

- herbata
- tytoń
- bawełna
- agawa
- kauczuk

Hodowla

- bydło
- trzoda chlewna
- owce
- kozy
- lamy

Gleby — legenda:

- brunatne i płowe
- szare gleby leśne, czarnoziemy i gleby czarnoziemne
- kasztanowe
- brązowe i szarobrązowe (cynamonowe)
- buroziemy i szaroziemy
- inicjalne pustyń
- żółtoziemy i czerwonoziemy
- czerwonożółte gleby laterytowe
- czerwone gleby laterytowe
- brązowoczerwone (cynamonowoczerwone)
- inicjalne skaliste i słabo wykształcone
- mady rzeczne i morskie
- górskie

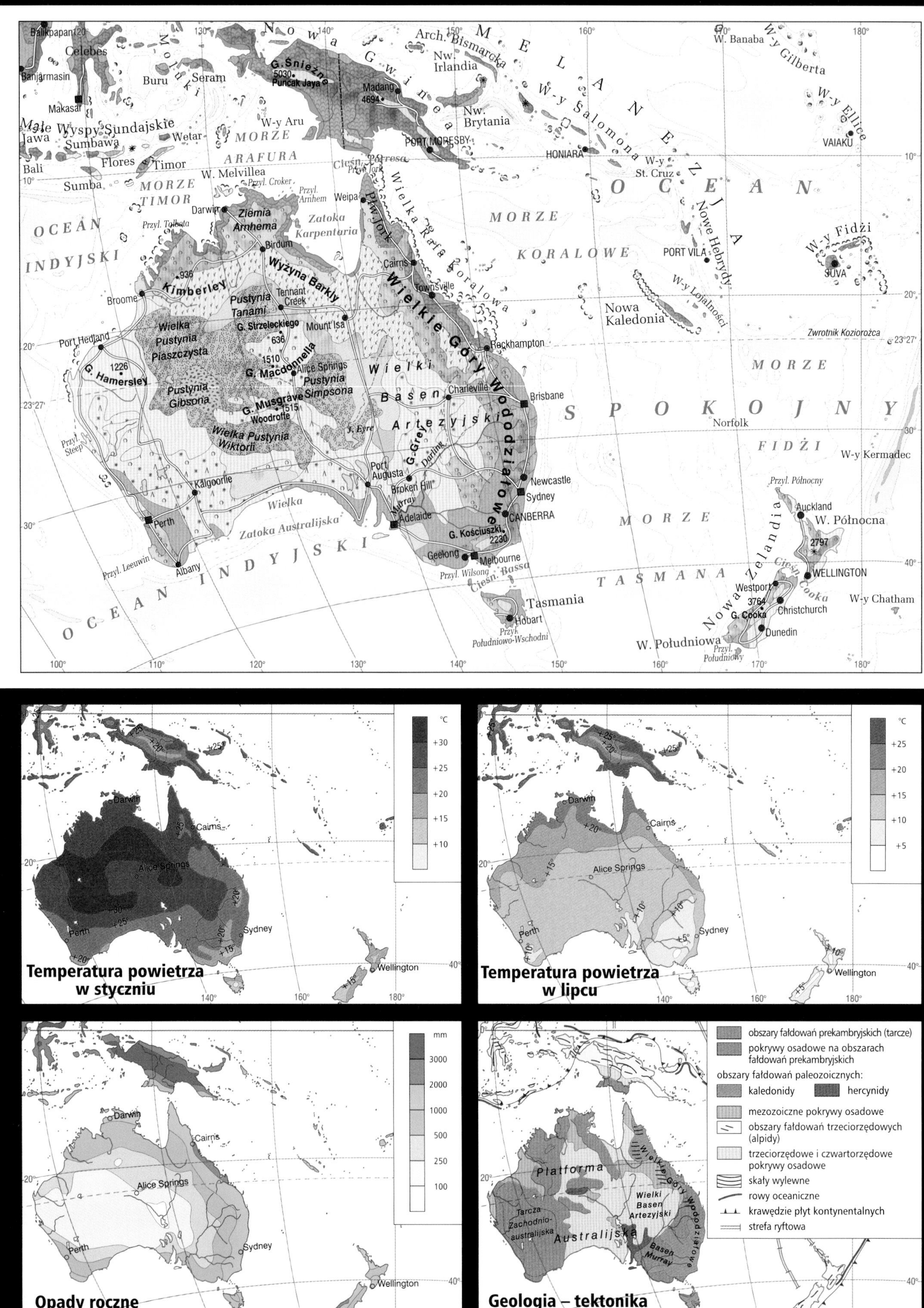

Temperatura powietrza w styczniu

Temperatura powietrza w lipcu

Opady roczne

Geologia – tektonika

obszary fałdowań prekambryjskich (tarcze)
pokrywy osadowe na obszarach fałdowań prekambryjskich
obszary fałdowań paleozoicznych:
kaledonidy   hercynidy
mezozoiczne pokrywy osadowe
obszary fałdowań trzeciorzędowych (alpidy)
trzeciorzędowe i czwartorzędowe pokrywy osadowe
skały wylewne
rowy oceaniczne
krawędzie płyt kontynentalnych
strefa ryftowa

1 : 90 000 000

1 : 40 000 000

0   500   1000 km

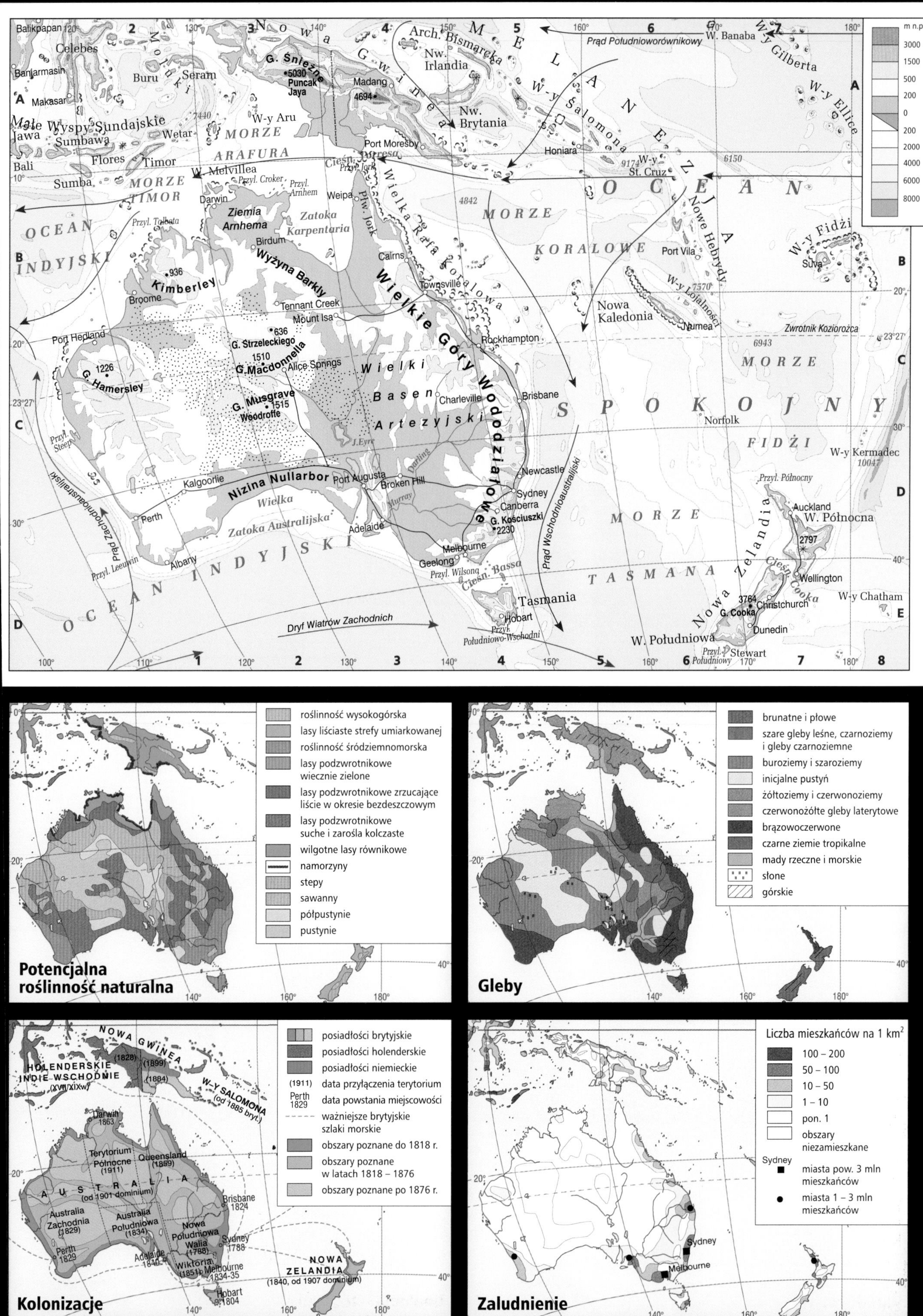

Potencjalna roślinność naturalna

- roślinność wysokogórska
- lasy liściaste strefy umiarkowanej
- roślinność śródziemnomorska
- lasy podzwrotnikowe wiecznie zielone
- lasy podzwrotnikowe zrzucające liście w okresie bezdeszczowym
- lasy podzwrotnikowe suche i zarośla kolczaste
- wilgotne lasy równikowe
- namorzyny
- stepy
- sawanny
- półpustynie
- pustynie

Gleby

- brunatne i płowe
- szare gleby leśne, czarnoziemy i gleby czarnoziemne
- buroziemy i szaroziemy
- inicjalne pustyń
- żółtoziemy i czerwonoziemy
- czerwonożółte gleby laterytowe
- brązowoczerwone
- czarne ziemie tropikalne
- mady rzeczne i morskie
- słone
- górskie

Kolonizacje

- posiadłości brytyjskie
- posiadłości holenderskie
- posiadłości niemieckie
- (1911) data przyłączenia terytorium
- Perth 1829 data powstania miejscowości
- ważniejsze brytyjskie szlaki morskie
- obszary poznane do 1818 r.
- obszary poznane w latach 1818 – 1876
- obszary poznane po 1876 r.

Zaludnienie

Liczba mieszkańców na 1 km²
- 100 – 200
- 50 – 100
- 10 – 50
- 1 – 10
- pon. 1
- obszary niezamieszkane
- miasta pow. 3 mln mieszkańców
- miasta 1 – 3 mln mieszkańców

1 : 90 000 000

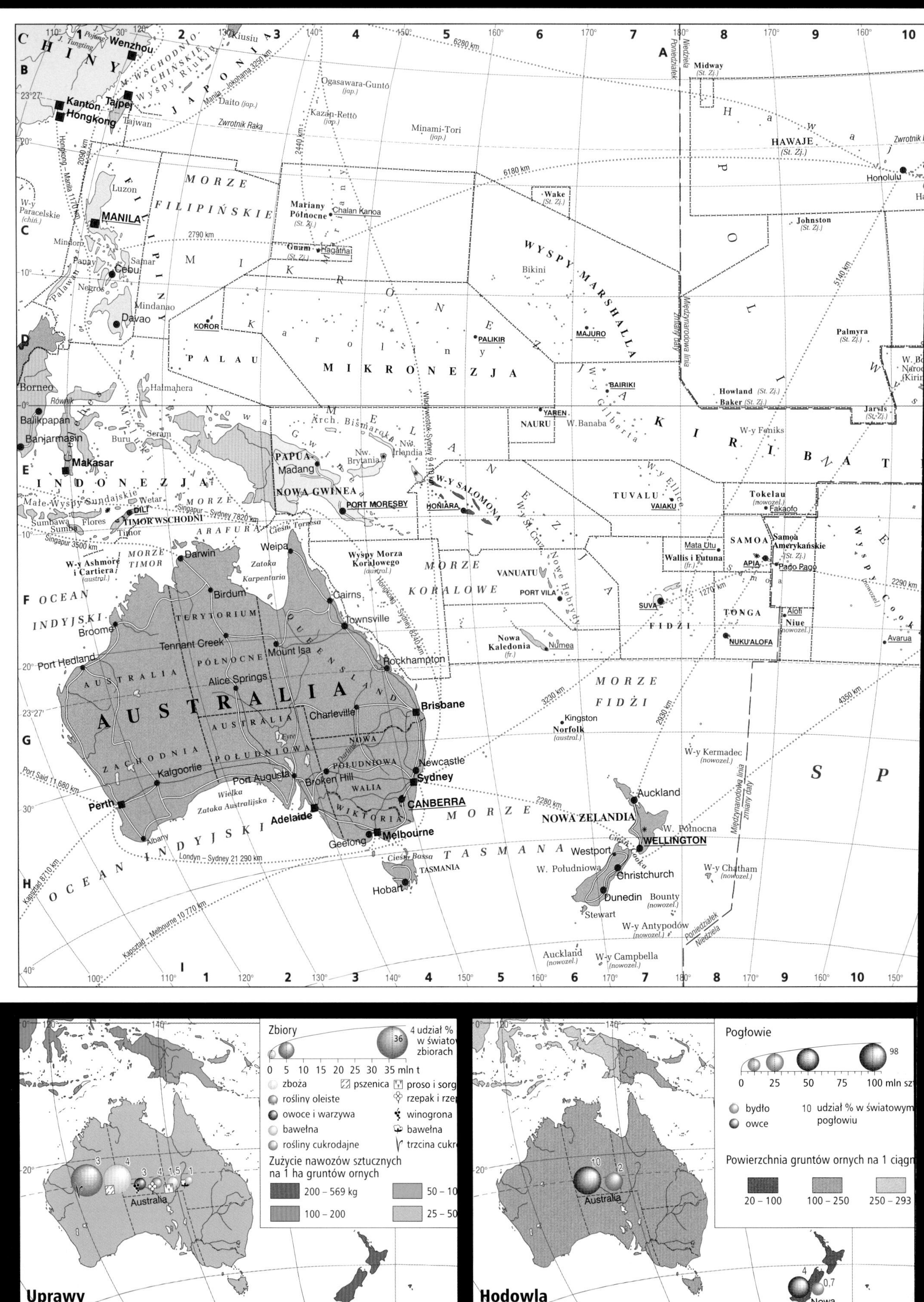

Uprawy

Hodowla

1 : 90 000 000

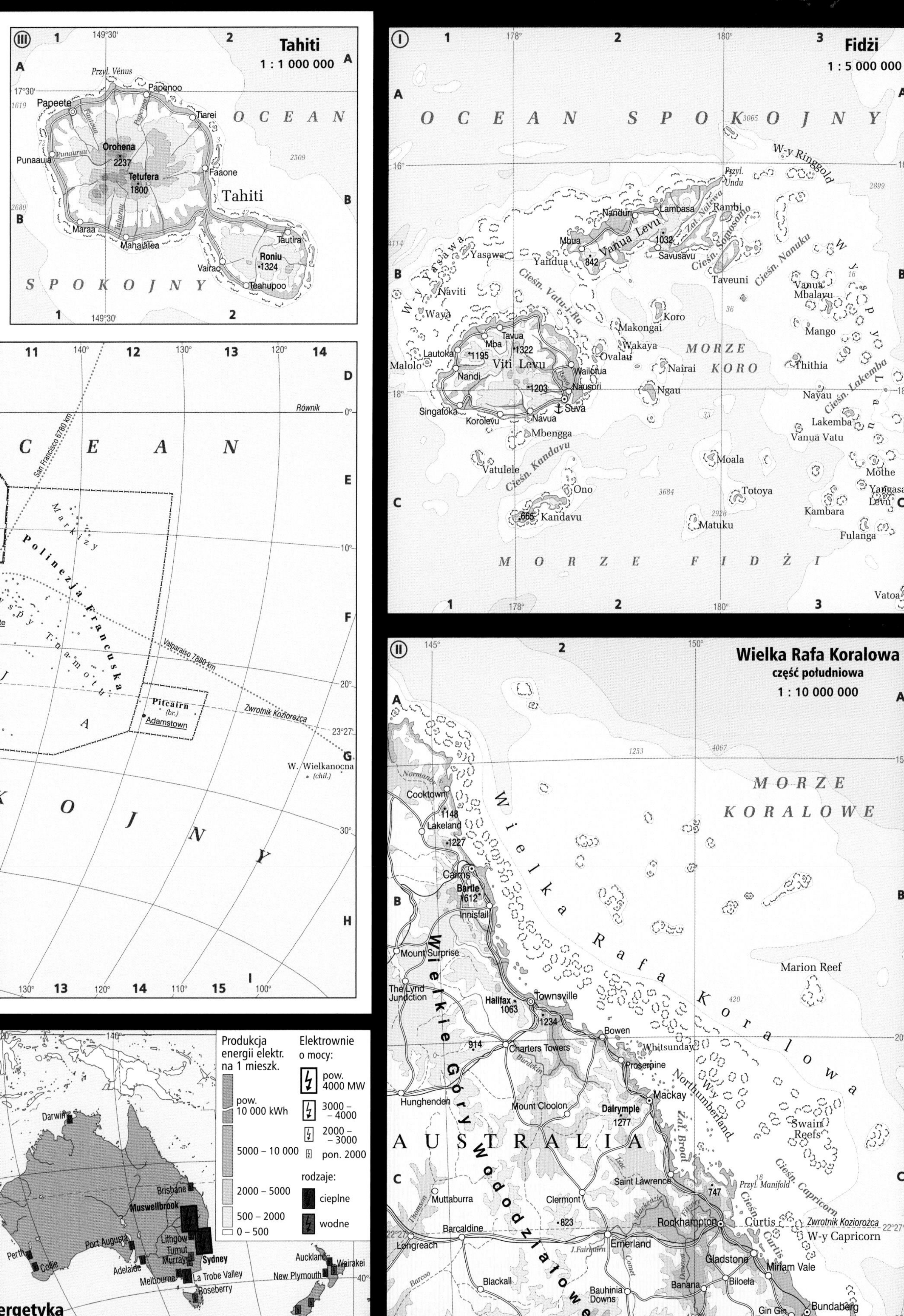
III
Tahiti
1 : 1 000 000
Przyl. Vénus
Papenoo
Papeete
Tiarei
Orohena
2237
Tetufera
1800
Punaauia
Faaone
Tahiti
OCEAN
SPOKOJNY
Maraa
Mahaiatea
Tautira
Roniu
1324
Vairao
Teahupoo
I
Fidżi
1 : 5 000 000
OCEAN SPOKOJNY
W-y Ringgold
Przyl. Undu
Nanduri
Lambasa
Rambi
Vanua Levu
Mbua
842
1032
Savusavu
Cieśn. Somosomo
Taveuni
Cieśn. Nanuku
Yasawa
Yandua
W-y Yasawa
Cieśn. Vatu-i-Ra
Naviti
Waya
Koro
Makongai
Wakaya
Ovalau
Vanua Mbalavu
Mango
Lautoka
Mba
Tavua
1322
1195
Viti Levu
Malolo
Nandi
Wailotua
Nausori
Nairai
MORZE KORO
Thithia
Ngau
1203
Singatoka
Korolevu
Navua
Suva
Nayau
Cieśn. Lakemba
Lakemba
Vanua Vatu
W-y Lau
Mbengga
Moala
Vatulele
Cieśn. Kandavu
Ono
Totoya
Mothe
Yangasa Levu
Kambara
665
Kandavu
Matuku
Fulanga
MORZE FIDŻI
Vatoa
II
Wielka Rafa Koralowa
część południowa
1 : 10 000 000
MORZE KORALOWE
Cooktown
1148
Lakeland
1227
Cairns
Bartle
1612
Innisfail
Wielka Rafa Koralowa
Mount Surprise
Marion Reef
The Lynd Junction
Halifax
1063
Townsville
1234
Bowen
Whitsunday
914
Charters Towers
Proserpine
W-y Northumberland
Mackay
Hughenden
Mount Cloolon
Dalrymple
1277
Swain Reefs
AUSTRALIA
Wielkie Góry Wododziałowe
Zat. Broad
Saint Lawrence
747
Przyl. Manifold
Cieśn. Capricorn
Muttaburra
Clermont
823
Rockhampton
Curtis
Zwrotnik Koziorożca
W-y Capricorn
Barcaldine
Longreach
Emerland
Gladstone
Miriam Vale
Biloela
Blackall
Banana
Bauhinia Downs
Gin Gin
Bundaberg
Równik
OCEAN SPOKOJNY
San Francisco 6780 km
Markizy
Polinezja Francuska
Wyspy Tuamotu
Valparaiso 7880 km
Pitcairn (br.)
Adamstown
Zwrotnik Koziorożca
W. Wielkanocna (chil.)
Produkcja energii elektr. na 1 mieszk.
pow. 10 000 kWh
5000 – 10 000
2000 – 5000
500 – 2000
0 – 500
Elektrownie o mocy:
pow. 4000 MW
3000 – 4000
2000 – 3000
pon. 2000
rodzaje:
cieplne
wodne
Darwin
Brisbane
Muswellbrook
Port Augusta
Lithgow
Tumut
Murray
Sydney
Perth
Collie
Adelaide
Melbourne
La Trobe Valley
Roseberry
Auckland
Wairakei
New Plymouth
Energetyka

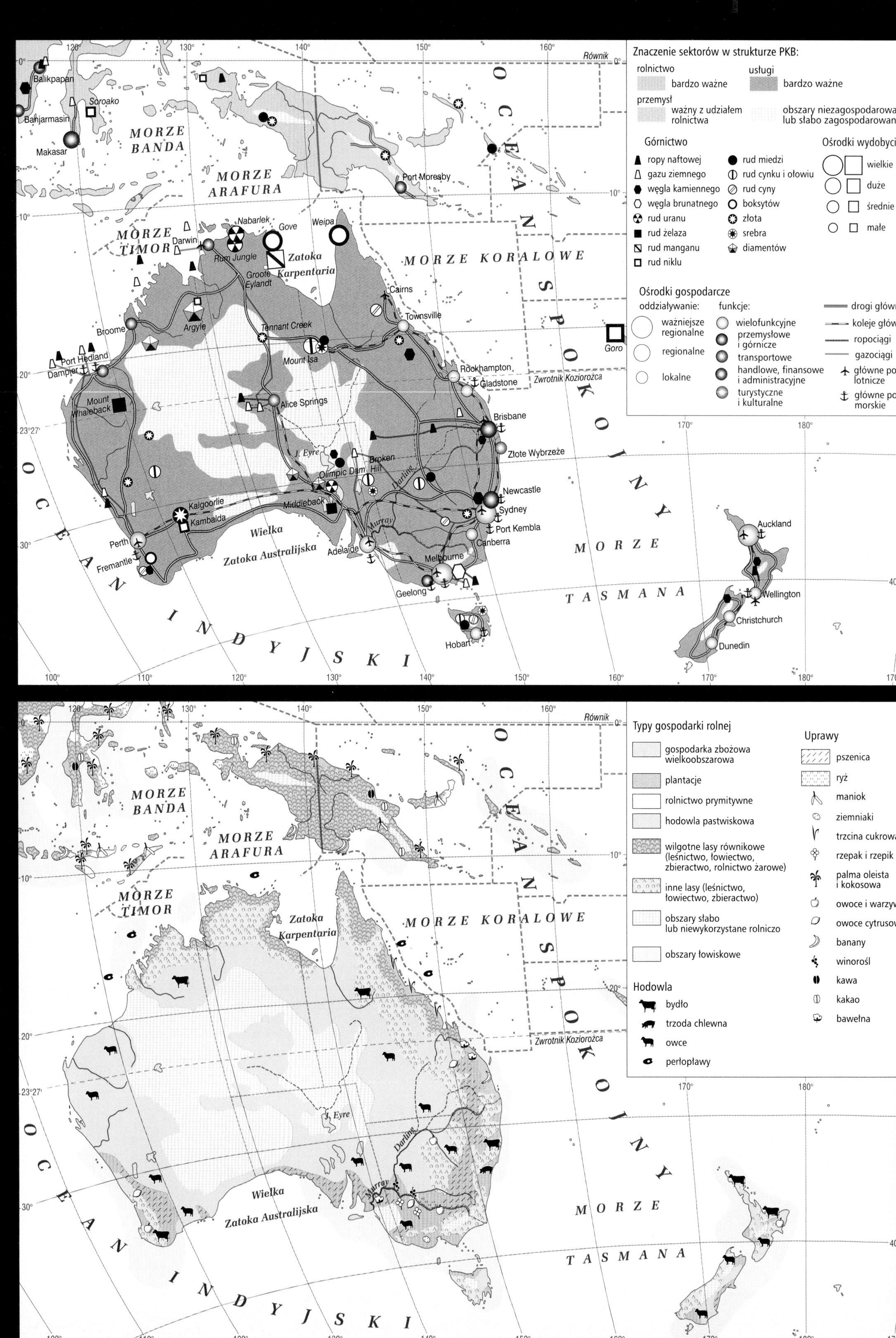

Znaczenie sektorów w strukturze PKB:

rolnictwo
- bardzo ważne

usługi
- bardzo ważne

przemysł
- ważny z udziałem rolnictwa

obszary niezagospodarowa
lub słabo zagospodarowan

Górnictwo
- ropy naftowej
- gazu ziemnego
- węgla kamiennego
- węgla brunatnego
- rud uranu
- rud żelaza
- rud manganu
- rud niklu
- rud miedzi
- rud cynku i ołowiu
- rud cyny
- boksytów
- złota
- srebra
- diamentów

Ośrodki wydobyci
- wielkie
- duże
- średnie
- małe

Ośrodki gospodarcze
oddziaływanie:
- ważniejsze regionalne
- regionalne
- lokalne

funkcje:
- wielofunkcyjne
- przemysłowe i górnicze
- transportowe
- handlowe, finansowe i administracyjne
- turystyczne i kulturalne

- drogi głów
- koleje głów
- ropociągi
- gazociągi
- główne po lotnicze
- główne po morskie

Typy gospodarki rolnej
- gospodarka zbożowa wielkoobszarowa
- plantacje
- rolnictwo prymitywne
- hodowla pastwiskowa
- wilgotne lasy równikowe (leśnictwo, łowiectwo, zbieractwo, rolnictwo żarowe)
- inne lasy (leśnictwo, łowiectwo, zbieractwo)
- obszary słabo lub niewykorzystane rolniczo
- obszary łowiskowe

Hodowla
- bydło
- trzoda chlewna
- owce
- perłopławy

Uprawy
- pszenica
- ryż
- maniok
- ziemniaki
- trzcina cukrowa
- rzepak i rzepik
- palma oleista i kokosowa
- owoce i warzyw
- owoce cytrusow
- banany
- winorośl
- kawa
- kakao
- bawełna

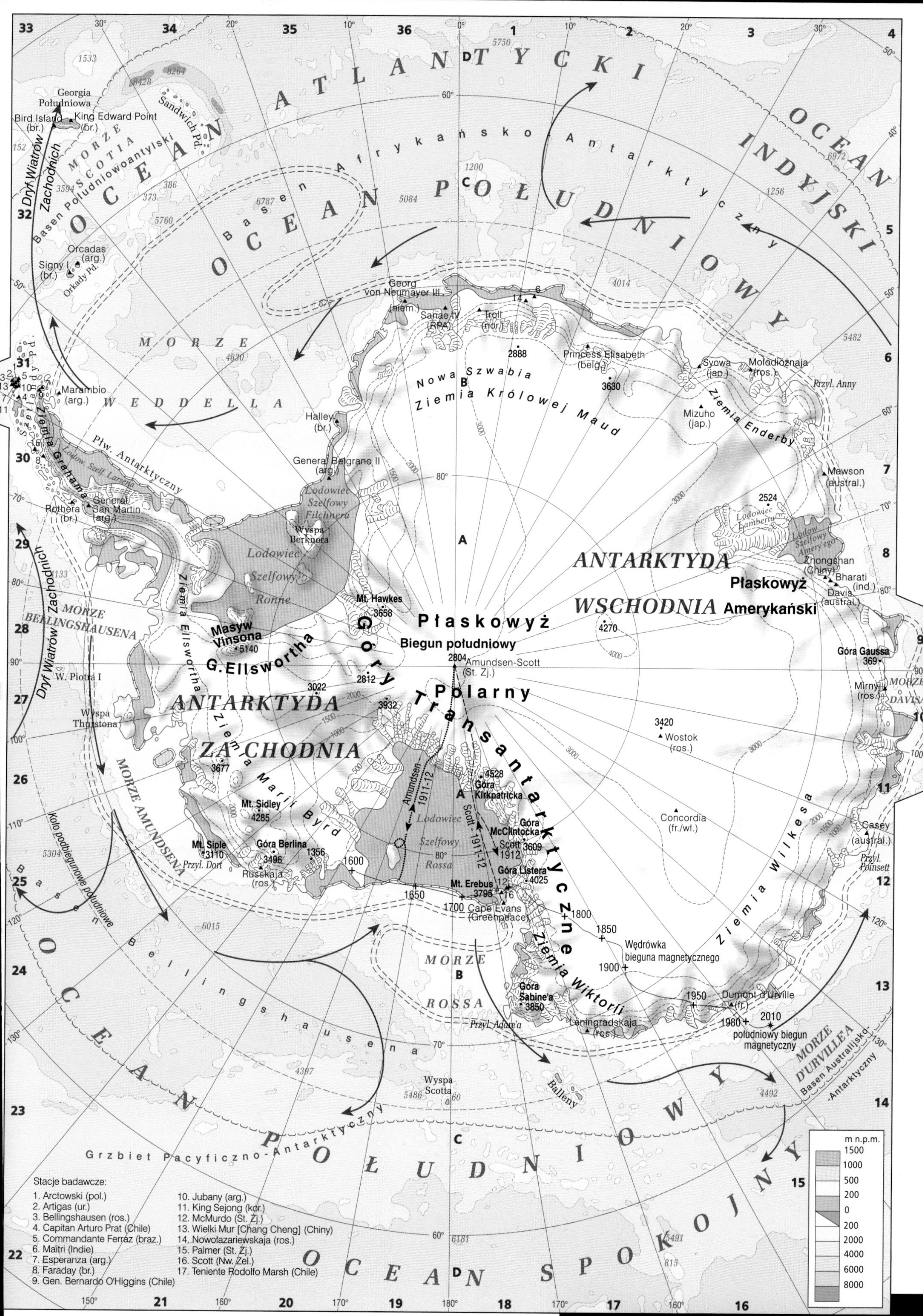
OCEAN ATLANTYCKI
OCEAN INDYJSKI
OCEAN POŁUDNIOWY
OCEAN SPOKOJNY
Basen Afrykańsko-Antarktyczny
Basen Południowoantylski
Basen Australijsko-Antarktyczny
Basen Bellingshausena
Grzbiet Pacyficzno-Antarktyczny
Dryf Wiatrów Zachodnich
Koło podbiegunowe południowe
MORZE SCOTIA
MORZE WEDDELLA
MORZE BELLINGSHAUSENA
MORZE AMUNDSENA
MORZE ROSSA
MORZE DAVISA
MORZE D'URVILLE'A
Georgia Południowa
Bird Island (br.)
King Edward Point (br.)
Sandwich Pd.
Orkady Pd.
Orcadas (arg.)
Signy I. (br.)
Szetlandy Pd.
Marambio (arg.)
Płw. Antarktyczny
Ziemia Grahama
Lodow. Szelf. Larsena
Rothera (br.)
General San Martin (arg.)
Georg von Neumayer III (niem.)
Sanae IV (RPA)
Troll (nor.)
Halley (br.)
General Belgrano II (arg.)
Lodowiec Szelfowy Filchnera
Wyspa Berknera
Lodowiec Szelfowy Ronne
Ziemia Ellswortha
Masyw Vinsona 5140
G. Ellswortha
W. Piotra I
Wyspa Thurstona
ANTARKTYDA ZACHODNIA
Ziemia Marii Byrd
Mt. Sidley 4285
Mt. Siple 3110
Przyl. Dart
Góra Berlina 3496
Russkaja (ros.)
Mt. Hawkes 3658
Płaskowyż Polarny
Biegun południowy
Amundsen-Scott (St. Zj.)
Góry Transantarktyczne
Amundsen 1911-12
Scott 1911-12
Lodowiec Szelfowy Rossa
Góra Kirkpatricka 4528
Góra McClintocka 3609
Góra Listera 4025
Mt. Erebus 3795
Cape Evans (Greenpeace)
Ziemia Wiktorii
Góra Sabine'a 3850
Przyl. Adare'a
Leningradskaja (ros.)
Wyspa Scotta
Balleny
Nowa Szwabia
Ziemia Królowej Maud
Princess Elisabeth (belg.)
Syowa (jap.)
Mołodiożnaja (ros.)
Mizuho (jap.)
Przyl. Anny
Ziemia Enderby
Mawson (austral.)
Lodowiec Lamberta
Lodow. Szelfowy Amery'ego
Zhongshan (Chiny)
Bharati (ind.)
Davis (austral.)
ANTARKTYDA WSCHODNIA
Płaskowyż Amerykański
Góra Gaussa 369
Mirnyj (ros.)
Wostok (ros.)
Concordia (fr./wł.)
Ziemia Wilkesa
Casey (austral.)
Przyl. Poinsett
Dumont d'Urville (fr.)
Wędrówka bieguna magnetycznego
południowy biegun magnetyczny
Stacje badawcze:
1. Arctowski (pol.)
2. Artigas (ur.)
3. Bellingshausen (ros.)
4. Capitan Arturo Prat (Chile)
5. Commandante Ferraz (braz.)
6. Maitri (Indie)
7. Esperanza (arg.)
8. Faraday (br.)
9. Gen. Bernardo O'Higgins (Chile)
10. Jubany (arg.)
11. King Sejong (kor.)
12. McMurdo (St. Zj.)
13. Wielki Mur [Chang Cheng] (Chiny)
14. Nowolazariewskaja (ros.)
15. Palmer (St. Zj.)
16. Scott (Nw. Zel.)
17. Teniente Rodolfo Marsh (Chile)
m n.p.m.
1500
1000
500
200
0
200
2000
4000
6000
8000
1 : 40 000 000
0 500 1000 km

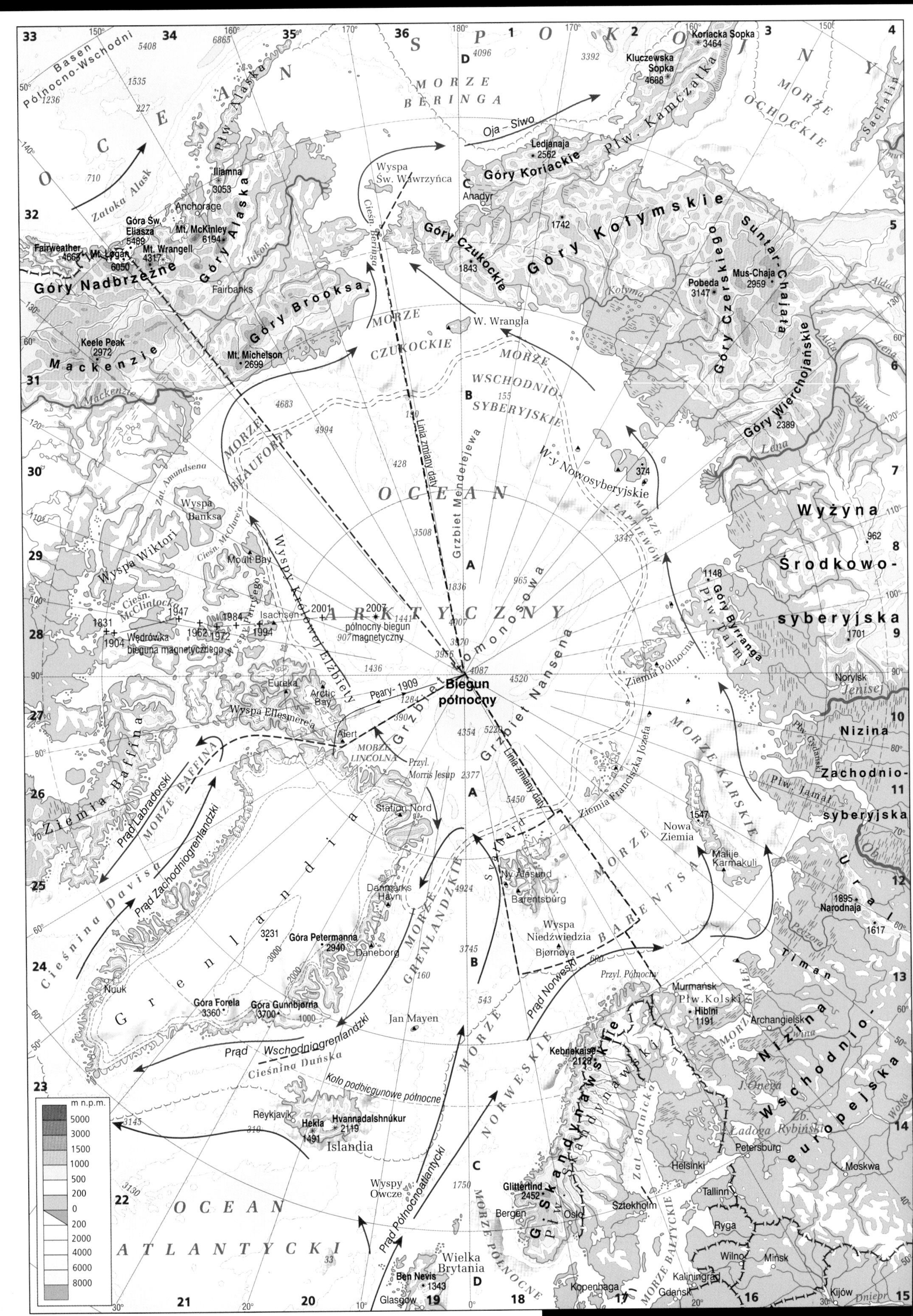
OCEAN SPOKOJNY
MORZE BERINGA
MORZE OCHOCKIE
Góry Koriackie
Góry Kołymskie
Góry Czukockie
Góry Alaska
Góry Nadbrzeżne
Góry Brooksa
MORZE CZUKOCKIE
MORZE WSCHODNIOSYBERYJSKIE
MORZE BEAUFORTA
OCEAN ARKTYCZNY
Biegun północny
Grzbiet Łomonosowa
Grzbiet Nansena
Grzbiet Mendelejewa
Linia zmiany daty
MORZE LAPTIEWÓW
MORZE KARSKIE
MORZE BARENTSA
MORZE GRENLANDZKIE
MORZE NORWESKIE
MORZE BAFFINA
Grenlandia
Islandia
OCEAN ATLANTYCKI
Wyżyna Środkowosyberyjska
Nizina Zachodniosyberyjska
Nizina Wschodnioeuropejska
Ural
Góry Skandynawskie
Prąd Wschodniogrenlandzki
Prąd Zachodniogrenlandzki
Prąd Labradorski
Prąd Północnoatlantycki
Prąd Norweski
Koło podbiegunowe północne
m n.p.m.
5000
3000
1500
1000
500
200
0
200
2000
4000
6000
8000

1 : 30 000 000

0 500 1000 km

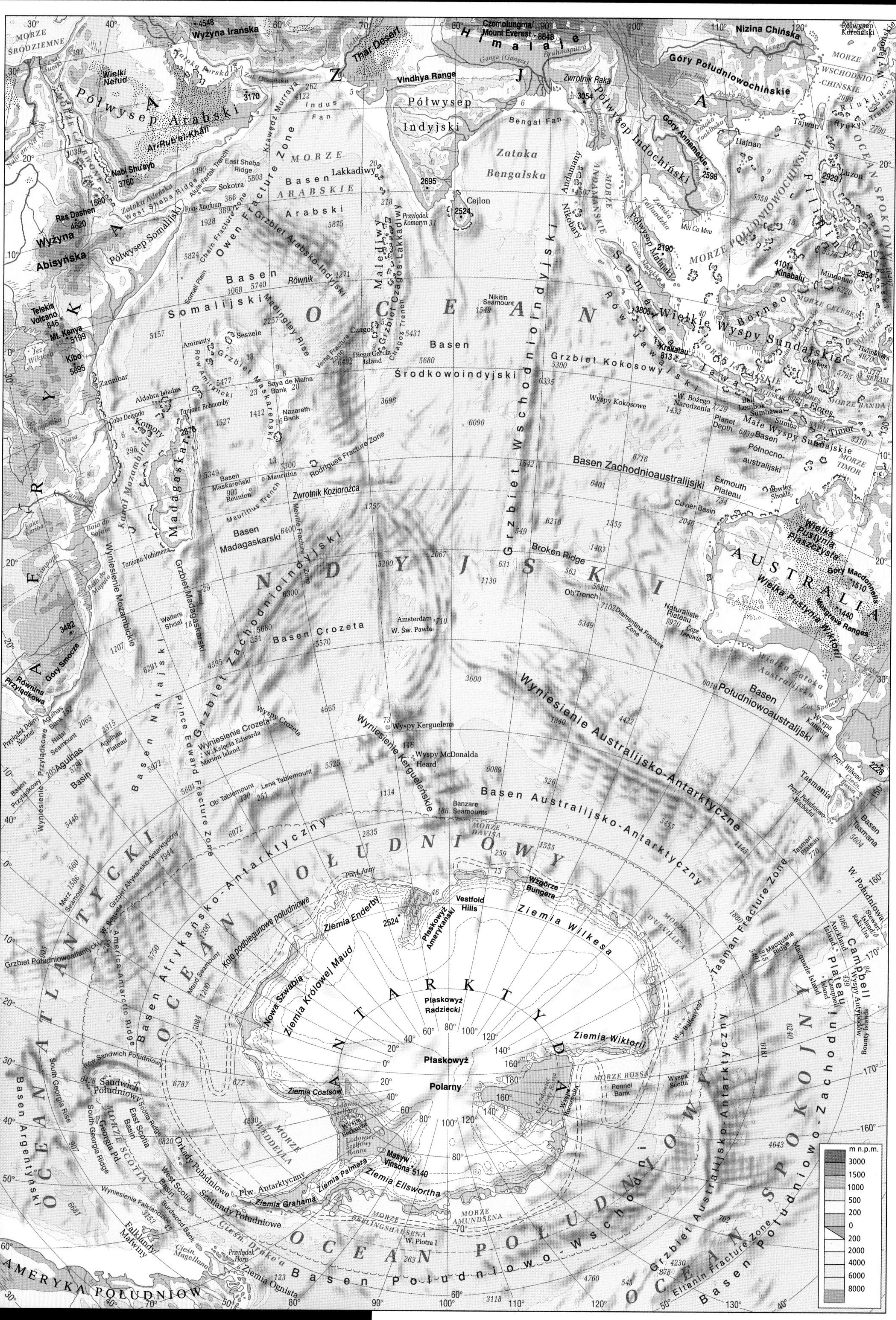
OCEAN INDYJSKI
OCEAN POŁUDNIOWY
OCEAN ATLANTYCKI
OCEAN SPOKOJNY
AZJA
AFRYKA
AUSTRALIA
ANTARKTYDA
AMERYKA POŁUDNIOWA
Wyżyna Irańska
Himalaje
Czomolungma/ Mount Everest 8848
Nizina Chińska
Góry Południowochińskie
Półwysep Arabski
Półwysep Indyjski
Półwysep Indochiński
Thar Desert
Vindhya Range
Zwrotnik Raka
Zwrotnik Koziorożca
Równik
Morze Arabskie
Zatoka Bengalska
Basen Arabski
Basen Somalijski
Basen Środkowoindyjski
Basen Zachodnioaustralijski
Basen Madagaskarski
Basen Crozeta
Basen Natalski
Basen Afrykańsko-Antarktyczny
Basen Australijsko-Antarktyczne
Basen Południowoaustralijski
Basen Południowo-Zachodni
Grzbiet Arabsko-Indyjski
Grzbiet Zachodnioindyjski
Grzbiet Wschodnioindyjski
Grzbiet Madagaskarski
Grzbiet Kokosowy
Grzbiet Australijsko-Antarktyczny
Grzbiet Afrykańsko-Antarktyczny
Wyniesienie Mozambickie
Wyniesienie Kergueleńskie
Wyniesienie Australijsko-Antarktyczne
Wyniesienie Crozeta
Broken Ridge
Madagaskar
Sri Lanka / Cejlon
Malediwy
Seszele
Wielkie Wyspy Sundajskie
Małe Wyspy Sundajskie
Jawa
Sumatra
Borneo
Wyspy Kergulena
Wyspy McDonalda
Tasmania
Ziemia Królowej Maud
Ziemia Enderby
Ziemia Wilkesa
Ziemia Wiktorii
Ziemia Ellswortha
Ziemia Grahama
Płaskowyż Polarny
Masyw Vinsona 5140
Morze Weddella
Morze Rossa
Morze Amundsena
Morze Bellingshausena
Cieśn. Drake'a
Koło podbiegunowe południowe
m n.p.m.
3000
1500
1000
500
200
0
200
2000
4000
6000
8000
1 : 60 000 000
0 500 1000 1500 km

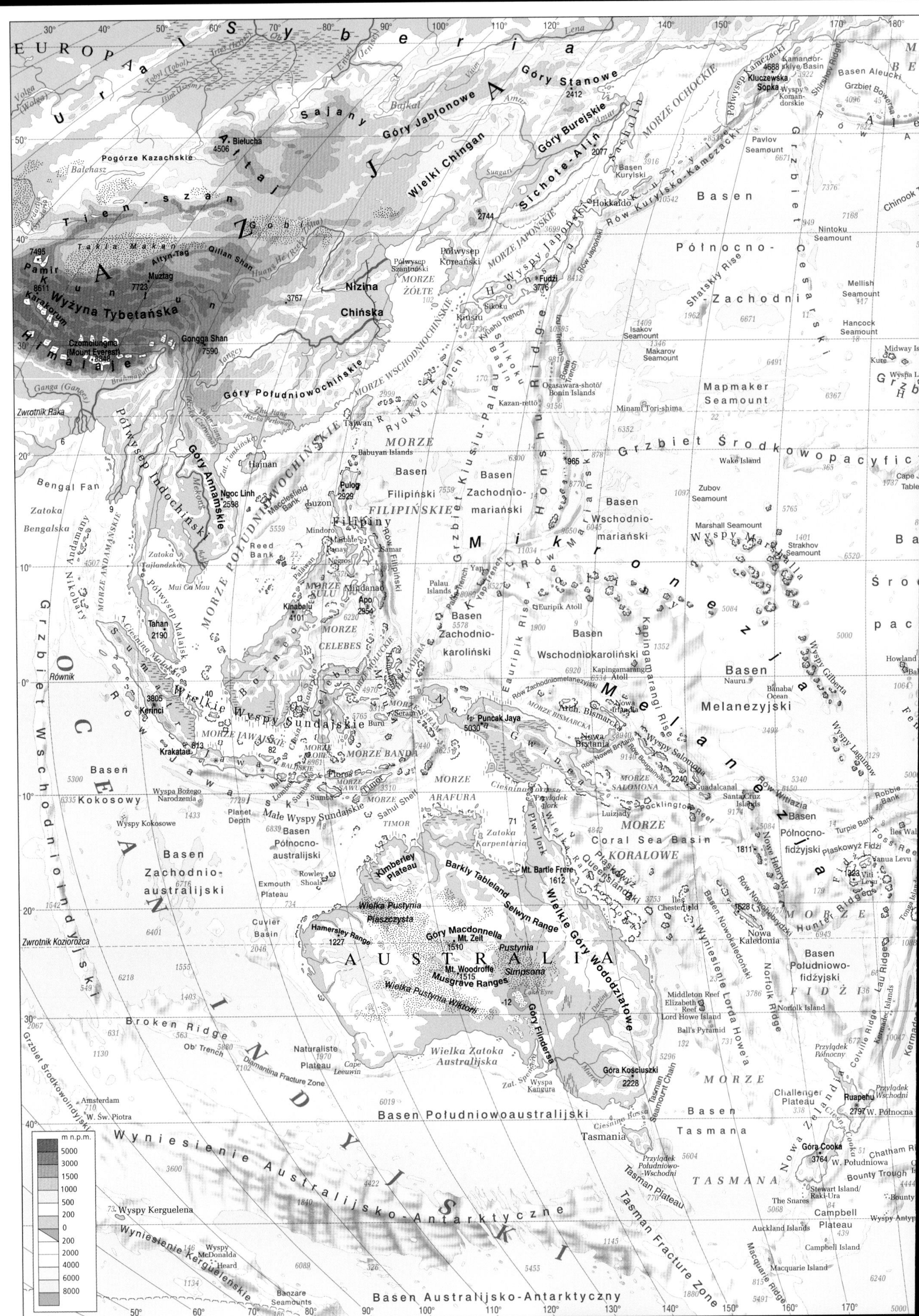

E U R O P A

Ural

Syberia

Pogórze Kazachskie

Batchasz

Tien-szan

Takla Makan

A Bielucha
4506

Sajany

Ałtaj

Bajkał

Góry Jabłonowe

Góry Stanowe
2412

Góry Burejskie

Sichote-Aliń
2077

Wielki Chingan

MORZE OCHOCKIE

Kluczewska
Sopka

Klucz.ewskaya
4688

Kamandorskie Basin

Grzbiet Bowersa

Basen Aleucki

Pavlov Seamount

Basen

Pamir
8611

Karakorum

Kunlun

Muztag
7723

Qilian Shan

Huang He (Huang Ho)

Nizina

Chińska

3767

Wyżyna Tybetańska

Himalaje

Czomolungma
Mount Everest
8848

Gongga Shan
7590

Półwysep
Koreański

MORZE
ŻÓŁTE

Kiusiu

Sikoku

Kiusiu

MORZE JAPOŃSKIE

Hokkaidō

Fudzi
3776

Basen
Kurylski

Shatsky Rise

Basen

Północno-

Zachodni

Isakov Seamount
1346

Makarov
Seamount

Mapmaker
Seamount

Mellish Seamount

Hancock Seamount

Midway

Kure

Wyspa

Grz

H

Zwrotnik Raka

Góry Południowochińskie

MORZE WSCHODNIOCHIŃSKIE

Ryūkyū Trench

Honshu Ridge

Grzbiet Środkowopacyfic

Wake Island

Cape

Table

Bengal Fan

Zatoka
Bengalska

Góry Annamskie

Tajwan

Hainan

Babuyan Islands

Basen

Filipiński

Luzon

Basen
Zachodnio-
mariański

Basen
Wschodnio-
mariański

Zubov
Seamount

Marshall Seamount

Wyspy Marshall

Strakhov
Seamount

Ba

Śro

pac

Ngoc Linh
2598

Macclesfield
Bank

Reed
Bank

FILIPIŃSKIE

Filipiny

Mindoro

Masbate

Panay

Negros

Palawan

Samar

Palau
Islands

Yap

Euripik Atoll

Basen
Zachodnio-
karoliński

Wschodniokaroliński

Howland

Wyspy Gilberta

Tahan
2190

MORZE
SULU

Kinabalu
4101

Mindanao

Apo
2954

MORZE
CELEBES

Kapingamarangi
Atoll

Basen

Nauru

Banaba/
Ocean

Basen
Melanezyjski

Równik

Wielkie

Wyspy Sundajskie

Kerinci

Krakatau

MORZE JAWAJSKIE

MORZE
FLORES

MORZE BANDA

Seram

Buru

Puncak Jaya
5030

Nowa
Irlandia

Arch. Bismarcka

Nowa
Brytania

Nowa
Gwinea

MORZE BISMARCKA

Wyspy Salomona

Guadalcanal

Santa Cruz
Islands

Nowa
Kaledonia

FIDŻI

Viti
Levu

Vanua Levu

Basen
Kokosowy

Wyspa Bożego
Narodzenia

Wyspy Kokosowe

Planet
Depth

Basen
Północno-
australijski

Sahul Shelf

Małe Wyspy Sundajskie

Lombok

Sumba

Flores

Timor

TIMOR

MORZE
SAWU

Zatoka
Karpentaria

MORZE
ARAFURA

Płw. Jork

Zatoka
Karpentaria

MORZE
KORALOWE

Coral Sea Basin

Queensland

Chesterfield

Basen
Północno-
fidżyjski

Basen
Południowo-
fidżyjski

Basen
Zachodnio-
australijski

Exmouth
Plateau

Rowley
Shoals

Kimberley
Plateau

Wielka Pustynia
Piaszczysta

Barkly Tableland

Selwyn Range

Mt. Bartle Frere
1612

Wielkie Góry Wododziałowe

Middleton Reef

Elizabeth
Reef

Lord Howe Island

Ball's Pyramid

Norfolk Island

Norfolk Ridge

Lau Ridge

Cuvier
Basin

Hamersley Range
1227

Góry Macdonnella
Mt. Zeil

A U S T R A L I A

Pustynia
Simpsona

Mt. Woodroffe
1515

Musgrave Ranges

Wielka Pustynia Wiktorii

Góry Flindersa

Zwrotnik Koziorożca

Broken Ridge

Naturaliste
Plateau

Cape
Leeuwin

Diamantina Fracture Zone

Wielka Zatoka
Australijska

Góra Kościuszki
2228

Zat. Spence

Wyspa
Kangura

Ob' Trench

MORZE

Basen

Tasmana

TASMANA

Challenger
Plateau

Nowa Zelandia

Ruapehu
2797 W. Północna

Góra Cooka
3764 W. Południowa

Chatham

Bounty Trough

Basen Południowoaustralijski

Grzbiet Środkowoindyjski

Wyspy Kerguelena

Wyniesienie Australijsko-Antarktyczne

Wyniesienie Kerguelenskie

Wyspy McDonalda

Heard

Baozare
Seamounts

Basen Australijsko-Antarktyczny

Tasman Plateau

Tasman Fracture Zone

The Snares

Stewart Island/
Rakiura

Auckland Islands

Campbell Island

Campbell
Plateau

Macquarie Island

Wyspy Antyp

Bounty

m n.p.m.	
	5000
	3000
	1500
	1000
	500
	200
	0
	200
	2000
	4000
	6000
	8000

1 : 60 000 000

0   500   1000   1500 km

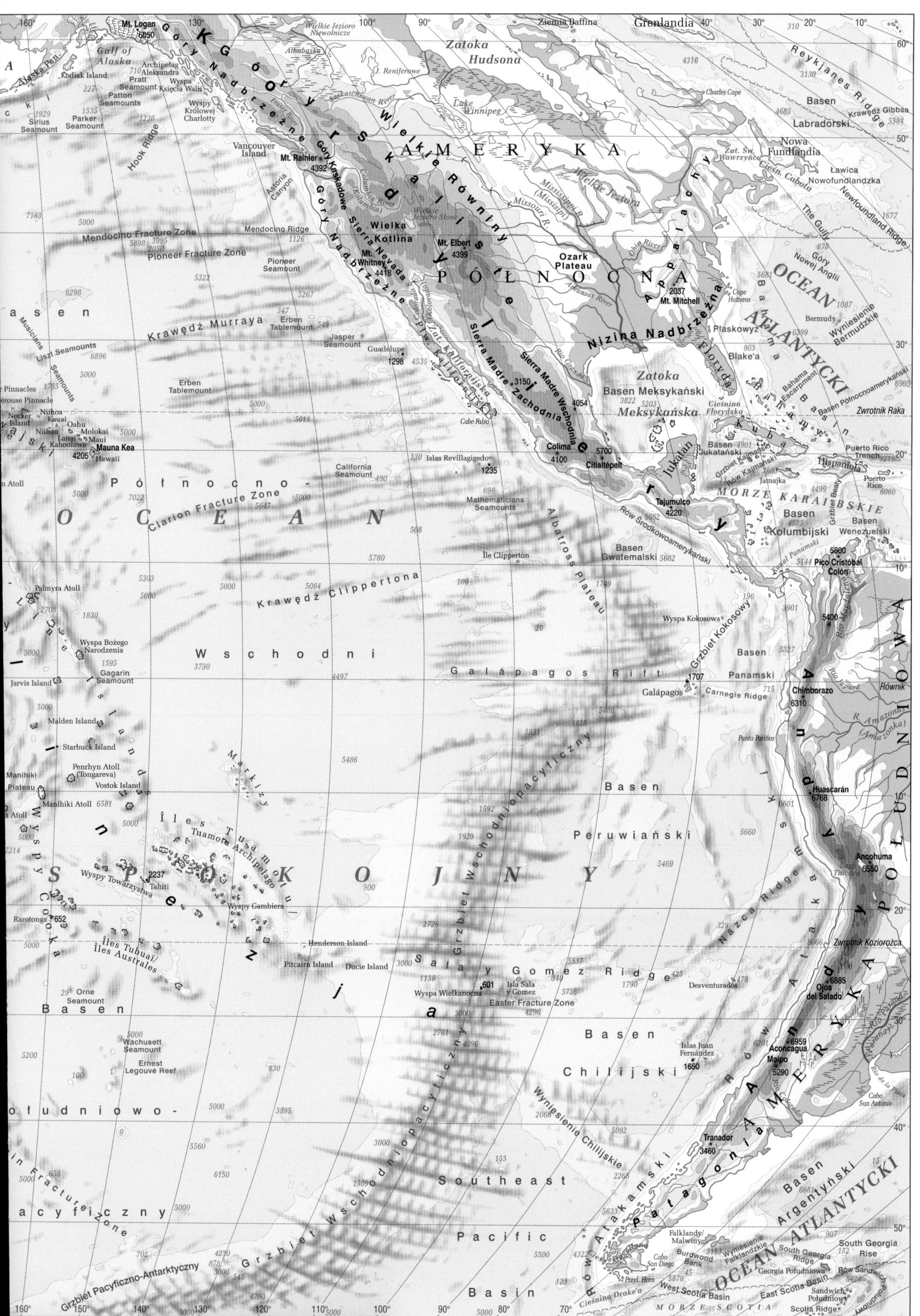

Mt. Logan 5950
Góry Nadbrzeżne
Gulf of Alaska
Alaska Pen.
Kodiak Island
Archipelag Aleksandra
Pratt Seamount
Patton Seamounts
Wyspa Księcia Walii
Wyspy Królowej Charlotty
Sirius Seamount
Parker Seamount
Hook Ridge
Vancouver Island
Mt. Rainier 4392
Góry Kaskadowe
Astoria Canyon
Mendocino Ridge
Mendocino Fracture Zone
Pioneer Fracture Zone
Pioneer Seamount
Góry Skaliste
Wielkie Równiny
Wielka Kotlina
Mt. Elbert 4399
Mt. Whitney 4418
Sierra Nevada
Wielkie Jezioro Niewolnicze
Athabaska
Saskatchewan River
Lake Winnipeg
J. Reniferowe
Ziemia Baffina
Grenlandia
Zatoka Hudsona
Charles Cape
AMERYKA PÓŁNOCNA
Missisipi R.
Missouri R.
Ohio River
Arkansas River
Wielkie Jeziora
Zat. Św. Wawrzyńca
Cieśn. Cabota
Ozark Plateau
Appalachy
2037 Mt. Mitchell
Nizina Nadbrzeżna
Cape Hatteras
Reykjanes Ridge
Basen Labradorski
Krawędź Gibbsa
Nowa Fundlandia
Ławica Nowofundlandzka
Newfoundland Ridge
The Gully
Góry Nowej Anglii
OCEAN ATLANTYCKI
Bermudy
Wyniesienie Bermudzkie
Płaskowyż Blake'a
Floryda
Krawędź Murraya
Erben Tablemount
Jasper Seamount
Guadelupe 1298
Zat. Kalifornijska
Pw. Kalifornijski
Sierra Madre Zachodnia
Sierra Madre Wschodnia
Rio Grande
Zatoka Meksykańska
Basen Meksykański
Cieśnina Florydzka
Bahama Escarpment
Basen Północnoamerykański
Zwrotnik Raka
Kuba
Cabo Falso
Colima 4100
5700 Citlaltépetl
Jukatan
Basen Jukatański
Grzbiet Kajmański
Rów Kajmański
Jamajka
Hispaniola
Puerto Rico Trench
Puerto Rico
MORZE KARAIBSKIE
Basen Kolumbijski
Basen Wenezuelski
Grzbiet Beaty
Tajumulco 4220
Rów Środkowoamerykański
Kanał Panamski
5800 Pico Cristóbal Colón
Liszt Seamounts
Musicians Seamounts
Pinnacles
Pérouse Pinnacle
Necker Island
Nihoa
Kauai
Niihau
Oahu
Molokai
Lanai
Maui
Kahoolawe
Mauna Kea 4205
Hawaii
California Seamount
Islas Revillagigedo 1235
Mathematicians Seamounts
Clarion Fracture Zone
Północno-Wschodni
OCEAN SPOKOJNY
Albatross Plateau
Île Clipperton
Basen Gwatemalski
Krawędź Clippertona
Palmyra Atoll
Line Islands
Wyspa Bożego Narodzenia
Gagarin Seamount
Jarvis Island
Malden Island
Starbuck Island
Penrhyn Atoll (Tongareva)
Vostok Island
Manihiki Plateau
Manihiki Atoll
Markizy
Îles Tuamotu
Tuamotu Archipelago
Wyspy Towarzystwa
Tahiti 2237
Wyspy Cooka
Rarotonga 652
Wyspy Gambiera
Îles Tubuai/ Îles Australes
Henderson Island
Pitcairn Island
Ducie Island
Orne Seamount
Basen Południowo-Pacyficzny
Wachusett Seamount
Ernest Legouvé Reef
Galápagos Rift
Wyspa Kokosowa
Grzbiet Kokosowy
1707 Galápagos
Carnegie Ridge
Basen Panamski
Chimborazo 6310
Punta Pariñas
Basen Peruwiański
Grzbiet Wschodniopacyficzny
Huascarán 6768
Andy
Ancohuma 6550
Jez. Titicaca
Nazca Ridge
Rów Atakamski
Zwrotnik Koziorożca
Sala y Gomez Ridge
Wyspa Wielkanocna 601
Isla Sala y Gomez
Easter Fracture Zone
Desventurados
Ojos del Salado 6885
Basen Chilijski
Islas Juan Fernández 1650
Aconcagua 6959
Maipo 5290
Wyniesienie Chilijskie
Tranador 3460
Patagonia
AMERYKA POŁUDNIOWA
R. Amazonka (Amazonka)
Rio Japurá
Równik
Rio Paraná
Rio de la Plata
Cabo San Antonio
Basen Argentyński
Southeast Pacific Basin
Grzbiet Pacyficzno-Antarktyczny
Falklandy/ Malwiny
Wyniesienie Falklandzkie
Burdwood Bank
Cabo San Diego
Przyl. Horn
Cieśnina Drake'a
West Scotia Basin
East Scotia Basin
MORZE SCOTIA
South Georgia Ridge
Georgia Południowa
South Georgia Rise
Rów Sandwich Południowy
Sandwich Południowy
Scotia Ridge
160° 150° 140° 130° 120° 110° 100° 90° 80° 70° 60° 50° 40° 30° 20° 10°
60° 50° 40° 30° 20° 10° 0° 10° 20° 30° 40° 50°

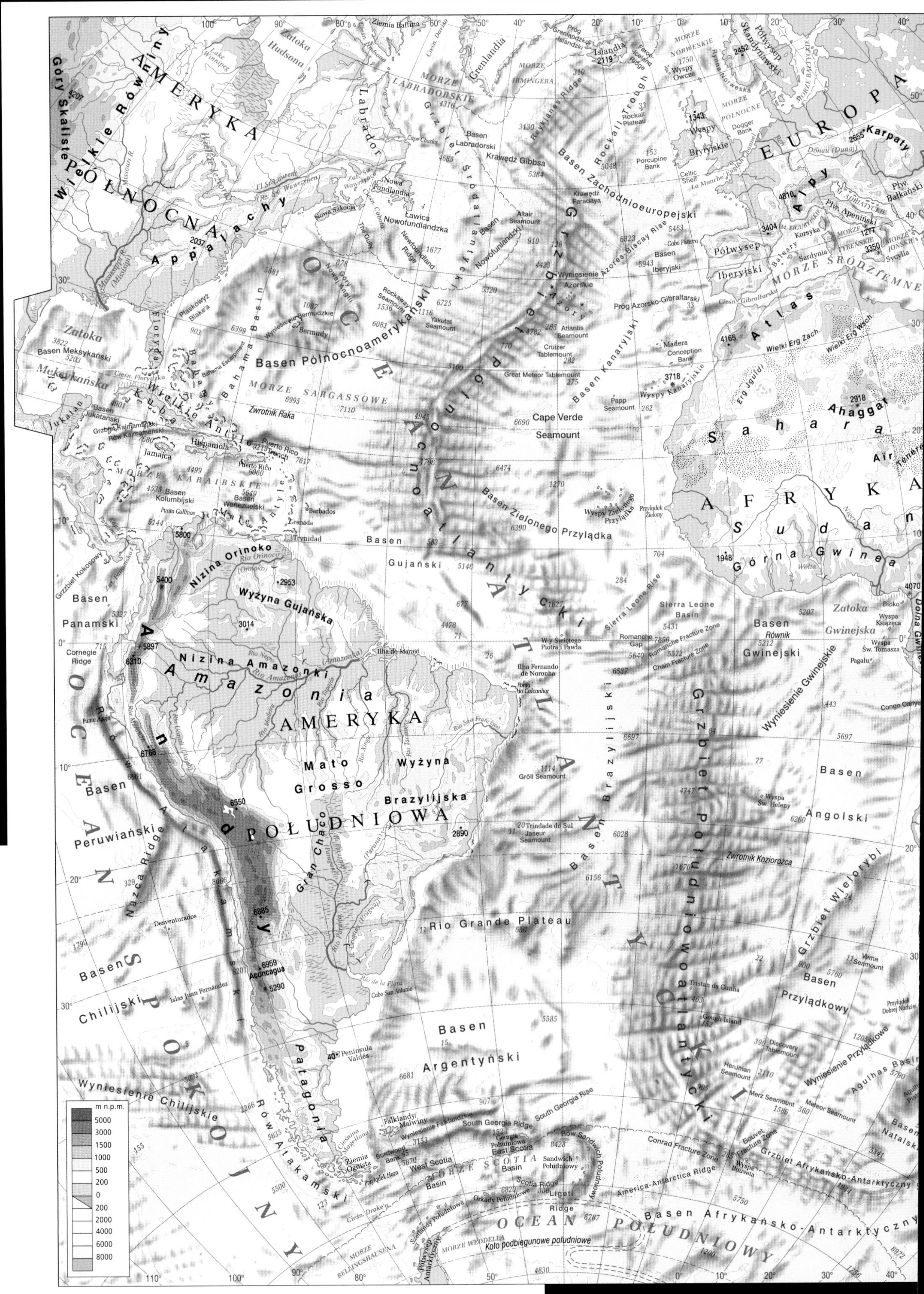
AMERYKA PÓŁNOCNA
Wielkie Równiny
Góry Skaliste
Appalachy
Zatoka Hudsona
Lake Winnipeg
Wielkie Jeziora
Labrador
Nowa Fundlandia
Nowa Szkocja
Zatoka Meksykańska
Basen Meksykański
Floryda
Bahamy
Kuba
Wielkie Antyle
Hispaniola
Jamajka
Puerto Rico
Puerto Rico Trench
Jukatan
Basen Jukatański
Rów Kajmański
Grzbiet Kajmański
MORZE KARAIBSKIE
Basen Kolumbijski
Basen Wenezuelski
Małe Antyle
Barbados
Grenada
Trynidad
Grenlandia
Ziemia Baffina
Cieśn. Davisa
MORZE LABRADORSKIE
Basen Labradorski
MORZE IRMINGERA
Islandia
Próg Grenlandzko-Islandzki
Wyspy Owcze
Reykjanes Ridge
Rockall Trough
Rockall Plateau
Krawędź Gibbsa
Krawędź Faradaya
Basen Zachodnioeuropejski
Porcupine Bank
Celtic Shelf
Grzbiet Śródatlantycki
Basen Nowofundlandzki
Ławica Nowofundlandzka
Newfoundland Ridge
Altair Seamount
Azores-Biscay Rise
Basen Iberyjski
Wyniesienie Azorskie
Azory
Próg Azorsko-Gibraltarski
Atlantis Seamount
Cruizer Tablemount
Great Meteor Tablemount
Madera
Conception Bank
Basen Kanaryjski
Wyspy Kanaryjskie
Papp Seamount
Wyniesienie Bermudzkie
Bermudy
Rockaway Seamount
Yakutat Seamount
Basen Północnoamerykański
MORZE SARGASSOWE
Zwrotnik Raka
Cape Verde Seamount
Basen Zielonego Przylądka
Wyspy Zielonego Przylądka
Przylądek Zielony
OCEAN ATLANTYCKI
Półwysep Skandynawski
MORZE NORWESKIE
MORZE PÓŁNOCNE
Dogger Bank
Wyspy Brytyjskie
EUROPA
Karpaty
Alpy
Półwysep Iberyjski
Baleary
Korsyka
Sardynia
Sycylia
Pw. Apeniński
Pw. Bałkański
MORZE ŚRÓDZIEMNE
Cieśn. Gibraltarska
Atlas
Wielki Erg Zach.
Wielki Erg Wsch.
Erg Iguidi
Ahaggar
Sahara
Aïr
Ténéré
AFRYKA
Sudan
Górna Gwinea
Zatoka Gwinejska
Basen Gwinejski
Równik
Wyspa Książęca
Wyspa Św. Tomasza
Pagalu
Bioko
Sierra Leone Rise
Sierra Leone Basin
Romanche Gap
Romanche Fracture Zone
Chain Fracture Zone
W-y Świętego Piotra i Pawła
Basen Gujański
Nizina Orinoko
Río Orinoco
Wyżyna Gujańska
Nizina Amazonki
Amazonia
Rio Amazonas
Ilha de Marajó
Ilha Fernando de Noronha
AMERYKA POŁUDNIOWA
Mato Grosso
Wyżyna Brazylijska
Andy
Gran Chaco
Rio São Francisco
Rio Madeira
Rio Paraná
Rio de la Plata
Cabo San Antonio
Aconcagua
Patagonia
Peninsula Valdés
Falklandy/Malwiny
Ziemia Ognista
Przylądek Horn
Cieśn. Drake'a
Grzbiet Kokosowy
Basen Panamski
Cornegie Ridge
Basen Peruwiański
Nazca Ridge
Rów Atakamski
Desventurados
Islas Juan Fernández
Basen Chilijski
Wyniesienie Chilijskie
OCEAN SPOKOJNY
Basen Brazylijski
Gröll Seamount
Trindade do Sul
Jaseur Seamount
Rio Grande Plateau
Basen Argentyński
Zwrotnik Koziorożca
Grzbiet Południowoatlantycki
Wyniesienie Gwinejskie
Basen Angolski
Wyspa Św. Heleny
Grzbiet Wielorybi
Vema Seamount
Basen Przylądkowy
Przylądek Dobrej Nadziei
Tristan da Cunha
Gough Island
Discovery Tablemount
Herdman Seamount
Merz Seamount
Meteor Seamount
Wyniesienie Przylądkowe
Agulhas Basin
Basen Natalski
South Georgia Rise
South Georgia Ridge
Georgia Południowa
Wyniesienie Falklandzkie
Burdwood Bank
West Scotia Basin
East Scotia Basin
MORZE SCOTIA
Sandwich Południowy
Rów Sandwich Południowy
Scotia Ridge
Ligeti Ridge
Orkady Południowe
Szetlandy Południowe
Conrad Fracture Zone
Bouvet Fracture Zone
Wyspa Bouveta
America-Antarctica Ridge
Grzbiet Afrykańsko-Antarktyczny
Basen Afrykańsko-Antarktyczny
OCEAN POŁUDNIOWY
MORZE WEDDELLA
MORZE BELLINGSHAUSENA
Półwysep Antarktyczny
Koło podbiegunowe południowe
m n.p.m.
5000
3000
1500
1000
500
200
0
200
2000
4000
6000
8000

1 : 60 000 000

0 500 1000 1500 km

Najważniejszą cechą mapy jest **powierzchniowa struktura przekazu informacji**. Ziemia – jak wiadomo – – ma kształt zbliżony do kuli. Dość doskonałym jej modelem jest globus, który poprawnie pomniejsza relacje przestrzenne pomiędzy elementami występującymi na powierzchni Ziemi. Zachowuje kierunki, oraz proporcje odległości i powierzchni. Pokazuje więc obiekty w zmniejszeniu, ale zachowując ich kształty i relacje wielkości. Oprócz niewątpliwych zalet, ma jednak poważne wady. Trudno bowiem wyobrazić sobie gigantyczny globus wykonany w skali, w jakiej zwykle sporządza się plany miast, czyli w dosyć dużej, np. 1 : 20 000. Musiałby mieć promień ponad trzykilometrowej długości!

Powierzchnia kuli jest nierozwijalna na płaszczyźnie bowiem nie da się jej przetworzyć w powierzchnię płaską bez deformacji. Zniekształceniom ulegają na mapach odległości, pola powierzchni i kierunki.

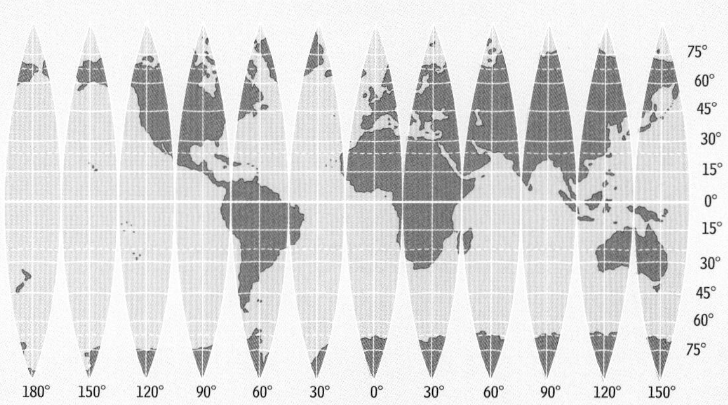

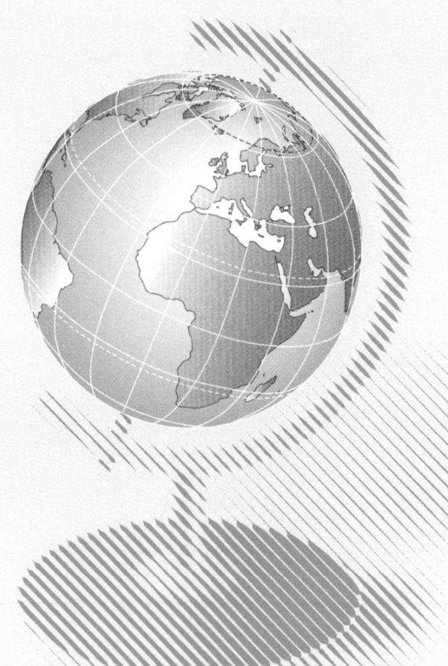

Powierzchnia globusa pocięta wzdłuż południków i rozciągnięta wzdłuż równika.

Aby przedstawić powierzchnię Ziemi lub jej części na płaszczyźnie należy przyjąć jakiś sposób przekształcenia powierzchni hipotetycznego globusa w mapę, zwany **odwzorowaniem kartograficznym**. Wszystkie odwzorowania zatem, cechują zniekształcenia, a rozpoznać je można analizując siatkę kartograficzną, czyli **obrazy** południków (na globusie – półokręgów) i równoleżników (na globusie – okręgów) na mapie. Na globusie południki i równoleżniki przecinają się zawsze pod kątem prostym.

Globusy zwykle mają średnice 30 do 60 cm, co odpowiada pomniejszeniu Ziemi do skali rzędu odpowiednio 1 : 40 000 000 – – 1 : 20 000 000. Pomimo tego, że jest wiernym modelem Ziemi (zachowującym kąty oraz prawidłowe relacje odległości i powierzchni) z powodu niewielkich rozmiarów ma ograniczone zastosowanie.

Wielkość zniekształceń jest różna w różnych punktach mapy, co najłatwiej zauważyć na mapach świata, półkul czy kontynentów. Wystarczy ich obraz porównać z obrazem z globusa! Oznacza to, że opisana przy mapie świata skala wyraża pomniejszenie Ziemi do wielkości hipotetycznego globusa, z którego ją zrobiono. To dlatego przy mapach świata nie umieszcza się podziałek liniowych. Ich zastosowanie byłoby bardzo ograniczone, a często wręcz mylące!
Wielkość zniekształceń na mapach zależy też od wielkości pokazywanego na mapie obszaru: im jest mniejszy (część kontynentu, kraj, jednostka administracyjna), tym zniekształcenia są mniejsze, a więc pomiary bardziej zbliżone do rzeczywistych relacji. Wynika to z faktu, że na mniejszym obszarze krzywizna Ziemi ma mniejszy wpływ na poprawność jego obrazu na mapie. Na mapach topograficznych, czyli wykonanych w skalach 1 : 100 000 lub większych (typowych dla map turystycznych i planów miast) błędy pomiarów są większe niż błędy wynikające z użytych odwzorowań. Spokojnie można więc na nich dokonywać wszelkich pomiarów, a dodatkową zachętą do tego jest umieszczona przez kartografów podziałka liniowa.

Rodzaje odwzorowań kartograficznych

Obraz siatki kartograficznej każdego odwzorowania jest wyrazem ścisłych założeń opisanych odpowiednimi wzorami matematycznymi. Najbardziej poglądowo można je scharakteryzować wskazując na jaką powierzchnię odniesienia „rzutowane" są południki i równoleżniki z hipotetycznego globusa. Stosując to kryterium wyróżniamy odwzorowania:

- **walcowe** (na powierzchnię boczną walca)
- **stożkowe** (na powierzchnię boczną stożka)
- **płaszczyznowe** (punkt rzutowania znajduje się w środku Ziemi lub przeciwległym punkcie w stosunku do przyłożonej płaszczyzny albo są to równoległe wiązki światła padające pod kątem prostym)

Walcowe
(na powierzchnię
boczną walca)

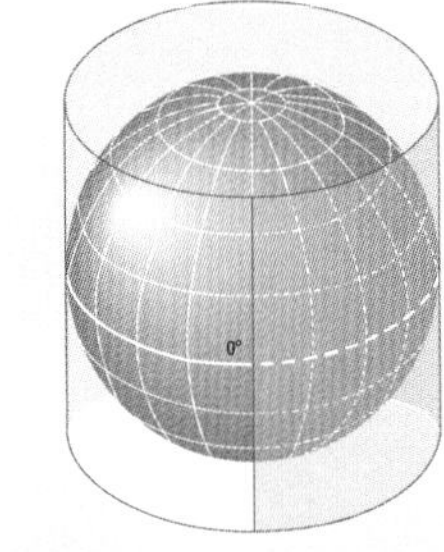

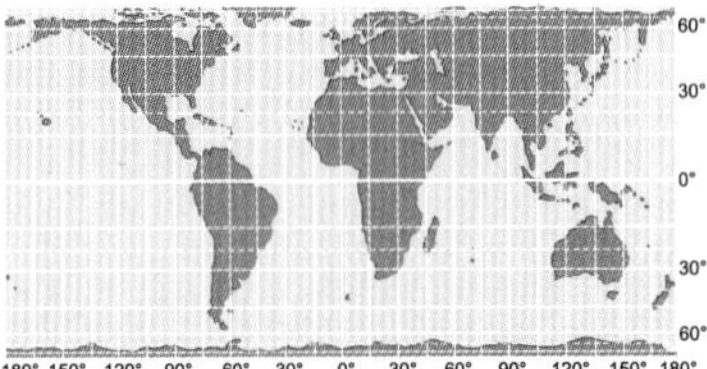

Odwzorowanie walcowe,
styczne na równiku.
W położeniu **normalnym** –
– oś Ziemi i walca pokrywają się.

Stożkowe
(na powierzchnię
boczną stożka)

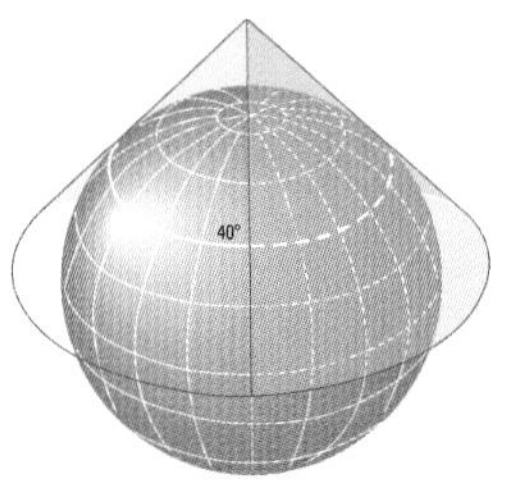

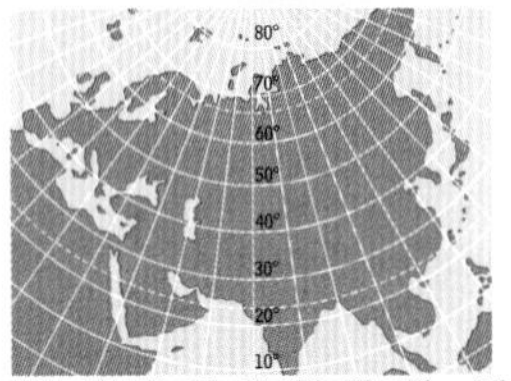

Odwzorowanie stożkowe, styczne
do równoleżnika 40°N.
W położeniu **normalnym** –
– oś Ziemi i stożka pokrywają się.

Płaszczyznowe
(na płaszczyznę)

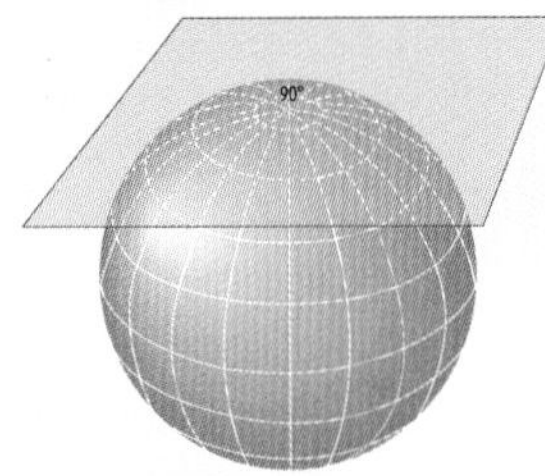

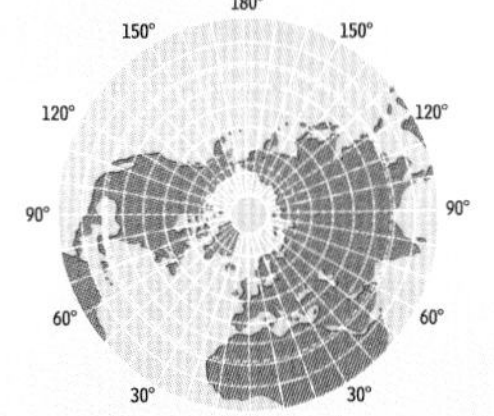

Odwzorowanie płaszczyznowe,
styczne na biegunie północnym.
W położeniu **normalnym** – płaszczyzna
jest prostopadła do osi Ziemi.

Płaszczyznowe
(na płaszczyznę)

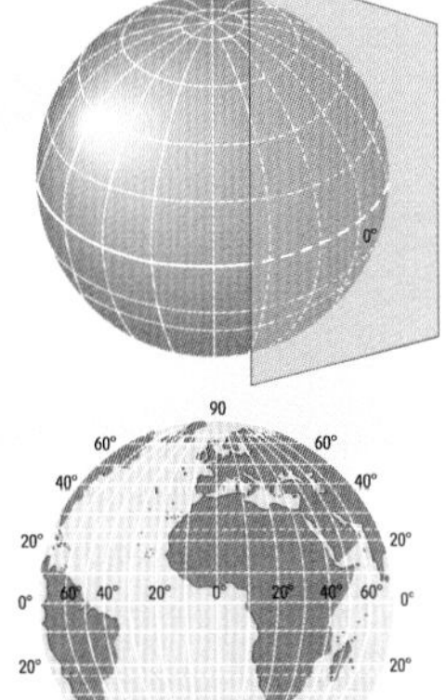

Odwzorowanie płaszczyznowe,
styczne do równika.
W położeniu **poprzecznym** – płaszczyzna
jest równoległa do osi Ziemi.

Płaszczyznowe
(na płaszczyznę)

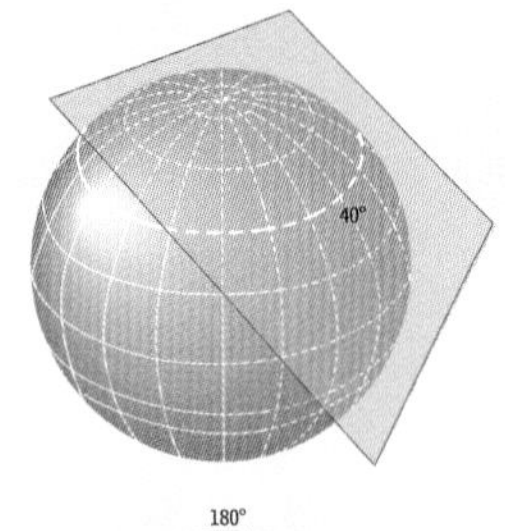

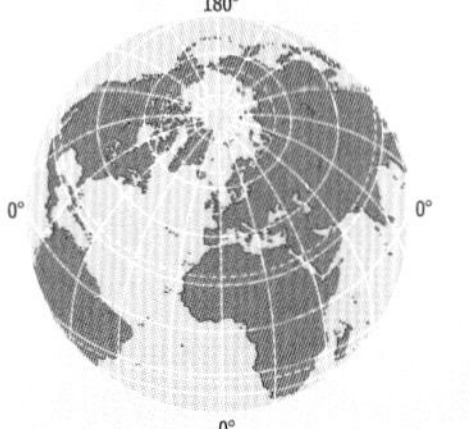

Odwzorowanie płaszczyznowe,
styczne do równoleżnika 40°N.
W położeniu **ukośnym** – płaszczyzna
tworzy z osią Ziemi kąt ostry.
Jest to położenie pośrednie pomiędzy
normalnym, a poprzecznym.

W zależności od położenia osi Ziemi (globusa) w stosunku do powierzchni odwzorowania mówimy o położeniach:

- **normalnym** (oś Ziemi i bryły obrotowej pokrywa się lub jest prostopadła do płaszczyzny)
- **poprzecznym** (oś Ziemi jest prostopadła do bryły obrotowej lub jest równoległa do płaszczyzny)
- **ukośnym** (oś Ziemi jest w położeniu pomiędzy normalnym, a poprzecznym).

Dodatkowo płaszczyzny odwzorowawcze nie muszą być styczne, ale mogą być sieczne względem hipotetycznego globusa.

Dużą odrębną grupę stanowią **odwzorowania umowne**. Stosuje się je aby uzyskać obraz **całego świata** (w żadnym z dotychczas omówionych rodzajów odwzorowań nie było to możliwe). Przeważnie chodzi też o taką prezentację Ziemi by miała charakter zwarty, i aby równoleżnikom nadać kształt prostoliniowy lub tylko nieco wygięty, co ułatwia pokazywanie strefowości wielu zjawisk. Taki kompromis powoduje często zniekształcenie wszystkich elementów (odległości, kierunków i powierzchni).

Baranyiego

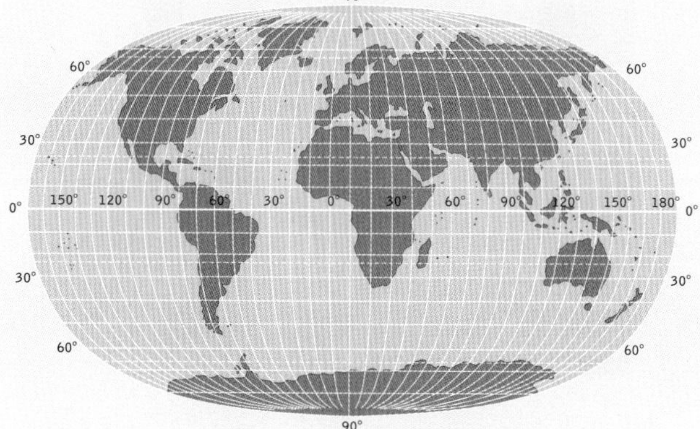

Odwzorowanie Baranyiego zniekształca powierzchnie i kąty. Jednak jego podstawową zaletą jest przewiększenie obszarów średnich szerokości geograficznych. Znajdują się tam wysokorozwinięte państwa, zwłaszcza europejskie i północnoamerykańskie.

Mollweidego (wiernopowierzchniowe)

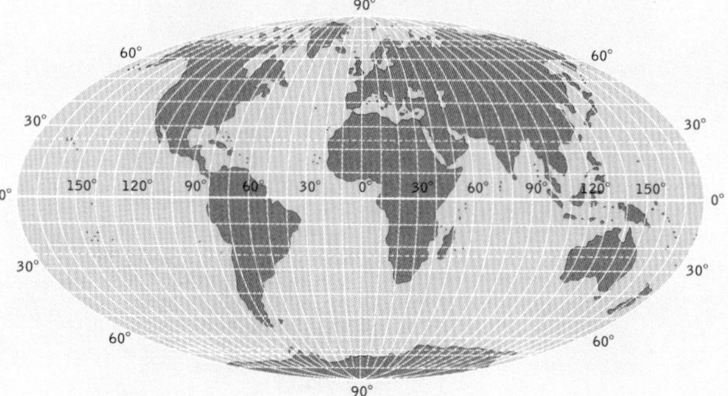

W wiernopowierzchniowej siatce stworzonej w 1805 r. przez niemieckiego matematyka Mollweidego Ziemia ma kształt elipsy. Stosunek długości równika do południka środkowego (osie elipsy) wynosi 2 : 1. Wraz z oddalaniem się od południka środkowego, długość południków znacznie wzrasta co powoduje też duże zniekształcenia kątów.

Merkatora (wiernokątne walcowe normalne)

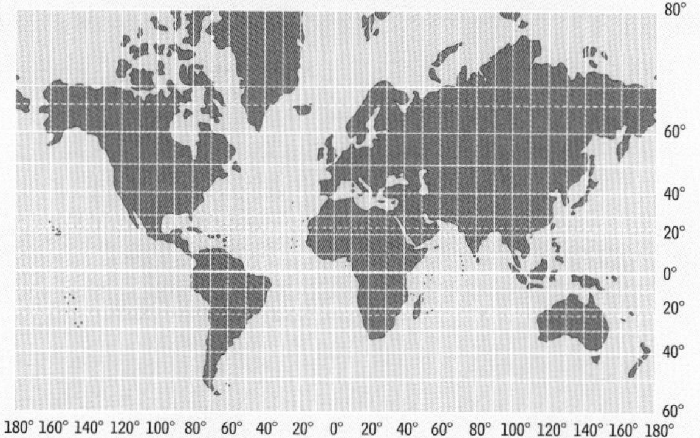

Wiernokątne odwzorowanie walcowe w położeniu normalnym stworzone w 1569 r. przez Gerharda Mercatora stosowano głównie do map morskich. Wiernokątność uzyskuje się kosztem dużych zniekształceń odległości i powierzchni, zwłaszcza na obszarach podbiegunowych. Samych biegunów w ogóle nie można odwzorować. Odległość zgodna ze skalą zachowana jest tylko na równiku.

Odwzorowania umowne dają również możliwość zaplanowania bardzo konkretnych właściwości mapy np. zachowania wiernie w podanej skali: niektórych odległości, niektórych kierunków, wszystkich kierunków, wszystkich powierzchni. Powstają w wyniku modyfikacji siatek płaszczyznowych, stożkowych lub walcowych; w zależności od typu przekształcenia odwzorowania noszą nazwę pseudopłaszczyznowych (pseudoazymutalnych), pseudostożkowych oraz pseudowalcowych. Do odwzorowań umownych należą także odwzorowania wielostożkowe oraz takie, które trudno zaklasyfikować do wcześniej wydzielonych grup i wtedy określa się je mianem siatek dowolnych. Siatki umowne dzielą się na odwzorowania normalne, poprzeczne i ukośne oraz na odwzorowania równokątne, równopolowe i równodługościowe (w zależności od charakteru zniekształceń).
W atlasach szkolnych najczęściej używane są odwzorowania **Mollweidego** lub **Baranyiego**, zaś do prezentacji stref czasowych odwzorowanie wiernokątne **Mercatora**, dawniej stosowane w mapach nawigacyjnych.

Państwa suwerenne

  AFGANISTAN ISLAMSKA REPUBLIKA AFGANISTANU

  ALBANIA REPUBLIKA ALBANII

  ALGIERIA ALGIERSKA REP. LUDOWO--DEMOKRATYCZNA

  ANDORA KSIĘSTWO ANDORY

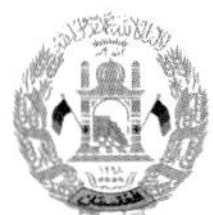

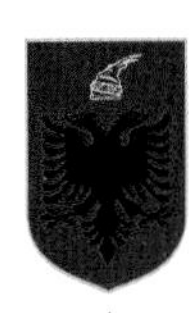

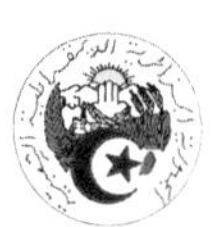

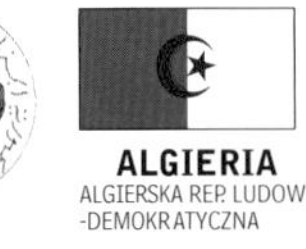

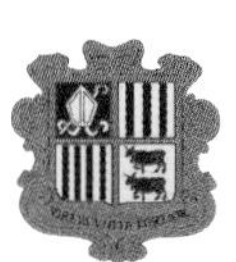

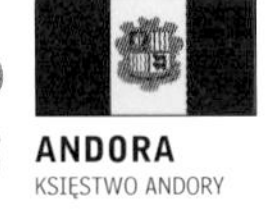

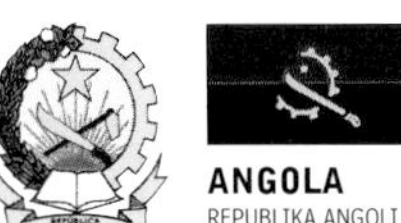

 ANGOLA REPUBLIKA ANGOLI

 ANTIGUA I BARBUDA

  ARABIA SAUDYJSKA KRÓLESTWO ARABII SAUDYJSKIEJ

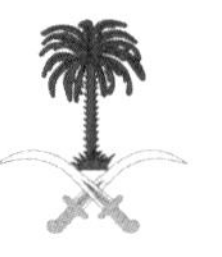

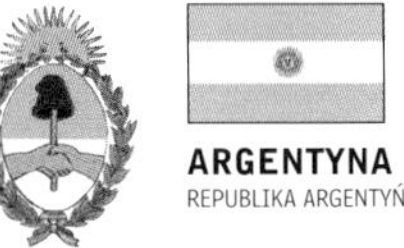

 ARGENTYNA REPUBLIKA ARGENTYŃSKA

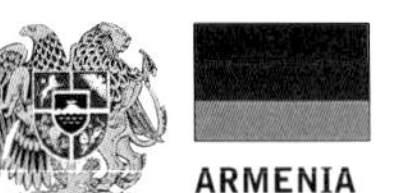

 ARMENIA REPUBLIKA ARMENII

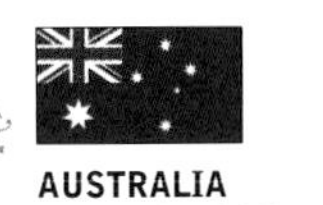

 AUSTRALIA ZWIĄZEK AUSTRALIJSKI

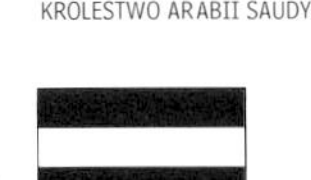

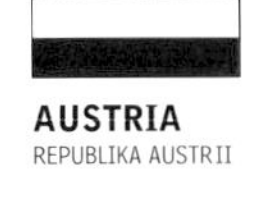

 AUSTRIA REPUBLIKA AUSTRII

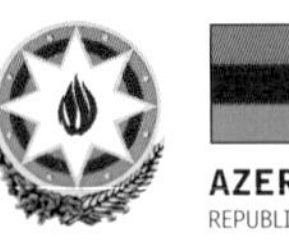

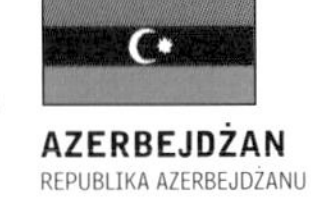

 AZERBEJDŻAN REPUBLIKA AZERBEJDŻANU

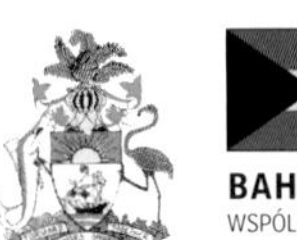

 BAHAMY WSPÓLNOTA BAHAMÓW

  BAHRAJN KRÓLESTWO BAHRAJNU

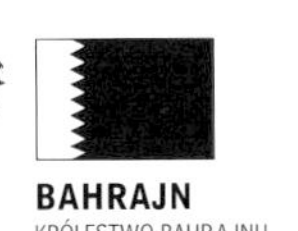

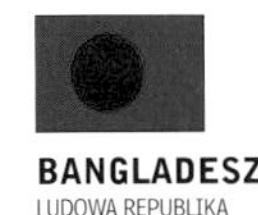

 BANGLADESZ LUDOWA REPUBLIKA BANGLADESZU

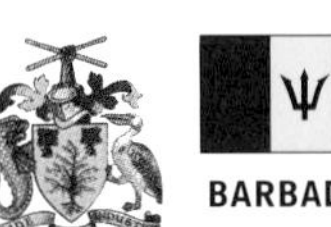

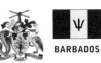

 BARBADOS

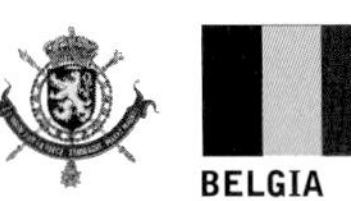

 BELGIA KRÓLESTWO BELGII

  BELIZE

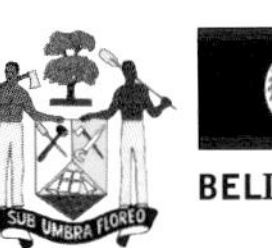

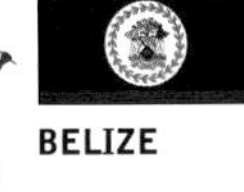

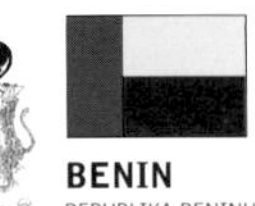

 BENIN REPUBLIKA BENINU

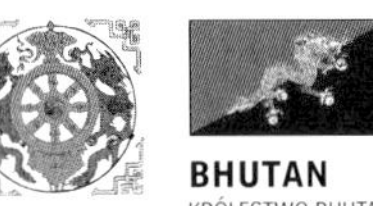

 BHUTAN KRÓLESTWO BHUTANU

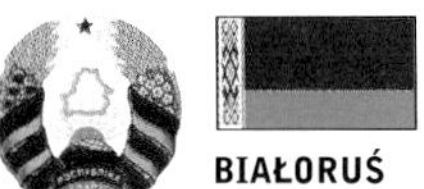

 BIAŁORUŚ REPUBLIKA BIAŁORUSI

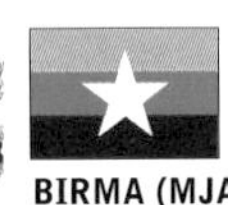

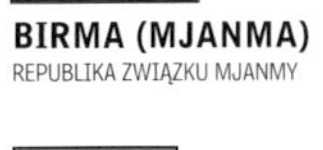

 BIRMA (MJANMA) REPUBLIKA ZWIĄZKU MJANMY

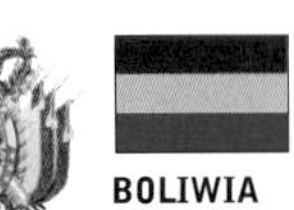

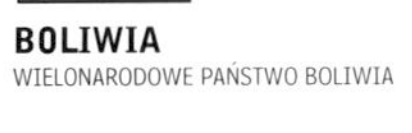

 BOLIWIA WIELONARODOWE PAŃSTWO BOLIWIA

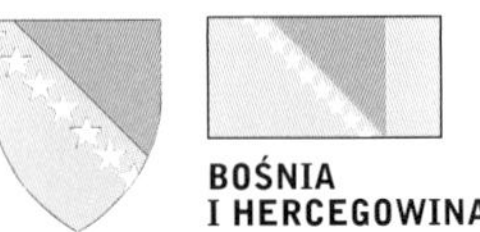

 BOŚNIA I HERCEGOWINA

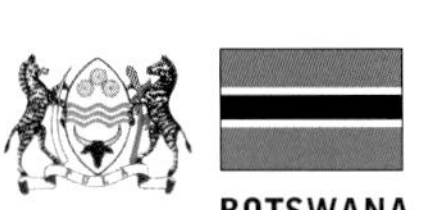

 BOTSWANA REPUBLIKA BOTSWANY

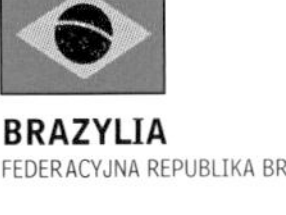

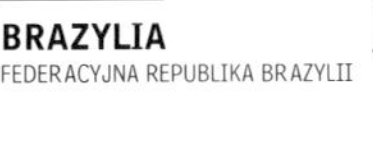

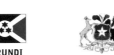

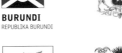

 BRAZYLIA FEDERACYJNA REPUBLIKA BRAZYLII

   BRUNEI PAŃSTWO BRUNEI DARUSSALAM

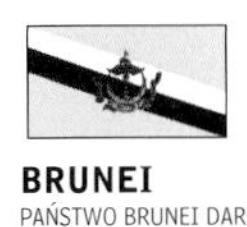

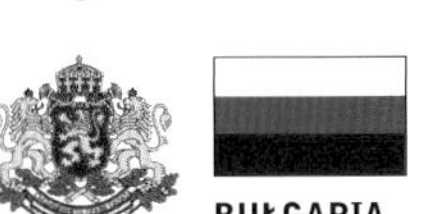

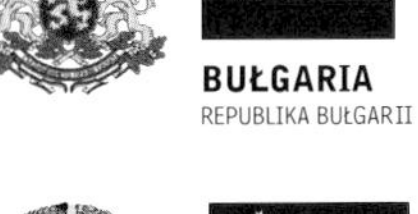

 BUŁGARIA REPUBLIKA BUŁGARII

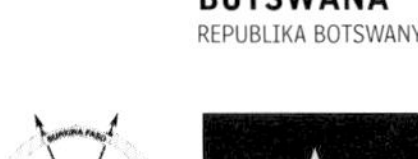

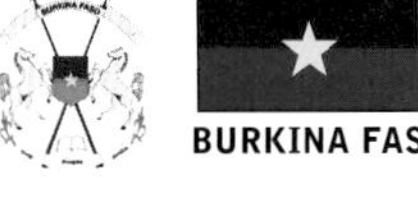

 BURKINA FASO

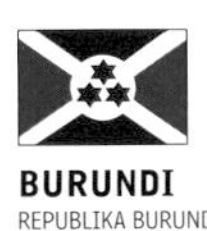

 BURUNDI REPUBLIKA BURUNDI

  CHILE REPUBLIKA CHILE

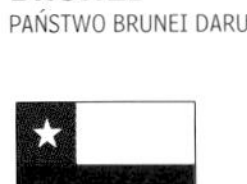

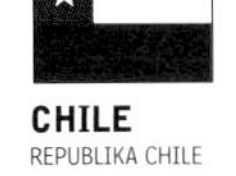

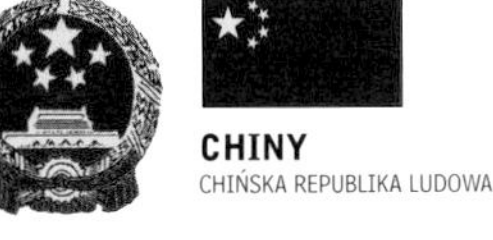

 CHINY CHIŃSKA REPUBLIKA LUDOWA

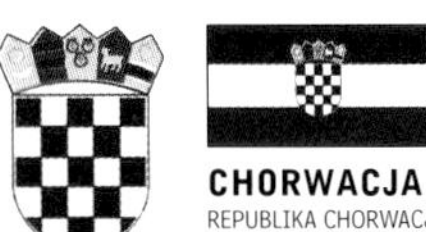

 CHORWACJA REPUBLIKA CHORWACJI

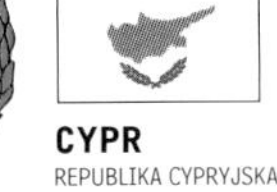

 CYPR REPUBLIKA CYPRYJSKA

  CZAD REPUBLIKA CZADU

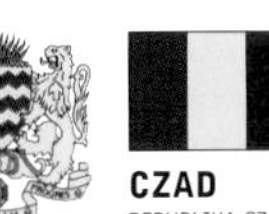

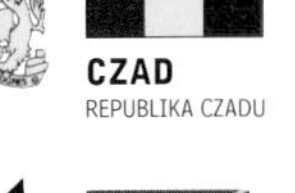

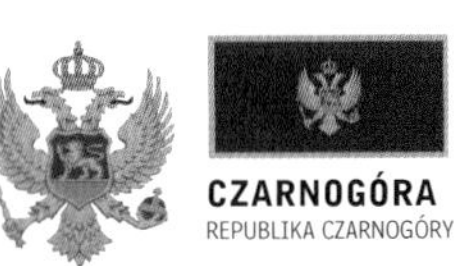

 CZARNOGÓRA REPUBLIKA CZARNOGÓRY

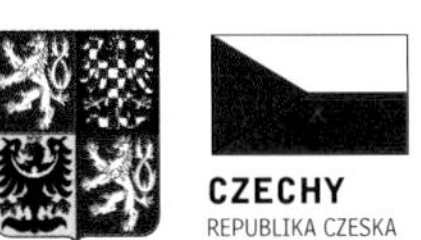

 CZECHY REPUBLIKA CZESKA

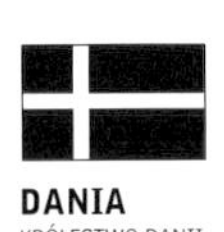

 DANIA KRÓLESTWO DANII

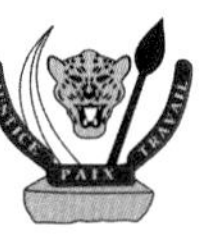

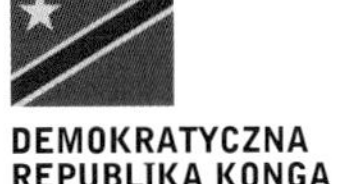

 DEMOKRATYCZNA REPUBLIKA KONGA

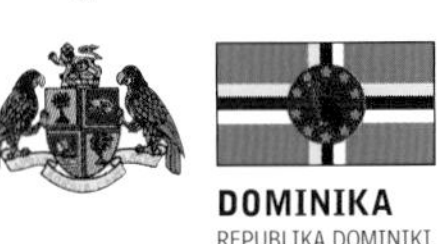

 DOMINIKA REPUBLIKA DOMINIKI

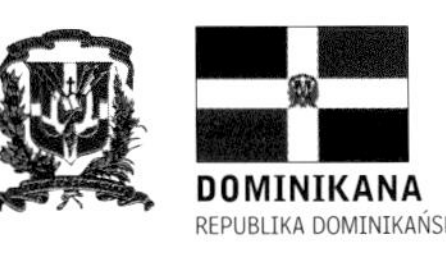

 DOMINIKANA REPUBLIKA DOMINIKAŃSKA

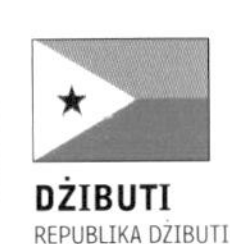

 DŻIBUTI REPUBLIKA DŻIBUTI

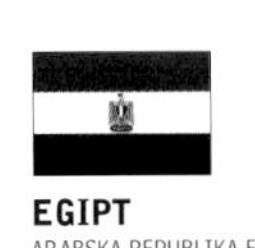

 EGIPT ARABSKA REPUBLIKA EGIPTU

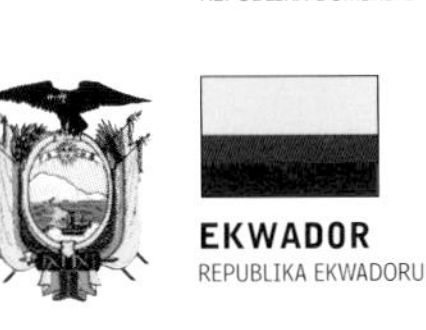

 EKWADOR REPUBLIKA EKWADORU

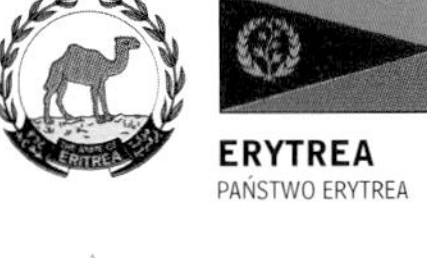

 ERYTREA PAŃSTWO ERYTREA

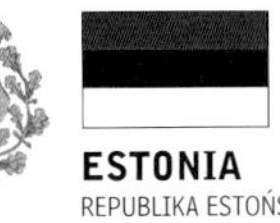

 ESTONIA REPUBLIKA ESTOŃSKA

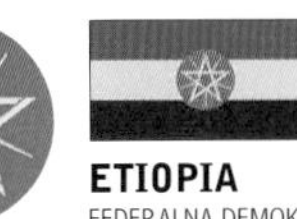

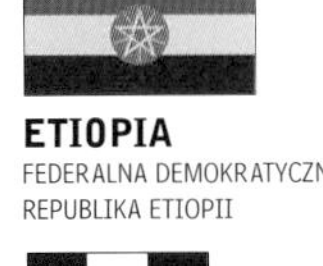

 ETIOPIA FEDERALNA DEMOKRATYCZNA REPUBLIKA ETIOPII

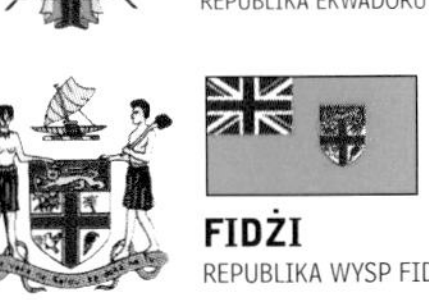

 FIDŻI REPUBLIKA WYSP FIDŻI

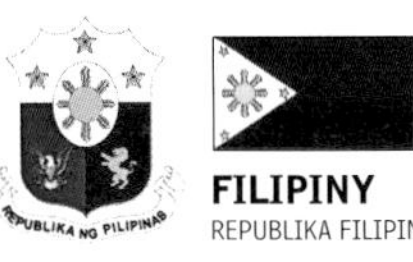

 FILIPINY REPUBLIKA FILIPIN

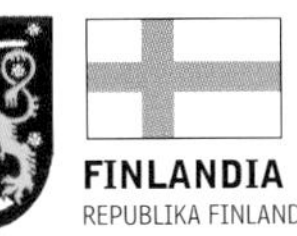

 FINLANDIA REPUBLIKA FINLANDII

  FRANCJA REPUBLIKA FRANCUSKA

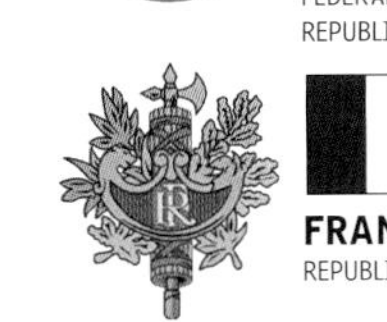

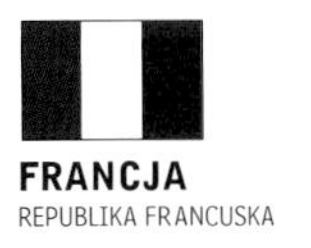

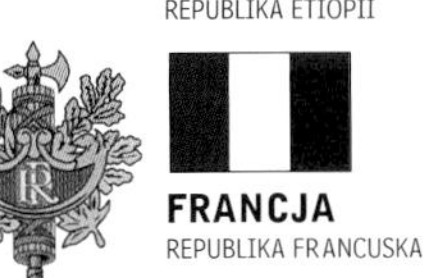

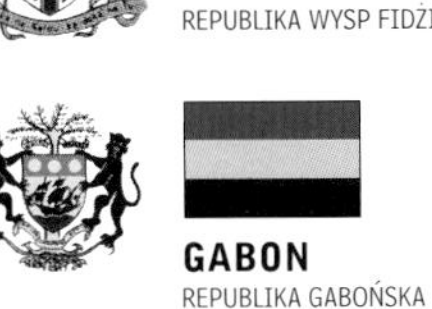

 GABON REPUBLIKA GABOŃSKA

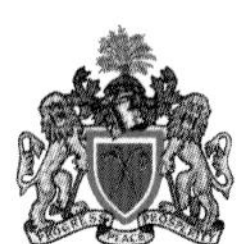

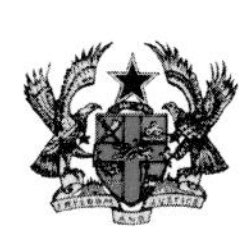

GAMBIA
REPUBLIKA GAMBII

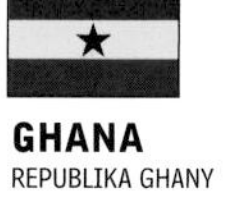

GHANA
REPUBLIKA GHANY

GRECJA
REPUBLIKA GRECKA

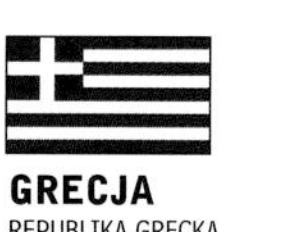

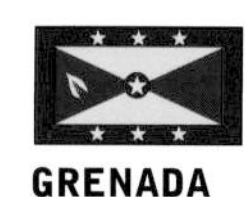

GRENADA

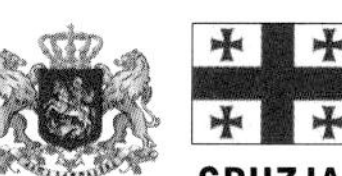

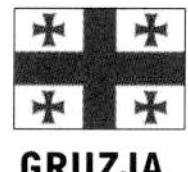

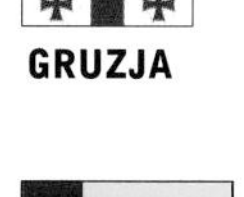

GRUZJA

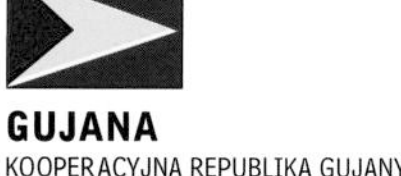

GUJANA
KOOPERACYJNA REPUBLIKA GUJANY

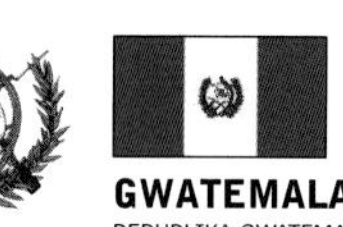

GWATEMALA
REPUBLIKA GWATEMALI

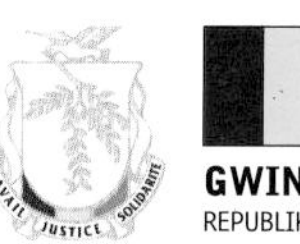

GWINEA
REPUBLIKA GWINEI

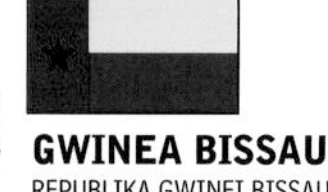

GWINEA BISSAU
REPUBLIKA GWINEI BISSAU

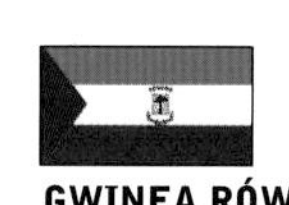

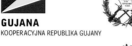

GWINEA RÓWNIKOWA
REPUBLIKA GWINEI RÓWNIKOWEJ

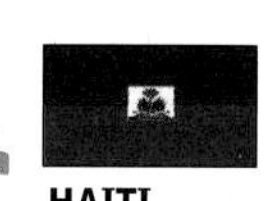

HAITI
REPUBLIKA HAITI

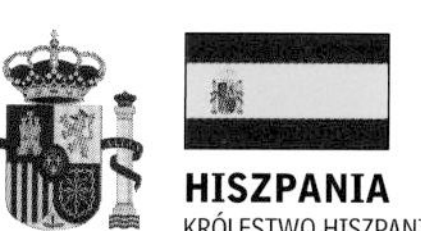

HISZPANIA
KRÓLESTWO HISZPANII

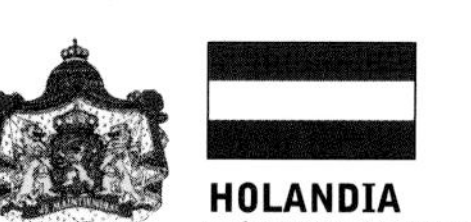

HOLANDIA
KRÓLESTWO NIDERLANDÓW

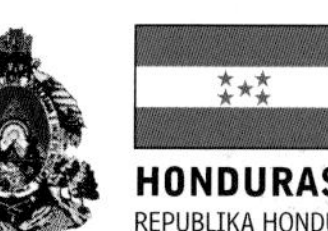

HONDURAS
REPUBLIKA HONDURASU

INDIE
REPUBLIKA INDII

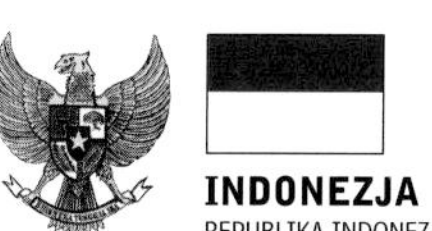

INDONEZJA
REPUBLIKA INDONEZJI

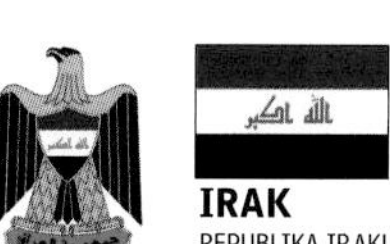

IRAK
REPUBLIKA IRAKU

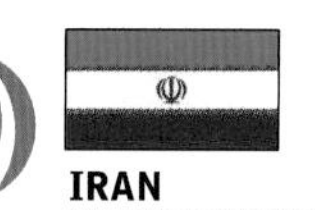

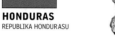

IRAN
ISLAMSKA REPUBLIKA IRANU

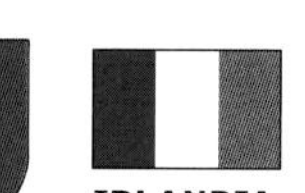

IRLANDIA

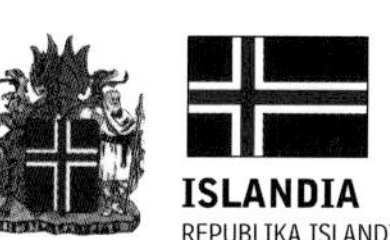

ISLANDIA
REPUBLIKA ISLANDII

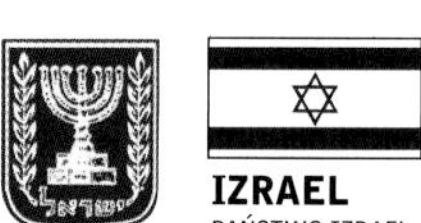

IZRAEL
PAŃSTWO IZRAEL

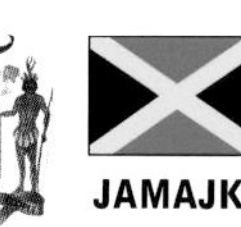

JAMAJKA

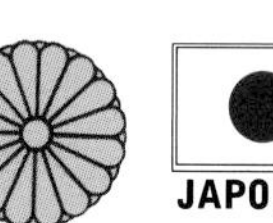

JAPONIA

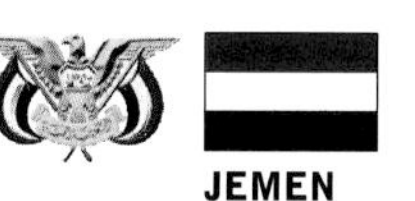

JEMEN
REPUBLIKA JEMEŃSKA

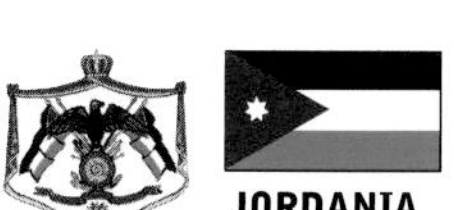

JORDANIA
JORDAŃSKIE KRÓLESTWO
HASZYMIDZKIE

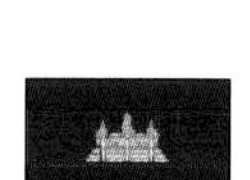

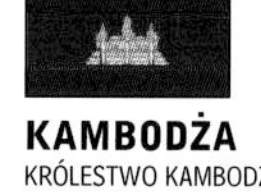

KAMBODŻA
KRÓLESTWO KAMBODŻY

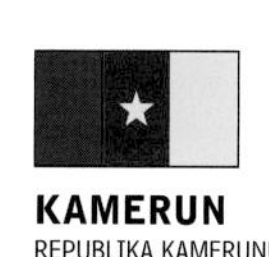

KAMERUN
REPUBLIKA KAMERUNU

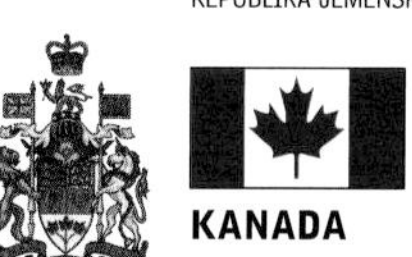

KANADA

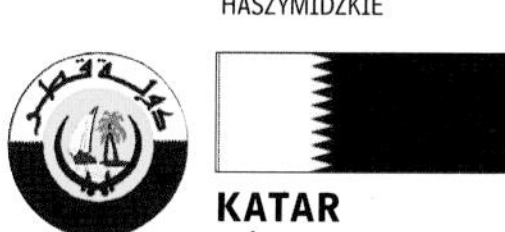

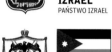

KATAR
PAŃSTWO KATAR

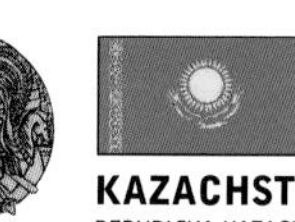

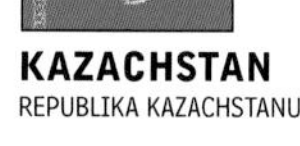

KAZACHSTAN
REPUBLIKA KAZACHSTANU

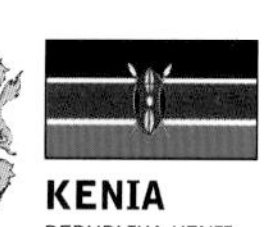

KENIA
REPUBLIKA KENII

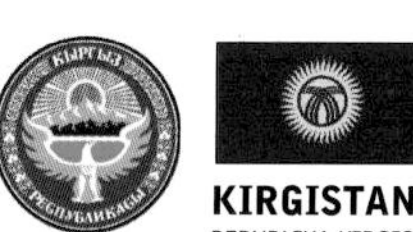

KIRGISTAN
REPUBLIKA KIRGISKA

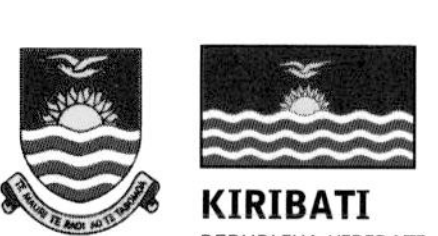

KIRIBATI
REPUBLIKA KIRIBATI

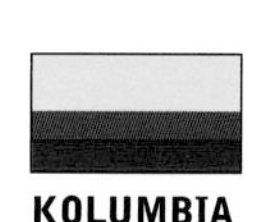

KOLUMBIA
REPUBLIKA KOLUMBII

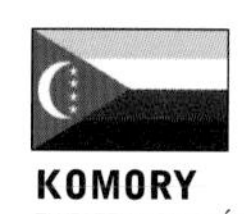

KOMORY
ZWIĄZEK KOMORÓW

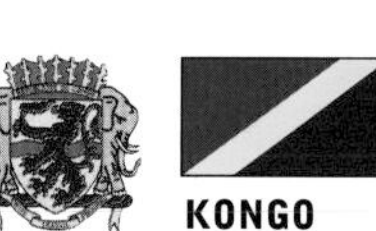

KONGO
REPUBLIKA KONGA

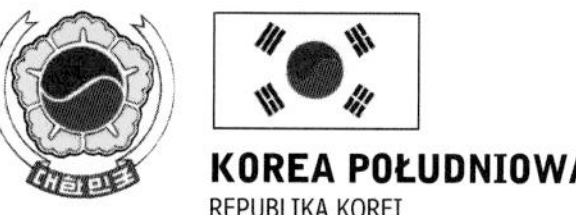

KOREA POŁUDNIOWA
REPUBLIKA KOREI

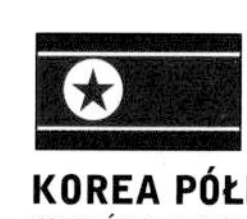

KOREA PÓŁNOCNA
KOREAŃSKA REPUBLIKA LUDOWO-
-DEMOKRATYCZNA

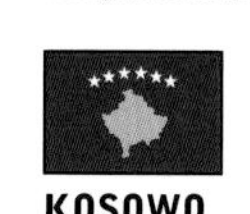

KOSOWO
REPUBLIKA KOSOWA

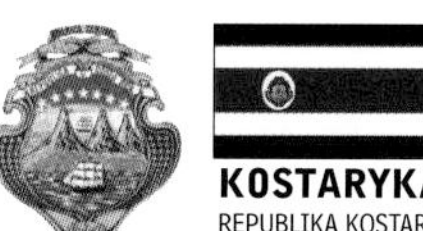

KOSTARYKA
REPUBLIKA KOSTARYKI

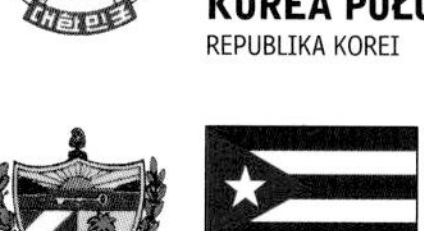

KUBA
REPUBLIKA KUBY

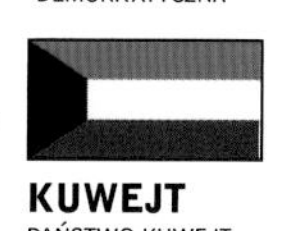

KUWEJT
PAŃSTWO KUWEJT

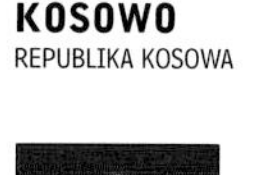

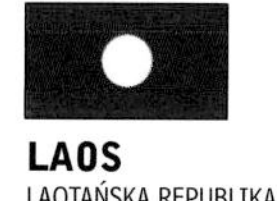

LAOS
LAOTAŃSKA REPUBLIKA
LUDOWO-DEMOKRATYCZNA

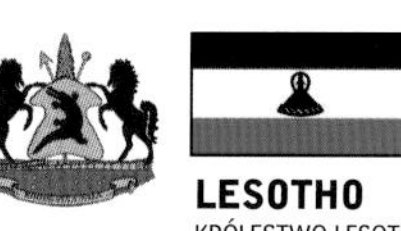

LESOTHO
KRÓLESTWO LESOTHO

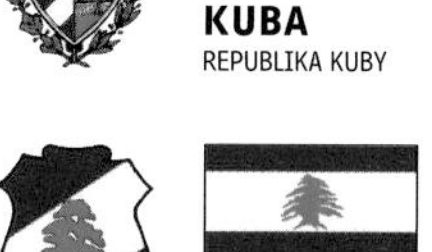

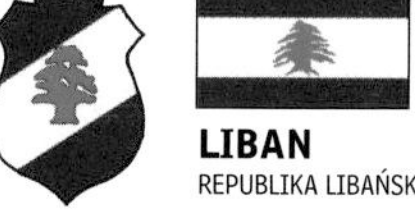

LIBAN
REPUBLIKA LIBAŃSKA

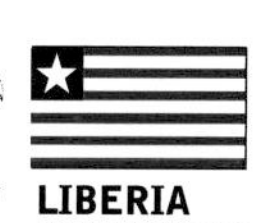

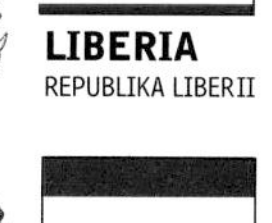

LIBERIA
REPUBLIKA LIBERII

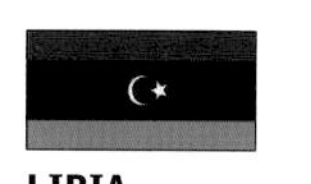

LIBIA

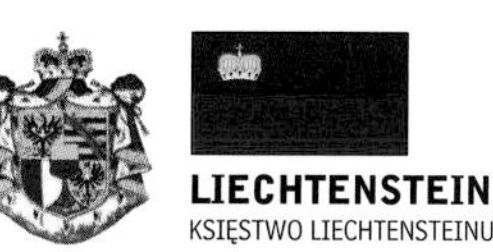

LIECHTENSTEIN
KSIĘSTWO LIECHTENSTEINU

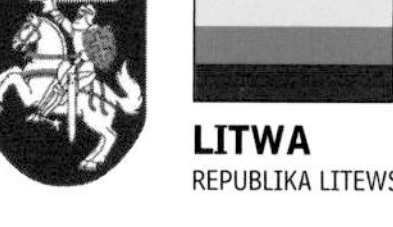

LITWA
REPUBLIKA LITEWSKA

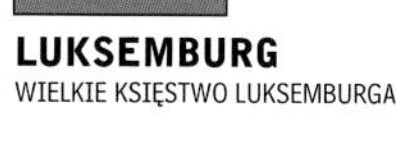

LUKSEMBURG
WIELKIE KSIĘSTWO LUKSEMBURGA

ŁOTWA
REPUBLIKA ŁOTEWSKA

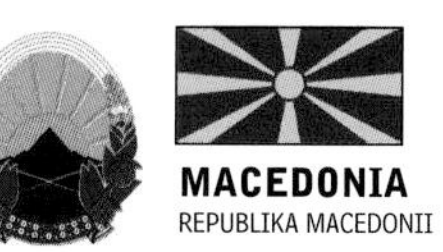

MACEDONIA
REPUBLIKA MACEDONII

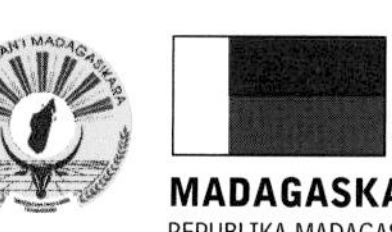

MADAGASKAR
REPUBLIKA MADAGASKARU

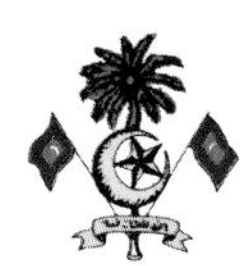

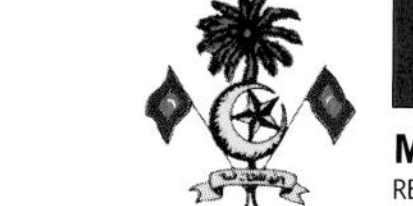

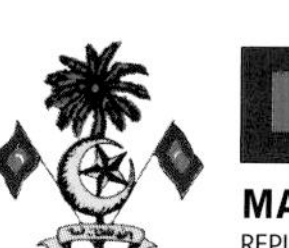

MALAWI
REPUBLIKA MALAWI

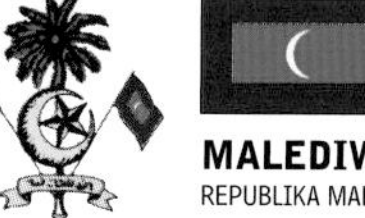

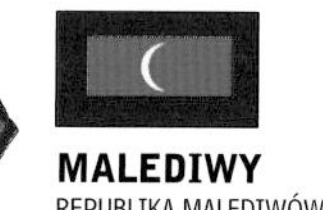

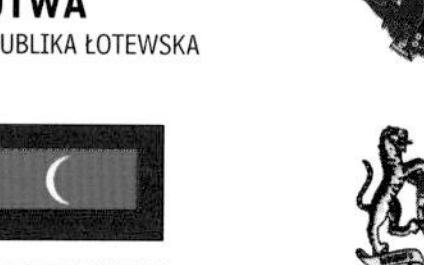

MALEDIWY
REPUBLIKA MALEDIWÓW

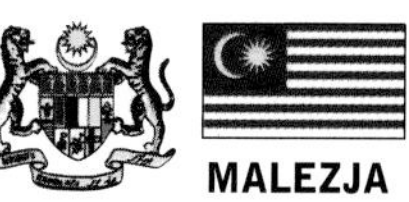

MALEZJA

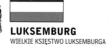

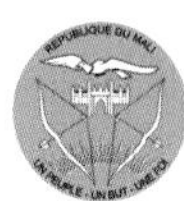

MALI
REPUBLIKA MALI

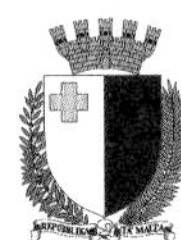

 MALTA
REPUBLIKA MALTY

 MAROKO
KRÓLESTWO MAROKAŃSKIE

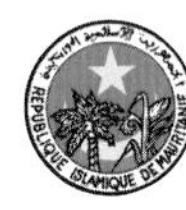

 MAURETANIA
ISLAMSKA REPUBLIKA MAURETAŃSKA

  MAURITIUS
REPUBLIKA MAURITIUSU

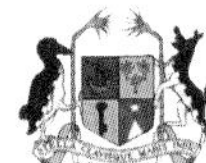

 MEKSYK
MEKSYKAŃSKIE STANY ZJEDNOCZONE

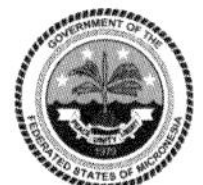

 MIKRONEZJA
SFEDEROWANE STANY MIKRONEZJI

  MOŁDAWIA
REPUBLIKA MOŁDAWII

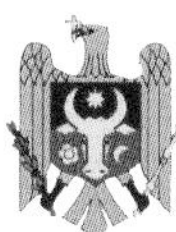

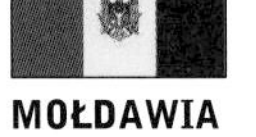

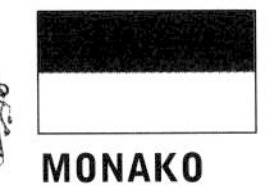

 MONAKO
KSIĘSTWO MONAKO

  MONGOLIA

  MOZAMBIK
REPUBLIKA MOZAMBIKU

  NAMIBIA
REPUBLIKA NAMIBII

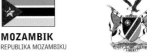

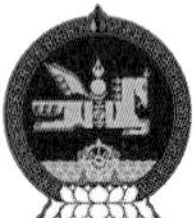

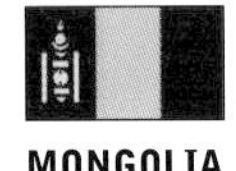

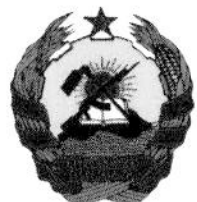

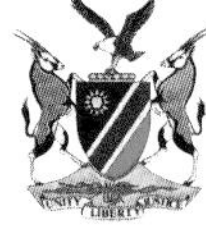

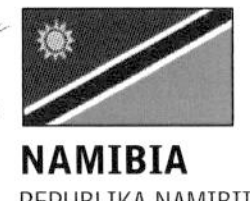

 NAURU
REPUBLIKA NAURU

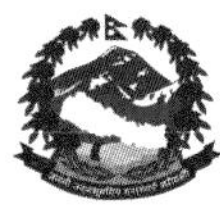

 NEPAL
FEDERALNA DEMOKRATYCZNA
REPUBLIKA NEPALU

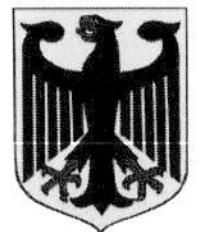

 NIEMCY
REPUBLIKA FEDERALNA NIEMIEC

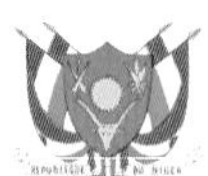

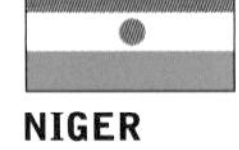

 NIGER
REPUBLIKA NIGRU

  NIGERIA
FEDERALNA REPUBLIKA NIGERII

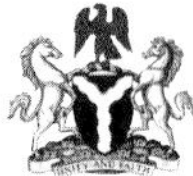

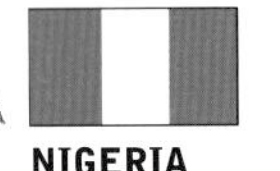

NIKARAGUA
REPUBLIKA NIKARAGUI

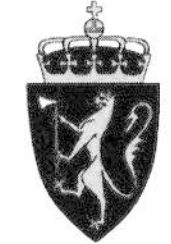

 NORWEGIA
KRÓLESTWO NORWEGII

 NOWA ZELANDIA

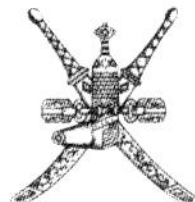

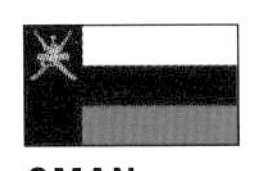

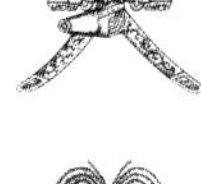

 OMAN
SUŁTANAT OMANU

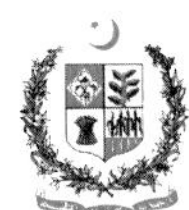

 PAKISTAN
ISLAMSKA REPUBLIKA PAKISTANU

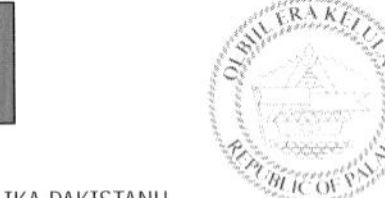

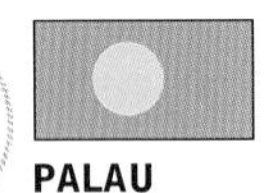

 PALAU
REPUBLIKA PALAU

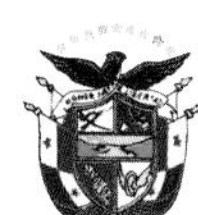

 PANAMA
REPUBLIKA PANAMY

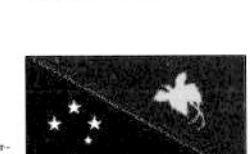

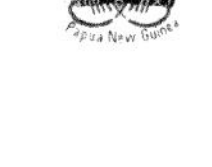

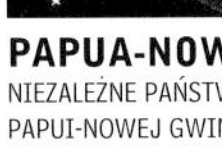

 PAPUA-NOWA GWINEA
NIEZALEŻNE PAŃSTWO
PAPUI-NOWEJ GWINEI

  PARAGWAJ
REPUBLIKA PARAGWAJU

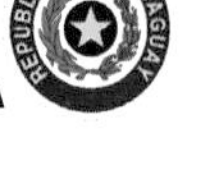

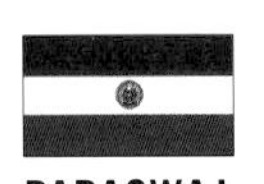

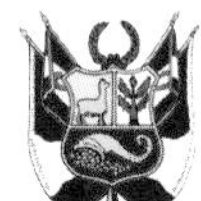

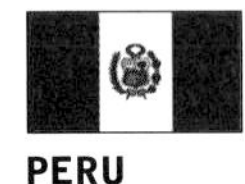

 PERU
REPUBLIKA PERU

  POLSKA
RZECZPOSPOLITA POLSKA

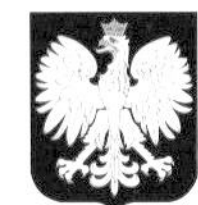

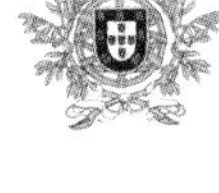

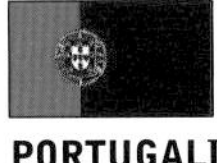

 PORTUGALIA
REPUBLIKA PORTUGALSKA

  **REPUBLIKA
POŁUDNIOWEJ AFRYKI**

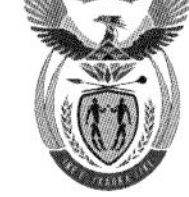

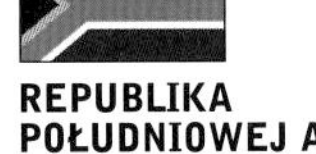

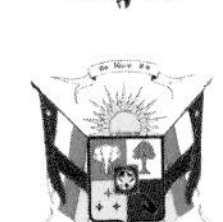

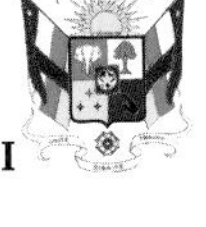

 **REPUBLIKA
ŚRODKOWOAFRYKAŃSKA**

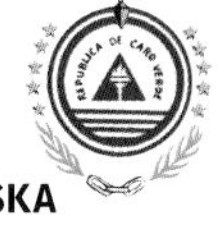

 **REPUBLIKA
ZIELONEGO PRZYLĄDKA**

   ROSJA
FEDERACJA ROSYJSKA

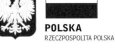

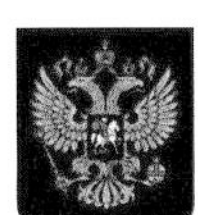

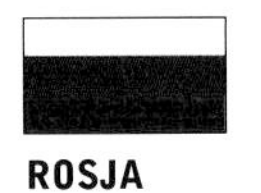

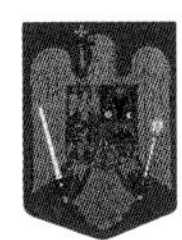

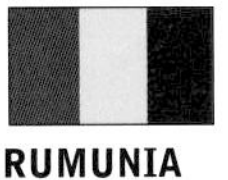

 RUMUNIA

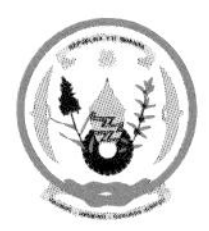

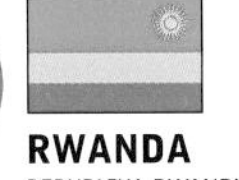

 RWANDA
REPUBLIKA RWANDY

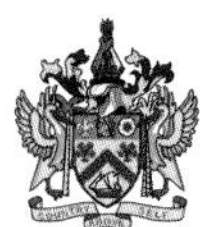

 SAINT KITTS I NEVIS
FEDERACJA SAINT KITTS I NEVIS

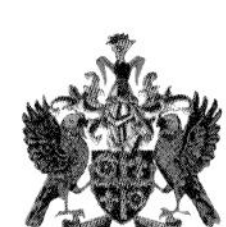

 SAINT LUCIA

  **SAINT VINCENT
I GRENADYNY**

  SALWADOR
REPUBLIKA SALWADORU

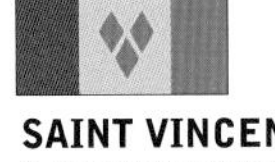

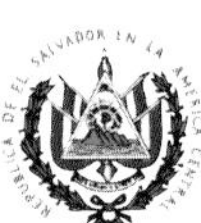

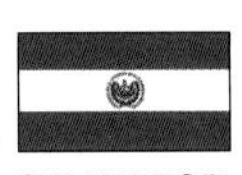

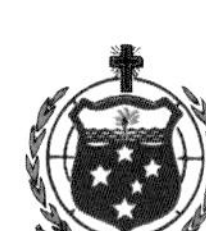

 SAMOA
NIEZALEŻNE PAŃSTWO SAMOA

  SAN MARINO
REPUBLIKA SAN MARINO

  SENEGAL
REPUBLIKA SENEGALU

  SERBIA
REPUBLIKA SERBII

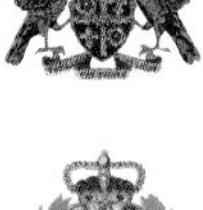

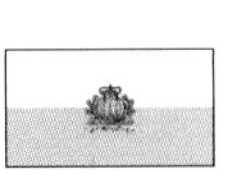

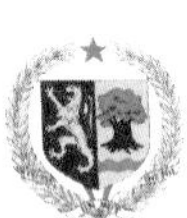

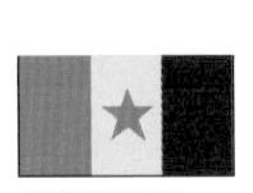

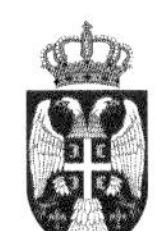

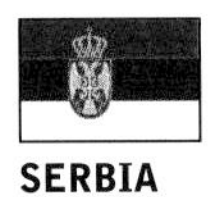

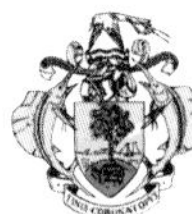

 SESZELE
REPUBLIKA SESZELI

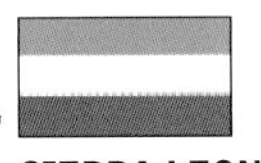

 SIERRA LEONE
REPUBLIKA SIERRA LEONE

  SINGAPUR
REPUBLIKA SINGAPURU

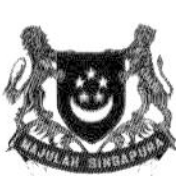

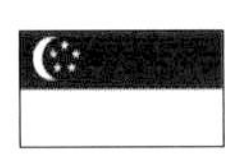

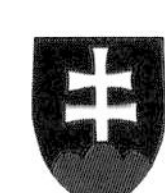

 SŁOWACJA
REPUBLIKA SŁOWACKA

  SŁOWENIA
REPUBLIKA SŁOWENII

  SOMALIA
REPUBLIKA SOMALIJSKA

  SRI LANKA
DEMOKRATYCZNO-SOCJALISTYCZNA
REPUBLIKA SRI LANKI

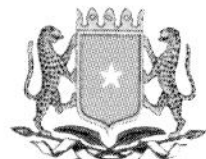

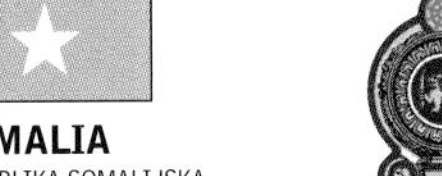

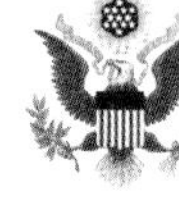

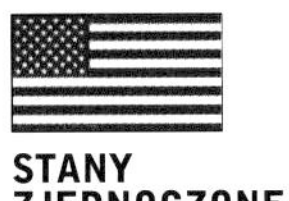

 **STANY
ZJEDNOCZONE**
STANY ZJEDNOCZONE AMERYKI

  SUAZI
KRÓLESTWO SUAZI

  SUDAN
REPUBLIKA SUDANU

  SUDAN POŁUDNIOWY
REPUBLIKA SUDANU POŁUDNIOWEGO

  SURINAM
REPUBLIKA SURINAMU

  SYRIA
SYRYJSKA REPUBLIKA ARABSKA

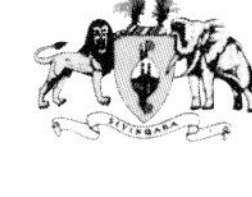

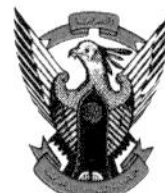

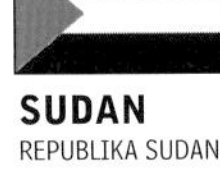

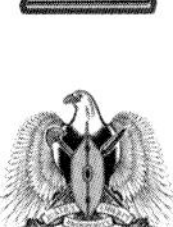

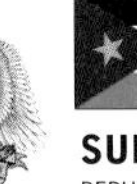

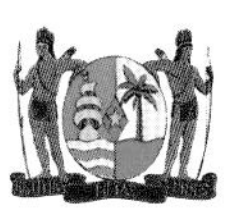

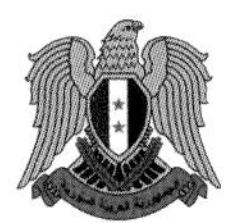

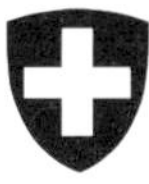

SZWAJCARIA
KONFEDERACJA SZWAJCARSKA

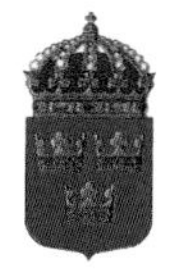

 SZWECJA
KRÓLESTWO SZWECJI

 TADŻYKISTAN
REPUBLIKA TADŻYKISTANU

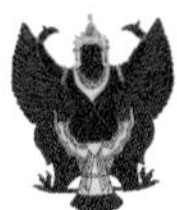

TAJLANDIA
KRÓLESTWO TAJLANDII

  TANZANIA
ZJEDNOCZONA REPUBLIKA TANZANII

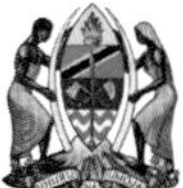

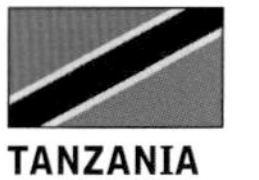

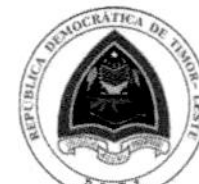

 TIMOR WSCHODNI
DEMOKRATYCZNA REPUBLIKA
TIMORU WSCHODNIEGO

  TOGO
REPUBLIKA TOGIJSKA

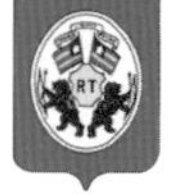

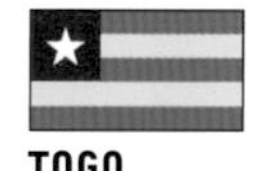

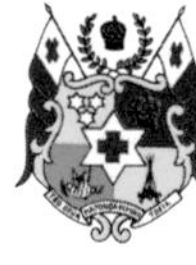

TONGA
KRÓLESTWO TONGA

  TRYNIDAD I TOBAGO
REPUBLIKA TRYNIDADU I TOBAGO

  TUNEZJA
REPUBLIKA TUNEZYJSKA

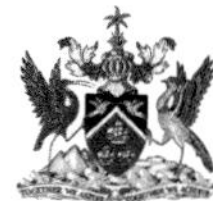

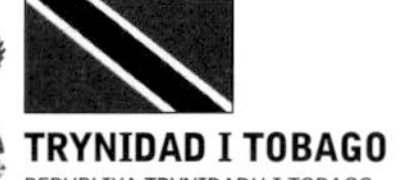

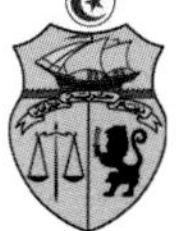

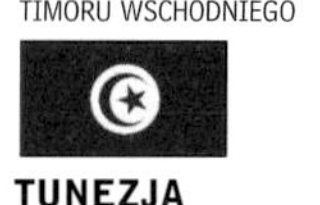

 TURCJA
REPUBLIKA TURCJI

  TURKMENISTAN

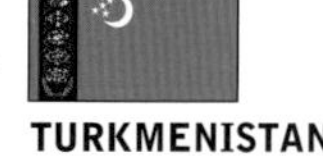

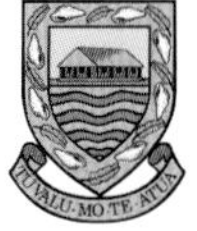

 TUVALU

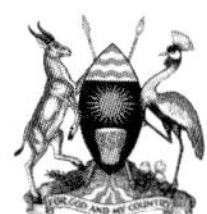

 UGANDA
REPUBLIKA UGANDY

  UKRAINA

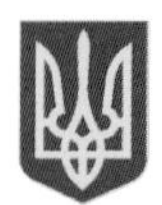

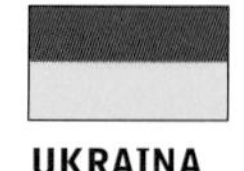

 URUGWAJ
WSCHODNIA REPUBLIKA URUGWAJU

  UZBEKISTAN
REPUBLIKA UZBEKISTANU

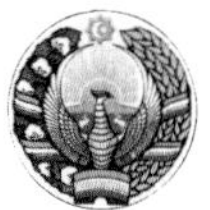

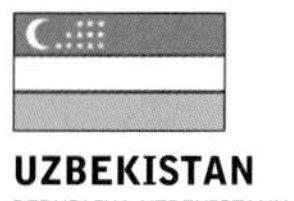

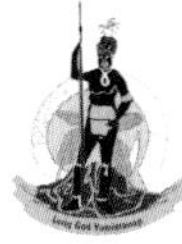

 VANUATU
REPUBLIKA VANUATU

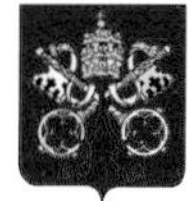

 WATYKAN
STOLICA APOSTOLSKA/
PAŃSTWO WATYKAŃSKIE

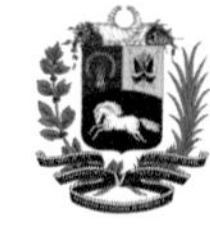

 WENEZUELA
BOLIWARIAŃSKA REPUBLIKA
WENEZUELI

  WĘGRY

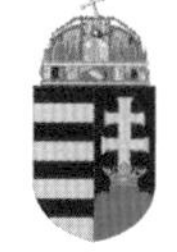

 WIELKA BRYTANIA
ZJEDNOCZONE KRÓLESTWO
WIELKIEJ BRYTANII I IRLANDII PÓŁNOCNEJ

  WIETNAM
SOCJALISTYCZNA REPUBLIKA
WIETNAMU

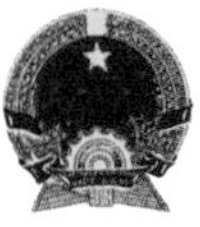

 WŁOCHY
REPUBLIKA WŁOSKA

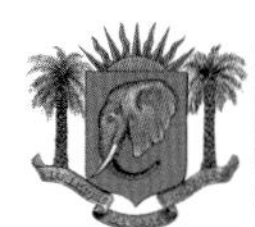

 WYBRZEŻE KOŚCI SŁONIOWEJ
REPUBLIKA WYBRZEŻA KOŚCI SŁONIOWEJ

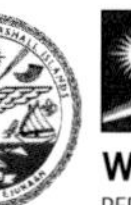

 WYSPY MARSHALLA
REPUBLIKA WYSP MARSHALA

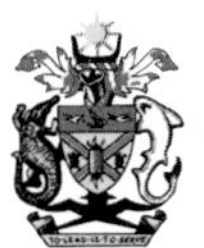

 WYSPY SALOMONA

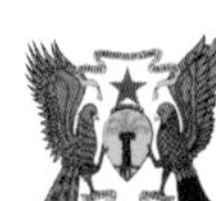

 WYSPY ŚWIĘTEGO TOMASZA I KSIĄŻĘCA
DEMOKRATYCZNA REPUBLIKA WYSP
ŚWIĘTEGO TOMASZA I KSIĄŻĘCEJ

  ZAMBIA
REPUBLIKA ZAMBII

  ZIMBABWE
REPUBLIKA ZIMBABWE

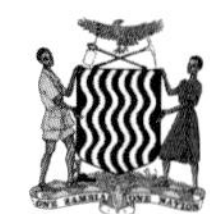

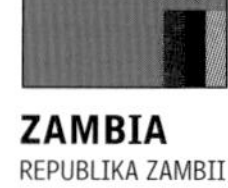

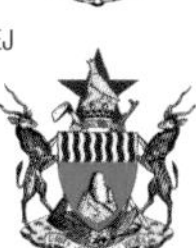

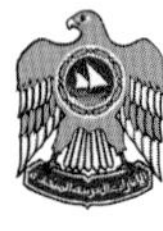

 ZJEDNOCZONE EMIRATY ARABSKIE
PAŃSTWO ZJEDNOCZONYCH EMIRATÓW ARABSKICH

Terytoria zależne

  Anguilla
(Wielka Brytania)

  Aruba
(Holandia)

  Baker
(Stany Zjednoczone)

  Bermudy
(Wielka Brytania)

  Brytyjskie Terytorium Oceanu Indyjskiego
(Wielka Brytania)

  Brytyjskie Wyspy Dziewicze
(Wielka Brytania)

  Curaçao
(Holandia)

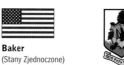

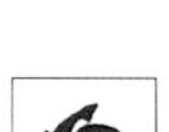

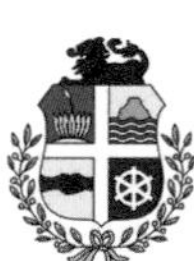

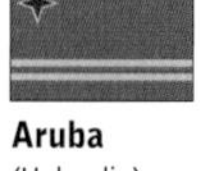

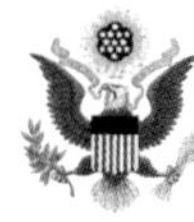

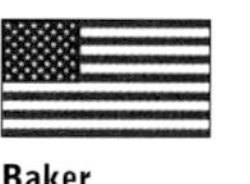

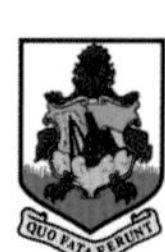

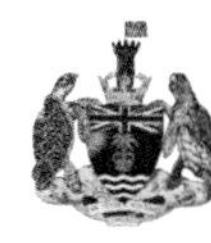

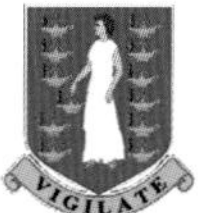

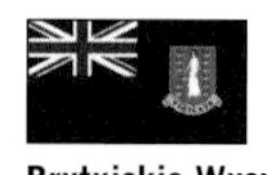

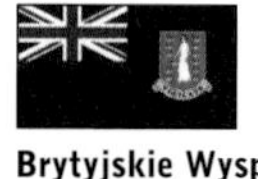

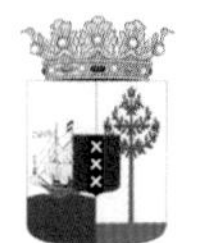

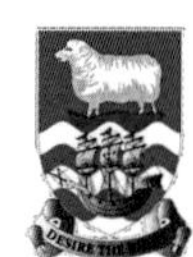

Falklandy
(Wielka Brytania)

  Francuskie Terytoria Południowe i Antarktyczne
(Francja)

   Georgia Południowa i Sandwich Południowy
(Wielka Brytania)

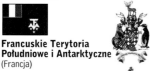

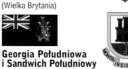

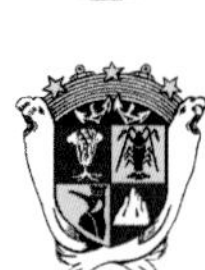

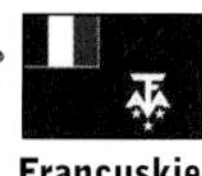

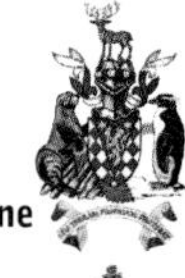

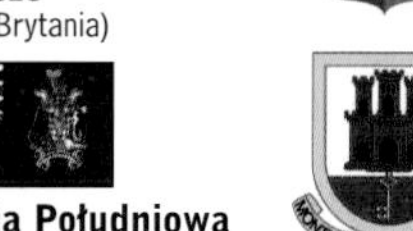

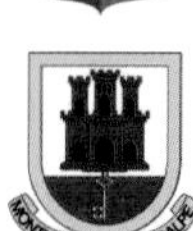

Gibraltar
(Wielka Brytania)

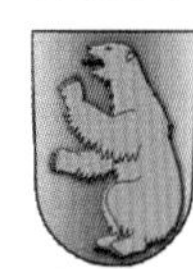

 Grenlandia
(Dania)

  Guam
(Stany Zjednoczone)

  Guernsey
(Wielka Brytania)

  Gujana Francuska
(Francja)

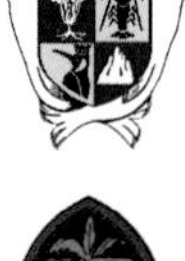

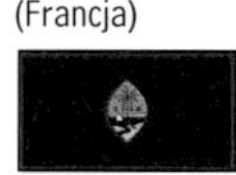

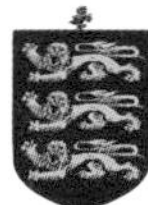

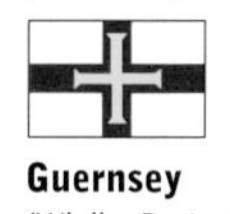

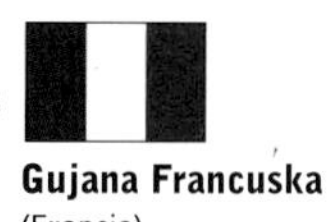

 Gwadelupa
(Francja)

  Howland
(Stany Zjednoczone)

  Jan Mayen
(Norwegia)

  Jarvis
(Stany Zjednoczone)

  Jersey
(Wielka Brytania)

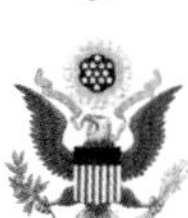

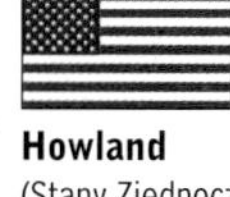

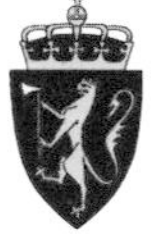

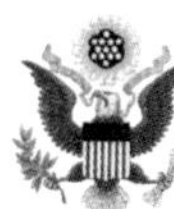

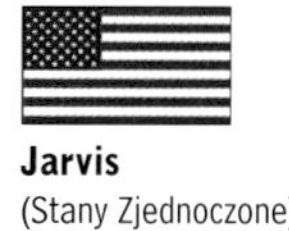

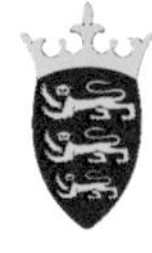

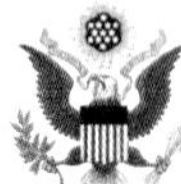

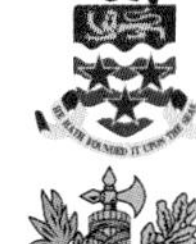

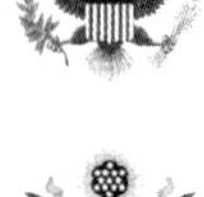

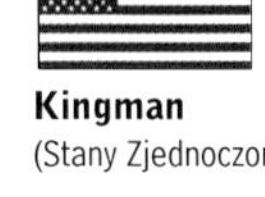

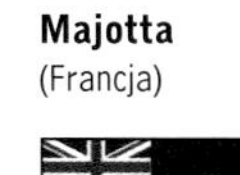

Johnston
(Stany Zjednoczone)

  Kajmany
(Wielka Brytania)

  Kingman
(Stany Zjednoczone)

  Majotta
(Francja)

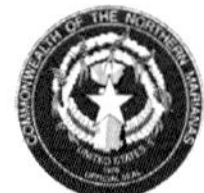

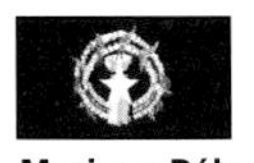

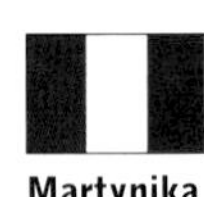

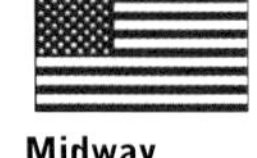

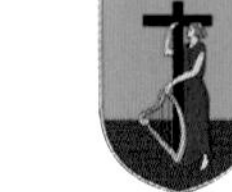

 Mariany Północne
(Stany Zjednoczone)

Martynika
(Francja)

 Midway
(Stany Zjednoczone)

 Montserrat
(Wielka Brytania)

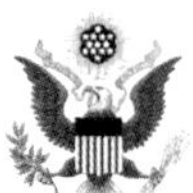

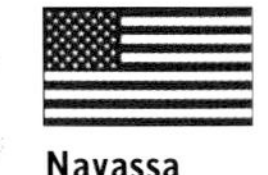

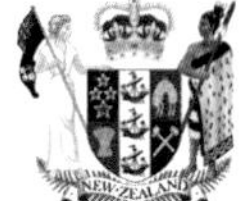

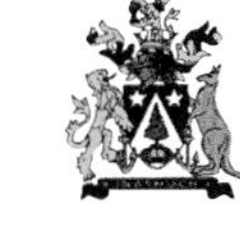

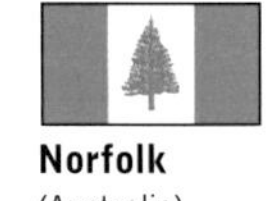

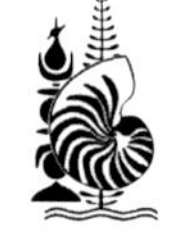

Navassa
(Stany Zjednoczone)

Niue
(Nowa Zelandia)

  Norfolk
(Australia)

 Nowa Kaledonia
(Francja)

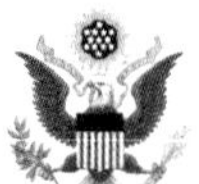

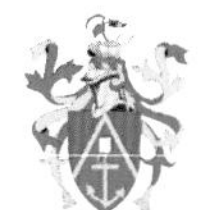

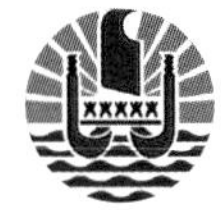

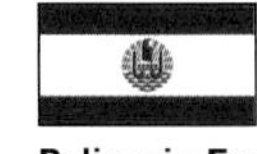

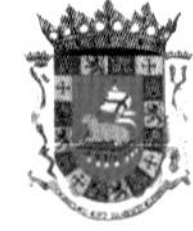

 Palmyra
(Stany Zjednoczone)

Pitcairn
(Wielka Brytania)

 Polinezja Francuska
(Francja)

 Portoryko
(Stany Zjednoczone)

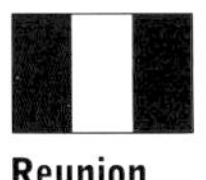

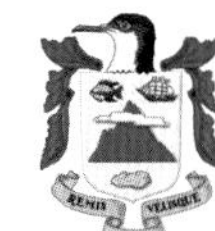

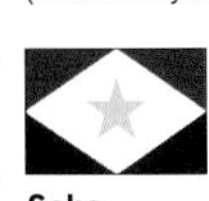

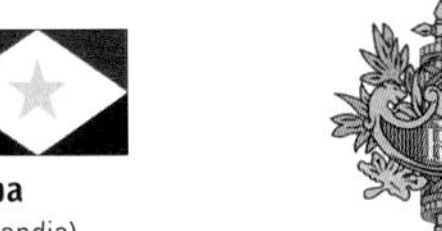

 Reunion
(Francja)

Saba
(Holandia)

  Saint-Barthélemy
(Francja)

 Saint-Martin
(Francja)

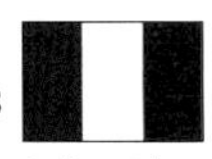

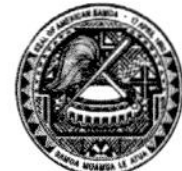

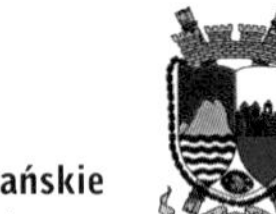

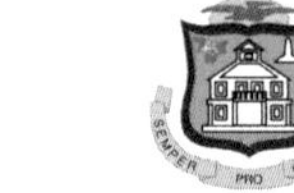

 Saint-Pierre i Miquelon
(Francja)

 Samoa Amerykańskie
(Stany Zjednoczone)

  Sint Eustatius
(Holandia)

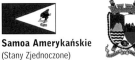

Sint Maarten
(Holandia)

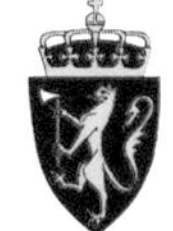

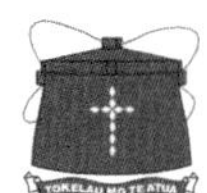

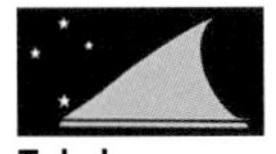

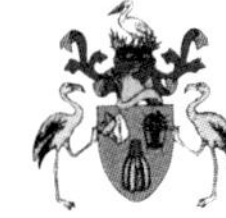

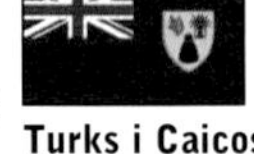

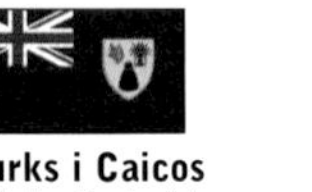

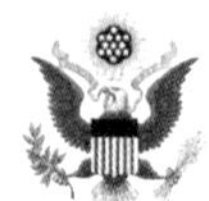

 Svalbard
(Norwegia)

  Tokelau
(Nowa Zelandia)

 Turks i Caicos
(Wielka Brytania)

 Wake
(Stany Zjednoczone)

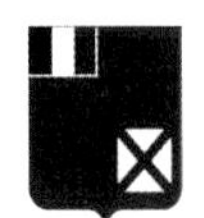

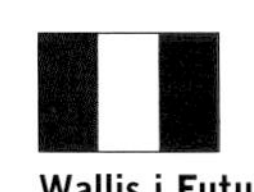

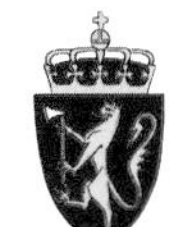

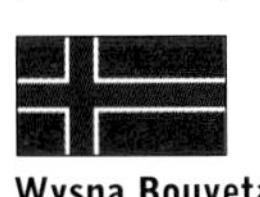

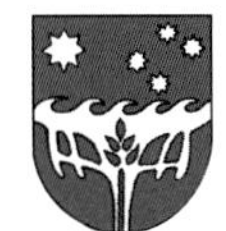

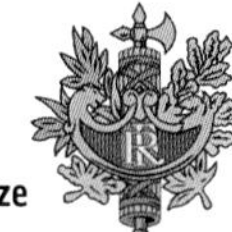

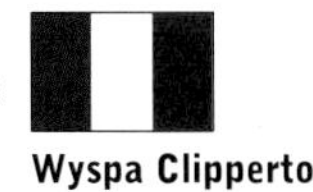

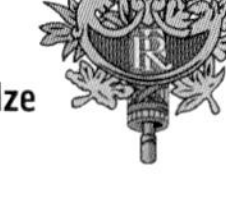

 Wallis i Futuna
(Francja)

  Wyspa Bouveta
(Norwegia)

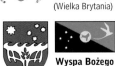

 Wyspa Bożego Narodze
(Australia)

   Wyspa Clippertona
(Francja)

  Wyspa Man
(Wielka Brytania)

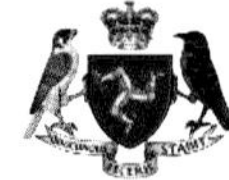

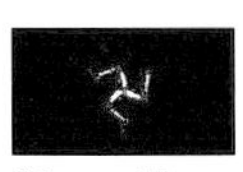

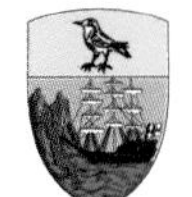

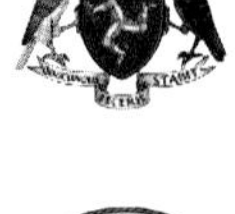

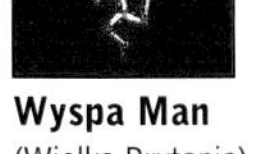

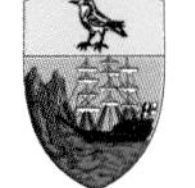

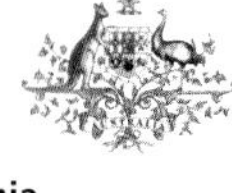

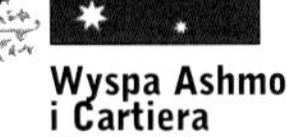

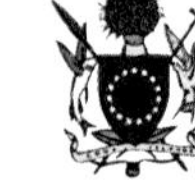

 Wyspa Świętej Heleny, Wyspa Wniebowstąpienia i Tristan da Cunha (Wielka Brytania)

   Wyspa Ashmore i Cartiera
(Australia)

  Wyspy Cooka
(Nowa Zelandia)

  Wyspy Dziewicze Stanów Zjednoczonych
(Stany Zjednoczone)

  Wyspy Heard i McDonalda
(Australia)

  Wyspy Kokosowe
(Australia)

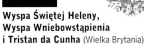

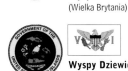

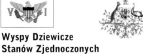

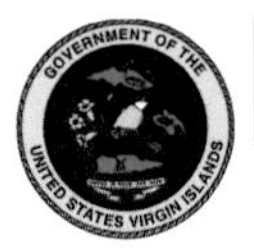

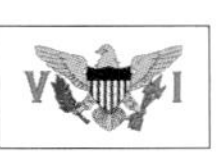

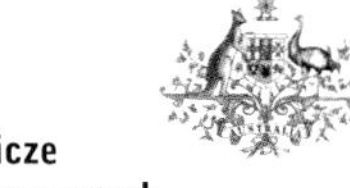

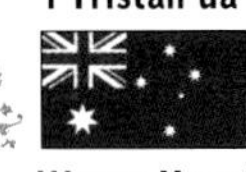

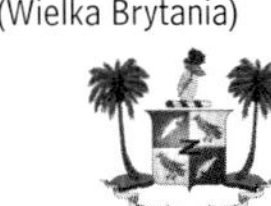

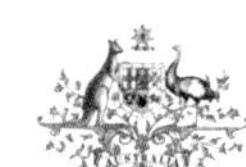

 Wyspy Morza Koralowego
(Australia)

  Wyspy Owcze
(Dania)

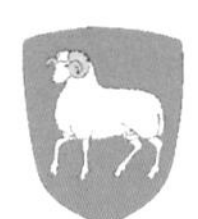

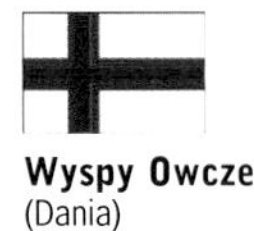

Inne terytoria

  CYPR PÓŁNOCNY
REPUBLIKA CYPRU PÓŁNOCNEGO
(Formalnie pozostaje częścią
Republiki Cypryjskiej)

  PALESTYNA
(Obejmuje Strefę Gazy
i Zachodni Brzeg.
Status polityczny nierozstrzygnięty)

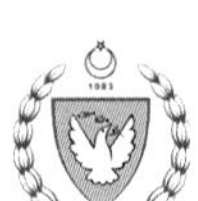

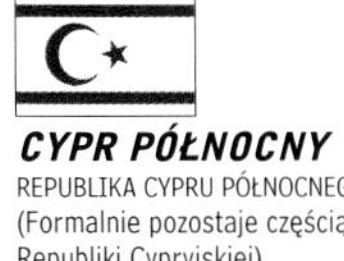

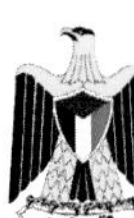

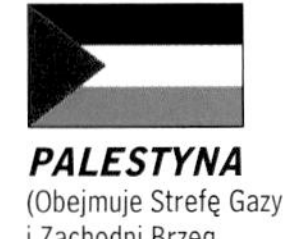

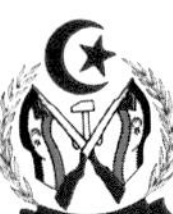

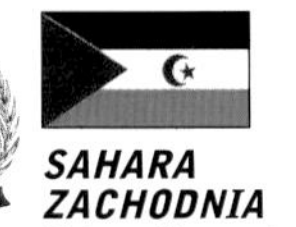

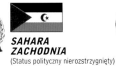

 SAHARA ZACHODNIA
(Status polityczny nierozstrzygnięty)

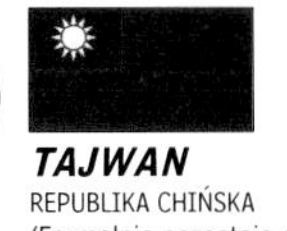

 TAJWAN
REPUBLIKA CHIŃSKA
(Formalnie pozostaje częścią Chin)

Skorowidz zawiera wszystkie nazwy występujące w atlasie na mapach ogólnogeograficznych i politycznych. Nazwy uporządkowane są alfabetycznie bez uwzględniania znaków diakrytycznych niewystępujących w języku polskim. Obiekty mające nazwę polską i oryginalną wymienione są w skorowidzu dwukrotnie, np. *Rzeka Żółta (Huang-he)* i *Huang-he (Rzeka Żółta)*. Nazwy złożone z określenia geograficznego i nazwy własnej, np. *Morze Czarne* mają w skorowidzu na pierwszym miejscu nazwę własną – *Czarne, Morze*. Nazwy występujące na mapie tylko w postaci skróconej w skorowidzu uzupełniono rozwinięciem w nawiasie, np. *Nw. (Nowa) Irlandia*. Przy umieszczaniu nazwy w skorowidzu uwzględniono formę nieskróconą. Obiekty nie mające w nazwie określenia geograficznego (z wyjątkiem miejscowości) otrzymały je w skorowidzu, np. *Alpy – góry*.

Położenie nazwy obiektu w atlasie określają numer strony i współrzędne skorowidzowe. Literą został oznaczony pas między równoleżnikami a cyfrą arabską słup między południkami, np. *Gdańsk 78-79 A6; 80-81 A6*. W przypadku kilku map na stronie została dodatkowo wprowadzona cyfra rzymska określająca numer konkretnej mapy, np. *Reykjavík 107 I B1*.

Skróty określeń geograficznych użyte w skorowidzu:
kraina hist. – kraina historyczna
st. badawcza – stacja badawcza
teryt. zależne – terytorium zależne

POLSKA

A

Abramów 84-85 D10
Adamów 84-85 D10
Adamów 88-89 E11
Adamówka 88-89 E10
Aleksandrów 82-83 D7, 8; 84-85 D7, 8
Aleksandrów 88-89 E10
Aleksandrów Kujawski 78-79 C6; 80-81 C6
Aleksandrów Łódzki 82-83 D7; 84-85 D7
Altana – góra 84-85 D8
Alwernia 86-87 E7; 88-89 E7
Andrespol 82-83 D7; 84-85 D7
Andrychów 86-87 F7; 88-89 F7
Andrzejewo 80-81 C10
Annopol 88-89 E9
Antonin 82-83 D5
Arkadia 82-83 C7, 8; 84-85 C8
Augustowska, Puszcza 80-81 B11
Augustowski, Kan. (Kanał) 80-81 B10; B11
Augustów 80-81 B11

B

Babia Góra 86-87 F7; 88-89 D7
Babiak 82-83 C6; 84-85 C6
Babice 86-87 E7; 88-89 E7
Babimost 82-83 C3
Babiogórski P. (Park) N. (Narodowy) 86-87 F7, 88-89 F8
Baborów 86-87 E5, 6
Baboszewo 80-81 C8
Babsk 84-85 D8
Bachorze, Kan. (Kanał) 78-79 C6; 80-81 C6
Baćkowice 88-89 E9
Bakałarzewo 80-81 A10
Baligród 88-89 F10
Bałtów 88-89 D9
Banie 78-79 B2
Banie Mazurskie 80-81 A10
Barania G. (Góra) 86-87 F6, 7
Baranowo 80-81 B9
Baranów 82-83 D5
Baranów 84-85 C8
Baranów 84-85 D10
Baranów Sandomierski 88-89 E9
Barciany 80-81 A9
Barcin 78-79 C5, 6
Barczewo 80-81 B8
Bardo – góra 88-89 F9
Bardo 86-87 E4
Barglów Kościelny 80-81 B10
Barlinecko-Gorzowski Park Krajobrazowy 78-79 C3
Barlinek 78-79 B3
Barnówko 78-79 C2
Bartoszyce 80-81 A8
Baruchowo 80-81 C7
Barwice 78-79 B4
Barycz – rzeka 82-83 D4
Barycz – rzeka 82-83 D5
Batorz 88-89 E10
Bauda – rzeka 78-79 A7; 80-81 A7
Bądkowo 78-79 C6; 80-81 C6
Bedlno 82-83 C7; 84-85 C7
Bejsce 88-89 E8
Belsk Duży 84-85 D8
Bełchatów 82-83 D7; 84-85 D7
Bełdany, J. (Jezioro) 80-81 B9
Bełżec 88-89 E11
Bełżyce 84-85 D10
Beskidu Małego, Park Krajobrazowy 86-87 F7; 88-89 F7
Beskidu Śląskiego, P. (Park) K. (Krajobrazowy) 86-87 F6
Besko 88-89 F9
Bestwina 86-87 F7
Betyń, J. (Jezioro) 78-79 B4
Będków 82-83 D7; 84-85 D7
Będomin 78-79 A6; 80-81 A6
Będzin 86-87 E7
Będzino 78-79 A3, 4
Bęsia 80-81 B9
Biała – rzeka 88-89 F9
Biała 86-87 E5
Biała II 82-83 D6; 84-85 D6
Biała Piska 80-81 B10
Biała Podlaska 84-85 C11
Biała Przemsza – rzeka 86-87 E7; 88-89 E7
Biała Rawska 84-85 D8
Białaczów 84-85 D8
Białe Błota 78-79 B5
Białe, J. (Jezioro) 80-81 B9
Białobrzegi 84-85 D8, 9
Białobrzegi 88-89 E10
Białogard 78-79 A4
Białogóra 78-79 A5; 80-81 A6
Białopole 88-89 E11
Białośliwie 78-79 B5
Białowieska, Puszcza 80-81 C11
Białowieski Park Narodowy 80-81 C11
Białowieża 80-81 C11
Biały Bór 78-79 B4
Biały Dunajec 88-89 F7
Białystok 80-81 B11
Biebrza – rzeka 80-81 B10
Biebrzański Park Narodowy 80-81 B10
Biecz 88-89 F9
Bielany-Żyłaki 84-85 C10
Bielawa 86-87 E4
Bielawy 82-83 C7; 84-85 C7
Bielice 78-79 B2
Bieliny-Kapitulne 88-89 E8, 9
Bielsk 78-79 C7; 80-81 C7
Bielsk Podlaski 80-81 C11
Bielsko-Biała 86-87 F6, 7
Bierawa 86-87 E6
Bierawka – rzeka 86-87 E6
Bieruń 86-87 E7
Bierutów 86-87 D5
Bierzwnik 78-79 B3
Biesiekierz 78-79 A3, 4
Bieszczadzki Park Narodowy 88-89 F10
Bieżuń 78-79 C7; 80-81 C7
Biłgoraj 88-89 E10
Binarowa 88-89 F9
Bircza 88-89 F10
Biskupia Kopa – góra 86-87 E5
Biskupiec 78-79 B7; 80-81 B7
Biskupiec 80-81 B8, 9
Biskupin 78-79 C5
Biszcza 88-89 E10
Bisztynek 80-81 A8, 9
Blachownia 86-87 E6, 7
Blanki, J. (Jezioro) 80-81 A8
Bledzew 82-83 C3
Bledzew, J. (Jezioro) 82-83 C3
Blizanów 82-83 D5, 6
Blizne 88-89 F10
Bliżyn 88-89 D8
Błaszki 82-83 D6; 84-85 D6
Błażowa 88-89 F10
Błędów 84-85 D8
Błonie 84-85 C8
Bnińskie, J. (Jezioro) 82-83 C5
Bobięcino Wlk. (Wielkie), J. (Jezioro) 78-79 B4
Bobolice 78-79 B4
Bobolice 86-87 E7; 88-89 E7
Bobowa 88-89 F8
Bobowo 78-79 B6; 80-81 B6
Bobrowice 82-83 D2, 3
Bobrowniki 78-79 C6, C7; 80-81 C6, C7
Bobrowniki 86-87 E6, 7
Bobrowo 78-79 B7; 80-81 B7
Bochnia 88-89 F8
Bochotnica 84-85 D10
Boćki 80-81 C11
Bodaczów 88-89 E11
Bodzanów 80-81 C7, 8
Bodzentyn 88-89 E8
Bogatynia 86-87 E2
Bogdaj 82-83 D5
Bogdaniec 78-79 C3
Bogdanka 84-85 D11
Bogoria 88-89 E9
Boguchwała 88-89 F9
Boguszów-Gorce 86-87 E4
Boguszyce 84-85 D8
Boguty-Pianki 80-81 C10
Bohoniki 80-81 B11
Bojadła 82-83 D3
Bojanowo 82-83 D4
Bojanów 88-89 E9
Bojszowy 86-87 E6, 7
Bolechowo 82-83 C4
Bolesław 86-87 E7; 88-89 E7
Bolesław 88-89 E8
Bolesławiec 82-83 D3
Bolesławiec 82-83 D6
Boleszkowice 78-79 C2
Bolewice 82-83 C4
Bolimowski P. (Park) K. (Krajobrazowy) 84-85 C8
Bolimów 84-85 C8
Bolków 86-87 E4
Boniewo 80-81 C6
Borek Wlkp. (Wielkopolski) 82-83 D5
Borki 84-85 D10
Borkowice 84-85 D8
Borne Sulinowo 78-79 B4
Boronów 86-87 E6
Borowa 88-89 E9
Borowie 84-85 D9
Borów 86-87 E4
Bory Tucholskie, P. (Park) N. (Narodowy) 78-79 B5
Borzechów 88-89 D10
Borzęcin 88-89 E8
Borzytuchom 78-79 A5
Bóbr – rzeka 82-83 D3
Bóbrka 88-89 F9
Bralin 82-83 D5
Branice 86-87 E5
Braniewo 78-79 A7; 80-81 A7
Brańsk 80-81 C10
Brańszczyk 80-81 C9
Brąszewice 82-83 D6; 84-85 D6
Brda – rzeka 78-79 B5
Brenna 86-87 F6
Breń – rzeka 88-89 E9
Brochów 84-85 C8
Brodnica 78-79 B7; 80-81 B7
Brodnica 82-83 C4
Brodnicki P. (Park) K. (Krajobrazowy) 78-79 B7; 80-81 B7
Brody 82-83 D2
Brody 88-89 D9
Brojce 78-79 B3
Brok – rzeka 80-81 C10
Brok 80-81 C9
Brójce 82-83 D7; 84-85 D7
Brudzeń Duży 78-79 C7; 80-81 C7
Brudzeński P. (Park) K. (Krajobrazowy) 78-79 C7; 80-81 C7
Brudzew 82-83 C6; 84-85 C6
Brusy 78-79 B5
Brwinów 84-85 C8
Brzeg 86-87 E5
Brzeg Dolny 82-83 D4
Brzesko 88-89 E8
Brzeszcze 86-87 F7
Brześć Kujawski 80-81 C6
Brzeziny 82-83 D6
Brzeziny 82-83 D7; 84-85 D7
Brzeźnica 82-83 D3
Brzeźnica 86-87 F7; 88-89 F7
Brzeźnio 82-83 D6; 84-85 D6
Brzeźno 78-79 B3
Brzostek 88-89 F9
Brzozie 78-79 B7; 80-81 B7
Brzozów 88-89 F10
Brzozówka – rzeka 80-81 B11
Brzuze 78-79 B7; 80-81 B7
Brzyska 88-89 F9
Buczek 82-83 D7; 84-85 D7
Buczkowice 86-87 F7
Budkowiczanka – rzeka 86-87 E5, 6
Budry 80-81 A9
Budziszewice 82-83 D7, 8; 84-85 D7, 8
Budzów 86-87 F7; 88-89 F7
Budzyń 78-79 C5
Bug – rzeka 84-85 D11; 80-81 C9
Buk 82-83 C4
Bukowa – rzeka 88-89 E10
Bukowiec – góra 78-79 B2
Bukowiec 78-79 B6; 80-81 B6
Bukowina Tatrzańska 88-89 F8
Bukowno 86-87 E7; 88-89 E7
Bukowo, J. (Jezioro) 78-79 A4
Bukowsko 88-89 F10
Bukówka – rzeka 78-79 C4
Bulkowo 80-81 C8
Burzenin 82-83 D6; 84-85 D6
Busko-Zdrój 88-89 E8
Bychawa 88-89 D10
Byczyna 86-87 D6
Bydgoski, Kan. (Kanał) 78-79 B5
Bydgoszcz 78-79 B6; 80-81 B6
Bystra – góra 88-89 F7
Bystra 86-87 F7; 88-89 F7
Bystrzyca – rzeka 84-85 D10
Bystrzyca – rzeka 86-87 D4
Bystrzyca – rzeka 88-89 D10
Bystrzyca Kłodzka 86-87 E4
Bytnica 82-83 C3
Bytom 86-87 E6
Bytom Odrzański 82-83 D3
Bytoń 80-81 C6
Bytów 78-79 A5
Bytów, J. (Jezioro) 78-79 A5
Bytyńskie, J. (Jezioro) 82-83 C4
Bzura – rzeka 84-85 D7; C8

C

Cedry Wlk. (Wielkie) 78-79 A6; 80-81 A6
Cedynia 78-79 C2
Cedyński P. (Park) K. (Krajobrazowy) 78-79 C2
Cegłów 84-85 C9
Cekcyn 78-79 B6; 80-81 B6
Ceków-Kol. (Kolonia) 82-83 D6; 84-85 D6
Celestynów 84-85 C9
Ceranów 80-81 C10
Cerkwica 78-79 A3
Cewice 78-79 A5
Charsznica 86-87 E7; 88-89 E7
Charzykowskie, J. (Jezioro) 78-79 B5
Chąśno 82-83 C7; 84-85 C7
Chełm 84-85 D11
Chełm Śl. (Śląski) 86-87 E7
Chełmek 86-87 E7
Chełmiec 88-89 F8
Chełmno 78-79 B6; 80-81 B6
Chełmo – góra 86-87 D7; 88-89 D7
Chełmski P. (Park) K. (Krajobrazowy) 84-85 D11
Chełmy, P. (Park) K. (Krajobrazowy) 86-87 D3-D4
Chełmża 78-79 B6; 80-81 B6
Chełmżyńskie, J. (Jezioro) 78-79 B6; 80-81 B6
Chęciny 88-89 E8
Chęcińsko-Kielecki P. (Park) K. (Krajobrazowy) 88-89 E8
Chlewiska 84-85 D8
Chłop, J. (Jezioro) 78-79 B2, C2
Chłopice 88-89 F10
Chmielnik 88-89 E8
Chmielnik Rzeszowski 88-89 EF10
Chmielno 78-79 A5, 6; 80-81 A6
Choceń 80-81 C6, 7
Chochołów 86-87 F7; 88-89 F7
Chocianów 82-83 D3

Chociwel 78-79 B3
Chocz 82-83 D5
Choczewo 78-79 A5
Chodecz 82-83 C6, 7; 84-85 C6, 7
Chodel 88-89 D10
Chodelka – rzeka 84-85 D9
Chodów 82-83 C7; 84-85 C7
Chodzież 78-79 C4, 5
Chojna 78-79 C2
Chojnice 78-79 B5
Chojnowski P. (Park) K. (Krajobrazowy) 84-85 D8-D9
Chojnów 82-83 D3
Chorkówka 88-89 F9
Choroszcz 80-81 B10, 11
Chorzele 80-81 B8, 9
Chorzów 86-87 E6, 7
Choszczno 78-79 B3
Chotcza-Józefów 84-85 D9
Chotel Czerwony 88-89 E8
Chrostkowo 78-79 C7; 80-81 C7
Chrzanów 86-87 E7; 88-89 E7
Chrzanów 88-89 E10
Chrząstowice 86-87 E6
Chrzypsko Wlk. (Wielkie) 82-83 C4
Chwarszczany 78-79 C2
Chwaszczyno 78-79 A6; 80-81 A6
Chybie 86-87 F6
Chynów 84-85 D9
Ciasna 86-87 E6
Ciążeń 82-83 C5
Ciechanowiec 80-81 C10
Ciechanów 80-81 C8
Ciechocin 78-79 B6, B7; 80-81 B6, B7
Ciechocinek 78-79 C6; 80-81 C6
Ciełądz 84-85 D8
Ciepielów 84-85 D9
Cieplice Śl. (Śląskie)-Zdr. (Zdrój) –
– część Jeleniej Góry 86-87 E3
Ciepłowody 86-87 E4, 5
Cieszanów 88-89 E11
Cieszków 82-83 D5
Cieszyn 86-87 F6
Ciężkowice 88-89 F8, 9
Ciężkowicko-Rożnowski P. (Park) K. (Krajobrazowy)
88-89 F8
Cisek 86-87 E6
Cisna 88-89 F10
Cisowsko-Orłowiński Park Krajobrazowy 88-89 E8-E9
Ciśniańsko-Wetliński Park Krajobrazowy 88-89 F10
Cmolas 88-89 E9
Cybinka 82-83 C2
Cyców 84-85 D11
Cyst. (Cysterskie Kompozycje Rud Wielkich),
P. (Park) K. (Krajobrazowy) 86-87 E6
Cz. (Czeladź) 86-87 E7
Czajków 82-83 D6; 84-85 D6
Czaplinek 78-79 B4
Czarna – rzeka 84-85 C9
Czarna – rzeka 88-89 D8
Czarna – rzeka 88-89 E9
Czarna 88-89 E10
Czarna 88-89 E9
Czarna Białostocka 80-81 B11
Czarna Dąbrówka 78-79 A5
Czarna Górna 88-89 F10
Czarna Hańcza – rzeka 80-81 B11
Czarna Przemsza – rzeka 86-87 E7
Czarna Woda – rzeka 82-83 D4
Czarna Woda 78-79 B6; 80-81 B6
Czarne 78-79 B4, 5
Czarne, J. (Jezioro) 80-81 A10
Czarnia 80-81 B9
Czarnków 78-79 C4
Czarnocin 82-83 D7; 84-85 D7
Czarnocin 88-89 E8
Czarnolas 84-85 D9
Czarnorzecko-Strzyżowski P. (Park) K. (Krajobrazowy)
88-89 F9
Czarnowąsy 86-87 E5, 6
Czarnożyły 82-83 D6; 84-85 D6
Czarny Bór 86-87 E4
Czarny Dunajec 86-87 F7; 88-89 F7
Czastary 82-83 D6
Czchów 88-89 F8
Czechowice-Dziedzice 86-87 F6, 7
Czemierniki 84-85 D10
Czempiń 82-83 C4
Czeremcha 80-81 C11
Czermin 82-83 D5
Czermin 88-89 E9
Czerna 86-87 E7; 88-89 E7
Czerna Wlk. (Wielka) – rzeka 82-83 D3
Czernica – rzeka 78-79 B4, 5
Czernica 86-87 D5
Czernice Borowe 80-81 B8
Czernichów 86-87 E7; 88-89 E7
Czernichów 86-87 F7
Czerniejewo 82-83 C5
Czerniewice 84-85 D8
Czernikowo 78-79 C6; 80-81 C6
Czersk 78-79 B5
Czersk 84-85 D9
Czerteż 88-89 F10
Czerwieńsk 82-83 C3
Czerwin 80-81 C9
Czerwińsk n. (nad) Wisłą 84-85 C8
Czerwionka-Leszczyny 86-87 E6
Czerwonak 82-83 C4, 5
Czerwonka 80-81 C9
Częstochowa 86-87 E7
Człopa 78-79 B4
Człuchów 78-79 B5
Czorsztyn 88-89 F8
Czorsztyńskie, J. (Jezioro) 88-89 F8
Czosnów 84-85 C8
Czudec 88-89 F9
Czyże 80-81 C11
Czyżew-Osada 80-81 C10
Ćmielów 88-89 E9

D

Dadaj, J. (Jezioro) 80-81 B8
Daleszyce 88-89 E8
Dalików 82-83 D7; 84-85 D7
Damasławek 78-79 C5
Damnica 78-79 A5
Danków 86-87 E6
Dargin, J. (Jezioro) 80-81 A9
Darłowo 78-79 A4
Daszyna 82-83 C7; 84-85 C7
Dąbie 78-79 B2
Dąbie 82-83 C3
Dąbie 82-83 C6; 84-85 C6
Dąbie, J. (Jezioro) 78-79 B2
Dąbki 78-79 A4
Dąbrowa 78-79 C5
Dąbrowa 86-87 E5
Dąbrowa Białostocka 80-81 B11
Dąbrowa Biskupia 78-79 C6; 80-81 C6
Dąbrowa Chełmińska 78-79 B6; 80-81 B6
Dąbrowa G. (Góra) 78-79 B4
Dąbrowa Górnicza 86-87 E7
Dąbrowa Tarnowska 88-89 E9
Dąbrowa Wlk. (Wielka), J. (Jezioro) 80-81 B8
Dąbrowa Zielona 86-87 E7; 88-89 E7
Dąbrowice 82-83 C7; 84-85 C7
Dąbrówka 80-81 C9
Dąbrówka, J. (Jezioro) 78-79 B7; 80-81 B7
Dąbrówno 80-81 B7, 8
Debrzno 78-79 B5
Dejguny, J. (Jezioro) 80-81 A9
Deszczno 82-83 C3
Dezyderego Chłapowskiego, Park Krajobrazowy
82-83 C4
Dębe 80-81 C8
Dębe Wlk. (Wielkie) 84-85 C9
Dębica 88-89 E9
Dębki 78-79 A6; 80-81 A6
Dęblin 84-85 D9
Dębnica Kaszubska 78-79 A5
Dębno 78-79 C2
Dębno 88-89 F8
Dębno 88-89 F8
Dębowa G. (Góra) 78-79 B5
Dębowa Kłoda 84-85 D11
Dębowa Łąka 78-79 B7; 80-81 B7
Dębowe Góry – góra 80-81 B10
Dębowe Góry – góra 80-81 B8
Dębowiec 86-87 F6
Dębowiec 88-89 F9
Dłubniański Park Krajobrazowy
86-87 E7; 88-89 E7-E8
Długie, J. (Jezioro) 78-79 B2
Długołęka 86-87 D5
Długosiodło 80-81 C9
Dłutów 82-83 D7; 84-85 D7
Dmosin 82-83 D7; 84-85 D7
Dobczyce 88-89 F8
Dobczyckie, J. (Jezioro) 88-89 F7, 8
Dobiegniew 78-79 C3
Dobra 78-79 B2
Dobra 78-79 B3
Dobra 82-83 D6; 84-85 D6
Dobra 88-89 F8
Dobrcz 78-79 B6; 80-81 B6
Dobre 78-79 C6; 80-81 C6
Dobre 84-85 C9
Dobre Miasto 80-81 AB8
Dobrodzień 86-87 E6
Dobromierz 86-87 E4
Dobroń 82-83 D7; 84-85 D7
Dobroszyce 82-83 D5
Dobrzany 78-79 B3
Dobrzelin 82-83 C7; 84-85 C7
Dobrzeń Wlk. (Wielki) 86-87 E5
Dobrzyca – rzeka 78-79 B4
Dobrzyca 82-83 D5
Dobrzyniewo Kościelne 80-81 B10, 11
Dobrzyń n. (nad) Wisłą 80-81 C7
Dobskie, J. (Jezioro) 80-81 A9
Dolice 78-79 B3
Dolina Baryczy, Park Krajobrazowy 82-83 D5
Dolina Bystrzycy, P. (Park) K. (Krajobrazowy)
86-87 D4
Dolina Jezierzycy, P. (Park) K. (Krajobrazowy)
82-83 D4
Dolina Słupi, Park Krajobrazowy 78-79 A5
Dolinki Podkrakowskie, P. (Park) K. (Krajobrazowy)
86-87 E7; 88-89 E7
Doliny Bobru, P. (Park) K. (Krajobrazowy) 86-87 D3
Doliny Dolnej Odry, P. (Park) K. (Krajobrazowy)
78-79 B2
Doliny Narwi, P. (Park) K. (Krajobrazowy) 80-81 B10
Doliny Sanu, Park Krajobrazowy 88-89 F10
Dolnośląskie, Bory 82-83 D3
Dolsk 82-83 CD5
Dołhobyczów 88-89 E11, 12
Domanice 84-85 C10
Domaniewice 82-83 D7; 84-85 D7
Domaniów 86-87 E5
Domaradz 88-89 F9, 10
Domaszowice 86-87 D5
Dominowo 82-83 C5
Dopiewo 82-83 C4
Dorohusk 84-85 D11
Doruchów 82-83 D6
Dragacz 78-79 B6; 80-81 B6
Drawa – rzeka 78-79 B4; C3
Drawieński Park Narodowy 78-79 B3-B4
Drawno 78-79 B3
Drawski Park Krajobrazowy 78-79 B4
Drawsko 78-79 C4
Drawsko Pomorskie 78-79 B3
Drawsko, J. (Jezioro) 78-79 B4
Drelów 84-85 D10
Drezdenko 78-79 C3
Dręstwo, J. (Jezioro) 80-81 B10
Drobin 80-81 C7
Drogosze 80-81 A9
Drohiczyn 84-85 C10
Drozdowo 80-81 B10
Druzno, J. (Jezioro) 78-79 A7; 80-81 A7
Drużbice 82-83 D7; 84-85 D7
Drwęca – rzeka 80-81 B8; 78-79 B7
Drwęckie, J. (Jezioro) 78-79 B7; 80-81 B7
Drwinia 88-89 E8
Drzewica 84-85 D8
Drzonków 82-83 D3
Drzycim 78-79 B6; 80-81 B6
Dubeninki 80-81 A10
Dubicze Cerkiewne 80-81 C11
Dubiecko 88-89 F10
Dubienka 88-89 D11
Dukielska, Przeł. (Przełęcz) 88-89 F9
Dukla 88-89 F9
Dunajec – rzeka 88-89 F7; E8
Duszniki 82-83 C4
Duszniki-Zdrój 86-87 E4
Dwikozy 88-89 E9
Dybrzk, J. (Jezioro) 78-79 B5
Dychów 82-83 D2, 3
Dydnia 88-89 F10
Dygowo 78-79 A3
Dylewska G. (Góra) 78-79 B7; 80-81 B7
Dynów 88-89 F10
Dywity 80-81 B8
Dziadkowice 80-81 C10
Dziadowa Kłoda 82-83 D5
Działdowo 80-81 B8
Działdówka – rzeka 80-81 B8
Działoszyce 88-89 E8
Działoszyn 86-87 D6
Dziemiany 78-79 A5
Dzierząźnia 80-81 C8
Dzierzgoń 78-79 B7; 80-81 B7
Dzierzgoń, J. (Jezioro) 78-79 B7; 80-81 B7
Dzierzgowo 80-81 B8
Dzierżoniów 86-87 E4
Dziurkowiec – góra 88-89 F10
Dziwna – rzeka 78-79 B2
Dziwnów 78-79 A2
Dziwnówek 78-79 A2
Dzwola 88-89 E10
Dźwierzuty 80-81 B8
Dźwirzyno 78-79 A3

E

Elbląg 78-79 A7; 80-81 A7
Elbląski, Kan. (Kanał) 78-79 AB7; 80-81 AB7
Ełk – rzeka 80-81 B10
Ełk 80-81 B10
Ewingi, J. (Jezioro) 78-79 B7; 80-81 B7

F

Fabianki 78-79 C7; 80-81 C7
Fajsławice 88-89 D10
Fałków 88-89 D8
Farna G. (Góra) 82-83 D4, 5
Filipów 80-81 A10
Firlej 84-85 D10
Flisy 88-89 E10
Frampol 88-89 E10
Fredropol 88-89 F10
Frombork 78-79 A7; 80-81 A7
Frysztak 88-89 F9

G

Gać 88-89 E10
Galewice 82-83 D6
Gaładuś, J. (Jezioro) 80-81 A11
Gałków 82-83 D7; 84-85 D7
Garbatka-Letnisko 84-85 D9
Garbów 84-85 D10
Gardeja 78-79 B6, B7; 80-81 B6, B7
Gardno, J. (Jezioro) 78-79 A5
Garwolin 84-85 D9
Gaszowice 86-87 E6
Gaszyn 82-83 D6; 84-85 D6
Gawłuszowice 88-89 E9
Gaworzyce 82-83 D3
Gąbin 82-83 C7; 84-85 C7
Gąsawa 78-79 C5
Gdańsk 78-79 A6; 80-81 A6
Gdów 88-89 F8
Gdynia 78-79 A6; 80-81 A6
Giby 80-81 A11
Gidle 86-87 E7; 88-89 E7
Giecz 82-83 C5
Gielniów 84-85 D8
Gierałtowice 86-87 E6
Gierłoż 80-81 A9
Gierzwałd 80-81 B8
Gietrzwałd 80-81 B8
Gil Wlk. (Wielki), J. (Jezioro) 78-79 B7; 80-81 B7
Gilowice 86-87 F7
Gizałki 82-83 C5
Giżycko 80-81 A9
Gliniany 88-89 E9
Glinna 78-79 B2
Glinne, Przeł. (Przełęcz) 86-87 F7; 88-89 F7
Glinojeck 80-81 C8
Gliwice 86-87 E6
Gliwicki, Kan. (Kanał) 86-87 E6
Głębinowskie, J. (Jezioro) 86-87 E5
Głogów 82-83 D4
Głogów Młp. (Małopolski) 88-89 E9
Głogówek 86-87 E5
Głomia – rzeka 78-79 B4
Głotowo 80-81 B8
Głowacz – góra 78-79 B3
Głowaczów 84-85 D9
Głowno 82-83 D7; 84-85 D7
Główczyce 78-79 A5
Głubczyce 86-87 E5
Głuchołazy 86-87 E5
Głuchów 84-85 D8
Głuszyca 86-87 E4
Głuszyńskie, J. (Jezioro) 80-81 C6
Gniew 78-79 B6; 80-81 B6
Gniewino 78-79 A6
Gniewkowo 78-79 C6; 80-81 C6
Gniewoszów 84-85 D9
Gniezno 82-83 C5
Gnojnik 88-89 F8
Gnojno 88-89 E8
Goczałkowice-Zdr. (Zdrój) 86-87 F6, 7
Goczałkowickie, J. (Jezioro) 86-87 F6
Godkowo 78-79 A7; 80-81 A7
Godów 86-87 F6
Godzianów 82-83 D7, 8; 84-85 D8
Godziesze Wlk. (Wielkie) 82-83 D6
Godziszów 88-89 E10
Gogolin 86-87 E6
Golczewo 78-79 B2
Golejewko 82-83 D4, 5
Goleniów 78-79 B2
Goleszów 86-87 F6
Golina 82-83 C6
Golub-Dobrzyń 78-79 B7; 80-81 B7
Gołańcz 78-79 C5
Gołąb 84-85 D9
Gołcza 86-87 E7; 88-89 E7
Gołdap 80-81 A10
Gołdap, J. (Jezioro) 80-81 A10
Gołdapa – rzeka 80-81 A10
Gołdopiwo, J. (Jezioro) 80-81 A9, 10
Gołotczyzna 80-81 C8
Gołuchów 82-83 D5
Gołymin-Ośrodek 80-81 C8
Gomunice 82-83 D7; 84-85 D7
Goniądz 80-81 B10
Gopło, J. (Jezioro) 80-81 C6
Goraj 88-89 E10
Gorczański P. (Park) N. (Narodowy) 88-89 F8
Gorlice 88-89 F9
Gorzkowice 82-83 D7; 84-85 D7
Gorzków 88-89 E10, 11
Gorzów Śl. (Śląski) 86-87 D6
Gorzów Wlkp. (Wielkopolski) 78-79 C2, 3
Gorzyce 86-87 F6
Gorzyce 88-89 E9
Gostycyn 78-79 B5
Gostynin 80-81 C7
Gostynińsko-Włocławski Park Krajobrazowy
80-81 C7
Gostyń 82-83 D4, 5
Goszczanów 82-83 D6; 84-85 D6
Goszczyn 84-85 D8
Gościeradów Ukazowy 88-89 E9, 10
Gościkowo 82-83 C3
Gościno 78-79 A3
Gowarczów 84-85 D8
Gowienica – rzeka 78-79 B2
Goworowo 80-81 C9
Gozdnica 82-83 D3
Gozdowo 78-79 C7; 80-81 C7
Gór Opawskich, P. (Park) K. (Krajobrazowy)
86-87 E5
Gór Słonnych, Park Krajobrazowy 88-89 F10
Gór Sowich, P. (Park) K. (Krajobrazowy) 86-87 E4
Gór Stołowych, P. (Park) N. (Narodowy) 86-87 E4
Góra 78-79 C6; 80-81 C6
Góra 82-83 D4
Góra Kalwaria 84-85 D9
Góra Św. (Świętej) Anny 86-87 E6
Góra Św. (Świętej) Anny, P. (Park) K. (Krajobrazowy)
86-87 E6
Góra Św. (Świętej) Małgorzaty 82-83 C7; 84-85 C7
Górażdże 86-87 E6
Górecko Kośc. (Kościelne) 88-89 E10, 11
Górka Klasztorna 78-79 B5
Górno 88-89 E8
Górowo Iławeckie 80-81 A8
Górznieńsko-Lidzbarski Park Krajobrazowy
78-79 B7; 80-81 B7
Górzno 78-79 B7; 80-81 B7

Górzno 84-85 D9
Górzyca 82-83 C2
Gózd 84-85 D9
Grabarka 84-85 C11
Grabia – rzeka 82-83 D7; 84-85 D7
Grabica 82-83 D7; 84-85 D7
Grabki Duże 88-89 E8
Grabowa – rzeka 78-79 A4
Grabowiec 88-89 E11
Grabowo 80-81 B10
Grabów 82-83 C7; 84-85 C7
Grabów n. (nad) Pilicą 84-85 D9
Grabów n. (nad) Prosną 82-83 D6
Grajewo 80-81 B10
Granowo 82-83 C4
Grążawy 78-79 B7; 80-81 B7
Grębków 84-85 C9, 10
Grębocice 82-83 D4
Gręboszów 88-89 E8
Grębów 88-89 E9
Grodków 86-87 E5
Grodziczno 78-79 B7; 80-81 B7
Grodziec 82-83 C6
Grodziec 86-87 D3
Grodziec 86-87 F6
Grodzisk 80-81 C10
Grodzisk Maz. (Mazowiecki) 84-85 C8
Grodzisk Wlkp. (Wielkopolski) 82-83 C4
Grodzisko Dln. (Dolne) 88-89 E10
Gromadka 82-83 D3
Gromnik – góra 86-87 E5
Gromnik 88-89 F8
Gronowo 78-79 A7; 80-81 A7
Gródek 80-81 B11
Gródek n. (nad) Dunajcem 88-89 F8
Grójec 84-85 D8
Grudusk 80-81 B8
Grudziądz 78-79 B6; 80-81 B6
Grunwald 80-81 B8
Gruta 78-79 B6, B7; 80-81 B6, B7
Grybów 88-89 F8
Gryfice 78-79 B3
Gryfino 78-79 B2
Gryfów Śl. (Śląski) 86-87 D3
Gryżyński P. (Park) K. (Krajobrazowy) 82-83 C3
Grzegorzew 82-83 C6; 84-85 C6
Grzmiąca 78-79 B4
Guber – rzeka 80-81 A9
Gubin 82-83 D2
Guzów 84-85 C8
Gwda – rzeka 78-79 B4
Gwiazdy, J. (Jezioro) 78-79 B5
Gzy 80-81 C8

H

Haczów 88-89 F9
Hajka, J. (Jezioro) 78-79 A4
Hajnówka 80-81 C11
Halinów 84-85 C9
Hanna 84-85 D11
Hańcza, J. (Jezioro) 80-81 A10
Hańczowa 88-89 F9
Hańsk 84-85 D11
Harasiuki 88-89 E10
Hażlach 86-87 F6
Hel 78-79 A6; 80-81 A6
Helska, Mierzeja 78-79 A6; 80-81 A6
Henryków 86-87 E4
Herby 86-87 E6
Hoczewka – rzeka 88-89 F10
Horodło 88-89 E11, 12
Horyniec-Zdrój 88-89 E11
Hrebenne 88-89 E11
Hrubieszów 88-89 E11
Huczwa – rzeka 88-89 E11
Huszlew 84-85 C10
Huta Dąbrowa 84-85 D10
Hyżne 88-89 F10

I

Iganie 84-85 C10
Ilanka – rzeka 82-83 C2
Iława 78-79 B7; 80-81 B7
Iłowa 82-83 D3
Iłowo-Osada 80-81 B8
Iłów 82-83 C8; 84-85 C8
Iłża 84-85 D9
Iłżanka – rzeka 84-85 D9
Imielin 86-87 E7
Imielno 88-89 E8
Ina – rzeka 78-79 B3; B2
Inowłódz 84-85 D8
Inowrocław 78-79 C6; 80-81 C6
Iński Park Krajobrazowy 78-79 B3
Ińsko 78-79 B3
Ińsko, J. (Jezioro) 78-79 B3
Irządze 86-87 E7; 88-89 E7
Istebna 86-87 F6
Iwaniska 88-89 E9
Iwanowice Włośc. (Włościańskie) 88-89 E7, 8
Iwierzyce 88-89 E9
Iwkowa 88-89 F8
Iwonicz-Zdrój 88-89 F9
Izabelin 84-85 C8
Izbica 88-89 E11
Izbica Kujawska 80-81 C6
Izbicko 86-87 E6

J

Jabłeczna 84-85 D11
Jabłonka 86-87 F7; 88-89 F7
Jabłonna 84-85 C8
Jabłonna I 88-89 D10
Jabłonna Lacka 80-81 C10
Jabłonowo Pomorskie 78-79 B7; 80-81 B7
Jabłoń 84-85 D11
Jadów 80-81 C9
Jagodne, J. (Jezioro) 80-81 B9
Jaktorów 84-85 C8
Jakubów 84-85 C9
Jamno, J. (Jezioro) 78-79 A4
Janikowo 78-79 C6; 80-81 C6
Janowice Wlk. (Wielkie) 86-87 E3
Janowiec 84-85 D9
Janowiec Kościelny 80-81 B8
Janowiec Wlkp. (Wielkopolski) 78-79 C5
Janowo 80-81 B8
Janów 80-81 B11
Janów 86-87 E7; 88-89 E7
Janów Lubelski 88-89 E10
Janów Podlaski 84-85 C11
Jaraczewo 82-83 D5
Jarczów 88-89 E11
Jarocin 82-83 D5
Jarocin 88-89 E10
Jarosław 88-89 E10
Jasienica 86-87 F6
Jasienica Rosielna 88-89 F9
Jasieniec 84-85 D8, 9
Jasień 82-83 D3
Jasień, J. (Jezioro) 78-79 A5
Jasionówka 80-81 B11
Jasło 88-89 F9
Jasna Góra – część Częstochowy 86-87 E6, 7
Jastarnia 78-79 A6; 80-81 A6
Jastków 84-85 D10
Jastrowie 78-79 B4
Jastrowskie, J. (Jezioro) 78-79 B4, 5
Jastrząb 84-85 D8
Jastrzębia 84-85 D9
Jastrzębia Góra 78-79 A6; 80-81 A6
Jastrzębie-Zdrój 86-87 F6
Jaśliska 88-89 F9
Jaśliski Park Krajobrazowy 88-89 F9-F10
Jaświły 80-81 B10
Jawor 86-87 D4
Jawornik Polski 88-89 F10
Jaworze 86-87 F6, 7
Jaworzno 86-87 E7
Jaworzyna – góra 88-89 F8
Jaworzyna Śl. (Śląska) 86-87 E4
Jedlicze 88-89 F9
Jedlina-Zdrój 86-87 E4
Jedlińsk 84-85 D9
Jedlnia-Letnisko 84-85 D9
Jednorożec 80-81 B8, 9
Jedwabne 80-81 B10
Jedwabno 80-81 B8
Jegrznia – rzeka 80-81 B10
Jejkowice 86-87 E6
Jelcz-Laskowice 86-87 D5
Jelenia Góra 86-87 E3
Jeleniewo 80-81 A10
Jeleniowski P. (Park) K. (Krajobrazowy) 88-89 E9
Jeleśnia 86-87 F7; 88-89 F7
Jemielnica 86-87 E6
Jemielno 82-83 D4
Jerzmanowa 82-83 D4
Jerzmanowice 86-87 E7; 88-89 E7
Jeziora Wlk. (Wielka) 80-81 C6
Jeziorak, J. (Jezioro) 78-79 B7; 80-81 B7
Jeziorany 80-81 B8
Jeziorka – rzeka 84-85 D8
Jeziorsko, J. (Jezioro) 82-83 D6; 84-85 D6
Jeziorzany 84-85 D10
Jeżewo 78-79 B6; 80-81 B6
Jeżowe 88-89 E10
Jeżów 82-83 D7; 84-85 D7
Jeżów Sudecki 86-87 E3
Jędrzejów 88-89 E8
Jodłowa 88-89 F9
Jodłownik 88-89 F8
Joniec 80-81 C8
Jonkowo 80-81 B8
Jordanów 86-87 F7; 88-89 F7
Jordanów Śl. (Śląski) 86-87 E4, 5
Józefów 84-85 C9
Józefów 88-89 D9
Józefów 88-89 E10, 11
Juchnowiec Kościelny 80-81 B11
Juksty, J. (Jezioro) 80-81 B9
Jurata 78-79 A6; 80-81 A6
Justynów 82-83 D7; 84-85 D7
Jutrosin 82-83 D5

K

Kaczawa – rzeka 86-87 D3, 4
Kaczory 78-79 B4
Kadyny 78-79 A7; 80-81 A7
Kadzidło 80-81 B9
Kalety 86-87 E6
Kalinowa 82-83 D6; 84-85 D6
Kalinowo 80-81 B10
Kaliska 78-79 B6; 80-81 B6
Kalisz 82-83 D6
Kalisz Pomorski 78-79 B3
Kalwa, J. (Jezioro) 80-81 B8
Kalwaria Pacławska 88-89 F10
Kalwaria Zebrzydowska 86-87 F7; 88-89 F7
Kałębie, J. (Jezioro) 78-79 B6; 80-81 B6
Kałków 86-87 E5
Kałków-Godów 88-89 E9
Kałuszyn 84-85 C9
Kamianna 88-89 F8, 9
Kamienica – rzeka 88-89 F8
Kamienica 88-89 F8
Kamienica Polska 86-87 E7
Kamieniec 82-83 C4
Kamieniec Ząbkowicki 86-87 E4, 5
Kamienna – rzeka 88-89 D9
Kamienna Góra 86-87 E3
Kamiennik 86-87 E5
Kamień 88-89 D11
Kamień 88-89 E10
Kamień Krajeński 78-79 B5
Kamień Pomorski 78-79 B2
Kamieńsk 82-83 D7; 84-85 D7
Kamionka 84-85 D10
Kamionka Wlk. (Wielka) 88-89 F8
Kampinos 84-85 C8
Kampinoski Park Narodowy 84-85 C8
Kańczuga 88-89 F10
Karczew 84-85 C9
Karczmiska I 84-85 D10
Kargowa 82-83 C3
Karkonoski P. (Park) N. (Narodowy) 86-87 E3
Karlino 78-79 A3
Karnice 78-79 A3
Karniewo 80-81 C8
Karpackie Góry – góra 80-81 B11
Karpacz 86-87 E3
Karsin 78-79 B5
Karsińskie, J. (Jezioro) 78-79 B5
Kartuzy 78-79 A6; 80-81 A6
Kasprowy Wierch – góra 88-89 F7, 8
Kaszubski Park Krajobrazowy 78-79 A5-A6; 80-81 A6
Katowice 86-87 E6, 7
Kawęczyn 82-83 D6; 84-85 D6
Kazanów 84-85 D9
Kazimierski Park Krajobrazowy 84-85 D9
Kazimierz Biskupi 82-83 C6
Kazimierz Dln. (Dolny) 84-85 D9, 10
Kazimierz Wielka 88-89 E8
Kaźmierz 82-83 C4
Kąkolewnica Wsch. (Wschodnia) 84-85 D10
Kąśna Dln. (Dolna) 88-89 F8
Kąty Rybackie 78-79 A7; 80-81 A7
Kąty Wrocł. (Wrocławskie) 86-87 D4
Kcynia 78-79 B5
Kędzierzyn-Koźle 86-87 E6
Kępice 78-79 A4, 5
Kępno 82-83 D6
Kęsowo 78-79 B5
Kętrzyn 80-81 A9
Kęty 86-87 F7
Kielce 88-89 E8
Kielskie, J. (Jezioro) 78-79 A5
Kiełczygłów 82-83 D6, 7; 84-85 D6, 7
Kiernozia 82-83 C7; 84-85 C7
Kietrz 86-87 E5
Kije 88-89 E8
Kijewo Królewskie 78-79 B6; 80-81 B6
Kikół 78-79 C7; 80-81 C7
Kisajno ,J. (Jezioro) 80-81 A9
Kisielice 78-79 B7; 80-81 B7
Kiszkowo 82-83 C5
Kiwity 80-81 A8
Kleczew 82-83 C6
Klembów 84-85 C9
Kleszczele 80-81 C11
Kleszczewo 82-83 C5
Kleszczów 82-83 D7; 84-85 D7
Klępsk 82-83 C3
Klimkowskie, J. (Jezioro) 88-89 F9
Klimontów 88-89 E9
Klonowa 82-83 D6; 84-85 D6
Kluczbork 86-87 E6
Klucze 86-87 E7; 88-89 E7
Kluczewsko 86-87 E7; 88-89 E7
Kluki 78-79 A5
Kluki 82-83 D7; 84-85 D7
Klukowo 80-81 C10
Klwów 84-85 D8
Kłaj 88-89 F8
Kłączno, J. (Jezioro) 78-79 A5
Kłecko 82-83 C5
Kłobuck 86-87 E6, 7
Kłoczew 84-85 D9
Kłodawa 78-79 C3
Kłodawa 82-83 C6; 84-85 C6
Kłodzko 86-87 E4
Kłomnice 86-87 E7; 88-89 E7
Kłóbka 82-83 C7; 84-85 C7
Knurów 86-87 E6
Knyszyn 80-81 B10, 11
Kobiele Wlk. (Wielkie) 86-87 D7; 88-89 D7
Kobierzyce 86-87 E4
Kobiór 86-87 E6
Kobyla Góra 82-83 D5
Kobyla Góra 82-83 D5
Kobylanka 78-79 B2
Kobylin 82-83 D5
Kobylin-Borzymy 80-81 B10
Kobylnica 78-79 A5
Kobyłka 84-85 C9
Kochanowice 86-87 E6
Kocierzew Płd. (Południowy)
82-83 C7, 8; 84-85 C8
Kock 84-85 D10
Koczała 78-79 B5
Kodeń 84-85 D11
Kodrąb 86-87 D7; 88-89 D7
Kolbudy Grn. (Górne) 78-79 A6; 80-81 A6
Kolbuszowa 88-89 E9
Kolno 80-81 A9
Kolno 80-81 B9, 10
Kolno, J. (Jezioro) 80-81 B11
Kolonowskie 86-87 E6
Kolsko 82-83 D3, 4
Koluszki 82-83 D7; 84-85 D7
Kołaczkowo 82-83 C5
Kołaczyce 88-89 F9
Kołaki Kościelne 80-81 B10
Kołbacz 78-79 B2
Kołbaskowo 78-79 B2
Kołbiel 84-85 C9
Kołczygłowy 78-79 A5
Koło 82-83 C6; 84-85 C6
Kołobrzeg 78-79 A3
Komańcza 88-89 F9, 10
Komarówka Podlaska 84-85 D10
Komarów-Osada 88-89 E11
Komorniki 82-83 C4
Komorzno 86-87 D5, 6
Komprachcice 86-87 E5
Konarzyny 78-79 B5
Kondratowice 86-87 E4, 5
Koneck 78-79 C6; 80-81 C6
Koniaków 86-87 F6
Koniecpol 86-87 E7; 88-89 E7
Konin 82-83 C6
Koniusza 88-89 E8
Konopiska 86-87 E6, 7
Konopnica 82-83 D6; 84-85 D6
Konstancin-Jeziorna 84-85 C8, 9
Konstantynów 84-85 C11
Konstantynów Łódzki 82-83 D7; 84-85 D7
Końskie 84-85 D8
Końskowola 84-85 D10
Kopań, J. (Jezioro) 78-79 A4
Koprzywianka – rzeka 88-89 E9
Koprzywnica 88-89 E9
Korbielów 86-87 F7; 88-89 F7
Korczew 84-85 C10
Korczyna 88-89 F9
Korfantów 86-87 E5
Kornowac 86-87 E6
Koronowo 78-79 B5
Koronowskie, J. (Jezioro) 78-79 B5
Korsze 80-81 A9
Korycin 80-81 B11
Korytnica 84-85 C9
Korzenna 88-89 F8
Kosakowo 78-79 A6; 80-81 A6
Kosieczyn 82-83 C3
Kosina 88-89 E10
Kosów Lacki 80-81 C10
Kostomłoty 84-85 D11
Kostomłoty 86-87 D4
Kostrzyn 82-83 C2
Kostrzyn 82-83 C5
Kostrzyń – rzeka 84-85 C9
Koszalin 78-79 A4
Koszarawa 86-87 F7; 88-89 F7
Koszęcin 86-87 E6
Koszuty 82-83 C5
Koszyce 88-89 E8
Kościan 82-83 C4
Kościelec 82-83 C6; 84-85 C6
Kościelisko 88-89 F7
Kościerzyna 78-79 A5, 6
Kośno, J. (Jezioro) 80-81 B8
Kotla 82-83 D4
Kotlin 82-83 D5
Kotuń 84-85 C10
Kowal 80-81 C7
Kowala-Stępocina 84-85 D9
Kowale Oleckie 80-81 A10
Kowalewo Pomorskie 78-79 B6; 80-81 B6
Kowary 86-87 E3
Kowiesy 84-85 D8
Koziegłowy 86-87 E7
Kozielice 78-79 B2
Kozienice 84-85 D9
Kozienicki P. (Park) K. (Krajobrazowy) 84-85 D9
Kozłowiecki P. (Park) K. (Krajobrazowy) 84-85 D10
Kozłowo 80-81 B8
Kozłów 88-89 E8
Kozłówka 84-85 D10
Kozubowski P. (Park) K. (Krajobrazowy) 88-89 E8
Kozubszczyzna 84-85 D10
Kozy 86-87 F7
Koźmin Wlkp. (Wielkopolski) 82-83 D5
Koźminek 82-83 D6; 84-85 D6
Kożuchów 82-83 D3
Kórnik 82-83 C5
Krajenka 78-79 B5
Krajeński Park Krajobrazowy 78-79 B5
Kraków 88-89 E8
Kramsk 82-83 C6; 84-85 C6
Krapkowice 86-87 E5
Krasiczyn 88-89 F10
Krasne 80-81 C8
Krasne 84-85 D10
Krasne 88-89 E10
Krasnobrodzki P. (Park) K. (Krajobrazowy) 88-89 E11
Krasnobród 88-89 E11

Krasnopol 80-81 A11
Krasnosielc 80-81 B9
Krasnystaw 88-89 E10, 11
Krasocin 88-89 E8
Kraszewice 82-83 D6
Kraśniczyn 88-89 E11
Kraśnik 88-89 E10
Krąg 78-79 A4
Krąpiel – rzeka 78-79 B3
Krempna 88-89 F9
Krępsko, J. (Jezioro) 78-79 B5
Krobia 82-83 D4, 5
Kroczyce 86-87 E7; 88-89 E7
Krokowa 78-79 A6; 80-81 A6
Krosno 80-81 A8
Krosno 88-89 F9
Krosno Odrzańskie 82-83 C3
Krościenko n. (nad) Dunajcem 88-89 F8
Krościenko Wyżne 88-89 F9
Krośnice 82-83 D5
Krośniewice 82-83 C7; 84-85 C7
Krotoszyce 86-87 D4
Krotoszyn 82-83 D5
Kruklanki 80-81 A9, 10
Krupski Młyn 86-87 E6
Kruszwica 80-81 C6
Kruszyna 86-87 E7; 88-89 E7
Kruszyniany 80-81 B11
Kruszyńskie, J. (Jezioro) 78-79 B5
Krutynia – rzeka 80-81 B9
Kryłów 88-89 E11, 12
Krynica Morska 78-79 A7; 80-81 A7
Krynica-Zdrój 88-89 F8, 9
Krynice 88-89 E11
Krynki 80-81 B11
Krypno Kośc. (Kościelne) 80-81 B10
Krzanowice 86-87 E6
Krzczonowski P. (Park) K. (Krajobrazowy) 88-89 D10
Krzczonów 88-89 E10
Krzemieniewo 82-83 D4
Krzemieniucha – góra 80-81 A10
Krzemionki Opat. (Opatowskie) 88-89 E9
Krzepice 86-87 E6
Krzesiński P. (Park) K. (Krajobrazowy) 82-83 C2
Krzeszowice 86-87 E7; 88-89 E7
Krzeszów 86-87 E4
Krzeszów 88-89 E10
Krzeszyce 82-83 C3
Krzęcin 78-79 B3
Krzna – rzeka 84-85 C11
Krzna Pd. (Południowa) – rzeka 84-85 D10
Krzna Pn. (Północna) – rzeka 84-85 D10
Krzycki Rów – rzeka 82-83 D3, 4
Krzykosy 82-83 C5
Krzymów 82-83 C6; 84-85 C6
Krzynia, J. (Jezioro) 78-79 A5
Krzynowłoga Mł. (Mała) 80-81 B8
Krzywcza 88-89 F10
Krzywda 84-85 D10
Krzywiń 82-83 D4
Krzyż Wlkp. (Wielkopolski) 78-79 C4
Krzyżanowice 86-87 F6
Krzyżanów 82-83 C7; 84-85 C7
Ksawerów 82-83 D7; 84-85 D7
Książ – część Wałbrzycha 86-87 E4
Książ Wlk. (Wielki) 88-89 E8
Książ Wlkp. (Wielkopolski) 82-83 C5
Książański P. (Park) K. (Krajobrazowy) 86-87 E4
Książki 78-79 B7; 80-81 B7
Księżpol 88-89 E10
Kuczbork-Osada 80-81 B8
Kudowa-Zdrój 86-87 E4
Kulesze Kościelne 80-81 B10
Kulice 78-79 B3
Kunice 82-83 D4
Kunów 88-89 E9
Kurozwęki 88-89 E9
Kurów 84-85 D10
Kuryłówka 88-89 E10
Kurzętnik 78-79 B7; 80-81 B7
Kuślin 82-83 C4
Kutno 82-83 C7; 84-85 C7
Kuźnia Raciborska 86-87 E6
Kuźnica 80-81 B11
Kwidzyn 78-79 B6, B7; 80-81 B6, B7
Kwilcz 82-83 C4
Kwisa – rzeka 82-83 D3

L

Lackowa – góra 88-89 F9
Lanckorona 86-87 F7; 88-89 F7
Laskowa 88-89 F8
Lasocin 82-83 D3
Lasowice Mł. (Małe) 86-87 E6
Lasy Janowskie, Park Krajobrazowy 88-89 E10
Lasy nad Górną Liswartą, Park Krajobrazowy 86-87 E6
Laszki 88-89 E10
Latowicz 84-85 C9
Ląd 82-83 C5
Lądek 82-83 C5
Lądek-Zdrój 86-87 E4
Lednica, J. (Jezioro) 82-83 C5
Lednicki P. (Park) K. (Krajobrazowy) 82-83 C5
Lednogóra 82-83 C5
Lega – rzeka 80-81 B10
Legionowo 84-85 C8, 9
Legnica 82-83 D4
Legnickie Pole 86-87 D4
Lelis 80-81 B9
Lelkowo 80-81 A8
Lelów 86-87 E7; 88-89 E7
Leoncin 84-85 C8
Lesko 88-89 F10
Leszno 82-83 D4
Leszno 84-85 C8
Lesznowola 84-85 C8
Leśna 86-87 D3
Leśna Podlaska 84-85 C11
Leśnica 86-87 E6
Leśniowice 88-89 E11
Lewin Brzeski 86-87 E5
Lewin Kłodzki 86-87 E4
Lewków 82-83 D5
Leżajsk 88-89 E10
Lębork 78-79 A5
Lędziny 86-87 E7
Libiąż 86-87 E7; 88-89 E7
Lichnowy 78-79 A6; 80-81 A6
Lidzbark 78-79 B7; 80-81 B7
Lidzbark Warmiński 80-81 A8
Limanowa 88-89 F8
Linia 78-79 A5
Liniewo 78-79 A6; 80-81 A6
Lipce Reymontowskie 82-83 D7; 84-85 D7, 8
Lipiany 78-79 B2, 3
Lipie 86-87 D6
Lipinki 88-89 F9
Lipinki Łużyckie 82-83 D2, 3
Lipka 78-79 B5
Lipnica 78-79 B5
Lipnica Murowana 88-89 F8
Lipnica Wlk. (Wielka) 86-87 F7; 88-89 F7
Lipnik 88-89 E9
Lipno 78-79 C7; 80-81 C7
Lipno 82-83 D4
Lipowa 86-87 F7
Lipowa Góra 80-81 A10
Lipowiec Kościelny 80-81 B8
Lipsk 80-81 B11
Lipsko 84-85 D9
Lipusz 78-79 A5
Lisewo 78-79 B6; 80-81 B6
Lisia Góra 78-79 B4, 5
Lisia Góra 88-89 E9
Lisków 82-83 D6; 84-85 D6
Liswarta – rzeka 86-87 E6
Liszki 86-87 E7; 88-89 E7
Liw 84-85 C9
Liwa – rzeka 78-79 B7; 80-81 B7
Liwiec – rzeka 80-81 C9
Liwiec – rzeka 84-85 C10
Liwocz – góra 88-89 F9
Lniano 78-79 B6; 80-81 B6
Lubaczów 88-89 E11
Lubaczówka – rzeka 88-89 E11
Lubanie 78-79 C6; 80-81 C6
Lubań 86-87 D3
Lubartów 84-85 D10
Lubasz 78-79 C4
Lubawa 78-79 B7; 80-81 B7
Lubawka 86-87 E3
Lubawka, Przeł. (Przełęcz) 86-87 E4
Lubenia 88-89 F9, 10
Lubiąż 82-83 D4
Lubichowo 78-79 B6; 80-81 B6
Lubicz 78-79 B6; 80-81 B6
Lubie, J. (Jezioro) 78-79 B3
Lubie, J. (Jezioro) 78-79 C3
Lubień 86-87 F7; 88-89 F7
Lubień Kujawski 82-83 C7; 84-85 C7
Lubiewo 78-79 B6
Lubięcin 82-83 D3
Lubin 82-83 D4
Lubiń 82-83 D4
Lubiszyn 78-79 C2
Lubkowskie, J. (Jezioro) 82-83 C3
Lublin 84-85 D10
Lubliniec 86-87 E6
Lubniewice 82-83 C3
Lubniewsko, J. (Jezioro) 82-83 C3
Lubochnia 84-85 D8
Lubomia 86-87 E6
Lubomierz 86-87 D3
Lubomino 80-81 A8
Luboń 82-83 C4
Luboń Wlk. (Wielki) – góra 86-87 F7; 88-89 F7
Luborzyca 88-89 E8
Lubostroń 78-79 C5, 6
Lubowidz 78-79 B7; 80-81 B7
Lubraniec 80-81 C6
Lubrza 82-83 C3
Lubrza 86-87 E5
Lubsko 82-83 D2, 3
Lubsza – rzeka 82-83 D2
Lubsza 86-87 E5
Lubycza Królewska 88-89 E11
Luciąża – rzeka 82-83 D7; 84-85 D7
Ludwin 84-85 D10
Ludźmierz 86-87 F7; 88-89 F7
Luterskie, J. (Jezioro) 80-81 A8
Lutocin 78-79 C7; 80-81 C7
Lutomiersk 82-83 D7; 84-85 D7
Lutowiska 88-89 F10
Lututów 82-83 D6; 84-85 D6
Lutynia – rzeka 82-83 D5
Luzino 78-79 A6; 80-81 A6
Lwówek 82-83 C4
Lwówek Śl. (Śląski) 86-87 D3
Lyski 86-87 E6

Ł

Łabędy – część Gliwic 86-87 E6
Łabiszyn 78-79 C5
Łabowa 88-89 F8
Łabunie 88-89 E11
Łada – rzeka 88-89 E10
Ładzice 86-87 D7; 88-89 D7
Łagiewniki 86-87 E4
Łagowski Park Krajobrazowy 82-83 C3
Łagów 82-83 C3
Łagów 88-89 E9
Łambinowice 86-87 E5
Łanięta 82-83 C7; 84-85 C7
Łańcut 88-89 E10
Łańskie, J. (Jezioro) 80-81 B8
Łapanów 88-89 F8
Łapsze Niżne 88-89 F8
Łapy 80-81 C10
Łasin 78-79 B7; 80-81 B7
Łask 82-83 D7; 84-85 D7
Łaskarzew 84-85 D9
Łaszczów 88-89 E11
Łaśmiady, J. (Jezioro) 80-81 B10
Łaziska 84-85 D9
Łaziska Grn. (Górne) 86-87 E6
Łazy 78-79 A4
Łazy 86-87 E7; 88-89 E7
Łażno, J. (Jezioro) 80-81 A10
Łąck 80-81 C7
Łącko 88-89 F8
Łączna 88-89 D8
Łeba – rzeka 78-79 A5
Łeba 78-79 A5
Łebsko, J. (Jezioro) 78-79 A5
Łęczna 84-85 D10
Łęczyca 82-83 C7; 84-85 C7
Łęczyce 78-79 A5
Łęg – rzeka 88-89 E9
Łęka Opatowska 82-83 D6
Łękawica 86-87 F7
Łęki Szlach. (Szlacheckie) 82-83 D7; 84-85 D7
Łęknica 82-83 D2
Łętowskie, J. (Jezioro) 78-79 A4
Łobez 78-79 B3
Łobżenica 78-79 B5
Łobżonka – rzeka 78-79 B5
Łochów 80-81 C9
Łodygowice 86-87 F7
Łomazy 84-85 D11
Łomianki 84-85 C8
Łomża 80-81 B9, 10
Łoniów 88-89 E9
Łopiennik Grn. (Górny) 88-89 D11
Łopuszna 88-89 F8
Łopuszno 88-89 E8
Łosice 84-85 C10
Łososina – rzeka 88-89 E8
Łososina – rzeka 88-89 F8
Łososina Dln. (Dolna) 88-89 F8
Łowicz 82-83 C7; 84-85 C7
Łódź 82-83 D7; 84-85 D7
Łubianka 78-79 B6; 80-81 B6
Łubniany 86-87 E6
Łubnice 86-87 D6
Łubnice 88-89 E9
Łubowo 82-83 C5
Łukowa 88-89 E10
Łukowica 88-89 F8
Łukowo 82-83 C4
Łuków 84-85 D10
Łukta 80-81 B8
Łupawa – rzeka 78-79 A5
Łupkowska, Przeł. (Przełęcz) 88-89 F9, 10
Łużna 88-89 F8, 9
Łużyca – rzeka 82-83 D6; 84-85 D6
Łydynia – rzeka 80-81 C8
Łyna – rzeka 80-81 B8; A9
Łysa Góra 82-83 C5
Łyse 80-81 B9
Łysica – góra 88-89 E8
Łysomice 78-79 B6; 80-81 B6
Łyszkowice 82-83 D7; 84-85 D7

M

Maciejowice 84-85 D9
Maciejówka – góra 88-89 F10
Magnuszew 84-85 D9
Magurski Park Narodowy 88-89 F9
Majdan Królewski 88-89 E9
Maków 82-83 D7, 8; 84-85 D8
Maków Maz. (Mazowiecki) 80-81 C8, 9
Maków Podhalański 86-87 F7; 88-89 F7
Malanów 82-83 D6; 84-85 D6
Malbork 78-79 A7; 80-81 A7
Malczyce 82-83 D4
Malechowo 78-79 A4
Maleniec 84-85 D8
Mała Ina – rzeka 78-79 B3
Mała Wełna – rzeka 82-83 C5
Małaszewicze 84-85 C11
Małdyty 78-79 B7; 80-81 B7
Małkinia Grn. (Górna) 80-81 C9, 10
Małków 82-83 D6; 84-85 D6
Małogoszcz 88-89 E8
Małomice 82-83 D3
Małujowice 86-87 E5
Mamry, J. (Jezioro) 80-81 A9
Maniowy 88-89 F8
Manowo 78-79 A4
Marcinowice 86-87 E4
Marciszów 86-87 E4
Margonin 78-79 C5
Marianowo 78-79 B3
Marki 84-85 C9
Marklowice 86-87 E6
Markowa 88-89 E10
Markusy 78-79 A7; 80-81 A7
Markuszów 84-85 D10
Martwa Wisła – rzeka 78-79 A6; 80-81 A6
Maskawa – rzeka 82-83 C5
Masłowice 86-87 D7; 88-89 D7
Masłów 88-89 E8
Maszewo 78-79 B3
Maszewo 82-83 C2
Maślana G. (Góra) 88-89 F8, 9
Mausz, J. (Jezioro) 78-79 A5
Mazowiecki P. (Park) K. (Krajobrazowy) 84-85 C9-D9
Mazurski Park Krajobrazowy 80-81 B9
Medyka 88-89 F10
Melno, J. (Jezioro) 78-79 B7; 80-81 B7
Mełgiew 84-85 D10
Męcinka 86-87 D3, 4
Mędrzechów 88-89 E8, 9
Miała – rzeka 78-79 C4
Miasteczko Krajeńskie 78-79 B4, 5
Miasteczko Śl. (Śląskie) 86-87 E6, 7
Miastko 78-79 A4, 5
Miastkowo 80-81 B9
Miastków Kościelny 84-85 D9
Miączyn 88-89 E11
Michałowice 84-85 C8
Michałowice 88-89 E7, 8
Michałowo 80-81 B11
Michałów 88-89 E8
Michów 84-85 D10
Miechów 88-89 E8
Miedniewice 84-85 C8
Miedwie, J. (Jezioro) 78-79 B2
Miedziana Góra 88-89 E8
Miedzichowo 82-83 C3, 4
Miedzna 80-81 C10
Miedźna 86-87 F7
Miedźno 86-87 E7
Miejsce Piastowe 88-89 F9
Miejska Górka 82-83 D4, 5
Mielec 88-89 E9
Mieleszyn 82-83 C5
Mielnik 84-85 C11
Mielno 78-79 A3, 4
Mień – rzeka 78-79 C7; 80-81 C7
Mieroszów 86-87 E4
Mierzawa – rzeka 88-89 E8
Mierzeja Wiślana, P. (Park) K. (Krajobrazowy) 78-79 A7; 80-81 A7
Mierzęcice 86-87 E7
Mieszkowice 78-79 C2
Mieścisko 78-79 C5
Mietkowskie, J. (Jezioro) 86-87 E4
Mietków 86-87 E4
Międzybórz 82-83 D5
Międzychód 82-83 C3
Międzygórze 86-87 E4
Międzylesie 86-87 E4
Międzyleska, Przeł. (Przełęcz) 86-87 E4
Międzyrzec Podlaski 84-85 C10
Międzyrzecz 82-83 C3
Międzyrzecza Warty i Widawki, P. (Park) K. (Krajobrazowy) 82-83 D6; 84-85 D6
Międzyzdroje 78-79 B2
Miękinia 82-83 D4
Mikołajki 80-81 B9
Mikołajki Pomorskie 78-79 B7; 80-81 B7
Mikołów 86-87 E6
Mikstat 82-83 D5
Milanów 84-85 D10
Milanówek 84-85 C8
Milejczyce 80-81 C11
Milejewo 78-79 A7; 80-81 A7
Milejów 84-85 D10
Milickie, Stawy 82-83 D5
Milicz 82-83 D5
Milówka 86-87 F7
Miłakowo 80-81 A8
Miłki 80-81 B9
Miłkowice 82-83 D4
Miłomłyn 78-79 B7; 80-81 B7
Miłoradz 78-79 A6; 80-81 A6
Miłosław 82-83 C5
Mińsk Maz. (Mazowiecki) 84-85 C9
Mircze 88-89 E11
Mirosławiec 78-79 B4
Mirów 86-87 E7; 88-89 E7
Mirów Str. (Stary) 84-85 D8, 9
Mirsk 86-87 E3
Mirzec 88-89 D9
Mleczna – rzeka 88-89 F10
Mł. (Mała) Panew – rzeka 86-87 E6
Mł. (Mała) Wieś 80-81 C8
Mł. (Mały) Płock 80-81 B10
Mława 80-81 B8
Mławka – rzeka 80-81 B8
Młodzieszyn 84-85 C8
Młynary 78-79 A7; 80-81 A7
Młynarze 80-81 C9
Mniów 88-89 D8

Mniszków 84-85 D7, 8
Mochowo 78-79 C7; 80-81 C7
Modliborzyce 88-89 E10
Mogielica – góra 88-89 F8
Mogielnica 84-85 D8
Mogilany 86-87 F7; 88-89 F7
Mogilnica – rzeka 82-83 C4
Mogilno 82-83 C5
Mogiła – góra 88-89 F8
Mokobody 84-85 C10
Mokre, J. (Jezioro) 80-81 B9
Mokrsko 82-83 D6
Mońki 80-81 B10
Morawica 88-89 E8
Morąg 78-79 B7; 80-81 B7
Mordy 84-85 C10
Moryń 78-79 C2
Morzeszczyn 78-79 B6; 80-81 B6
Morzycko, J. (Jezioro) 78-79 C2
Mosina 82-83 C4
Moskorzew 86-87 E7; 88-89 E7
Mostowa – rzeka 78-79 B3
Moszczenica 82-83 D7; 84-85 D7
Moszczenica 88-89 F9
Moszna 86-87 E5
Motława – rzeka 78-79 A6; 80-81 A6
Mórka, J. (Jezioro) 82-83 C4, 5
Mrągowo 80-81 B9
Mrocza 78-79 B5
Mroga – rzeka 82-83 D7; 84-85 D7
Mrozy 84-85 C9
Mrzeżyno 78-79 A3
Mstów 86-87 E7; 88-89 E7
Mszana 86-87 F6
Mszana Dln. (Dolna) 88-89 F8
Mszanowo 78-79 B7; 80-81 B7
Mszczonów 84-85 D8
Mściwojów 86-87 D4
Mucharz 86-87 F7; 88-89 F7
Murowana Goślina 82-83 C4, 5
Murów 86-87 E5
Muszyna 88-89 F8, 9
Myczkowce 88-89 F10
Mykanów 86-87 E7
Mysłakowice 86-87 E3
Mysłowice 86-87 E7
Myszków 86-87 E7; 88-89 E7
Myszyniec 80-81 B9
Myśla – rzeka 78-79 C2
Myślenice 86-87 F7; 88-89 F7
Myśliborskie, J. (Jezioro) 78-79 C2
Myślibórz 78-79 C2

N

Nadarzyn 84-85 C8
Nadbużański Park Krajobrazowy 80-81 C9
Nadgoplański Park Tysiąclecia – park krajobrazowy 80-81 C6
Nadmorski Park Krajobrazowy 78-79 A6; 80-81 A6
Nadnidziański P. (Park) K. (Krajobrazowy) 88-89 E8
Nadwarciański P. (Park) K. (Krajobrazowy) 82-83 C5
Nadwieprzański P. (Park) K. (Krajobrazowy) 84-85 D10-D11
Nadwiślański Park Krajobrazowy 78-79 B6; 80-81 B6
Nagłowice 88-89 E8
Nakło n. (nad) Notecią 78-79 B5
Nałęczów 84-85 D10
Namysłów 86-87 D5
Narew – rzeka 80-81 C11; C9
Narew 80-81 C11
Narewka 80-81 C11
Narie, J. (Jezioro) 80-81 B8
Narol 88-89 E11
Naruszewo 80-81 C8
Narwiański P. (Park) K. (Krajobrazowy) 80-81 B10
Narwiański P. (Park) N. (Narodowy) 80-81 B10
Nasielsk 80-81 C8
Nawojowa 88-89 F8
Necko, J. (Jezioro) 80-81 B10
Nekla 82-83 C5
Ner – rzeka 82-83 C6; 82-83 D7
Nędza 86-87 E6
Nida – rzeka 80-81 B8
Nida – rzeka 88-89 E8
Nida Czarna – rzeka 88-89 E8
Nidzica – rzeka 88-89 E8
Nidzica 80-81 B8
Nidzkie, J. (Jezioro) 80-81 B9
Nieborów 84-85 C8
Niebylec 88-89 F9
Niechanowo 82-83 C5
Niechlów 82-83 D4
Niedomice 88-89 E8, 9
Niedrzwica Duża 88-89 D10
Niedzica 88-89 F8
Niedźwiada 84-85 D10
Niedźwiedź 88-89 F8
Niegocin, J. (Jezioro) 80-81 B9
Niegosławice 82-83 D3
Niegowa 86-87 E7; 88-89 E7
Nielisz 88-89 E10, 11
Niemce 84-85 D10
Niemcza 86-87 E4
Niemodlin 86-87 E5
Niepokalanów 84-85 C8
Niepołomice 88-89 E8
Nieporęt 84-85 C9
Niesłysz, J. (Jezioro) 82-83 C3
Nieszawa 78-79 C6; 80-81 C6
Nisko 88-89 E10
Niwiska 88-89 E9
Nogat – rzeka 78-79 B6; 80-81 B6
Notecka, Puszcza 78-79 C3-C4
Notecki, Kan. (Kanał) 78-79 BC5
Noteć – rzeka 78-79 B5; C3
Nowa Dęba 88-89 E9
Nowa Huta – część Krakowa 88-89 E8
Nowa Ruda 86-87 E4
Nowa Sól 82-83 D3
Nowe 78-79 B6; 80-81 B6
Nowe Miasteczko 82-83 D3
Nowe Ostrowy 82-83 C7; 84-85 C7
Nowe Skalmierzyce 82-83 D5
Nowe Warpno 78-79 B2
Nowęcin 78-79 A5
Nowinka 80-81 B10
Nowodwór 84-85 D10
Nowogard 78-79 B2, 3
Nowogrodziec 82-83 D3
Nowogród 80-81 B9
Nowogród Bobrzański 82-83 D3
Nowogródek Pomorski 78-79 C3
Nowowołyńsk 88-89 E11, 12
Nowy Sącz 88-89 F8
Nowy Staw 78-79 A7; 80-81 A7
Nowy Targ 88-89 F8
Nozdrzec 88-89 F10
Nur 80-81 C10
Nurzec – rzeka 80-81 C10
Nurzec-Stacja 80-81 C11
Nw. (Nowa) Brzeźnica
Nw. (Nowa) Karczma 78-79 A6; 80-81 A6
Nw. (Nowa) Sarzyna 88-89 E10
Nw. (Nowa) Słupia 88-89 E9
Nw. (Nowa) Sucha 84-85 C8
Nw. (Nowa) Wieś Lęborska 78-79 A5
Nw. (Nowa) Wieś Wlk. (Wielka) 78-79 C6; 80-81 C6
Nw. (Nowe) Brzesko 88-89 E8
Nw. (Nowe) Miasto 80-81 C8
Nw. (Nowe) Miasto Lubawskie 78-79 B7; 80-81 B7
Nw. (Nowe) Miasto n. (nad) Pilicą 84-85 D8
Nw. (Nowe) Miasto n. (nad) Wartą 82-83 C5
Nw. (Nowe) Piekuty 80-81 C10
Nw. (Nowy) Duninów 80-81 C7
Nw. (Nowy) Dwór 80-81 B11
Nw. (Nowy) Dwór Gdański 78-79 A7; 80-81 A7
Nw. (Nowy) Dwór Maz. (Mazowiecki) 80-81 C8
Nw. (Nowy) Kawęczyn 84-85 D8
Nw. (Nowy) Korczyn 88-89 E8
Nw. (Nowy) Tomyśl 82-83 C3, 4
Nw. (Nowy) Wiśnicz 88-89 F8
Nw. (Nowy) Żmigród 88-89 F9
Nysa 86-87 E5
Nysa Kłodzka – rzeka 86-87 E4; E5
Nysa Łużycka – rzeka 82-83 D2

O

Oblęgorek 88-89 E8
Oborniki 82-83 C4
Oborniki Śl. (Śląskie) 82-83 D4
Obra – rzeka 82-83 D5; C3
Obra 82-83 C4
Obrazów 88-89 E9
Obrowo 78-79 C6; 80-81 C6
Obryte 80-81 C9
Obrzański Pd. (Południowy), Kan. (Kanał) 82-83 C4
Obrzański Pn. (Północny), Kan. (Kanał) 82-83 C4
Obrzyca – rzeka 82-83 D3
Obrzycko 78-79 C4
Obsza 88-89 E10
Ochla 82-83 D3
Ochnia – rzeka 82-83 C7; 84-85 C7
Ochotnica Dln. (Dolna) 88-89 F8
Ocypel 78-79 B6; 80-81 B6
Odolanów 82-83 D5
Odra – rzeka 86-87 E6; 78-79 B2
Odry 78-79 B6; 80-81 B6
Odrzykoń 88-89 F9
Odrzywół 84-85 D8
Ogrodzieniec 86-87 E7; 88-89 E7
Ojc. (Ojcowski) P. (Park) N. (Narodowy) 86-87 E7; 88-89 E8
Ojców 86-87 E7; 88-89 E7
Ojrzeń 80-81 C8
Okocim 88-89 F8
Okonek 78-79 B4
Okonin 78-79 B6; 80-81 B6
Okonińskie, J. (Jezioro) 78-79 B5, 6
Okraj, Przeł. (Przełęcz) 86-87 E3
Oksa 88-89 E8
Okuninka 84-85 D11
Olecko 80-81 A10
Olesno 86-87 E6
Olesno 88-89 E8
Oleszyce 88-89 E10, 11
Oleśnica – rzeka 82-83 D6; 84-85 D6
Oleśnica 82-83 D5
Oleśnica 88-89 E9
Olkusz 86-87 E7; 88-89 E7
Olszanica 88-89 F10
Olszanka 84-85 C10
Olszanka 86-87 E5
Olszewo-Borki 80-81 B9
Olszówka 82-83 C6; 84-85 C6
Olsztyn 80-81 B8
Olsztyn 86-87 E7; 88-89 E7
Olsztynek 80-81 B8
Olszyna 86-87 D3
Oława – rzeka 86-87 E5
Oława 86-87 E5
Ołobok 82-83 D5, 6
Omęt – rzeka 80-81 A9
Omulew – rzeka 80-81 B9
Omulew, J. (Jezioro) 80-81 B8
Opactwo 84-85 D9
Opalenica 82-83 C4
Opatowiec 88-89 E8
Opatów 86-87 E6
Opatów 88-89 E9
Opatówek 82-83 D6
Opatówka – rzeka 88-89 E9
Opinogóra Grn. (Górna) 80-81 C8
Opoczno 84-85 D8
Opole 86-87 E5, 6
Opole Lubelskie 84-85 D9
Opołonek – góra 88-89 F10
Oporów 82-83 C7; 84-85 C7
Orawka 86-87 F7; 88-89 F7
Orchowo 82-83 C6
Orla – rzeka 82-83 D4
Orla 80-81 C11
Orlanka – rzeka 80-81 C11
Orlica – rzeka 86-87 E4
Orły 88-89 F10
Orneta 80-81 A8
Ornontowice 86-87 E6
Orońsko 84-85 D8
Orsk 82-83 D4
Ortel Królewski 84-85 D11
Orz – rzeka 80-81 C9
Orzesze 86-87 E6
Orzyc – rzeka 80-81 B8; B9
Orzysz 80-81 B9
Orzysz, J. (Jezioro) 80-81 B10
Osa – rzeka 78-79 B7; 80-81 B7
Osie 78-79 B6; 80-81 B6
Osieck 84-85 D9
Osieczna 78-79 B6; 80-81 B6
Osieczna 82-83 D4
Osiecznica 82-83 D3
Osiek 78-79 B6; 80-81 B6
Osiek 78-79 B7; 80-81 B7
Osiek 86-87 F7
Osiek 88-89 E9
Osiek Jasielski 88-89 F9
Osiek Ml. (Mały) 82-83 C6; 84-85 C6
Osiek n. (nad) Notecią 78-79 B5
Osiek, J. (Jezioro) 78-79 C3
Osielsko 78-79 B6; 80-81 B6
Osięciny 80-81 C6
Osina 78-79 B3
Osjaków 82-83 D6; 84-85 D6
Osława – rzeka 88-89 F10
Osobloga – rzeka 86-87 E5
Osowiec 80-81 B10
Ostaszewo 78-79 A6, A7; 80-81 A6, A7
Ostrołęka 80-81 B9
Ostroróg 82-83 C4
Ostrowice 78-79 B3
Ostrowiec Świętokrzyski 88-89 E9
Ostrowiec, J. (Jezioro) 78-79 B3, 4
Ostrowite 82-83 C5, 6
Ostrowskie, J. (Jezioro) 80-81 C6
Ostróda 78-79 B7; 80-81 B7, B8
Ostrów 88-89 E9
Ostrów Lubelski 84-85 D10
Ostrów Mazowiecka 80-81 C9, 10
Ostrów Wlkp. (Wielkopolski) 82-83 D5
Ostrówek 82-83 D6; 84-85 D6
Ostrówek 84-85 D10
Ostrzeszów 82-83 D5
Ostrzyca – góra 86-87 D3
Ośno Lubuskie 82-83 C2
Oświęcim 86-87 E7
Oświn, J. (Jezioro) 80-81 A9
Otmuchowskie, J. (Jezioro) 86-87 E5
Otmuchów 86-87 E5
Otwock 84-85 C9
Otwock Wlk. (Wielki) 84-85 C9
Otyń 82-83 D3
Owczary 88-89 F9
Owińska 82-83 C4, 5
Ozimek 86-87 E6
Ozorków 82-83 D7; 84-85 D7
Ożarowice 86-87 E6, 7
Ożarów 88-89 E9
Ożarów Maz. (Mazowiecki) 84-85 C8

P

P. (Podkowa) L. (Leśna) 84-85 C8
Pabianice 82-83 D7; 84-85 D7
Pacanów 88-89 E8, 9
Pacyna 82-83 C7; 84-85 C7
Paczków 86-87 E4
Padew Narodowa 88-89 E9
Pakoskie, J. (Jezioro) 78-79 C6; 80-81 C6
Pakosław 82-83 D4, 5
Pakosławice 86-87 E5
Pakość 78-79 C6; 80-81 C6
Pałecznica 88-89 E8
Panki 86-87 E6
Papowo Biskupie 78-79 B6; 80-81 B6
Paprotnia 84-85 C10
Paradyż 84-85 D8
Parchowo 78-79 A5
Parczew 84-85 D10
Parkowa G. (Góra) 88-89 E11
Parsęta – rzeka 78-79 B4; A3
Parysów 84-85 D9
Parzęczew 82-83 D7; 84-85 D7
Pasłęk 78-79 A7; 80-81 A7
Pasłęka – rzeka 78-79 A7; 80-81 A7
Pasmo Brzanki, P. (Park) K. (Krajobrazowy) 88-89 F9
Pasym 80-81 B8
Paszowice 86-87 D4
Pawłosiów 88-89 E10
Pawłowice 82-83 D4
Pawłowice 86-87 F6
Pawłowiczki 86-87 E5, 6
Pawłów 88-89 E9
Pawonków 86-87 E6
Pcim 86-87 F7; 88-89 F7
Pelplin 78-79 B6; 80-81 B6
Pełcz, J. (Jezioro) 78-79 B3
Pełczyce 78-79 B3
Perlejewo 80-81 C10
Perzów 82-83 D5
Petrykozy 84-85 D8
Pęcław 82-83 D4
Pęczniew 82-83 D6; 84-85 D6
Pępowo 82-83 D5
Pęzino 78-79 B3
Piaseczno 78-79 B4
Piaseczno 84-85 C8, 9
Piaski 82-83 D5
Piaski 84-85 D10
Piastów 84-85 C8
Piątek 82-83 C7; 84-85 C7
Piątkowa 88-89 F10
Piątnica Poduchowna 80-81 B10
Piechowice 86-87 E3
Piecki 80-81 B9
Piekary Śl. (Śląskie) 86-87 E6, 7
Piekoszów 88-89 E8
Pielgrzymka 86-87 D3
Pieniężno 80-81 A8
Pieniński P. (Park) N. (Narodowy) 88-89 F8
Pieńsk 82-83 D3
Pierzchalskie, J. (Jezioro) 78-79 A7; 80-81 A7-8
Pierzchnica 88-89 E8
Pieskowa Skała 86-87 E7; 88-89 E7
Pieszyce 86-87 E4
Pietrowice Wlk. (Wielkie) 86-87 E6
Pilawa 84-85 D9
Pilawki 78-79 B7; 80-81 B7
Pilchowice 86-87 E6
Pilchowickie, J. (Jezioro) 86-87 E3
Pile, J. (Jezioro) 78-79 B4
Pilica – rzeka 86-87 E7; 84-85 D8
Pilica 86-87 E7; 88-89 E7
Pilsko – góra 86-87 F7
Pilzno 88-89 F9
Piła 78-79 B4
Piława – rzeka 78-79 B4
Piława Grn. (Górna) 86-87 E4
Pińczów 88-89 E8
Pionki 84-85 D9
Piotrawin 88-89 D9
Piotrków Kujawski 80-81 C6
Piotrków Tryb. (Trybunalski) 82-83 D7; 84-85 D7
Pisa – rzeka 80-81 B9
Pisia – rzeka 84-85 C8
Piska, Puszcza 80-81 B9
Pisz 80-81 B9
Piszczac 84-85 D11
Piwniczna-Zdrój 88-89 F8
Platerów 84-85 C10
Platerówka 86-87 D3
Pleszew 82-83 D5
Pleśna 88-89 F8
Pliszka – rzeka 82-83 C2
Pluszne, J. (Jezioro) 80-81 B8
Płaska 80-81 B11
Płociczna – rzeka 78-79 B4
Płock 80-81 C7
Płodownica – rzeka 80-81 B9
Płonia – rzeka 78-79 B2
Płoniawy-Bramura 80-81 C9
Płoń, J. (Jezioro) 78-79 B3
Płońsk 80-81 C8
Płoskinia 78-79 A7; 80-81 A7
Płośnica 80-81 B8
Płoty 78-79 B3
Płużnica 78-79 B6; 80-81 B6
Płytnica – rzeka 78-79 B4
Pniewy 82-83 C4
Pniewy 84-85 D8
Pobiedziska 82-83 C5
Pobierowo 78-79 A2
Poczesna 86-87 E7
Poddębice 82-83 D6, 7; 84-85 D6, 7
Podedwórze 84-85 D11
Podegrodzie 88-89 F8
Podgórzyn 86-87 E3
Podlaski Przełom Bugu, Park Krajobrazowy 84-85 C10-C11
Pogorzela 82-83 D5
Pogórza Przemyskiego, Park Krajobrazowy 88-89 F10
Pojezierza Iławskiego, Park Krajobrazowy 78-79 B7; 80-81 B7-B8
Pojezierze Łęczyńskie, P. (Park) K. (Krajobrazowy) 84-85 D10-D11
Pokój 86-87 E5
Pokrówka 88-89 D11
Pokrzywnica 80-81 C8, 9
Polanica-Zdrój 86-87 E4
Polanka Wlk. (Wielka) 86-87 F7; 88-89 F7

Polanów 78-79 A4
Polańczyk 88-89 F10
Poleski P. (Park) N. (Narodowy) 84-85 D11
Police 78-79 B2
Polichno 82-83 D7; 84-85 D7
Policzna 84-85 D9
Polkowice 82-83 D4
Polska Cerekiew 86-87 E6
Polska G. (Góra) 78-79 B4
Połajewo 78-79 C4
Połaniec 88-89 E9
Połczyn-Zdrój 78-79 B4
Południoworoztoczański P. (Park) K. (Krajobrazowy) 88-89 E11
Pomiechówek 80-81 C8
Pomorska, Zatoka 78-79 A2
Pomorze, J. (Jezioro) 80-81 A11
Poniatowa 84-85 D10
Poniec 82-83 D4
Popielów 86-87 E5
Popów 86-87 D6, 7
Poprad - rzeka 88-89 F8
Popradzki Park Krajobrazowy 88-89 F8
Por - rzeka 88-89 E10
Poraj 86-87 E7
Porąbka 86-87 F7
Poręba 86-87 E7; 88-89 E7
Poręba Wlk. (Wielka) 88-89 F8
Poronin 88-89 F7
Posada Rybotycka 88-89 F10
Postomino 78-79 A4
Poświętne 80-81 C10
Poświętne 84-85 C9
Poświętne 84-85 D8
Potęgowo 78-79 A5
Potok Grn. (Górny) 88-89 E10
Potok Wlk. (Wielki) 88-89 E10
Potworów 84-85 D8
Powa - rzeka 82-83 C6
Powidz 82-83 C5
Powidzki P. (Park) K. (Krajobrazowy) 82-83 C5-C6
Powidzkie, J. (Jezioro) 82-83 C5, 6
Powroźnik 88-89 F8, 9
Pozezdrze 80-81 A9
Poznań 82-83 C4
Prabuty 78-79 B7; 80-81 B7
Pradoncin 88-89 E8
Pranie 80-81 B9
Praszka 86-87 D6
Pratulin 84-85 C11
Prochowice 82-83 D4
Promna 84-85 D8
Promno, P. (Park) K. (Krajobrazowy) 82-83 C5
Prosna - rzeka 86-87 D6; 82-83 C5
Prostki 80-81 B10
Proszowice 88-89 E8
Proszówka 86-87 E3
Prószków 86-87 E5
Pruchnik 88-89 F10
Prudnik 86-87 E5
Prusice 82-83 D4, 5
Pruszcz 78-79 B6; 80-81 B6
Pruszcz Gdański 78-79 A6; 80-81 A6
Pruszków 84-85 C8
Przasnysz 80-81 B8, 9
Przechlewo 78-79 B5
Przeciszów 86-87 E7; 88-89 E7
Przecław 88-89 E9
Przedborski P. (Park) K. (Krajobrazowy) 88-89 E7-E8
Przedbórz 88-89 D7, 8
Przedecz 82-83 C6; 84-85 C6
Przelewice 78-79 B3
Przemęcki Park Krajobrazowy 82-83 D4
Przemęt 82-83 C4
Przemkowski Park Krajobrazowy 82-83 D3
Przemków 82-83 D3
Przemsza - rzeka 86-87 E7
Przemyśl 88-89 F10
Przerośl 80-81 A10
Przesmyki 84-85 C10
Przeworno 86-87 E5
Przeworsk 88-89 E10
Przewóz 82-83 D2, 3
Przodkowo 78-79 A6; 80-81 A6
Przybiernów 78-79 B2
Przygodzice 82-83 D5
Przykona 82-83 D6; 84-85 D6
Przylep 82-83 D3
Przyłęk 84-85 D9
Przyrów 86-87 E7; 88-89 E7
Przysłop, Przeł. (Przełęcz) 86-87 F6
Przystajń 86-87 E6
Przysucha 84-85 D8
Przytoczna 82-83 C3
Przytoczno, J. (Jezioro) 78-79 B3
Przytuły 80-81 B10
Przytyk 84-85 D8
Przywidz 78-79 A6; 80-81 A6
Psary 86-87 E7
Psina - rzeka 86-87 E6
Pszczew 82-83 C3
Pszczewski Park Krajobrazowy 82-83 C3
Pszczółki 78-79 A6; 80-81 A6
Pszczyna 86-87 EF6
Pszenno 86-87 E4
Pszów 86-87 E6
Ptuszowskie, J. (Jezioro) 78-79 B4
Puchaczów 84-85 D10, 11
Puck 78-79 A6; 80-81 A6
Pucka, Zatoka 78-79 A6
Pudliszki 82-83 D4
Puławy 84-85 D9, 10
Pułtusk 80-81 C8, 9
Puńsk 80-81 A11
Purda 80-81 B8
Puszcza Mariańska 84-85 D8
Puszcza Zielonka, Park Krajobrazowy 82-83 C5
Puszczy Knyszyńskiej, Park Krajobrazowy 80-81 B11
Puszczy Rominckiej, Park Krajobrazowy 80-81 A10
Puszczy Solskiej, Park Krajobrazowy 88-89 E11
Puszczykowo 82-83 C4, 5
Pyrzyce 78-79 B2, 3
Pyskowice 86-87 E6
Pyszna - rzeka 82-83 D6; 84-85 D6
Pysznica 88-89 E10
Pyzdry 82-83 C5

R

Raba - rzeka 88-89 F7; E8
Raba Wyżna 86-87 F7; 88-89 F7
Rabka-Zdrój 86-87 F7; 88-89 F7
Rabsztyn 86-87 E7; 88-89 E7
Rachanie 88-89 E11
Raciąż 80-81 C8
Raciążek 78-79 C6; 80-81 C6
Raciążnica - rzeka 80-81 C8
Racibórz 86-87 E6
Raciechowice 88-89 F8
Racławice 88-89 E8
Racot 82-83 C4
Raczki 80-81 B10
Radecznica 88-89 E10
Radew - rzeka 78-79 A4
Radgoszcz 88-89 E9
Radków 86-87 E4
Radków 86-87 E7; 88-89 E7
Radlin 86-87 E6
Radłów 86-87 E6
Radłów 88-89 E8
Radom 84-85 D9
Radomin 78-79 B7; 80-81 B7
Radomka - rzeka 84-85 D9
Radomsko 86-87 D7; 88-89 D7
Radomyśl n. (nad) Sanem 88-89 E9, 10
Radomyśl Wlk. (Wielka) 88-89 E9
Radoszyce 88-89 D8
Radowo Mł. (Małe) 78-79 B3
Radunia - rzeka 78-79 A6; 80-81 A6
Raduńskie Dln. (Dolne), J. (Jezioro) 78-79 A5
Radwanice 82-83 D3
Radymno 88-89 F10
Radzanowo80-81 C7
Radzanów 80-81 C8
Radzanów 84-85 D8
Radziejowa - góra 88-89 F8
Radziejowice 84-85 D8
Radziejów 80-81 C6
Radziemice 88-89 E8
Radziłów 80-81 B10
Radzionków 86-87 E6
Radzymin 84-85 C9
Radzyń Chełmiński 78-79 B6; 80-81 B6
Radzyń Podlaski 84-85 D10
Rajcza 86-87 F7
Rajgrodzkie, J. (Jezioro) 80-81 B10
Rajgród 80-81 B10
Rakoniewice 82-83 C4
Rakowskie, J. (Jezioro) 78-79 B4
Raków 88-89 E9
Rakszawa 88-89 E10
Rakutowskie, J. (Jezioro) 80-81 C7
Raniżów 88-89 E9
Raszków 82-83 D5
Raszyn 84-85 C8
Ratno Dolne 86-87 E4
Rawa Maz. (Mazowiecka) 84-85 D8
Rawicz 82-83 D4
Rawka - rzeka 84-85 D8; C8
Rąbino 78-79 B3
Recz 78-79 B3
Recza - góra 78-79 B4
Reda - rzeka 78-79 A6; 80-81 A6
Reda 78-79 A6; 80-81 A6
Rega - rzeka 78-79 A3
Regalna - rzeka 78-79 B3
Regimin 80-81 C8
Regnów 84-85 D8
Rejowickie, J. (Jezioro) 78-79 B3
Rejowiec 88-89 D11
Rejowiec Fabryczny 88-89 D11
Reńska Wieś 86-87 E6
Repki 84-85 C10
Resko 78-79 B3
Resko Przymorskie, J. (Jezioro) 78-79 A3
Reszel 80-81 A9
Rewal 78-79 A2, 3
Ręczno 82-83 D7; 84-85 D7
Rędziny 86-87 E7
Rogalin 82-83 C4
Rogaliński Park Krajobrazowy 82-83 C4
Rogowo 78-79 C5
Rogowo 78-79 C7; 80-81 C7
Rogoźno 78-79 C5
Rogów 82-83 D7; 84-85 D7
Rogów Opolski 86-87 E5
Rogóźno 78-79 B6, B7; 80-81 B6, B7
Rojewo 78-79 C6; 80-81 C6
Rokiciny 82-83 D7; 84-85 D7
Rokietnica 82-83 C4
Rokietnica 88-89 F10
Rokitno 84-85 C11
Romanów 84-85 D11
Ropa - rzeka 88-89 F9
Ropa 88-89 F9
Ropczyce 88-89 E9
Rosnowskie, J. (Jezioro) 78-79 A4
Rospuda - rzeka 80-81 B10
Rospuda, J. (Jezioro) 80-81 A10
Rossosz 84-85 D11
Roś, J. (Jezioro) 80-81 B9
Rościszewo 78-79 C7; 80-81 C7
Rowokół - góra 78-79 A5
Rowy 78-79 A4, 5
Rozdrażew 82-83 D5
Rozewie, Przyl. (Przylądek) 78-79 A6; 80-81 A6
Rozoga - rzeka 80-81 B9
Rozogi 80-81 B9
Rozprza 82-83 D7; 84-85 D7
Roztoczański Park Narodowy 88-89 E10-E11
Rożwienica 88-89 F10
Rożnowskie, J. (Jezioro) 88-89 F8
Rożnów 88-89 F8
Rów Polski - rzeka 82-83 D4, 5
Równia 88-89 F10
Różan 80-81 C9
Różanystok 80-81 B11
Ruciane-Nida 80-81 B9
Ruda - rzeka 86-87 E6
Ruda Maleniecka 84-85 D8
Ruda Śl. (Śląska) 86-87 E6
Ruda Woda, J. (Jezioro) 78-79 B7; 80-81 B7
Ruda-Huta 84-85 D11
Rudawski P. (Park) K. (Krajobrazowy) 86-87 E3
Rudka 80-81 C10
Rudna 82-83 D4
Rudnik 86-87 E6
Rudnik 88-89 E10, 11
Rudnik n. (nad) Sanem 88-89 E10
Rudniki 86-87 D6
Rudy 86-87 E6
Rudziniec 86-87 E6
Rudzki, Kan. (Kanał) 80-81 B10
Ruja 86-87 D4
Rumia 78-79 A6; 80-81 A6
Rurzyca - rzeka 78-79 B2
Rusiec 82-83 D6, 7; 84-85 D6, 7
Rusinów 84-85 D8
Russów 82-83 D6
Rutka-Tartak 80-81 A10
Rutki-Kossaki 80-81 B10
Ruż - rzeka 80-81 B9
Rybczewice II 88-89 D10
Rybnik 86-87 E6
Rybno 78-79 B7; 80-81 B7
Rybno 84-85 C8
Rychliki 78-79 B7; 80-81 B7
Rychtal 86-87 D5
Rychwał 82-83 C6
Ryczywół 78-79 C4
Rydułtowy 86-87 E6
Rydzówka, J. (Jezioro) 80-81 A9
Rydzyna 82-83 D4
Ryglice 88-89 F9
Ryjewo 78-79 B6, B7; 80-81 B6, B7
Ryki 84-85 D9
Rymanów-Zdrój 88-89 F9
Rymań 78-79 B3
Ryn 80-81 B9
Ryńskie, J. (Jezioro) 80-81 B9
Rypin 78-79 B7; 80-81 B7
Rysy - góra 88-89 F8
Rytro 88-89 F8
Rytwiany 88-89 E9
Rząśnia 82-83 D7; 84-85 D7
Rząśnik 80-81 C9
Rzeczenica 78-79 B4, 5
Rzeczniów 88-89 D9
Rzeczyca 84-85 D8
Rzekuń 80-81 B9
Rzepiennik Strzyżewski 88-89 F9
Rzepin 82-83 C2
Rzeszów 88-89 E9
Rzewnie 80-81 C9
Rzezawa 88-89 E8
Rzgów 82-83 C6
Rzgów 82-83 D7; 84-85 D7

S

S. (Siemianowice) Śl. (Śląskie) 86-87 E6, 7
Sabnie 80-81 C10
Sadki 78-79 B5
Sadkowice 84-85 D8
Sadlinki 78-79 B6; 80-81 B6
Sadowie 88-89 E9
Sadowne 80-81 C9
Sajna - rzeka 80-81 A9
Sajno, J. (Jezioro) 80-81 B11
Sama - rzeka 82-83 C4
Samborzec 88-89 E9
Samica - rzeka 82-83 C4
Samsonów 88-89 D8
San - rzeka 88-89 E11; D10
Sandomierz 88-89 E9
Sanna - rzeka 88-89 E10
Sanniki 82-83 C7; 84-85 C7
Sanok 88-89 F10
Santok 78-79 C3
Sarbinowo 78-79 A3
Sarbsko, J. (Jezioro) 78-79 A5
Sarnaki 84-85 C10
Sasek Wlk. (Wielki), J. (Jezioro) 80-81 B8
Sawin 84-85 D11
Sąpólna - rzeka 78-79 B3
Secemin 86-87 E7; 88-89 E7
Sejny 80-81 A11
Seksty, J. (Jezioro) 80-81 B9
Selmęt Wlk. (Wielki), J. (Jezioro) 80-81 B10
Serniki 84-85 D10
Serock 80-81 C8, 9
Serokomla 84-85 D10
Serwy, J. (Jezioro) 80-81 B11
Sędziejowice 82-83 D7; 84-85 D7
Sędziszów 88-89 E8
Sędziszów Małopolski 88-89 E9
Sękowa 88-89 F9
Sępolna - rzeka 78-79 B5
Sępopol 80-81 A8
Sępólno Krajeńskie 78-79 B5
Sianów 78-79 A4
Sicienko 78-79 B5
Sidra 80-81 B11
Siechnice 86-87 D5
Sieciechów 84-85 D9
Siecino, J. (Jezioro) 78-79 B4
Siedlce 84-85 C10
Siedlec 82-83 C3
Siedlęcin 86-87 E3
Siedlisko 82-83 D3
Siedliszcze 84-85 D11
Siekierczyn 86-87 D3
Siekierki 78-79 C2
Sielpia Wlk. (Wielka) 88-89 D8
Siemianice 82-83 D6
Siemianowskie, J. (Jezioro) 80-81 C11
Siemiatycze 80-81 C10
Siemiątkowo Koziebrodzkie 80-81 C7, 8
Siemień 84-85 D10
Siemkowice 82-83 D6; 84-85 D6
Siemyśl 78-79 A3
Sieniawa 88-89 E10
Siennica 84-85 C9
Siennica Różana 88-89 D11
Sienno 88-89 D9
Siepraw 88-89 F7, 8
Sieradowicki Park Krajobrazowy 88-89 D8-E9
Sieradz 82-83 D6; 84-85 D6
Sierakowice 78-79 A5
Sierakowski Park Krajobrazowy 82-83 C4
Sieraków 82-83 C4
Sieroszewice 82-83 D5, 6
Sierpc 78-79 C7; 80-81 C7
Siewierz 86-87 E7
Silnowo 78-79 B4
Sitkówka-Nowiny 88-89 E8
Sitno 88-89 E11
Skalbmierz 88-89 E8
Skała 86-87 E7; 88-89 E7
Skarszewy 78-79 A6; 80-81 A6
Skaryszew 84-85 D9
Skarżysko-Kamienna 88-89 D8
Skarżysko-Kościelne 88-89 D8, 9
Skawa - rzeka 86-87 F7
Skawina 86-87 F7; 88-89 F7
Skąpe 82-83 C3
Skępe 78-79 C7; 80-81 C7
Skierbieszowski Park Krajobrazowy 88-89 E11
Skierbieszów 88-89 E11
Skierniewice 84-85 D8
Skoczów 86-87 F6
Skoki 82-83 C5
Skołyszyn 88-89 F9
Skopiec - góra 86-87 E3
Skoroszyce 86-87 E5
Skorzęcińskie, J. (Jezioro) 82-83 C5
Skotna Góra 78-79 B4
Skórcz 78-79 B6; 80-81 B6
Skórzec 84-85 C10
Skrodzkie, J. (Jezioro) 80-81 B10
Skrwa - rzeka 78-79 C7; 80-81 C7
Skrwa - rzeka 82-83 C7; 84-85 C7
Skrwilno 78-79 B7; 80-81 B7
Skrzatusz 78-79 B4
Skrzynno 84-85 D8
Skrzyszów 88-89 F9
Skulsk 80-81 C6
Skwierzyna 82-83 C3
Słaboszów 88-89 E8
Sława 82-83 D4
Sławatycze 84-85 D11
Sławianowskie, J. (Jezioro) 78-79 B4, 5
Sławków 86-87 E7; 88-89 E7
Sławno 78-79 A4
Sławno 84-85 D8
Sławoborze 78-79 B3
Sławskie, J. (Jezioro) 82-83 D4
Słomniki 88-89 E8
Słonny - góra 88-89 F10
Słońsk 82-83 C2
Słopnice 88-89 F8
Słowiński Park Narodowy 78-79 A5
Słubice 82-83 C2
Słubice 82-83 C7; 84-85 C7
Słudwia - rzeka 82-83 C7; 84-85 C7
Słup, J. (Jezioro) 86-87 D4
Słupca 82-83 C5, 6
Słupeckie, J. (Jezioro) 82-83 C5, 6
Słupia - rzeka 78-79 A5
Słupia 82-83 D7, 8; 84-85 D7, 8

Słupia 88-89 D8
Słupia 88-89 E7
Słupowskie, J. (Jezioro) 78-79 B5
Słupsk 78-79 A4, 5
Słuszków 82-83 D6
Smardzewice 84-85 D8
Smętowo Graniczne 78-79 B6; 80-81 B6
Smolajny 80-81 A8
Smolnik 88-89 F10
Smołdzino 78-79 A5
Smrek – góra 86-87 E3
Smyków 88-89 D8
Sobiborski P. (Park) K. (Krajobrazowy) 84-85 D11
Sobibór 84-85 D11
Sobienie-Jeziory 84-85 D9
Sobień 88-89 F10
Sobków 88-89 E8
Sobolew 84-85 D9
Sobótka 86-87 E4
Sochaczew 84-85 C8
Sochocin 80-81 C8
Sokolniki 82-83 D6
Sokołda – rzeka 80-81 B11
Sokołów Młp. (Małopolski) 88-89 E10
Sokołów Podlaski 84-85 C10
Sokoły 80-81 C10
Sokółka 80-81 B11
Solec Kujawski 78-79 B6; 80-81 B6
Solec n. (nad) Wisłą 88-89 D9
Solec-Zdrój 88-89 E8
Solina 88-89 F10
Solinka – rzeka 88-89 F10
Solińskie, J. (Jezioro) 88-89 F10
Solska, Puszcza 88-89 E10
Soła – rzeka 86-87 F7
Sołokija – rzeka 88-89 E11
Somianka 80-81 C9
Somonino 78-79 A6; 80-81 A6
Sompolno 82-83 C6; 84-85 C6
Sona – rzeka 80-81 C8
Sońsk 80-81 C8
Sopot 78-79 A6; 80-81 A6
Sorkwity 80-81 B9
Sosnowica 84-85 D11
Sosnowiec 86-87 E7
Sosnówka 84-85 D11
Sośnicowice 86-87 E6
Sośnie 82-83 D5
Sośno 78-79 B5
Spalski P. (Park) K. (Krajobrazowy) 84-85 D8
Spała 84-85 D8
Spiczyn 84-85 D10
Spychowo 80-81 B9
Spytkowice 86-87 E7; 88-89 E7
Spytkowice 86-87 F7; 88-89 F7
Srebrna Góra 86-87 E4
Srokowo 80-81 A9
Stalowa Wola 88-89 E9, 10
Stanin 84-85 D10
Stanisławów 84-85 C9
Stańczyki 80-81 A10
Stara Kamienica 86-87 E3
Stara Łubianka 78-79 B4
Starachowice 88-89 D9
Starcza 86-87 E7
Stare Pole 78-79 A7; 80-81 A7
Stargard Szczeciński 78-79 B2, 3
Starogard Gdański 78-79 AB6; 80-81 AB6
Starożreby 80-81 C7, 8
Stary Dzikowiec 88-89 E9
Stary Dzików 88-89 E10, 11
Stary Licheń 82-83 C6; 84-85 C6
Stary Sącz 88-89 F8
Staszów 88-89 E9
Stawiguda 80-81 B8
Stawiski 80-81 B10
Stawiszyn 82-83 D6
Stawki, P. (Park) K. (Krajobrazowy)
86-87 E7; 88-89 E7
Stąporków 84-85 D8
Stegna 78-79 A7; 80-81 A7
Stepnica 78-79 B2
Sterdyń-Osada 80-81 C10
Stęszew 82-83 C4
Stężyca 78-79 A5
Stężyca 84-85 D9
Stobrawa – rzeka 86-87 E5
Stoczek 80-81 C9
Stoczek Klasztorny 80-81 A8
Stoczek Łukowski 84-85 D9, 10
Stolno 78-79 B6; 80-81 B6
Stopnica 88-89 E8
Stoszowice 86-87 E4
Str. (Stara) Biała 80-81 C7
Str. (Stara) Błotnica 84-85 D8
Str. (Stara) Dąbrowa 78-79 B3
Str. (Stara) Kiszewa 78-79 A6; 80-81 A6
Str. (Stara) Kornica 84-85 C10
Str. (Stara) Wieś 80-81 C9
Str. (Stara) Wieś 88-89 F10
Str. (Stare) Babice 84-85 C8
Str. (Stare) Bogaczowice 86-87 E4
Str. (Stare) Czarnowo 78-79 B2
Str. (Stare) Drawsko 78-79 B4
Str. (Stare) Juchy 80-81 B10
Str. (Stare) Kurowo 78-79 C3
Str. (Stare) Miasto 82-83 C6
Str. (Stary) Brus 84-85 D11
Str. (Stary) Dzierzgoń 78-79 B7; 80-81 B7
Str. (Stary) Lubotyń 80-81 C9
Str. (Stary) Targ 78-79 B7; 80-81 B7
Str. (Stary) Zamość 88-89 E11
Strabla 80-81 C11
Strachówka 84-85 C9
Stradomka – rzeka 88-89 F8
Strawczyn 88-89 E8
Stromiec 84-85 D9
Stronie Śl. (Śląskie) 86-87 E4
Strońsko 82-83 D6; 84-85 D6
Strumień 86-87 F6
Stryjewo, J. (Jezioro) 78-79 B5
Strykowskie, J. (Jezioro) 82-83 C4
Stryków 82-83 D7; 84-85 D7
Stryszawa 86-87 F7; 88-89 F7
Stryszów 86-87 F7; 88-89 F7
Strzałkowo 82-83 C5
Strzegom 86-87 E4
Strzegomino, J. (Jezioro) 78-79 A5
Strzegomka – rzeka 86-87 E4
Strzegowo-Osada 80-81 C8
Strzelce 82-83 C7; 84-85 C7
Strzelce Krajeńskie 78-79 C3
Strzelce Opolskie 86-87 E6
Strzelecki Park Krajobrazowy 88-89 E11
Strzeleczki 86-87 E5
Strzelin 86-87 E5
Strzelno 80-81 C6
Strzyżów 88-89 E12
Strzyżewice 88-89 D10
Strzyżów 88-89 F9
Stubno 88-89 F10, 11
Studzianki Panc. (Pancerne) 84-85 D9
Studzienice 78-79 A5
Stupsk 80-81 B8
Subkowy 78-79 B6; 80-81 B6
Sucha Beskidzka 86-87 F7; 88-89 F7
Suchań 78-79 B3
Suchedniowsko-Oblęgorski P. (Park)
K. (Krajobrazowy) 88-89 D8
Suchedniów 88-89 D8
Suchowola 80-81 B11
Suchożebry 84-85 C10
Suchy Dąb 78-79 A6; 80-81 A6
Suchy Las 82-83 C4
Suchy Obycz – góra 88-89 F10
Sudetów Wałbrzyskich, P. (Park) K. (Krajobrazowy)
86-87 E4
Sulechów 82-83 C3
Sulejowski, P. (Park) K. (Krajobrazowy)
82-83 D7; 84-85 D7-D8
Sulejowskie, J. (Jezioro) 82-83 D7; 84-85 D7
Sulejów 82-83 D7; 84-85 D7
Sulejówek 84-85 C9
Sulęcin 82-83 C2, 3
Sulęczyno 78-79 A5
Sulików 86-87 D3
Sulmierzyce 82-83 D5
Sulmierzyce 82-83 D7; 84-85 D7
Sułkowice 86-87 F7; 88-89 F7
Sułoszowa 86-87 E7; 88-89 E7
Sułów 88-89 E10
Supraśl – rzeka 80-81 B11
Supraśl 80-81 B11
Suraż 80-81 C10, 11
Susiec 88-89 E11
Susz 78-79 B7; 80-81 B7
Suszec 86-87 E6
Suwalski Park Krajobrazowy 80-81 A10
Suwałki 80-81 A10
Swarzewo 78-79 A6; 80-81 A6
Swarzędz 82-83 C5
Swobnica 78-79 B2
Syców 82-83 D5
Sypniewo 80-81 C9
Szadek 82-83 D6, 7; 84-85 D6, 7
Szaflary 88-89 F8
Szamocin 78-79 B5
Szamotuły 82-83 C4
Szaniecki P. (Park) K. (Krajobrazowy) 88-89 E8
Szastarka 88-89 E10
Szczaniec 82-83 C3
Szczawin Kościelny 82-83 C7; 84-85 C7
Szczawnica 88-89 F8
Szczawno-Zdrój 86-87 E4
Szczebrzeszyn 88-89 E10
Szczebrzeszyński P. (Park) K. (Krajobrazowy)
88-89 E10
Szczecin 78-79 B2
Szczecinek 78-79 B4
Szczeciński P. (Park) K. (Krajobrazowy) 78-79 B2
Szczeciński, Zalew 78-79 B2
Szczekociny 86-87 E7; 88-89 E7
Szczeliniec Wlk. (Wielki) – góra 86-87 E4
Szczerców 82-83 D7; 84-85 D7
Szczucin 88-89 E9
Szczuczyn 80-81 B10
Szczurowa 88-89 E8
Szczutowo 78-79 C7; 80-81 C7
Szczyrk 86-87 F6, 7
Szczyrzyc 88-89 F8
Szczytna 86-87 E4
Szczytniki 82-83 D6; 84-85 D6
Szczytno 80-81 B8, 9
Szczytno, J. (Jezioro) 78-79 B5
Szeląg Wlk. (Wielki), J. (Jezioro) 80-81 B8
Szelków 80-81 C9
Szelment Wlk. (Wielki), J. (Jezioro) 80-81 A11
Szemud 78-79 A6; 80-81 A6
Szepietowo 80-81 C10
Szerzyny 88-89 F9
Szeska Góra 80-81 A10
Szkarpawa – rzeka 78-79 A6, 7; 80-81 A6, 7
Szklarska Poręba 86-87 E3
Szklarska, Przeł. (Przełęcz) 86-87 E3
Szkło – rzeka 88-89 F11
Szkwa – rzeka 80-81 B9
Szlichtyngowa 82-83 D4
Szóstak, J. (Jezioro) 80-81 B10
Szprotawa – rzeka 82-83 D4
Szprotawa 82-83 D3
Szreniawa – rzeka 88-89 E8
Szreniawa 82-83 C4
Szreńsk 80-81 B8
Sztabin 80-81 B11
Sztum 78-79 B7; 80-81 B7
Sztutowo 78-79 A7; 80-81 A7
Sztynort 80-81 A9
Szubin 78-79 B5
Szudziałowo 80-81 B11
Szulborze Wlk. (Wielkie) 80-81 C10
Szumowo 80-81 C10
Szwedzka G. (Góra) 78-79 B6; 80-81 B6
Szydłowiec 84-85 D8
Szydłowo 78-79 B4
Szydłowo 80-81 B8
Szydłów 88-89 E9
Szymany 80-81 B8
Szymbark 78-79 A5, 6; 80-81 A6
Szymbark 78-79 B7; 80-81 B7
Szymbark 88-89 F9
Szypliszki 80-81 A10, 11

Ś

Ś. (Świętochłowice) 86-87 E6, 7
Ścibórz 86-87 E5
Ścinawa 82-83 D4
Ślemień 86-87 F7; 88-89 F7
Ślesin 82-83 C6; 84-85 C6
Ślęza – rzeka 86-87 E4
Ślęża – góra 86-87 E4
Ślężański P. (Park) K. (Krajobrazowy) 86-87 E4
Śliwice 78-79 B6; 80-81 B6
Śmiełów 82-83 C5
Śmigiel 82-83 D4
Śniadowo 80-81 B9
Śniardwy, J. (Jezioro) 80-81 B9
Śnieżka – góra 86-87 E3
Śnieżnicki P. (Park) K. (Krajobrazowy) 86-87 E4
Śnieżnik – góra 86-87 E4
Śpierewnik, J. (Jezioro) 78-79 B5
Śrem 82-83 C5
Środa Śl. (Śląska) 86-87 D4
Środa Wlkp. (Wielkopolska) 82-83 C5
Św. (Święta) Anna 86-87 E7; 88-89 E7
Św. (Święta) Katarzyna 88-89 E8, 9
Św. (świętego) Jana, G. (Góra) 80-81 B11
Św. (Święty) Krzyż 88-89 E8, 9
Świątki 80-81 B8
Świątniki Grn. (Górne) 88-89 F7, 8
Świder – rzeka 84-85 C9
Świdnica 82-83 D3
Świdnica 86-87 E4
Świdnik 84-85 D10
Świdwin 78-79 B3
Świebodzice 86-87 E4
Świebodzin 82-83 C3
Świecie 78-79 B6; 80-81 B6
Świecie n. (nad) Osą 78-79 B7; 80-81 B7
Świedziebnia 78-79 B7; 80-81 B7
Świekatowo 78-79 B5, 6
Świeradów-Zdr. (Zdrój) 86-87 E3
Świercze 80-81 C8
Świerczów 86-87 E5
Świerklaniec 86-87 E6, 7
Świerklany Grn. (Górne) 86-87 E6
Świerzawa 86-87 D3
Świerzno 78-79 B2, 3
Świeszyno 78-79 A4
Święciechowa 82-83 D4
Święta Lipka 80-81 A9
Świętajno 80-81 A10
Świętajno 80-81 B9
Świętokrzyski P. (Park) N. (Narodowy) 88-89 E8-E9
Święty Gaj 78-79 B7; 80-81 B7
Świlcza 88-89 E9
Świnica – góra 88-89 F8
Świnice Warckie 82-83 C6, 7; 84-85 C6, 7
Świnna 86-87 F7
Świnoujście 78-79 B2

T

Tałty, J. (Jezioro) 80-81 B9
Tanew – rzeka 88-89 E11; D10
Tarczyn 84-85 D8
Tarłów 88-89 D9
Tarnawatka 88-89 E11
Tarnica – góra 88-89 F10
Tarnobrzeg 88-89 E9
Tarnogród 88-89 E10
Tarnowiec 88-89 F9
Tarnowo Podgórne 82-83 C4
Tarnowskie Góry 86-87 E6
Tarnów 88-89 E8
Tarnów Opolski 86-87 E5, 6
Tarnówka 78-79 B4
Tatrzański P. (Park) N. (Narodowy)
88-89 F7-F8
Tczew 78-79 A6; 80-81 A6
Tczów 84-85 D9
Telatyn 88-89 E11
Teresin 84-85 C8
Terespol 84-85 C11
Terespol-Zaorenda 88-89 E10
Terpentyna 88-89 E9, 10
Tleń 78-79 B6; 80-81 B6
Tłokowo 80-81 B8
Tłuchowo 78-79 C7; 80-81 C7
Tłuszcz 80-81 C9
Tokarnia – góra 88-89 F10
Tokarnia 86-87 F7; 88-89 F7
Tokarnia 88-89 E8
Tolkmicko 78-79 A7; 80-81 A7
Tomanowa Przeł. (Przełęcz) 88-89 F7
Tomaszów Lubelski 88-89 E11
Tomaszów Maz. (Mazowiecki) 82-83 D7; 84-85 D7
Tomice 86-87 F7; 78-89 F7
Topólka 80-81 C6
Toruń 78-79 B6; 80-81 B6
Torzym 82-83 C3
Toszek 86-87 E6
Trawniki 84-85 D11
Trąbki 84-85 D9
Trąbki 88-89 F8
Trąbki Wlk. (Wielkie) 78-79 A6; 80-81 A6
Treblinka 80-81 C10
Trojanów 84-85 D9
Tropie 88-89 F8
Troszyn 80-81 B9
Trójmiejski P. (Park) K. (Krajobrazowy)
78-79 A6; 80-81 A6
Trupel, J. (Jezioro) 78-79 B7; 80-81 B7
Tryńcza 88-89 E10
Trzciana 88-89 F8
Trzcianka 78-79 B4
Trzcianne 80-81 B10
Trzciel 82-83 C3
Trzcinica 86-87 D5, 6
Trzcińsko-Zdrój 78-79 C2
Trzebiatów 78-79 A3
Trzebiechów 82-83 C3
Trzebiel 82-83 D2
Trzebielino 78-79 A5
Trzebieszów 84-85 D10
Trzebież 78-79 B2
Trzebinia 86-87 E7; 88-89 E7
Trzebnica 82-83 D4, 5
Trzebośnica – rzeka 88-89 E10
Trzebownisko 88-89 E9, 10
Trzemeszno 82-83 C5
Trzeszczany 88-89 E11
Trzęsacz 78-79 A2
Trzyciąż 86-87 E7; 88-89 E7
Trzydnik Duży 88-89 E10
Tuchola 78-79 B5, 6
Tucholski Park Krajobrazowy 78-79 B5-B6
Tucholskie, Bory 78-79 B6; 80-81 B6
Tuchomie 78-79 A5
Tuchów 88-89 F9
Tuczępy 88-89 E9
Tuczna 84-85 D11
Tuczno 78-79 B4
Tuliszków 82-83 C6; 84-85 C6
Tułowice 84-85 C8
Tułowice 86-87 E5
Tum 82-83 C7; 84-85 C7
Tuplice 82-83 D2
Turawa 86-87 E6
Turawskie, J. (Jezioro) 86-87 E6
Turbacz – góra 88-89 F8
Turek 82-83 C6; 84-85 C6
Turew 82-83 C4
Turobin 88-89 E10
Turoszów – część Bogatyni 86-87 E2, 3
Turośl 80-81 B9
Turośń Kościelna 80-81 B11
Tuszów Narodowy 88-89 E9
Tuszyn 82-83 D7; 84-85 D7
Twardogóra 82-83 D5
Tworóg 86-87 E6
Tychowo 78-79 B4
Tychy 86-87 E6, 7
Tyczyn 88-89 F10
Tykocin 80-81 B10
Tylicka, Przeł. (Przełęcz) 88-89 F9
Tymbark 88-89 F8
Tyniec – część Krakowa 86-87 E7
Tyrawa Wołoska 88-89 F10
Tyszowce 88-89 E11
Tyśmienica – rzeka 84-85 D10
Tywa – rzeka 78-79 B2

U

Uchanie 88-89 E11
Udanin 86-87 D4
Uherka – rzeka 84-85 D11
Ujazd 82-83 D7; 84-85 D7
Ujazd 86-87 E6
Ujazd 88-89 E9
Ujsoły 86-87 F7
Ujście 78-79 B4
Ujście Warty, P. (Park) K. (Krajobrazowy) 82-83 C2
Ujście Warty, P. (Park) N. (Narodowy) 82-83 C2
Ukleja – rzeka 78-79 B3
Ulan-Majorat 84-85 D10
Ulanów 88-89 E10
Ulhówek 88-89 E11
Ulucz 88-89 F10

Ułęż 84-85 D10
Uniejów 82-83 D6; 84-85 D6
Unieście 78-79 A4
Unisław 78-79 B6; 80-81 B6
Urle 80-81 C9
Urszulin 84-85 D11
Urzędów 88-89 D10
Ustianowa 88-89 F10
Ustka 78-79 A4
Ustronie Morskie 78-79 A3
Ustroń 86-87 F6
Ustrzyki Dolne 88-89 F10
Ustrzyki Grn. (Górne) 88-89 F10
Uszeczna, G. (Góra) 84-85 C11
Uszwica – rzeka 88-89 E8
Uście Gorlickie 88-89 F9
Uścimów Str. (Stary) 84-85 D10
Utrata – rzeka 84-85 C8

W

Wadąg, J. (Jezioro) 80-81 B8
Wadowice 86-87 F7; 88-89 F7
Wadowice Grn. (Górne) 88-89 E9
Waganiec 78-79 C6; 80-81 C6
Walce 86-87 E6
Walewice 82-83 C7; 84-85 C7
Walichnowy Wlk. (Wielkie) 78-79 B6; 80-81 B6
Walim 86-87 E4
Wałbrzych 86-87 E4
Wałcz 78-79 B4
Wałpusz, J. (Jezioro) 80-81 B9
Wałpusza – rzeka 80-81 B9
Wałsza – rzeka 80-81 A8
Wambierzyce 86-87 E4
Wancerzów 86-87 E7; 88-89 E7
Wapno 78-79 C5
Warcino 78-79 A4
Warka 84-85 D9
Warlubie 78-79 B6; 80-81 B6
Warmątowice Sienk. (Sienkiewiczowskie) 86-87 D4
Warnice 78-79 B3
Warszawa 84-85 C9
Warta – rzeka 86-87 E7; 82-83 C3
Warta 82-83 D6; 84-85 D6
Warta Bolesławiecka 82-83 D3
Wartkowice 82-83 D6, 7; 84-85 D6, 7
Wasilków 80-81 B11
Waśniów 88-89 E9
Wawrzeńczyce 88-89 E8
Wąbrzeźno 78-79 B6; 80-81 B6
Wąchock 88-89 D9
Wądroże Wlk. (Wielkie) 86-87 D4
Wągrowiec 78-79 C5
Wąpielsk 78-79 B7; 80-81 B7
Wąsewo 80-81 C9
Wąsosz 80-81 B10
Wąsosz 82-83 D4
Wątkowa – góra 88-89 F9
Wąwolnica 84-85 D10
Wda – rzeka 78-79 B5; 80-81 B6
Wdecki P. (Park) K. (Krajobrazowy) 78-79 B6; 80-81 B6
Wdzydze 78-79 A5
Wdzydze, J. (Jezioro) 78-79 B5, 6
Wdzydzki P. (Park) K. (Krajobrazowy) 78-79 A5
Wejherowo 78-79 A6; 80-81 A6
Wel – rzeka 78-79 B7; 80-81 B7
Welski Park Krajobrazowy 78-79 B7; 80-81 B7
Wełna – rzeka 78-79 C4
Wełna – rzeka 82-83 C5
Wenecja 78-79 C5
Werbkowice 88-89 E11
Wetlina 88-89 F10
Węgierska Górka 86-87 F7
Węgliniec 82-83 D3
Węgorapa – rzeka 80-81 A9
Węgorzewo 80-81 A9
Węgorzyno 78-79 B3
Węgrów 84-85 C9
Wiar – 88-89 F10
Wiązowna 84-85 C9
Wiązownica 88-89 E10
Wiązów 86-87 E5
Wicko 78-79 A5
Wicko, J. (Jezioro) 78-79 A4
Widawa – rzeka 86-87 D5
Widawa 82-83 D6; 84-85 D6
Widawka – rzeka 82-83 D7; 84-85 D7
Widuchowa 78-79 B2
Wieczfnia Kościelna 80-81 B8
Wieczno, J. (Jezioro) 78-79 B6; 80-81 B6
Wielbark 80-81 B8, 9
Wieleń 78-79 C4
Wielgie 78-79 C7; 80-81 C7
Wielgomłyny 86-87 D7; 88-89 D7
Wielichowo 82-83 C4
Wieliczka 88-89 F8
Wieliczki 80-81 B10
Wielimie, J. (Jezioro) 78-79 B4
Wieliszew 80-81 C8
Wielkie, J. (Jezioro) 82-83 C3
Wielkopolski P. (Park) N. (Narodowy) 82-83 C4
Wielopole Skrzyńskie 88-89 F9
Wielowieś 86-87 E6
Wieluń 82-83 D6; 84-85 D6
Wieniawa 84-85 D8
Wieprz – rzeka 88-89 E11; 84-85 D10
Wieprz 86-87 F7
Wieprz 86-87 F7; 88-89 F7
Wieprza – rzeka 78-79 A5; A4
Wieprz-Krzna, Kan. (Kanał) 84-85 D10, 11
Wieruszów 82-83 D6
Wierzbica 84-85 D11
Wierzbica 84-85 D9
Wierzbinek 80-81 C6
Wierzbno 84-85 C9
Wierzchlas 82-83 D6; 84-85 D6
Wierzchosławice 88-89 E8
Wierzchowo 78-79 B3, 4
Wierzchowo, J. (Jezioro) 78-79 B4
Wierzyca – rzeka 78-79 A6; 80-81 A6
Wietcisa – rzeka 78-79 A6; 80-81 A6
Wietrzychowice 88-89 E8
Wieżyca – góra 78-79 A6; 80-81 A6
Więcbork 78-79 B5
Wigierski Park Narodowy 80-81 A10-A11
Wigry 80-81 A11
Wigry, J. (Jezioro) 80-81 A11
Wijewo 82-83 D4
Wilamowice 86-87 F7
Wilcze – góra 88-89 F10
Wilczęta 78-79 A7; 80-81 A7
Wilczyce 88-89 E9
Wilczyn 80-81 C6
Wilga – rzeka 84-85 D9
Wilga 84-85 D9
Wilkasy 80-81 AB9
Wilkołaz I 88-89 D10
Wilkowice 86-87 F6, 7
Wilków 84-85 D9
Wilków 86-87 D5
Winna Góra 82-83 C5
Winnica 80-81 C8
Wińsko 82-83 D4
Wirowa – rzeka 88-89 E10
Wiskitki 84-85 C8
Wisła – rzeka 86-87 E7; 78-79 B6
Wisła 86-87 F6
Wisłok – rzeka 88-89 F9; E10
Wisłoka – rzeka 88-89 F9
Wissa – rzeka 80-81 B10
Wisznia – rzeka 88-89 F10
Wisznia Mł. (Mała) 82-83 D4, 5
Wisznice 84-85 D11
Wiślana, Mierzeja 78-79 A7; 80-81 A7
Wiślica 88-89 E8
Wiśnicko-Lipnicki P. (Park) K. (Krajobrazowy) 88-89 F8
Wiśniew 84-85 C10
Wiśniewo 80-81 B8
Wiśniowa 88-89 F8
Wiśniowa 88-89 F9
Witaszyce 82-83 D5
Witkowo 82-83 C5
Witnica 78-79 C2
Witonia 82-83 C7; 84-85 C7
Witów 82-83 D7; 84-85 D7
Wizna 80-81 B10
Wiżajny 80-81 A10
Wiżajny, J. (Jezioro) 80-81 A10
Wkra – rzeka 80-81 C7; C8
Wleń 86-87 D3
Wlk. (Wielka) Czantoria – góra 86-87 F6
Wlk. (Wielka) Nieszawka 78-79 C6; 80-81 C6
Wlk. (Wielka) Racza – góra 86-87 F6
Wlk. (Wielka) Rawka – góra 88-89 F10
Wlk. (Wielka) Sowa – góra 86-87 E4
Wlk. (Wielka) Wieś 86-87 E7; 88-89 E7
Wlk. (Wielki) Dział – góra 88-89 E11
Wlk. (Wielki) Szyszak – góra 86-87 E3
Wlk. (Wielkie) Oczy 88-89 E11
Wlk. (Wielkie) Partęczyny, J. (Jezioro) 78-79 B7; 80-81 B7
Władysławowo 78-79 A6; 80-81 A6
Władysławów 82-83 C6; 84-85 C6
Włocławek 80-81 C7
Włocławskie, J. (Jezioro) 80-81 C7
Włodawa 84-85 D11
Włodawka – rzeka 84-85 D11
Włodowice 86-87 E7; 88-89 E7
Włoszakowice 82-83 D4
Włoszczowa 88-89 E7, 8
Wodynie 84-85 C9
Wodzierady 82-83 D7; 84-85 D7
Wodzisław 88-89 E8
Wodzisław Śl. (Śląski) 86-87 F6
Wohyń 84-85 D10
Wojaszówka 88-89 F9
Wojciechowice 88-89 E9
Wojciechów 84-85 D10
Wojcieszków 84-85 D10
Wojcieszów 86-87 E3, 4
Wojkowice 86-87 E6, 7
Wojnicz 88-89 F8
Wojnowo 80-81 B9
Wojnowska, G. (Góra) 80-81 B11
Wojnowskie, J. (Jezioro) 82-83 C3
Wojsławice 88-89 E11
Wola 86-87 E7
Wola Gułowska 84-85 D10
Wola Krzysztoporska 82-83 D7; 84-85 D7
Wola Mysłowska 84-85 D9, 10
Wola Okrzejska 84-85 D10
Wola Prażmowska 84-85 D8, 9
Wola Uhruska 84-85 D11
Wolanów 84-85 D8
Wolbórz 82-83 D7; 84-85 D7
Wolbrom 86-87 E7; 88-89 E7
Wolin – wyspa 78-79 B2
Wolin 78-79 B2
Woliński Park Narodowy 78-79 B2
Wolsztyn 82-83 C4
Wołczenica – rzeka 78-79 B2
Wołczyn 86-87 D6
Wołomin 84-85 C9
Wołów 82-83 D4
Woświn, J. (Jezioro) 78-79 B3
Woźniki 86-87 E6, 7
Wożuczyn 88-89 E11
Wólka 84-85 D10
Wręczyca Wlk. (Wielka) 86-87 E6, 7
Wrocław 86-87 D4, 5
Wronki 78-79 C4
Wróblew 82-83 D6; 84-85 D6
Wrzelowiecki P. (Park) K. (Krajobrazowy) 88-89 D9-D10
Września 82-83 C5
Wrześnica – rzeka 82-83 C5
Wschodnia – rzeka 88-89 E9
Wschowa 82-83 D4
Wulpińskie, J. (Jezioro) 80-81 B8
Wydminy 80-81 B9, 10
Wygiełzów 86-87 E7; 88-89 E7
Wymiarki 82-83 D3
Wyry 86-87 E6
Wyryki-Połód 84-85 D11
Wyrzysk 78-79 B5
Wysoczyzny Elbląskiej, P. (Park) K. (Krajobrazowy) 78-79 A7; 80-81 A7
Wysoka 78-79 B5
Wysoka Kopa – góra 86-87 E3
Wysokie 88-89 E10
Wysokie Maz. (Mazowieckie) 80-81 C10
Wysowa 88-89 F9
Wyszki 80-81 C10
Wyszków 80-81 C9
Wyszogród 84-85 C8
Wyśmierzyce 84-85 D8
Wyżnica – rzeka 88-89 D9
Wzgórz Dylewskich, P. (Park) K. (Krajobrazowy) 78-79 B7
Wzniesień Łódzkich, P. (Park) K. (Krajobrazowy) 82-83 D7; 84-85 D7

Z

Zabierzów 86-87 E7; 88-89 E7
Zabłudów 80-81 B11
Zaborski Park Krajobrazowy 78-79 B5
Zabór 82-83 D3
Zabrodzie 80-81 C9
Zabrze 86-87 E6
Zadzim 82-83 D6; 84-85 D6
Zagnańsk 88-89 E8
Zagórów 82-83 C5
Zagórz 88-89 F10
Zagrodno 82-83 D3
Zakliczyn 88-89 F8
Zaklików 88-89 E10
Zakopane 88-89 F7, 8
Zakroczym 80-81 C8
Zakrzew 84-85 D8
Zakrzew 88-89 E10
Zakrzewo 78-79 B5
Zakrzewo 78-79 C6; 80-81 C6
Zakrzówek-Osada 88-89 E10
Zalesie 84-85 C11
Zalesie Górne 84-85 D8, 9
Zaleszany 88-89 E9, 10
Zalewo 78-79 B7; 80-81 B7
Zalipie 88-89 E8
Załęczański P. (Park) K. (Krajobrazowy) 86-87 D6
Załuski 80-81 C8
Zambrów 80-81 C10
Zamek Bierzgłowski 78-79 B6; 80-81 B6
Zamkowa Góra 80-81 A8
Zamość 88-89 E11
Zaniemyśl 82-83 C5
Zapolice 82-83 D6; 84-85 D6
Zaręby Kościelne 80-81 C10
Zarszyn 88-89 F10
Zarzecze 88-89 F10
Zator 86-87 F7; 88-89 F7
Zatory 80-81 C9
Zawady 80-81 B10
Zawadzkie 86-87 E6
Zawichost 88-89 E9
Zawidów 86-87 D3
Zawidz Kościelny 78-79 C7; 80-81 C7
Zawiercie 86-87 E7; 88-89 E7
Zawoja 86-87 F7; 88-89 F7
Zawonia 82-83 D5
Ząbki 84-85 C9
Ząbkowice Śląskie 86-87 E4
Zbąszynek 82-83 C3
Zbąszyń 82-83 C3
Zbąszyńskie, J. (Jezioro) 82-83 C3, 4
Zbiczno 78-79 B7; 80-81 B7
Zbiersk 82-83 D6
Zblewo 78-79 B6; 80-81 B6
Zbójna 80-81 B9
Zbójnik – góra 82-83 D5
Zbójno 78-79 B7; 80-81 B7
Zbrosławice 86-87 E6
Zbuczyn Poduchowny 84-85 C10
Zdbice 78-79 B4
Zdbiczno, J. (Jezioro) 78-79 B4
Zduny 82-83 C7; 84-85 C7
Zduny 82-83 D5
Zduńska Wola 82-83 D6; 84-85 D6
Zdzieszowice 86-87 E5, 6
Zebrzydowice Dln. (Dolne) 86-87 F6
Zegrze 80-81 C9
Zegrzyńskie, J. (Jezioro) 80-81 C9
Zelów 82-83 D7; 84-85 D7
Zembrzyce 86-87 F7; 88-89 F7
Zespół Jurajskich Parków Krajobrazowych 86-87 E7; 88-89 E7
Zębowice 86-87 E6
Zgierz 82-83 D7; 84-85 D7
Zgłowiączka – rzeka 80-81 C6
Zgorzelec 86-87 D3
Zielawa – rzeka 84-85 D11
Zielona Góra 82-83 D3
Zielonka 84-85 C9
Zielonki 86-87 E7; 88-89 E7
Ziębice 86-87 E5
Ziolo, J. (Jezioro) 78-79 C5
Złaków Borowy 82-83 C7; 84-85 C7
Zławieś Wlk. (Wielka) 78-79 B6; 80-81 B6
Złocieniec 78-79 B3, 4
Złoczew 82-83 D6; 84-85 D6
Złota 88-89 E8
Złota Góra 82-83 C6; 84-85 C6
Złote Góry – góra 80-81 B8
Złotniki Kujawskie 78-79 C6; 80-81 C6
Złotoryja 86-87 D3
Złotów 78-79 B5
Złoty Potok 86-87 E7; 88-89 E7
Złoty Stok 86-87 E4
Zubrzyca Grn. (Górna) 86-87 F7; 88-89 F7
Zwardoń 86-87 F6, 7
Zwierzyn 78-79 C3
Zwierzyniec 88-89 E10
Zwolenka – rzeka 84-85 D9
Zwoleń 84-85 D9
Zygmunta Augusta, J. (Jezioro) 80-81 B10
Zyndranowa 88-89 F9

Ż

Żabia Wola 84-85 CD8
Żabno 88-89 E8
Żagań 82-83 D3
Żarki 86-87 E7; 88-89 E7
Żarnowiec 78-79 A6; 80-81 A6
Żarnowiec 86-87 E7; 88-89 E7
Żarnowieckie, J. (Jezioro) 78-79 A6; 80-81 A6
Żarnów 84-85 D8
Żarów 86-87 E4
Żary 82-83 D3
Żdżary 84-85 D10
Żegiestów-Zdr. (Zdrój) 88-89 F8
Żegocina 88-89 F8
Żelazków 82-83 D6
Żelazowa Wola 84-85 C8
Żelechlinek 82-83 D7, 8; 84-85 D8
Żelechów 84-85 D9
Żerkowsko-Czeszewski P. (Park) K. (Krajobrazowy) 82-83 C5
Żerków 82-83 C5
Żmigród 82-83 D4
Żmudź 88-89 D11
Żnin 78-79 C5
Żołynia 88-89 E10
Żory 86-87 E6
Żółkiewka 88-89 E10
Żórawina 86-87 E5
Żukowice 82-83 D3
Żukowo 78-79 A6; 80-81 A6
Żur, J. (Jezioro) 78-79 B6; 80-81 B6
Żurawica 88-89 F10
Żuromin 78-79 B7; 80-81 B7, B8
Żychlin 82-83 C7; 84-85 C7
Żydowo 78-79 A4
Żyraków 88-89 E9
Żyrardów 84-85 C8
Żyrzyn 84-85 D10
Żytno 86-87 E7; 88-89 E7
Żywiec 86-87 F7; 88-89 F7
Żywiecki Park Krajobrazowy 86-87 F7
Żywieckie, J. (Jezioro) 86-87 F7

ŚWIAT

A

Aare – rzeka 102-103 E3
Abadan 128-129 B3, 4
Abakan 126-127 D11
Abashiri 133 B5, 6
Abéché 138 D4, 5
Aberdeen 108 C5, 6
Abha 128-129 D3
Abidżan 138 E2
Abisyńska, Wyżyna 136 E6-E7
Abu Hadrija 128-129 C3
Abu Simbel – ruiny 128-129 C2
Abu Zabi 128-129 C4
Abudża 138 E3
Aconcagua – góra 151 F3, 4
Acre – stan 152 C3-D4
Aczyńsk 126-127 D10, 11
Adamawa – góry 136 E3-E4
Adamstown 158-159 G13
Adana 128-129 B2
Adare'a, Przyl. (Przylądek) 161 B18-17
Adda – rzeka 112-113 A3; B2
Ad-Dammam 128-129 C3
Ad-Dauha 128-129 C4
Addis Abeba 138 E6, 7
Adelaide 158-159 H3
Aden 128-129 D3
Adeńska, Zat. (Zatoka)
116-117 H7-H8; 136 D7-D8; 128-129 D3-D4
Adigrat 128-129 D2, 3
Adour – rzeka 109 F4
Adria 112-113 B3, 4
Adriatyckie, Morze 92-93 D6; 112-113 B4-D7
Adyga – rzeka 112-113 A3; B3
Adżmer 128-129 C6
Ærø – wyspa 102-103 A5
Afar – kraina hist. 128-129 D2-D3
Afganistan – państwo 118-119 F8
Afrykańsko-Antarktyczny, Basen
6-7 O18-O22; 161 B34-4
Afrykańsko-Antarktyczny, Grzbiet 6-7 O17-O21
Afyon 105 F4
Agades 138 D3, 4
Agadir 138 AB1, 2
Agartala 128-129 C8
Agen 109 E4
Agra 128-129 C6
Agrigento 112-113 F4
Agrinion 112-113 E8
Aguilas 110-111 D6
Agulhas (Igielny), Przyl. (Przylądek) 136 I5
Agung – góra 132 G6
Ahaggar – góry 136 C3
Ahmadabad 128-129 C6
Ahmadnagar 128-129 D6
Ahwar 128-129 D3
Ahwaz 128-129 B3, 4
Air – góry 136 C3-D3
Aisne – rzeka 109 C5
Aiud 102-103 E11
Ajaccio 112-113 CD2
Ajaguz 126-127 E9
Ajan 126-127 D15
Ajchał 126-127 C13
Ajn Salih 138 C3
Akaba 128-129 C2
Akita 133 C4
Akka 128 I B1
Akola 128-129 C6
Akordet 128-129 D2
Akra 138 E2, 3
Aksu 130-131 C3
Aksum 128-129 D2
Aktau 126-127 E7
Aktobe 126-127 D7
Akureyri 107 I A2
Akwitański, Basen – kraina 109 E3-E4
Akwizgran 102-103 C3
Alabama – stan 144 F10
Alagoas – stan 152 C7
Al-Ajn 128-129 C4
Al-Alamajn 128-129 B1
Alandzkie, W-y (Wyspy) 107 C5-D5
Alappula 128-129 E6
Alaska, G. (Góry) 143 C4-C5
Alaska, Płw. (Półwysep) 143 D3-D4
Alaska – stan 144 C3-C4
Alaska, Zat. (Zatoka) 143 D5
Alba Iulia 102-103 E11, 12
Albacete 110-111 C6
Albania – państwo 94-95 D6-D7
Albany 144 E11; 149 B7
Albany 158-159 H1, 2
Alberta – prowincja 144 D7
Albi 109 EF5
Alborán – wyspa 110-111 E5
Ålborg 107 D3
Albuquerque 149 C4
Alcoy 110-111 C6
Al-Charidża 128-129 C1, 2
Al-Dżahra 129 II A1
Al-Dżauf 128-129 C2
Al-Dżubajl 128-129 C3, 4
Al-Dżuf, Pust. (Pustynia) 136 D1-C2
Alegranza – wyspa 110-111 I A4
Aleksandra, Arch. (Archipelag) 143 D6
Aleksandria 138 B5, 6
Aleksandrowsk Sachaliński 126-127 D16
Aleksandrupolis 112-113 D10
Alentejo – kraina hist. 110-111 C3
Alert – st. badawcza 162 A25
Alessandria 112-113 B2
Ålesund 107 C2
Aleucki, Rów 6-7 D1-D2
Aleuty – wyspy 6-7 D1, D35-36; 116-117 D20-D22
Al-Faszir 138 D5
Al-Fau 128-129 C3
Algeciras 110-111 D4
Algier 138 B3
Algieria – państwo 138 C2-C3
Al-Hadisa 128-129 B3
Al-Hasa – kraina hist. 128-129 C3
Alhucemas, W-y (Wyspy) 110-111 E5
Al-Hudajda 128-129 D3
Al-Hufuf 128-129 C3, 4
Alicante 110-111 C6
Alice Springs 158-159 G3
Al-Kattara – depresja 136 C5, 6
Al-Kunajtira 128 I B1, 2
Al-Kut 128-129 B3
Allahabad 128-129 C6, 7
Aller – rzeka 102-103 B4, 5
Allier – rzeka 109 E5; D5
Al-Lis 128-129 C2, 3
Almadén 110-111 C4
Al-Manama 128-129 C3, 4
Almanzor – góra 110-111 B4
Almenaras – góra 110-111 C5
Almería 110-111 D5
Al-Minja 128-129 C1, 2
Al-Muwejh 128-129 C3
Alofi 158-159 F9
Alor Setar 132 D2, 3
Alor, W-y (Wyspy) 132 G7, 8
Alpy – góry 92-93 D5-6; 102-103 F3-E7
Alpy Delfinackie – góry 109 E7
Alpy Wschodnie – góry 102-103 E5-E7
Alpy Zachodnie – góry 102-103 F3-E4
Als – wyspa 102-103 A4, 5
Alès 109 E6
Ałaszan, Pust. (Pustynia)
116-117 EF13; 130-131 C7-D8
Alta 107 B5
Altaj 130-131 B6
Altenburg 102-103 C6
Al-Ubajid 138 D5, 6
Al-Ujun 138 C1
Aluta – rzeka 102-103 F12; G12
Al-Wadżh 128-129 C2
Alzacja – kraina hist. 109 D7-C7
Ałdan 126-127 D14
Ałdan – rzeka 116-117 C16; 126-127 D14; C14, 15
Ałma Ata 126-127 E9, 10
Ałtaj – góry 116-117 D11-E12; 126-127 D10
Ałtaj Gobijski – góry 130-131 C6-C7
Ałtaj Mongolski – góry 130-131 B4-B6
Ałtyn-Tag – góry 116-117 F11-F12; 130-131 D4-D5
Amakusa, W-y 133 D2
Amami, W-y (Wyspy) 130-131 F12-F13; 133 I B1
Amapá – stan 152 B5
Amarillo 149 C4
Amazonas – stan 152 C4
Amazonka – rzeka 151 C5
Amazonki, Nizina 151 C3-C5
Ambala 128-129 B6
Ambarczyk 126-127 C18
Amberg 102-103 D5, 6
Ambon 132 F8
Ambre, Przyl. (Przylądek) 136 G7
Amery'ego, Lod. (Lodowiec) Szelf. (Sz.) 161 B7-C8
Amerykański, Płaskowyż 161 B8-B9
Amfisa 112-113 E9
Amiens 109 C4, 5
Amlwich 106 C2
Amman 128-129 B2
Amorgós – wyspa 112-113 F10, 11
Amrawati 128-129 C6
Amritsar 128-129 B6
Amsterdam 102-103 B2
Amu-daria – rzeka 116-117 EF9; 126-127 F8
Amundsena, Morze 161 B24-B26
Amur – rzeka 116-117 D16; 126-127 F8
Anadyr 126-127 C19
Anadyr – rzeka 126-127 C19
Anadyrska, Zat. 126-127 C20
Anai Mudi – góra 128-129 DE6
Anambas, W-y (Wyspy) 132 E4
Anatolijska, Wyżyna 92-93 E8; 105 E4-F5
Anchorage 144 C3, 4
Andaluzja – kraina hist. 110-111 D3-D4
Andamany – wyspy 116-117 H12; 128-129 D8
Andamańskie, Morze 116-117 H12-I12; 128-129 D8
Andegawenia – kraina hist. 109 D3
Andkhui 128-129 B5
Andong 133 C2
Andora 110-111 A7
Andora – państwo 94-95 D5
Andria 112-113 D6
Andros – wyspa 112-113 EF10
Andros – wyspa 149 D7
Andy – góry 151 B3-D3; E4-G3
Angara – rzeka 116-117 D12, 13; 126-127 D11
Angarsk 126-127 D12
Ångerman – rzeka 107 C4
Angers 109 D3
Angielska, Niz. (Nizina) 92-93 C4-C5; 108 E6-E7
Angkor – ruiny 132 C3
Anglesey – wyspa 108 E4, 5
Anglia – kraina hist. 108 D5-F7
Angola – państwo 138 G4-G5
Angolski, Basen 6-7 K17-K18
Angoulême 109 E4
Anguilla – teryt. zależne 152 A4
Anina 102-103 F10
Aniza – rzeka 102-103 E7
Anjou, W-y (Wyspy) 126-127 B15-B17
Ankang 130-131 E8, 9
Ankara 128-129 A2
Ankona 112-113 C4
Annaba 138 B3
Annaberg-Buchholz 102-103 C6
An-Nadżaf 128-129 B3
Annamskie, Góry 116-117 G13-H13; 132 B3-C4
Annapolis 144 F11; 149 C7
Annapurna – góra 128-129 C7; 130-131 F3
Annecy 109 E6
Anny, Przyl. (Przylądek) 161 C6
Anqing 130-131 E10
Ansbach 102-103 D5
Anshan 130-131 C11
Antalya 128-129 B1, 2
Antananarywa 138 G6, 7
Antarktyczny, Płw. (Półwysep) 161 C31-B31
Antarktyda Wschodnia – region 161 A5-B8
Antarktyda Zachodnia – region 161 B27-A23
Anticosti – wyspa 149 B8, 9
Antigua i Barbuda – państwo 152 A4, 5
Antofagasta 152 E3
Antwerpia 109 B6
Antyliban, G. (Góry) 128 I B2-A2
Antypodów, W-y (Wyspy) 6-7 N35-36; 158-159 I7, 8
Anuradhapura 128-129 E7
Anxi 130-131 C6
Anyang 130-131 D9
Aodzi 133 B2, 3
Aomori 133 B5
Aosta 112-113 B1
Apeniny – góry 92-93 D5-D6; 112-113 B2-D6
Apeniński, Płw. (Półwysep) 92-93 D6
Apia 158-159 F8
Apo – góra 116-117 I 15; 132 D7
Appalachy – góry 143 F11-E13; 149 C6-B7
Apulia – kraina hist. 112-113 D5-D6
Arabia Saudyjska – państwo 118-119 G6-G7
Arabska, Pustynia 136 C6
Arabski, Półwysep 116-117 G6-G8; 128-129 C2-D4
Arabskie, Morze 116-117 H8-H10; 128-129 D4-D6
Aracaju 152 D7
Arad 102-103 E10
Arafura, Morze 116-117 J16; 157 A3
Aragonia – kraina hist. 110-111 B6-A6
Aragońska, Kotlina 110-111 A6-B7
Arak 128-129 B3, 4
Arakańskie, G. (Góry) 128-129 C8-D8
Aralskie, J. (Jezioro) 116-117 E8, 9; 126-127 E7, 8
Arał 126-127 E8
Ararat – góra 116-117 E-F7; 105 F6
Arawali – góry 128-129 C6
Archangielsk 126-127 C6
Arctic Bay – st. badawcza 162 A27
Arctowski – st. badawcza 161 C31
Arda – rzeka 112-113 D10
Ardal 107 D2
Ardebil 128-129 B3
Ardeny – góry 109 C6-B7
Ardrossan 106 B1, 2
Ardżesz – rzeka 102-103 F12; F13
Arequipa 152 D3
Arezzo 112-113 C3
Argenta 112-113 B3, 4
Argentera – góra 112-113 B1
Argentyna – państwo 152 G3-E4
Argentyński, Basen 6-7 M13-N15
Argonny – góry 109 C6
Argos 112-113 F9
Argun – rzeka 126-127 ED13; 130-131 A10, 11
Argyll – pole ropy naftowej 106 B3
Århus 107 D3
Arica 152 D3
Arizona – stan 144 F7-F8
Arkansas – rzeka 143 F9; 149 C4, 5
Arkansas – stan 144 F9
Arles 109 F6
Arlon 109 C6
Arktyczny, Ocean 6-7 A5-A31; 162
Armawir 105 D6
Armenia – państwo 118-119 E6
Armeńska SRR 127 I
Arnhem 102-103 B2, 3
Arnhem, Przyl. (Przylądek) 157 B3
Arno – rzeka 112-113 C3
Arrecife 110-111 I A4
Ar-Rijad 128-129 C3
Ar-Rub al-Chali, Pustynia
116-117 H7-G8; 128-129 D3-C4
Ar-Rutba 128-129 B3
Ar-Ruwais 129 II B2
Arsenjew 133 B3
Arta 112-113 E8
Arta – rzeka 112-113 E8
Artigas – st. badawcza 161 C31
Artois – kraina hist. 109 B4-B5
Artvin 105 E6
Aru, W-y (Wyspy) 116-117 J16
Aruba – teryt. zależne 152 A3, 4
Arwajcheer 130-131 B7, 8
Arxan 130-131 B11
Asab 128-129 D3
Asahikawa 133 B5
Asansol 128-129 C7
Ascoli Piceno 112-113 C4
Ashikaga 133 C4
Asjut 138 C5, 6
Asmara 138 D6, 7
Aspromonte – góra 112-113 E5, 6
Aspropotamos – rzeka 112-113 E8
As-Sallum 128-129 B1
Astana 126-127 D9
Asti 112-113 B2
Astrachań 126-127 E6, 7
Asturia – kraina hist. 110-111 A3-A4
Asuan 138 C6
Asunción 152 E5
Aszchabad 126-127 F7, 8
Asz-Szarkat 128-129 B3
Aszur – ruiny 128-129 B3
Atakama, Pust. (Pustynia) 151 E3-E4
Atatürk, Zb. (Zbiornik) 105 F5
Ateny 112-113 E9, 10
Athabaska, J. (Jezioro) 149 A4
Athabaska – rzeka 143 D8
Athos – góra 112-113 D10
Atlanta 144 F10; 149 C6
Atlantycka, Niz. (Nizina) 143 F11-F12; 149 C6-C7
Atlantycki, Ocean 6-7 D14-P16; 166
Atlas – góry 136 C2-B3
Atlas Saharyjski – góry 92-93 E5
Atlas Tellski – góry 92-93 E5
At-Taif 128-129 C3
Attyka – kraina hist. 112-113 E9
Åtvidaberg 107 D4
Atyrau 126-127 E7
Auasz – rzeka 128-129 D3
Auckland 158-159 H7
Auckland – wyspy 6-7 O 34, 35; 158-159 J6
Augsburg 102-103 D5
Augusta 112-113 F5
Augusta 144 E12; 149 B8
Augusta 149 C6
Aurangabad 128-129 CD6
Austin 144 F9; 149 C5
Australia – państwo 158-159 G1-G4
Australia Południowa – stan 158-159 G3-G4
Australia Zachodnia – stan 158-159 G1-G2
Australijsko-Antarktyczny, Basen 6-7 O27-O31
Australijsko-Antarktyczny, Grzbiet 6-7 M26-O31
Austria – kraina hist. 102-103 D7-D8
Austria – państwo 94-95 D6
Avarua 158-159 G10
Ávila 110-111 B4
Awinion 109 EF6
Aydın 112-113 F11, 12
Ayvalik 112-113 E11
Azerbejdżan – państwo 118-119 E6, 7
Azerbejdżańska SRR 127 I
Azja Mniejsza, Płw. (Półwysep)
116-117 F5-F6; 128-129 A2-B2
Azowskie, M. (Morze) 92-93 D8; 105 D5
Azrak – ruiny 128 I C2

B

Bab al-Mandab – cieśnina 116-117 H7; 136 D7
Babilon – ruiny 128-129 B3
Babol 128-129 B4
Babuyan, W-y (Wyspy) 132 B7
Bacan, W-y (Wyspy) 132 F8
Bacau 102-103 E13
Bachtaran 128-129 B3
Bacolod 132 C7
Bacton 106 C3
Baczka – kraina hist. 112-113 B7-B8
Badajoz 110-111 C3
Badalona 110-111 B8
Baden-Baden 102-103 D3, 4
Badr Hunajn 128-129 C2, 3
Baffina, Morze 143 B12-C13
Bagdad 128-129 B3
Baghlan 128-129 B5, 6
Baguio 132 B7
Bahamy – państwo 144 G11
Bahamy – wyspy 149 D7; 143 G12
Bahawalpur 128-129 C6
Bahia – stan 152 D6-D7
Bahía Blanca 152 F4, 5
Bahía Blanca – zatoka 151 FG4, 5
Bahr al-Arab – rzeka 136 DE5
Bahrajn – państwo 118-119 G6, 7
Bahyr Dar 138 D6
Baia Mare 102-103 E11, 12
Baicheng 130-131 B11
Baile Atha Cliath (Dublin) 108 E3, 4
Bairiki 158-159 D7
Baja 102-103 E9
Bajanchongor 130-131 B7
Bajdaracka, Zat. (Zatoka) 126-127 B8-C8
Bajkał, J. (Jezioro) 116-117 D13; 126-127 D12
Bajkonur 126-127 E8

Bajonna 109 F3
Baker – wyspa 158-159 D8
Baku 128-129 AB3, 4
Bakuba 128-129 B3
Bakungan 132 E2
Balabac, Cieśn. (Cieśnina) 132 D6
Balaton, J. (Jezioro) (Błotne, Jezioro) 102-103 E8, 9
Baleary – wyspy 92-93 E5-D5; 110-111 C7-B9
Bali – wyspa 116-117 J14; 132 G5
Balıkęsir 112-113 E11, 12
Balikpapan 132 F6
Balleny – wyspy 161 C17
Baltimore 144 F10, 11; 149 C7
Bałakowo 105 C7
Bałchasz 126-127 E9
Bałchasz, J. (Jezioro) 116-117 E10; 126-127 E9
Bałkany (Stara Płanina) – góry
92-93 D7; 112-113 C9-C11
Bałkański, Płw. (Półwysep) 92-93 D7
Bałtyckie, Morze 92-93 C6-C7; 107 E4-D5
Bam 128-129 C4
Bamako 138 D1, 2
Bamberg 102-103 D5
Bampur 128-129 C4, 5
Banaba, W. (Wyspa) 157 A6, 7; 158-159 E6, 7
Banana 159 II C2,3
Bananga 128-129 E8
Banas, Przyl. (Przylądek) 128-129 C2
Banat – kraina hist. 112-113 B8
Banda Aceh 132 D2
Banda, Morze 116-117 J15; 132 G7-G8
Bandar Lampung 132 G3, 4
Bandar Seri Begawan 132 E5
Bandar-e Abbas 128-129 C4
Bandar-e Beheshti 128-129 C5
Bandar-e Linga 128-129 C4
Bandeira – góra 151 E6
Bandûrma 112-113 D11
Bandung 132 G4
Bandżul 138 D1
Bangalur 128-129 D6
Banggai, W-y (Wyspy) 132 F7
Bangi 138 E4
Bangkok 132 C2, 3
Bangladesz – państwo 118-119 G10, 11
Banja Luka 112-113 B6
Banjarmasin 132 F5, 6
Banka – wyspa 132 F4
Banksa, W. (Wyspa) 143 B7, 8
Bannu 128-129 B6
Bañuela – góra 110-111 C4
Banyuwangi 132 G5
Bańska Bystrzyca 102-103 D9, 10
Baoi 130-131 DE8
Baoshan 130-131 FG6, 7
Baotou 130-131 C8, 9
Bar 112-113 CD7
Baranowicze 102-103 B13
Barbados – państwo 152 A5
Barcaldine 159 II C1,2
Barcelona 110-111 B8
Barcoo – rzeka 159 II C1
Barcs 102-103 E8
Bardheere 128-129 E3
Bardwan 128-129 C7
Bareli 128-129 C6, 7
Barentsa, Morze 116-117 B6-B8; 126-127 B5-B6
Barentsburg – st. badawcza 162 B17-B16
Bari 112-113 D6
Baris 128-129 C2
Barito – rzeka 132 F5
Barka, Płw. (Półwysep) 92-93 E7
Barkly, Wyżyna 157 B3
Barletta 112-113 D6
Barmer 128-129 C6
Barnauł 126-127 D10
Barranquilla 152 A3
Barre des Ecrins – góra 109 E7
Barreiro 110-111 C2
Barrow, Przyl. (Przylądek) 143 B4
Bartle – góra 159 II B2
Baruun-Urt 130-131 B9
Barycz – rzeka 102-103 C8
Basejn 128-129 D8
Bashi, Cieśn. (Cieśnina) 130-131 G11; 132 A7
Baskonia – kraina hist. 110-111 A5-A6
Basra 128-129 B3
Bassa, Cieśn. 157 E4-D4
Bastia 112-113 C2
Baszszar 138 D2, 3
Batajsk 105 D5
Batamaj 126-127 C14, 15
Batan, W-y (Wyspy) 130-131 G11; 132 A7
Batang 130-131 E6
Batangas 132 C7
Bathinda 128-129 C6
Baton Rouge 144 F9; 149 C5, 6
Battambang 132 C3
Batu – góra 136 E6, 7
Batu, W-y (Wyspy)132 EF2
Batumi 105 E6
Bauhinia Downs 159 II C2
Bawaria – kraina hist. 102-103 E5-D6
Bawarska, Wyżyna 102-103 E4-D6
Bawean – wyspa 132 G5
Baydhabo 128-129 E3
Bazylea 102-103 E3
Béal an Átha 108 D2
Beauforta, Morze 143 B5-B7; 162 B31-B33
Beaumont 149 C5
Beer Szewa 128 I C1
Behbehan 129 II A2
Bei'an 130-131 B12
Beihai 130-131 G8, 9
Beira 138 G6
Beja 110-111 C2, 3
Bejrut 128-129 B2
Békéscsaba 102-103 E10
Bela 128-129 C5
Beled Weyne 128-129 E3
Belém 152 C6
Belfast 108 D4
Belfort 109 D7
Belgaon 128-129 D6
Belgia – państwo 94-95 C5
Belgrad 112-113 B8
Belitung – wyspa 132 F4
Belize – państwo 144 H10
Bellari 128-129 D6
Belle-Île – wyspa 109 D2
Bellingshausen – st. badawcza 161 C31
Bellingshausena, Morze 161 BC28
Bellingshausena, Basen 6-7 O7-P9; 161 B25-B19
Bellingshausena, Basen
Belluno 102-103 E6
Belmopan 144 H10
Belo Horizonte 152 D6, 7
Beludżystan – kraina hist. 128-129 C5-B5
Ben Nevis – góra 92-93 C4; 108 C4
Bendery 102-103 E14
Benewent 112-113 D5
Bengal – kraina hist. 116-117 G11-G12
Bengalska, Zatoka 116-117 H11-H12; 128-129 D7-D8
Bengazi 138 B5
Bengkulu 132 F3
Benguela 138 G3, 4
Benin – państwo 138 E3-D3
Benue – rzeka 136 E3
Benxi 130-131 C11, 12
Berat 112-113 D8
Berbera 138 D7
Berdiańsk 105 D5
Berdyczów 102-103 D14
Berehowo 102-103 D11
Berettyó – rzeka 102-103 E10
Berezyna – rzeka 102-103 AB14
Bergamo 112-113 B2, 3
Bergen 107 C2
Berhampur 128-129 D7
Beringa, Cieśnina 116-117 C22; 143 C2, 3
Beringa, Morze 116-117 C21-D20; 126-127 C19-D20
Berlin 102-103 B6, 7
Berlina, G. (Góra) – góra 161 B23
Bermudy – teryt. zależne 144 F12
Bermudy – wyspy 149 C8; 143 F13
Bernina – góra 102-103 E4
Berno 102-103 E3
Beryl A – pole ropy naftowej 106 B3
Beryl B – pole ropy naftowej 106 B3
Besançon 109 D6, 7
Beskidy Wschodnie – góry 102-103 D11-D12
Beskidy Zachodnie – góry 102-103 D9-D10
Betlejem 128 I C1
Betyckie, Góry 92-93 E4; 110-111 D4-D6
Béziers 109 F5
Bhagalpur 128-129 C7
Bharati – st. badawcza 161 C8
Bhauanagar 128-129 C6
Bhopal 128-129 C6
Bhubaneśwar 128-129 CD7
Bhutan – państwo 118-119 G10-G11
Biała Cerkiew 102-103 D14, 15
Biała, W. (Wyspa) 126-127 B8, 9
Białe, J. (Jezioro) 126-127 D5
Białe, M. (Morze) 92-93 B8-B9; 126-127 C5
Białoruska SRR 127 I
Białoruska, Wyżyna 92-93 C7; 102-103 B12-A14
Białoruś – państwo 94-95 C7-C8
Biały, Przyl. (Przylądek) 136 B3
Białystok 102-103 B11
Biarritz 109 F3
Bibai 133 B5
Biebrza – rzeka 102-103 B11
Biel 102-103 E3
Bielce 102-103 E13
Bielefeld 102-103 B4
Biella 112-113 B2
Bielsko-Biała 102-103 D9
Biełgorod 105 C5
Biełucha – góra 116-117 D11; 126-127 DE10
Bihać 112-113 B6
Bihorskie, G. (Góry) 102-103 E11
Bija – rzeka 126-127 D10
Bije, Wyżyna 136 G4
Bijsk 126-127 D10
Bikaner 128-129 C6
Bikini – wyspa 158-159 C6
Bilaspur 128-129 C7
Bilbao 110-111 A5
Billingham 106 B2
Billings 149 B4
Biloela 159 II C3
Bintulu 132 E5
Biograd 112-113 C5
Bioko – wyspa 136 E3
Birdum 158-159 F3
Birdżand 128-129 B4
Birlad 102-103 E13
Birma (Mjanma) – państwo 118-119 G11-H11
Birmingham 108 E5, 6
Birmingham 144 F10; 149 C5, 6
Birobidżan 126-127 E15
Bischofshofen 102-103 E6
Biskajska, Zatoka 92-93 D4; 109 E2-F3
Biskira 138 B3
Bismarck 144 E9; 149 B4, 5
Bismarcka, Arch. (Archipelag) 157 A4-A5
Bissau 138 D1
Bistrita 102-103 E12
Biszkek 126-127 E9
Bitola 112-113 D8
Biwa, J. (Jezioro) 133 C4
Blackall 159 II C2
Blackpool 108 E5
Blagoewgrad 112-113 D9, 10
Bloemfontein 138 H5
Błagowieszczeńsk 126-127 D14, 15
Błotne, J. (Jezioro) (Balaton, Jezioro) 102-103 E8, 9
Boa Vista 152 B4
Bobrujsk 102-103 B14
Bochum 102-103 C3
Bodajbo 126-127 D13
Bodélé – kotlina 136 D4
Boden 107 B5
Bodeńskie, J. (Jezioro) 102-103 E4
Bodø 107 B3
Bodrog – rzeka 102-103 D10
Bodżnurd 128-129 B4
Bogor 132 G4
Bogota 152 B3
Boh – rzeka 92-93 D7; 105 D4
Bohol – wyspa 132 D7
Boise 144 E7; 149 B3
Bojeador, Przyl. (Przylądek) 132 B7
Boknafjorden – zatoka 107 D2
Boksitogorsk 105 B4, 5
Bolangir 128-129 C7
Boliwia – państwo 152 D4-E4
Bolonia 112-113 B3
Bolsena, J. (Jezioro) 112-113 C3, 4
Bolszewik – wyspa 126-127 B11, 12
Bolzano 112-113 A3
Bołhrad 102-103 F14
Bombaj 128-129 D6
Bonaire – teryt. zależne 152 A1
Bone, Zat. (Zatoka) 132 F7
Bonifacio 112-113 D2
Bonifacio, Cieśn. (Cieśnina) 112-113 D2
Bonn 102-103 C3
Boosaaso 128-129 D3
Bor 112-113 B9
Borås 107 D3
Bordeaux 109 E3
Borneo (Kalimantan) – wyspa
116-117 I 14; 132 F5-E6
Bornholm – wyspa 102-103 A7; 107 DE3
Borudżerd 128-129 B3, 4
Borysów 102-103 A13, 14
Borysław 102-103 D11
Borzia 126-127 D13
Bosanski Brod 112-113 B6
Bosfor – cieśnina 92-93 D7, 8; 116-117 E5, 6; 105 E3
Bosna – rzeka 112-113 B7
Boston 144 E11, 12; 149 B7, 8
Bośnia i Hercegowina – państwo 94-95 D6-D7
Botew – góra 112-113 C10
Botnicka, Zatoka 92-93 B6-B7; 107 C4-B5
Botoszany 102-103 E13
Botswana – państwo 138 H5
Bounty – wyspy 158-159 I7
Bourg en-Bresse 109 D6
Bournemouth 108 F5, 6
Bouveta, W. (Wyspa) 6-7 O18
Bowen 159 II B2
Bożego Narodzenia, W. (Wyspa) 132 G3, 4
Bożego Narodzenia, W. (Wyspa) (Kirimati)
6-7 I2, J3; 158-159 D10
Bóbr – rzeka 102-103 C7
Brabancja – kraina hist. 109 B6
Brač – wyspa 112-113 C6
Brack 126-127 D12
Bracki, Zb. (Zbiornik) 126-127 D12
Bradford 108 E6
Braga 110-111 B2
Bragança 110-111 B3
Brahmaputra – rzeka 116-117 G12; 128-129 C8
Braila 102-103 F13
Brama Dżungarska – kraina 126-127 E10; 128-129 A7
Branco, Przyl. (Przylądek) 151 C7
Brandenburg 102-103 B5, 6
Brandenburgia – kraina hist. 102-103 B6-B7
Brasilia 152 D6
Braszów 102-103 F12, 13
Bratysława 102-103 D8
Brazylia – państwo 152 C3-C6
Brazylijska, Wyżyna 151 E5-C7
Brazylijski, Basen 6-7 K14-K16
Brazzaville 138 F4
Brda – rzeka 102-103 B8, 9
Breda 102-103 C2
Bregencja 102-103 E4, 5
Breidhafjördhur, Zat. (Zatoka) 107 I A1
Brema 102-103 B4
Bremerhaven 102-103 B4
Brenner, Przeł. (Przełęcz) 102-103 E5
Brent – pole gazu ziemnego 106 A3
Brenta – rzeka 112-113 B3
Brescia 112-113 B3
Brest 109 C1
Bretania – kraina hist. 109 C1-D2
Bretoński, Płw. (Półwysep) 92-93 D4; 109 C2
Briańsk 105 C4
Brig 102-103 E3
Brighton 108 F6, 7
Brindisi 112-113 D7
Briońskie, W-y (Wyspy) 112-113 B4
Brisbane 158-159 G5
Bristol 108 F5
Bristolski, Kanał – zatoka 108 F4-F5
Brive la-Gaillarde 109 E4, 5
Brno 102-103 D8
Broat, Zat. (Zatoka) 159 II C2
Brocken – góra 102-103 C5
Broken Hill 158-159 H3, 4
Brooksa, G. (Góry) 143 C3-C5
Broome 158-159 F1, 2
Brugia 109 B5
Bruksela 109 B6
Brunei – państwo 118-119 I13
Brunszwik 102-103 B5
Brytyjskie, Wyspy 92-93 C3-C4
Brytyjskie Wyspy Dziewicze – teryt. zależne 152 A4
Brzecław 102-103 D8
Brześć 102-103 B11, 12
Buchara 126-127 E8
Budapeszt 102-103 E9
Budziszyn 102-103 C7
Buenos Aires 152 F4, 5
Buffalo 149 B7
Bug – rzeka 92-93 C7; 102-103 C12, B11
Bukareszt 102-103 F13
Bukittinggi 132 F2, 3
Bukowina – kraina hist. 102-103 E12-D13
Bulawayo 138 H5, 6
Bułgaria – państwo 94-95 D7
Bundaberg 159 II C3
Bungo, Cieśn. (Cieśnina) 133 D3
Burajda 128-129 C3
Burao 128-129 E3
Burbonia – kraina hist. 109 D5-D6
Burdekin – rzeka 159 II C2
Burejskie, Góry 116-117 D16; 126-127 E15-D15
Burg 102-103 B5
Burgas 112-113 C11
Burgos 110-111 A4, 5
Burgundia – kraina hist. 109 D5-D6
Buriacja – kraina hist. 126-127 D12-D13
Burkina Faso – państwo 138 D2-D3
Bursa 128-129 A1
Buru – wyspa 116-117 J15; 132 F8
Burundi – państwo 138 F6
Buszahr 128-129 C4
Butte 149 B3
Butterworth 132 D2, 3
Butung – wyspa 132 G7
Buzău 102-103 F13
Buzău – rzeka 102-103 F13
Bużumbura 138 F5, 6
Bydgoszcz 102-103 B9
Byrranga, Góry 126-127 B11-B13
Bystrzyca – rzeka 102-103 E12
Bytom 102-103 C9

C

Cabrera – wyspa 110-111 C8
Cabriel – rzeka 110-111 C6
Čačak 112-113 C7, 8
Cáceres 110-111 C3, 4
Caen 109 C3
Cagayan de Oro 132 D7, 8
Cagliari 112-113 E2
Cairns 158-159 F4
Cajdamska, Kotl. (Kotlina) 130-131 D5-D6
Calafat 102-103 FG11
Calais 109 B4
Calama 152 E4
Calamian, W-y (Wyspy) 132 C6
Clărăţi 102-103 F13
Calgary 144 D7, 8; 149 A3
Cali 152 B3
Callao 152 D3
Caltanissetta 112-113 F4
Caluula 128-129 D4
Caman 128-129 B5
Cambridge 108 E6, 7
Camplella, W-y (Wyspy) 158-159 J6, 7
Campinas 152 E5, 6
Campo Grande 152 E5
Campobasso 112-113 D5
Çanakkale 112-113 D11
Canaveral, Przyl. (Przylądek) 143 G11, 12; 149 D6, 7
Canberra 158-159 H4, 5
Cannes 109 F7
Cantal – góra 109 E5
Cape Breton – wyspa 149 B8, 9
Capitan Arturo Prat – st. badawcza 161 C31
Cape Evans – st. badawcza 161 B18-17
Capri – wyspa 112-113 D5
Capricorn, Cieśn. (Cieśnina) 159 II C3
Capricorn, W-y (Wyspy) 159 II C3
Caracas 152 B4
Caransebes 102-103 F10
Carbon, Przyl. (Przylądek) 110-111 E6
Carcassonne 109 F4, 5
Cardiff 108 F5
Carei 102-103 E11
Carlisle 108 D5
Carson City 144 F7; 149 C3
Cartagena 152 A3

Carupano 152 A4
Casablanca 138 B1, 2
Casey – st. badawcza 161 C12
Castellón de la Plana 110-111 BC7
Castelo Branco 110-111 C3
Catanzaro 112-113 E6
Ceará – stan 152 C6-C7
Cebu 132 C7
Cebu – wyspa 132 C7
Cecerleg 130-131 B7
Ceerigaabo 128-129 DE3
Cegléd 102-103 E9
Cejlon – wyspa 116-117 I11
Celebes, Morze 116-117 I15; 132 E7
Celebes (Sulawesi) – wyspa
116-117 J14, 15; 132 F6-F7
Celje 102-103 E7
Celle 102-103 B5
Celtyckie, Morze 108 F2-F4
Cernavoda 102-103 F13, 14
Cerro De Pasco 152 CD3
Cesena 112-113 B3, 4
Ceuta 110-111 E4
Chabarowsk 126-127 E15
Chafarinas, W-y (Wyspy) 110-111 E5, 6
Chakasja – kraina hist. 126-127 D10
Chalan Kanoa 158-159 C4, 5
Chalcydycki, Płw. (Półwysep) 112-113 D9
Chalkis 112-113 E9, 10
Châlon sur-Saône 109 D6
Châlons sur-Marne 109 C5, 6
Chambéry 109 E6
Changaj – góry 116-117 E12-E13; 130-131 B6-B7
Changchun 130-131 C11
Changde 130-131 F8, 9
Changsha 130-131 F9
Chania 112-113 G10
Chanka, J. (Jezioro) 130-131 C13
Chanty Mansyjsk 126-127 C8
Charg – wyspa 128-129 C3, 4
Charków 105 C5
Charleroi 109 B6
Charleston 144 F10; 149 C6, 7
Charleville 158-159 G4
Charleville-Mézières 109 C6
Charlottetown 149 B8, 9
Charters Towers 159 II C2
Chartum 138 D6
Chaskowo 112-113 D10
Chatanga 126-127 B12
Chatanga – rzeka 126-127 B11, 12
Chatham 108 F7
Chatham, W-y (Wyspy) 158-159 I8; 157 E7, 8
Chattanooga 149 C6
Chaves 110-111 B3
Cheb 102-103 C6
Chełm 102-103 C11
Chemnitz 102-103 C6
Chengdu 130-131 E7
Chentej – góry 130-131 B8
Cher – rzeka 109 D4
Cherbourg 109 C3
Chersoń 105 D4
Cheviot – góry 108 D5
Cheyenne 144 E8; 149 B4
Chiba 133 C5
Chibiny – góra 126-127 C5
Chicago 144 E9, 10; 149 B6
Chiclayo 152 C2, 3
Chihuahua 144 G8; 149 D4
Chile – państwo 152 G3-E4
Chiloé – wyspa 151 G3
Chimborazo – góra 151 C3
Chimki 105 B5
Chiny – państwo 118-119 F10-F12
Chioggia 112-113 B4
Chios – wyspa 112-113 E10
Chirripo – góra 151 B2
Chińska, Nizina 116-117 F14; 130-131 D9-E10
Chjargas-nuur, J. (Jezioro)
126-127 E11; 130-131 B5, 6
Chmielnicki 102-103 D13
Chociebuż 102-103 C6, 7
Chōkai – góra 133 C5
Chongqing 130-131 F8
Chorog 126-127 F9
Chorramabad 128-129 B3
Chorwacja – państwo 94-95 D6
Chorzów 102-103 C9
Chōshi 133 C5
Christchurch 158-159 I7
Chubsuguł, J. (Jezioro) 126-127 D11, 12; 130-131 A7
Chuquicamata 152 E3, 4
Chur 102-103 E4
Churchill 144 D9, 10; 149 A5
Churchill – rzeka 143 D13, 14; 149 A8
Chust 102-103 D11
Ciechanów 102-103 B10
Cîmpina 102-103 F12
Cîmpulung 102-103 F12
Cîmpulung Moldovenesc 102-103 E12, 13
Cinca – rzeka 110-111 B7
Cincinnati 149 C6
Cinlingszan – góry 116-117 F13-F14; 130-131 E8-E9
Cinto – góra 112-113 C2
Cirebon 132 G4
Cisa – rzeka 92-93 D6, 7; 102-103 D11; D10; F10
Ciudad Bolívar 152 B4
Ciudad Guayana 152 B4, 5
Ciudad Juárez 144 FG8; 149 C4
Ciudad Real 110-111 C5
Ciukas – góra 102-103 F13
Civitavecchia 112-113 C3
Clair – pole gazu ziemnego 106 A2
Clermont 159 II C2
Clermont-Ferrand 109 E5
Cleveland 144 E10, 11; 149 B6, 7
Clipperton – wyspa 6-7 H7
Coimbra 110-111 B2
Colorado – rzeka 151 F4
Columbia 144 F10, 11; 149 C6, 7
Columbretes, W-y (Wyspy) 110-111 C7
Columbus 144 F10, 11; 149 B6
Comet – rzeka 159 II C2
Como 112-113 B2
Como, J. (Jezioro) 112-113 AB2
Comodoro Rivadavia 152 G4
Commandante Ferraz – st. badawcza 161 C31
Concepción 152 F3
Concord 144 E11, 12; 149 B7, 8
Connecticut – stan 144 E11
Cooka, Cieśn. 157 E7
Cooka, G. (Góra) 157 E6, 7
Cooka, Wyspy – teryt. zależne 158-159 F9-G10
Cooktown 159 II B1,2
Coquimbo 152 E3
Corcaigh 108 F2
Córdoba 152 F4
Corno Grande – góra 112-113 C4
Coropuna – góra 151 D3
Corpus Christi 149 D5
Corralejo 110-111 I A4
Corse, Przyl. (Przylądek) 112-113 C2
Cortina d'Ampezzo 112-113 A4
Corumbá 152 D5
Corund 102-103 E12
Coryton 106 C3
Cosenza 112-113 E5, 6
Cotentin, Płw. (Półwysep) 109 C3
Cotopaxi – góra 151 C3
Coventry 108 E6
Covilhë 110-111 B3
Cremona 112-113 B2, 3
Cres – wyspa 112-113 B5
Crêt de la Neige – góra 109 D6
Creus, Przyl. (Przylądek) 110-111 A8
Creuse – rzeka 109 D4
Crocker – góry 132 E6-D6
Croker, Przyl. (Przylądek) 157 B3
Cross Fell – góra 108 D5
Crotone 112-113 E6
Crozeta, W-y (Wyspy) 6-7 N23
Cruden Bay 106 B2
Cuenca 110-111 B5, 6
Cuenca 152 C3
Cuiabá 152 D5
Culiacán 149 D4
Cuneo 112-113 B1
Curaçao – teryt. zależne 152 A4
Curtis – wyspa 159 II C3
Curtis, Cieśn. (Cieśnina) 159 II C3
Cuszima, W-y 133 D2
Cuszimska, Cieśnina 133 D2-C3
Cuxhaven 102-103 B4
Cuzco 152 D3, 4
Cyklady – wyspy 112-113 F10-F11
Cymlański, Zb. (Zbiornik) 126-127 E6; 105 D6
Cypr – wyspa 92-93 E8
Cyrenajka – kraina hist. 136 B5
Czad, J. (Jezioro) 136 D4
Czad – państwo 138 D4-D5
Czadu, Kotlina 136 D4
Czagos, W-y (Wyspy) 6-7 J24, 25; 116-117 J10
Czambal – rzeka 128-129 C6
Czandigarh 128-129 B6
Czany, J. (Jezioro) 126-127 D9
Czarikar 128-129 B5, 6
Czarna, Rzeka 132 A3
Czarne, Morze
92-93 D7-D8; 116-117 E5-E7; 105 E4-E5
Czarnobyl 102-103 C14, 15
Czarnogóra – kraina hist. 112-113 C7
Czarnohora – góra 102-103 E12
Czarnomorska, Nizina 105 D3-D4
Czeboksarski, Zb. (Zbiornik) 105 B7
Czeboksary 105 B7
Czechy – kraina hist. 102-103 D6-D7
Czechy – państwo 94-95 D6
Czelabińsk 126-127 D8
Czeluskin, Przyl. (Przylądek) 116-117 B12, 13;
126-127 B12, 13
Czerepowiec 105 B5
Czerkasy 105 D4
Czerkiesk 126-127 E6
Czerniachowsk 102-103 A10, 11
Czernihów 102-103 C15
Czerniowce 102-103 D12
Czerskiego, Góry
116-117 C16-C17; 126-127 C15-C16
Czerwona, Rzeka 116-117 G13; 130-131 G7
Czerwone, Morze
116-117 G6-H7; 136 C6-D7; 128-129 C2-D3
Czeskie Budziejowice 102-103 D6, 7
Czesko-Morawska, Wyż. (Wyżyna) 102-103 D7-D8
Częstochowa 102-103 C9, 10
Czhongdzin 133 B3
Czhongdzu 133 C2
Czhunczhon 133 C2
Cziang Maj 132 B2, 3
Cziang Raj 132 AB2
Cziduba – wyspa 128-129 D8
Czii-san – góra 133 C2
Czinduin – rzeka 128-129 C8
Czogori (K2) – góra 128-129 B6
Czojbalsan 130-131 B9, 10
Czomolungma (Mount Everest) – góra
116-117 G11; 130-131 F4
Czukocki, Płw. (Półwysep) 116-117 C21; 126-127 C20
Czukocki, Przyl. (Przylądek) 126-127 C20
Czukockie, Góry 116-117 C20-C21; 126-127 C19-C20
Czukockie, Morze
126-127 B20-C20 143 B2-C3; 162 B35-B36
Czulman 126-127 D14
Czyta 126-127 D13
Ćaman 128-129 B5
Ćandrapur 128-129 CD6, 7
Ćitral 128-129 B6
Ćottogram 128-129 C8

D

Da Lat 132 C4
Da Nang 132 B4
Dahlak, W-y (Wyspy) 128-129 D2, 3
Daito – wyspy 133 C6
Dajr az-Zaur 128-129 B2, 3
Dakar 138 D1
Daneborg – st. badawcza 162 B21-B20
Danmarks Havn – st. badawcza 162 B21-B20
Dhaka 128-129 C7, 8
Dakota Południowa – stan 144 E8-E9
Dakota Północna – stan 144 E8-E9
Dal – rzeka 92-93 B6; 107 C4
Dalandzadgad 130-131 C7, 8
Dalbandin 128-129 C5
Dali 130-131 F7
Dalian 130-131 D11
Dallas 144 F9; 149 C5
Dalmacja – kraina hist. 112-113 B5-C7
Dalniegorsk 126-127 E15
Dalnierieczeńsk 126-127 E15
Dalrymple – góra 159 II C2
Damar, W-y (Wyspy) 132 G8
Damaszek 128-129 B2
Dandong 130-131 D11
Dania – państwo 94-95 C5-C6
Daqing 130-131 B11
Dar Fur – góry 136 D5
Dar es-Salaam 138 F6, 7
Darchan 130-131 B8
Dardanele – cieśnina
92-93 ED7; 116-117 EF5; 105 FE3
Dardżyling 128-129 C7
Darling – rzeka 157 D4
Darmstadt 102-103 D4
Dart, Przyl. (Przylądek) 161 B23-24
Darwin 158-159 F3
Darwin – góra 151 H3, 4
Daszoguz 126-127 E7
Datong 130-131 CD9
Datuk, Przyl. (Przylądek) 132 E4, 5
Davao 132 D7, 8
Davis – st. badawcza 161 C8
Davisa, Cieśn. (Cieśnina) 143 C13-C14
Davisa, Morze 161 C10
Davos 102-103 E4, 5
Dawangere 128-129 D6
Dawson – rzeka 159 II C2
Debreczyn 102-103 E10
Degeh Bur 128-129 E3
Dehui 133 B2
Dej 102-103 E11, 12
Dekan – wyżyna
116-117 H10-G10; 128-129 D6-C7
Delaware – stan 144 F11
Delfinat – kraina hist. 109 E6
Delfy 112-113 E9
Delhi 128-129 C6
Delmenhorst 102-103 B3, 4
Demokratyczna Republika Konga – państwo
138 F4-F5
Dempo – góra 132 F3
Den Helder 102-103 B1, 2
Denau 126-127 F8
Denizli 105 F3
Denpasar 132 G5, 6
Denver 144 F8; 149 B4
Derby 108 E6
Des Moines 144 E9; 149 B5
Deseado 152 G4
Desje 128-129 D2
Desna – rzeka 105 C4
Dessau 102-103 C6
Detroit 144 E10, 11; 149 B6
Deva 102-103 F11
Devodi – góra 128-129 D7
Devon – wyspa 143 B11
Dewnia 112-113 C11
Dezful 128-129 B3
Dębica 102-103 CD10
Dhaulagiri – góra 128-129 C7
Dhule 128-129 C6
Dibrugarh 128-129 C8
Dien Bien Phu 132 A3
Dieppe 109 C4
Dieżniewa, Przyl. (Przylądek)
116-117 C22; 126-127 C21
Dijon 109 D6
Dikson 126-127 B9, 10
Dili 132 G8
Dimitrowgrad 112-113 C10, 11
Dindigal 128-129 DE6
Dire Daua 138 E7
Disu 128-129 B5
Diyarbakir 128-129 B3
Dniepr – rzeka 92-93 C8; D8; 105 C4
Dniepropetrowsk 105 D5
Dniestr – rzeka 92-93 D7; 102-103 D12; E14
Dobrej Nadziei, Przyl. (Przylądek) 136 I4
Dobricz 112-113 C11, 12
Dobrudża – kraina hist. 112-113 C11-B12
Dobszyna 102-103 D9, 10
Dodoma 138 F6
Dogger Bank – ławica 106 C3-B3
Doi Inthanon – góra 132 B2
Dolna Gwinea – kraina 136 E3, 4-G4
Dolna Saksonia – kraina hist. 102-103 B3-B5
Dolna Tunguzka – rzeka 126-127 CD12; C11
Dolo 128-129 E3
Dolomity – góry 102-103 E5-E6
Dominika – państwo 152 A4
Dominikana – państwo 144 GH11-GH12
Don – rzeka 92-93 C8-D9; 105 C5-D6
Dondra, Przyl. (Przylądek) 116-117 I11; 128-129 E7
Donegal, Zat. (Zatoka) 108 D2
Dong – rzeka 132 C4
Doniec – rzeka 92-93 D8; 105 D5
Donieck 105 D5
Dordogne – rzeka 109 E4
Dortmund 102-103 C3, 4
Douai 109 B5
Doubs – rzeka 109 D6
Dover 108 F7
Dover 144 F11; 149 C7
Drama 112-113 D10
Drammen 107 D2, 3
Drawa – rzeka 92-93 D6; 102-103 E6; E8; F9
Drawa – rzeka 102-103 B7, 8
Drezno 102-103 C6, 7
Drin – rzeka 112-113 C8
Drina – rzeka 112-113 C7-B7
Drobeta-Turnu Severin 102-103 F11
Drohobycz 102-103 D11
Drwęca – rzeka 102-103 B9
Duala 138 E3, 4
Dubaj 128-129 C4
Dublin (Baile Átha Cliath) 108 E3, 4
Dubna 105 B5
Dubrownik 112-113 C7
Dudinka 126-127 C10
Duero – rzeka 92-93 D4; 110-111 B5; B2
Dugi Otok – wyspa 112-113 B5-C5
Duisburg 102-103 C3
Dukm 128-129 D4
Dukou 130-131 F7
Duluth 149 B5
Dumai 132 E3
Dumont d'Urville – st. badawcza 161 C14
Dunaj – rzeka 92-93 D5, 6; D6; D7;
46-103 D4; D6, 7, E9; F9; F11; F14
Dunajec – rzeka 102-103 D9, 10
Dunaújváros 102-103 E9
Duncansby, Przyl. (Przylądek) 108 B5, 6
Dundee 108 C5
Dunedin 158-159 I7
Dunhua 133 B2
Dunkierka 109 B4, 5
Duńska, Cieśn. (Cieśnina) 92-93 B2-B3; 143 C17-C16
Durance – rzeka 109 F6
Durban 138 H6
Durg 128-129 C7
Durmitor – góra 112-113 C7
Durrës 112-113 D7
D'Urville'a, Morze 161 C14
Düsseldorf 102-103 C3
Duszanbe 126-127 F8, 9
Dwina – rzeka 92-93 B9; 126-127 C6
Dyja – rzeka 102-103 D7
Dymbowica – rzeka 102-103 F12
Dynarskie, Góry 92-93 D6; 112-113 B6-C7
Dyneburg 105 B3
Dystrykt Kolumbii – stan 144 F11
Dzawchan – rzeka 130-131 B5, 6
Dzedzu 133 D2
Dzedzu-do – wyspa 130-131 E11, 12; 133 D2
Dzierżyńsk 105 B6
Dzondzu 133 C2
Dzun-Mod 130-131 B8
Dżabalpur 128-129 C7
Dżagdalpur 130-131 H3
Dżajpur 128-129 C6
Dżakobabad 128-129 C5
Dżalandhar 128-129 B6
Dżalgaon 128-129 C6
Dżammu 128-129 B6
Dżamnagar 128-129 C5, 6
Dżamśedpur 128-129 C7
Dżhansi 128-129 C6, 7
Dżodhpur 128-129 C6
Dźwina – rzeka 92-93 C7; 105 B3
Dżabal Marra – góra 136 D5
Dżabal Tuwajk – góry 128-129 D3-C3
Dżabal-Hidżaz – góry 128-129 C3-D3
Dżafna 128-129 E7
Dżagdalpur 128-129 D7
Dżahrom 128-129 C4
Dżakarta 132 G4
Dżalalabad 128-129 B5, 6
Dżibuti 138 D7
Dżibuti – państwo 138 D7

Dżimma 138 E6
Dżizan 128-129 D3
Dżos 138 E3, 4
Dżuba 138 E5, 6
Dżuba – rzeka 128-129 E3
Dżudda 128-129 C2
Dżugdżur – góry 126-127 D15-D16
Dżungaria – kraina hist. 130-131 B3-C5
Dżungarska, Kotlina 116-117 E11-E12; 130-131 B4

E

Easington 106 C3
East London 138 I5, 6
Eberswalde 102-103 B6
Ebro – rzeka 92-93 D4; 109 F2
Écija 110-111 D4
Edam 102-103 B2
Edesa 112-113 D9
Edgéa, W. (Wyspa) 126-127 B4, 5
Edirne 112-113 D11
Edmonton 144 D7; 149 A3, 4
Edremit 112-113 E11
Edynburg 108 D5
Egadi, W-y (Wyspy) 112-113 E4
Egejskie, Morze 92-93 E7; 112-113 E10-F11
Eger 102-103 DE10
Egipt – państwo 138 C5-C6
Eifel – góry 102-103 C3
Eindhoven 102-103 C2
Eisenach 102-103 C4, 5
Eisenerz 102-103 E7
Eisenhüttenstadt 102-103 BC6, 7
Eisleben 102-103 C5
Ejlat 128-129 BC2
Ekibastuz 126-127 D9
Ekofisk – pole ropy naftowej 106 B3
Ekwador – państwo 152 C3
El Ferrol 110-111 A2
El Paso 144 F8; 149 C4
El Wak 128-129 E2, 3
ElEzig 128-129 B2
Elba – wyspa 92-93 D6; 112-113 C3
Elbasan 112-113 D7
Elbląg 102-103 A9
Elbrus – góra 92-93 D9; 105 E6
Elburs – góry 116-117 F8; 128-129 B4
Elche 110-111 C6
Elista 105 D6
Ellesmere'a, W. (Wyspa) 143 B11-A12
Ellice, W-y (Wyspy) 157 A7-A8
Ellswortha, G. (Góry) 161 B27-A29
Ellswortha, Ziemia – kraina 161 B29-B27
Elur 128-129 D7
Ełk 102-103 B11
Emamshahr 128-129 B4
Emba – rzeka 92-93 D10; 126-127 E7
Emden 102-103 B3
Emerland 159 II C2
Emi Kussi – góra 136 C4
Emilia-Romania – kraina hist. 112-113 B2-B3
Ems – rzeka 102-103 B3
En Hazewa 128 I C1
Ende 132 G7
Enderby, Ziemia – kraina 161 C5-6
Engels 105 C7
Enggano – wyspa 132 FG3
Enna 112-113 F5
Enschede 102-103 B3
Enugu 138 E3
Épinal 109 C7
Epir – kraina hist. 112-113 E8
Erdenet 130-131 B7, 8
Erebus, Mt. (Mount) – góra 161 B18
Erenhot 130-131 C9
Erfurt 102-103 C5
Erg Igidi – pustynia 136 C2
Erg Rabiana – pustynia 136 C4-C5
Erg Szesz – pustynia 136 C2
Erg Ténéré – pustynia 136 D4
Erie, J. (Jezioro) 143 E11; 149 B6
Erimo, Przyl. (Przylądek) 133 B5
Erlangen 102-103 D5
Erytrea – państwo 138 D6-D7
Erywań 128-129 A3
Erzurum 128-129 B3
Esbjerg 107 D2
Escarpada, Przyl. (Przylądek) 130-131 H11
Eskilstuna 107 D4
Eskisehir 105 EF4
Esla – rzeka 110-111 A4;B4
Esperanza – st. badawcza 161 C31
Espirito Santo – stan 152 D6
Espoo 107 C5
Essen 102-103 C3
Esslingen 102-103 D4
Estonia – państwo 94-95 C7
Estońska SRR 127 I
Estrela – góra 110-111 B3
Estrela – góry 110-111 C2-B3
Estremadura – kraina hist. 110-111 C3
Estremandura – kraina hist. 110-111 C2-B2
Etiopia – państwo 138 E6-E7
Etna – góra 92-93 E6; 112-113 F5
Eubea – wyspa 112-113 E9-E10
Eufrat – rzeka 116-117 F7; 128-129 B2, 3; B3
Eugene 149 B2
Eupatoria 105 D4
Eureka – st. badawcza 162 AB27
Évora 110-111 C2, 3
Exeter 108 F5
Eyl 128-129 E3
Eyre, J. (Jezioro) 157 C3, 4

F

Faaone 159 III B2
Fagernes 107 C2
Fairbairn, J. (Jezioro) 159 II C2
Fairbanks 144 C3, 4
Fajsalabad 128-129 B6
Fajum 128-129 C1, 2
Fakaofo 158-159 E8, 9
Falklandy (Malwiny) – teryt. zależne 152 H5, 6
Falklandy (Malwiny) – wyspy 151 H4, 5
Falso, Przyl. (Przylądek) 143 G8; 149 E3
Falster – wyspa 107 E3
Falun 107 C4
Fan Si Pan – góra 132 A3
Faraday – st. badawcza 161 C30
Farah 128-129 B5
Farasan, W-y (Wyspy) 128-129 D3
Faro 110-111 D3
Farsala 112-113 E9
Farvel, Przyl. (Przylądek) 143 D15, 16
Fautaua – rzeka 159 III B1
Fawley 106 C2
Faxaflói, Zat. (Zatoka) 107 I B1
Fazzan – kraina 136 C4
Fdajrik 138 C1, 2
Feerfeer 128-129 E3
Fehmarn – wyspa 102-103 A5
Feniks, W-y (Wyspy) 158-159 E8
Fergańska, Kotlina 126-127 E9; 128-129 A6
Fernando de Noronha – wyspa 151 C7
Ferrara 112-113 B3, 4
Fetesti 102-103 F13, 14
Fez 138 B2
Fidżi – państwo 158-159 FG7,8
Fidżi, Morze 157 C7-D7
Fidżi, W-y (Wyspy) 157 B7
Fieri 112-113 D7
Filadelfia 144 F11; 149 BC7
Filchnera, Lodowiec Szelfowy 161 B32-33
Filipiny – państwo 118-119 H14-I14
Filipiński, Rów 6-7 H30-I31; 132 C8-E8
Filipińskie, Morze 116-117 H15-H16
Finisterre, Przyl. (Przylądek) 110-111 A2
Finlandia – państwo 94-95 B7
Finnart 106 B1, 2
Fionia – wyspa 107 D3
Firth of Clyde – zatoka 108 D4
Firth of Forth – zatoka 108 C5-C6
Fishguard 108 F4
Fińska, Zatoka 92-93 C7-B7; 107 D5-C6
Fińskie, Pojezierze 92-93 B7; 107 C5-C6
Fitzory – rzeka 159 II C2,3
Flandria – kraina hist. 109 B5
Flensburg 102-103 A4, 5
Florencja 112-113 C3
Flores – wyspa 116-117 J15; 132 G7
Flores, Morze 132 G6-G7
Florianópolis 152 E6
Flórina 112-113 D8
Floryda – stan 144 F10-G10
Floryda, Płw. (Półwysep) 143 F11-G11; 149 D6
Florydzka, Cieśn. (Cieśnina) 149 D6-D7
Flotta 106 B2
Foggia 112-113 D5
Fokszany 102-103 F13
Foldfjorden – zatoka 107 C2, 3
Foligno 112-113 C4
Fontainebleau 109 C5
Forli 112-113 B3
Formentera – wyspa 110-111 C7
Formosa 152 E4, 5
Fort Albany 149 A6
Fort Rupert 149 A7
Fort Sandeman 128-129 B5
Fortaleza 152 C7
Forties – pole ropy naftowej 106 B3
Francja – państwo 94-95 D4-D5
Francuska, Nizina 92-93 D4-D5; 109 F3-C5
Frankfort 149 C6
Frankfurt 102-103 B6, 7
Frankfurt n. (nad) M. (Menem) 102-103 C4
Frankońska, Wyżyna 102-103 D5
Fraserburgh 106 B2
Fredericia 106 B4
Fredericton 144 E12; 149 B8
Frederikshavn 107 D3
Freetown 138 E1
Fresno 149 C3
Frigg – pole gazu ziemnego 106 B3
Fryburg 102-103 D3, 4
Fryburg 102-103 E3
Fryzja – kraina hist. 102-103 B3
Fudżi – góra 116-117 F16; 133 C4
Fuerteventura – wyspa 110-111 I A3, 4
Fuji 133 CD4
Fukui 133 C4
Fukuoka 133 D2, 3
Fukushima 133 C5
Fulanga – wyspa 159 I C3
Fulda 102-103 C4
Fulda – rzeka 102-103 C4
Fürth 102-103 D5
Fushun 130-131 C11, 12
Fuxin 130-131 C11
Fuyu 133 A1, 2
Fuzhou 130-131 F10, 11

G

Gabon – państwo 138 F3-F4
Gaborone 138 H5
Gabrowo 112-113 C10
Gaeta 112-113 D4
Gaillimh 108 E2
Gaja 128-129 C7
Galápagos, W-y (Wyspy) (Żółwie, W-y) 151 B1, 2
Galdar 110-111 I A3
Galicja – kraina hist. 110-111 A2-A3
Galilea – kraina hist. 128 I B1
Galla 128-129 E6
Gallinas, Przyl. (Przylądek) 151 H4
Gällivare 107 B5
Gallo, Przyl. (Przylądek) 112-113 E4
Gałacz 102-103 F13
Gambia – państwo 138 D1
Gandawa 109 B5, 6
Gandhinagar 128-129 C6
Ganges – rzeka 116-117 G11; 128-129 C6
Gangesu, Nizina 116-117 G10-G11; 128-129 C6-C7
Ganzhou 130-131 F9, 10
Gao 138 D3
Garda, J. (Jezioro) 112-113 B3
Gargano, Płw. (Półwysep) 112-113 D5-D6
Garmisch-Partenkirchen 102-103 E5
Garonna – rzeka 92-93 D5; 109 F4; E4
Garoowe 128-129 E3
Garoua 138 E4
Gaskonia – kraina hist. 109 F3-F4
Gata, Przyl. (Przylądek) 110-111 D5, 6
Gauhati 128-129 C8
Gaussa, Góra 161 C9
Gävle 107 C4
Gaza 128-129 B2
Gaziantep 128-129 B2
Gbely 102-103 D8
Gdańsk 102-103 A9
Gdańska, Zat. (Zatoka) 102-103 A9
Gdynia 102-103 A9
Gediz – rzeka 112-113 E11
Gedser 102-103 A6
Geelong 158-159 H3, 4
Gejiu 130-131 G7
Geladi 128-129 E3
Gelibolu 112-113 D11
Gelibolu, Płw. (Półwysep) 112-113 D11
Gelsenkirchen 102-103 C3
General Belgrano II – st. badawcza 161 B33-34
Gen. (General) Bernardo O'Higgins – st. badawcza 161 C31
Gen. (General) San Martin – st. badawcza 161 CB30
Genewa 102-103 E3
Genewskie, J. (Jezioro) 102-103 E3
Genezaret, J. (Jezioro) 128 I B1, 2
Genil – rzeka 110-111 D4
Genua 112-113 B2
Genueńska, Zat. (Zatoka) 112-113 B2-C2
Georg von Neumayer – st. badawcza 161 CB35-36
Georgetown 152 B5
Georgia – stan 144 F10
Georgia Pd. (Południowa) – wyspa 6-7 O14; 151 H7
Gera 102-103 C6
Gerlach – góra 92-93 D7; 102-103 D10
Gerona 110-111 AB8
Getynga 102-103 C5
Gevgelija 112-113 D9
Ghana – państwo 138 E2-E3
Ghaty Wschodnie – góry 116-117 H10-H11; 128-129 D6-C7
Ghaty Zachodnie – góry 116-117 H10; 128-129 C6-D6
Ghazni 128-129 B5
Gheorgheni 102-103 E12
Giandża 128-129 A3
Gibraltar 110-111 D4
Gibraltarska, Cieśnina 92-93 E4; 110-111 E3-D4
Giessen 102-103 C4
Gifu 133 C4
Gijón 110-111 A4
Gilberta, W-y (Wyspy) 158-159 D7-E7
Gilgit 128-129 B6
Gillam 149 A5
Gin Gin 159 II C3
Giona – góra 112-113 E9
Giurgiu 102-103 G12
Giza 138 C5
Gjirokastra 112-113 DE7, 8
Gjovik 107 C2, 3
Gladstone 159 II C3
Glasgow 108 D4
Glittertind – góra 107 C2
Gliwice 102-103 C9
Glomma – rzeka 107 C3
Gmünd 102-103 D7
Gniezno 102-103 B8
Goba 128-129 E3
Gobi – pustynia 116-117 E12-E14; 130-131 C6-C9
Godaweri – rzeka 128-129 D6
Goiânia 152 D5, 6
Goiás – stan 152 D5, 6
Gol 107 C2
Golan, Wzgórza 128 I B1, 2
Goljam Perelik – góra 112-113 D10
Golmud 130-131 D6
Gomera – wyspa 110-111 I A2
Gomera, W-y (Wyspy) 110-111 E4
Gorakhpur 128-129 C7
Gorgan 128-129 B4
Gorkowski, Zb. (Zbiornik) 105 B6
Görlitz 102-103 C7
Gornoałtajsk 126-127 D10
Gorontalo 132 E7
Goru – góra 102-103 F13
Gorycja 112-113 B4
Gorzów Wielkopolski 102-103 B7, 8
Göteborg 107 D3
Gotha 102-103 C5
Gotlandia – wyspa 92-93 C6; 107 D4
Gotlandzka, Głębia 107 D5
Gotō, W-y 133 D2
Gozo – wyspa 112-113 F5
Górna Gwinea – kraina 136 E2-E3
Górne, J. (Jezioro) 143 E10, 11; 149 B5, 6
Górnego Nilu, Kotlina 136 D6-E6
Górnośląski Okręg Przemysłowy (GOP) 102-103 CD9
Graciosa – wyspa 110-111 I A4
Grahama, Ziemia – kraina hist. 161 C30-31
Grampiany – góry 92-93 C4; 108 C4-C5
Gran Canaria – wyspa 110-111 I B3
Gran Chaco – region 151 E4-E5
Gran Paradiso – góra 112-113 B1
Granadilla de Abona 110-111 I A2
Grangemouth 106 B2
Graz 102-103 E7
Grecja – państwo 94-95 E7
Greenock 108 D4
Greenwich 108 F6, 7
Grenada 110-111 D4, 5
Grenada – państwo 152 A4, 5
Grenlandia – teryt. zależne 144 B14-C14
Grenlandia – wyspa 6-7 C13-B14; 143 B15-C15; 162 C23-A21
Grenlandzkie, Morze 116-117 C2-B3; 162 B20-B19
Grenoble 109 E6
Grimsby 108 E6, 7
Grisk 128-129 B5
Grodno 102-103 B11, 12
Groningen 102-103 B3
Grosseto 112-113 C3
Grossglockner – góra 102-103 E6
Grozny 105 E7
Grudziądz 102-103 B9
Gruzińska SRR 127 I
Gruzja – państwo 118-119 E6
Guadalajara 110-111 B5
Guadalajara 144 G8; 149 D4
Guadalete – rzeka 110-111 D4
Guadalupe – wyspa 143 G7, 8; 149 D3
Guam – teryt. zależne 158-159 C4
Guangyuan 130-131 E8
Guardafui, Przyl. (Przylądek) 136 D7, 8; 128-129 D4
Guayaquil 152 C2
Guayaquil, Zatoka 151 C2
Guernsey – wyspa 108 G5
Guia de Isora 110-111 I A2
Guilin 130-131 F9
Guiyang 130-131 F8
Gujana – państwo 152 B4-B5
Gujana Francuska – teryt. zależne 152 B5, 6
Gujańska, Wyżyna 151 B4-B5
Gujenna – kraina hist. 109 E4
Gulbarga 128-129 D6
Gullfaks – pole ropy naftowej 106 A3
Guntur 128-129 D6, 7
Gunungsitoli 132 E2
Guszgy 126-127 F8
Gwadalkiwir – rzeka 92-93 E4; 110-111 D4
Gwadar 128-129 C5
Gwadelupa – teryt. zależne 152 A4, 5
Gwadiana – rzeka 110-111 C5;C3, 4; D3
Gwalijar 128-129 C6
Gwatemala 144 H9
Gwatemala – państwo 144 H9-H10
Gwen – pole gazu ziemnego 106 B3
Gwinea – państwo 138 D1-E2
Gwinea Bissau – państwo 138 D1
Gwinea Równikowa – państwo 138 E3, 4
Gwinejska, Zatoka 136 E2-E3
Gydański, Płw. (Półwysep) 116-117 BC10, 11; 126-127 B9-C10
Györ 102-103 E8

H

Haarlem 102-103 B2
Hachinohe 133 B5
Hadd, Przyl. (Przylądek) 128-129 C4, 5
Hadramaut – kraina hist. 128-129 D3-D4
Hadżar – góry 128-129 C4
Hafun, Przyl. (Przylądek) 136 DE8; 128-129 D4
Haga 102-103 B1, 2
Hagåtña 158-159 C4
Hagen 102-103 C3
Haikou 132 B5
Hail 128-129 C3
Hailar 130-131 B10, 11
Hailin 133 B2
Hailong 133 B2
Haiti – państwo 144 G11
Haiti – wyspa 6-7 H10; 143 H13
Hajdarabad 128-129 C5, 6
Hajdarabad 128-129 D6
Hajfa 128-129 B2
Hajfong 132 A4
Hajnan – wyspa 116-117 H14; 132 B5
Hajnańska, Cieśn. (Cieśnina) 130-131 G8-G9
Hakodate 133 B5
Halab 128-129 B2
Halaib 128-129 C2

Halberstadt 102-103 C5
Halifax 108 E5
Halifax 144 E12; 149 B8
Halifax – góra 159 II B2
Halle 102-103 C5
Halley Bay – st. badawcza 161 B33-34
Halmahera – wyspa 116-117 I15; 132 F8
Hamadan 128-129 B3
Hamamatsu 133 D4
Hamar 107 C3
Hamburg 102-103 B5
Hamersley, G. (Góry) 157 C1-C2
Hamhyng 133 B2
Hami 130-131 C5
Hamilton 149 B7
Hamm 102-103 C3, 4
Hammerfest 107 A5
Han Szuej – rzeka 130-131 E9
Handan 130-131 D9
Hangzhou 130-131 EF10
Hanko 107 D5
Hanoi 132 A4
Hanower 102-103 B4
Harare 138 G6
Harbin 130-131 B11, 12
Hardangerfjorden – zatoka 107 D1, 2
Hardangervidda – góry 107 C2
Harer 128-129 E3
Hargejsa 138 E7
Hari – rzeka 132 F3
Haria 110-111 I A4
Harirud – rzeka 128-129 B5
Härnösand 107 C4
Harrisburg 144 E10, 11; 149 B7
Hartford 144 E11, 12; 149 B7
Harz – góry 102-103 C5
Hastings 108 F7
Hatteras, Przyl. (Przylądek) 143 F12; 149 C7
Haugesund 107 D2
Haukivesi, J. (Jezioro) 107 C6
Haura 128-129 C7
Hawaii – wyspa 158-159 C10; 144 I A2, 3
Hawaje – stan 144 I A2
Hawaje – wyspy
6-7 G1-G2; 158-159 B8-B10; 144 I A1-A3
Hawana 144 G10; 149 D6
Hawela – rzeka 102-103 B6
Hawr 109 C4
Hebrydy – wyspa 92-93 C4; 108 C3-B3
Hebrydzkie, M. (Morze) 108 C3
Hedzu 133 C2
Hefei 130-131 E10
Hegang 130-131 B13
Heidelberg 102-103 D4
Heilbronn 102-103 D4
Heimdal – pole gazu ziemnego 106 B3
Hekla – góra 92-93 B3; 107 I B2
Hel 102-103 A9
Helena 144 E7, 8; 149 B3, 4
Helgoland – wyspa 102-103 A3
Helgolandzka, Zat. (Zatoka) 102-103 A3-A4
Helmand – rzeka 128-129 B5
Helsingborg 107 D3
Helsinki 107 C5, 6
Heluan 128-129 C2
Hengyang 130-131 F9
Henzada 128-129 D8
Herat 128-129 B5
Hermosillo 149 D3, 4
Heysham 106 C2
Hidżaz – kraina hist. 128-129 C2-C3
Hierro – wyspa 110-111 I B1
Hildesheim 102-103 B4, 5
Hilo 144 I B2
Himalaje – góry 116-117 F10-G12; 130-131 E2-F5
Hims 128-129 B2
Hindukusz – góry 116-117 F9-F10; 128-129 B5-B6
Hinnøy – wyspa 107 B4
Hirakud, Zb. (Zbiornik) 128-129 C7
Hiretoko, Przyl. (Przylądek) 133 B5, 6
Hiroszima 133 D3
Hirtshals 107 D3
Hiszpania – państwo 94-95 E4-D5
Hitachi 133 C5
Hiuma – wyspa 92-93 C7; 107 D5
Hjesan 133 B2
Hjørring 107 D2
Hkakabo Razi – góra 130-131 F6
Hobart 158-159 I4
Hódmezővásárhely 102-103 E10
Hofsjökull – lodowiec 107 I B2
Hohhot 130-131 C9
Hokkaido – wyspa 116-117 E17; 133 B5
Holandia – państwo 94-95 C5
Homel 102-103 B15
Honduras – państwo 144 H10
Hongkong 130-131 G9, 10
Honiara 158-159 E5
Honolulu 144 I A2
Honsiu – wyspa 116-117 F16; 133 C3-B4
Horn, Przyl. (Przylądek) 92-93 B2; 107 I A1
Hornad – rzeka 102-103 D10
Horyń – rzeka 102-103 CD13; C13
Hośab 128-129 C5
Hotan 130-131 D2, 3
Houston 144 G9; 149 D5
Howland – wyspa 158-159 D8
Hradec Králové 102-103 C7, 8
Hron – rzeka 102-103 D9
Huainan 130-131 E9, 10
Huambo 138 G4
Huancayo 152 D3
Huang-he (Rzeka Żółta) – rzeka
116-117 F13; F14; 130-131 E6, 7; D9
Huangshi 130-131 F9
Huascarán – góra 151 C3
Hubli-Dharwar 128-129 D6
Hudsona, Cieśn. (Cieśnina) 143 C12-C13
Hudsona, Zatoka 143 C11-D11
Hudsońska, Nizina 143 D10-D11; 149 A5-A6
Hue 132 B4
Huelva 110-111 D3
Huize 130-131 F7
Hull 106 C2, 3
Hulun-Nur, J. (Jezioro) 130-131 B10
Humenné 102-103 D10, 11
Húna, Zat. (Zatoka) 107 I A1
Hunedoara 102-103 F11
Hunghenden 159 II C1,2
Hunsrück – góry 102-103 D3-C3
Huron, J. (Jezioro) 143 E11; 149 B6
Hvannadalshnúkur – góra 107 I B2
Hvar – wyspa 112-113 C6
Hyiczhon 133 B2
Hyngnam 133 C2
Hyéres, W-y (Wyspy) 109 F7

I

Ibadan 138 E3
Iberyjski, Płw. (Półwysep) 92-93 D4-E4
Iberyjskie, Góry 92-93 D4; 110-111 A5-B6
Ibiza 110-111 C7
Ibiza – wyspa 92-93 E5; 110-111 C7
Icod de Los Vinos 110-111 I A2
Idaho – stan 144 E7
Idfu 128-129 C2
Igarka 126-127 C10
Igielny (Agulhas), Przyl. (Przylądek) 136 I5
Iglesias 112-113 E2
Iguaçu – rzeka 151 E5
Iguaçu, Wdp. (Wodospad) 151 E5
Igława 102-103 D7, 8
Iiu – rzeka 102-103 F11; G11
IJselmeer – jezioro 102-103 B2
Ikaria – wyspa 112-113 F11
Ili – rzeka 126-127 E9; 128-129 A6
Iliamna – góra 143 C4
Iligan 132 D7
Illinois – stan 144 E9-E10
Ilmen, J. (Jezioro) 105 B4
Iloilo 132 C7
Iława 102-103 B9
Imandra, J. (Jezioro) 107 B7
Imatra 107 C6
Imatra, Wdp. (Wodospad) 107 C6
Immingham 106 C3
Imperia 112-113 C2
Imphal 128-129 C8
Imroz – wyspa 112-113 D10
In Amenes 138 C3
Inari 107 B6
Inari, J. (Jezioro) 92-93 B7; 107 B6
Inczhon 133 C2
Indaur 128-129 C6
Indefatigable – pole gazu ziemnego 106 C3
Indiana – stan 144 E10
Indianapolis 144 EF10; 149 B5, 6
Indie – państwo 118-119 H9-H10
Indochiński, Płw. (Półwysep)
116-117 H12-H13; 132 B2-C4
Indoga – rzeka 130-131 A9
Indonezja – państwo 118-119 J12-J15
Indre – rzeka 109 D4
Indusu, Nizina 116-117 G9-F10; 128-129 C5-B6
Indus – rzeka 116-117 F10; G9; 128-129 B6; C6; C5
Indygirka – rzeka 126-127 BC16
Indyjski, Ocean 6-7 J23-M28; 163
Indyjski, Półwysep 116-117 G10-H11; 128-129 D6
Ingolstadt 102-103 D5
Inn – rzeka 92-93 D6; 102-103 E5
Innisfail 159 II B2
Innsbruck 102-103 E5
Interlaken 102-103 E3
Invergordon 106 B1, 2
Iowa – stan 144 E9
Ipoh 132 E3
Ipola – rzeka 102-103 D9
Ipswich 108 E7
Iqaluit 144 C12
Iquique 152 DE3
Iquitos 152 C3
Irak – państwo 118-119 F6
Iraklion 112-113 G10
Iran – państwo 118-119 F6-F7
Iran, G. (Góry) 132 E5-E6
Irawadi – rzeka 116-117 GH12; 128-129 C8; D8
Irańska, Wyżyna 116-117 F8; 128-129 B4
Irbid 128 I B1
Irkuck 126-127 D12
Irlandia Pn. (Północna) – kraina hist. 108 D3
Irlandia – państwo 94-95 C4
Irlandia – wyspa 92-93 C4
Irlandzkie, Morze 92-93 C4; 108 D4-E5
Iroise – zatoka 109 C1
Irtysz – rzeka
116-117 D10; D9, 10; 126-127 E10; D9; CD8
Is – rzeka 109 E6
Isac – rzeka 159 II C2
Isafjördur 107 I A1
Iseo, J. (Jezioro) 112-113 B3
Isernia 112-113 D4, 5
Isfahan 128-129 B4
Ishinomaki 133 C5
Iskyr – rzeka 112-113 C10
Islamabad 128-129 B6
Islandia – państwo 94-95 B2-B3
Islandia – wyspa 92-93 B2-B3
Ismaila Samaniego – góra
116-117 F9, 10; 126-127 F9
Isna 128-129 C2
Isparta 128-129 B1, 2
Issyk-kul, J. (Jezioro) 126-127 E9; 130-131 C2
Istria, Płw. (Półwysep) 112-113 B4-B5
Iszym – rzeka 126-127 D8
Ivalo 107 B6
Ivrea 112-113 B1
Iwaki 133 C5
Iwano-Frankowsk 102-103 D12
Iwanowo 105 B5, 6
Iwate – góra 116-117 E17; 133 BC5
Izera – rzeka 102-103 D5
Izmaił 102-103 F14
İzmir 128-129 B1
Izrael – państwo 118-119 F5
Izu, W-y 133 D4
Iżewsk 126-127 D7

J

Jablonec n. (nad) N. (Nisou) 102-103 C7
Jabłonowe, Góry
116-117 D13-D14; 126-127 D12-D13
Jackson 144 F10; 149 C5, 6
Jaén 110-111 D4, 5
Jajce 112-113 B6
Jakucja – kraina hist. 126-127 C13-C16
Jakuck 126-127 C14
Jalu – rzeka 133 B2
Jalu Ciang – rzeka 130-131 C12
Jałomica – rzeka 102-103 F13
Jafta 105 E4
Jamajka – państwo 144 G11
Jamajka – wyspa 143 H11, 12
Jamantau – góra 116-117 D8; 126-127 D7
Jamał, Płw. (Półwysep)
116-117 CB9, 10; 126-127 C9-B9
Jambi 132 F3
Jamboł 112-113 C11
Jamusukro 138 E2
Jan Mayen – wyspa 92-93 A4
Jana – rzeka 126-127 C15
Janbie – wyspa 128-129 D8
Janbu al-Bahr 128-129 C2
Jandia, Przyl. (Przylądek) 110-111 I A3
Jangcy – rzeka 116-117 F12; FG12; F13, 14;
130-131 E6; E8, 9; E10
Jangjang 133 C2
Janina 112-113 E8
Janów 107 DE5
Japonia – państwo 118-119 G15-E16
Japoński, Rów 6-7 E32-F32
Japońskie, Morze 116-117 E16-F16; 133 B3-C4
Japońskie, Wyspy 116-117 F16-E17
Japurá – rzeka 151 C4
Jarkend-daria – rzeka 130-131 D2, 3
Jarosław 105 B5
Jarvis – wyspa 158-159 E9
Jasło 102-103 D10
Jassy 102-103 E13
Jaunde 138 E4
Javalambre – góra 110-111 B6
Jawa – wyspa 116-117 J13-J14; 132 G4-G5
Jawajski, Rów 132 G3-G4
Jawajskie, Morze 132 F4-F5
Jaworniki – góry 102-103 D8-D9
Jefferson City 144 F9; 149 C5
Jekaterynburg 126-127 D7, 8
Jelec 105 C5
Jelenia Góra 102-103 C7, 8
Jemen – państwo 118-119 H6-H7
Jena 102-103 C5
Jenisej – rzeka 116-117 C11; 126-127 C10
Jenisejsk 126-127 D10, 11
Jerez de la Frontera 110-111 D3
Jerozolima 128-129 B2
Jersey – wyspa 108 G5, 6
Jerycho – ruiny 128 I C1
Jesiołda – rzeka 102-103 B12
Jesioniki – góry 102-103 CD8
Jezd 128-129 B4
Jezerca – góra 112-113 C7, 8
Jełgawa 105 B2
Jiamusi 130-131 B13
Jiaohe 133 B2
Jiapigou 133 B2
Jiayuguan 130-131 D6, 7
Jilin 130-131 C12
Jilong 130-131 F11
Jinan 130-131 D10
Jinggu 130-131 G7
Jinzhou 130-131 C11
Jixi 133 A3
João Pessoa 152 C7
Joensuu 107 C7
Johannesburg 138 H5
Johnston – wyspa 158-159 C9
Johor Baharu 132 E3
Jokohama 133 C4, 5
Jönköping 107 D3, 4
Jonquière 149 B7
Jońskie, Morze 92-93 E6; 112-113 E6-F7
Jońskie, Wyspy 92-93 E6-E7; 112-113 E7-F8
Jordan – rzeka 128 I BC1
Jordania – państwo 118-119 F5
Jork, Płw. (Półwysep) 157 B4
Jork, Przyl. (Przylądek) 157 B4
Josu 133 D2
Joszkar Oła 105 B7
Jotunheimen – góry 107 C2
Juan Fernández, W-y (Wyspy) 151 F2, 3
Jubany – st. badawcza 161 C31
Júcar – rzeka 110-111 C5;C6
Judea – kraina hist. 128 I C1
Judenburg 102-103 E7
Jugosławia – państwo 94-95 D6-D7
Jukatan, Płw. (Półwysep)
143 GH11-H10, 11; 149 E5-D6
Jukon – prowincja 144 C5
Jukon – rzeka 143 C3, 4
Juneau 144 D5
Jungfrau – góra 102-103 E3, 4
Jura – góry 92-93 D5; 109 D7
Jutlandzki, Płw. (Półwysep) 92-93 C5-C6; 107 E2-D2
Jużnosachalińsk 126-127 E16
Jyväskylä 107 C6

K

K2 (Czogori) – góra 116-117 F10; 128-129 B6
Kabaena – wyspa 132 G7
Kabinda – region 138 F3, 4
Kabis 138 B3
Kabis, Zat. (Zatoka) 136 B4
Kabul 128-129 B5
Kachowka 105 D4
Kachowski, Zb. (Zbiornik) 105 D4
Kaczska, Zat. (Zatoka) 128-129 C5
Kadima 128-129 C2, 3
Kadyks 110-111 D3
Kadyksu, Zatoka 110-111 D3
Kærgård 106 B4
Kagoshima 133 D3
Kahoolowe – wyspa 144 I A2
Kaifeng 130-131 E9, 10
Kair 138 C6
Kaiserslautern 102-103 D3
Kajaani 107 C6
Kajenna 152 B5, 6
Kajmany – teryt. zależne 144 GH10, 11
Kajmany – wyspy 149 DE6, 7
Kakinada 128-129 D7
Kalabria – kraina hist. 112-113 E6
Kalahari, Kotlina 136 H4-H5
Kalamata 112-113 F8, 9
Kalat 128-129 C5
Kalat Bisza 128-129 C3
Kaledoński, Kanał 108 C4
Kaledońskie, Góry 108 C4-B4
Kalemie 138 F5
Kaletańska, Cieśnina 92-93 D4-C5; 108 F7
Kalgoorlie 158-159 GH2
Kalifornia – stan 144 E6-F7
Kalifornijska, Zatoka 143 F8-G9; 149 C3-D4
Kalifornijski, Płw. (Półwysep) 143 F8-G8; 149 C3-D3
Kalikat 128-129 D6
Kalimantan (Borneo) – wyspa 132 F5-E6
Kálimnos – wyspa 112-113 F11
Kaliningrad 102-103 A10
Kalinkowicze 102-103 B14, 15
Kalisz 102-103 C9
Kaljan 128-129 D6
Kalkuta 128-129 C7, 8
Kallavesi, J. (Jezioro) 107 C6i
Kalmar 107 D4
Kalmarska, Cieśn. (Cieśnina) 107 D4
Kaługa 105 C5
Kama – rzeka 92-93 C10
Kamaishi 133 C5
Kamaran – wyspa 128-129 D3
Kamau, Przyl. (Przylądek) 116-117 I13; 132 D3, 4
Kambajska, Zatoka 128-129 C6-D6
Kambara – wyspa 159 I C3
Kambodża – państwo 118-119 H12
Kambryjskie, Góry 108 E4-E5
Kamczatka, Płw. (Półwysep)
116-117 D19-D18; 126-127 D17
Kamenjak, Przyl. (Przylądek) 112-113 B4, 5
Kamerun – góra 136 E3, 4
Kamerun – państwo 138 E3-E4
Kamieniec Podolski 102-103 D13
Kamień – góra 126-127 C11
Kamieńsk Uralski 126-127 D8
Kampala 138 E6
Kampania – kraina hist. 112-113 D5
Kampot 132 C3
Kamyszyn 105 C6, 7
Kanada – państwo 144 D6-D11
Kanał Dziesiątego Stopnia – cieśnina 128-129 D8-E8
Kananga 138 F5
Kanaryjski, Basen 6-7 G14-F15
Kanaryjskie, W-y. (Wyspy) 136 C1
Kanazawa 133 C4
Kanczendzonga – góra 130-131 F4
Kandahar 128-129 B5
Kandałaksza 107 B7
Kandavu – wyspa 159 I C2
Kandavu, Cieśn. (Cieśnina) 159 I C1-C2
Kandy 128-129 E7
Kangan 129 II B2
Kangean, W-y (Wyspy) 132 G6

Kanggje 133 B2
Kangnyng 133 C2
Kanin Nos, Przyl. (Przylądek) 126-127 C6
Kanin, Płw. (Półwysep) 92-93 B9
Kano 138 D3
Kanpur 128-129 C6, 7
Kansas - stan 144 F8-F9
Kansas City 144 F9; 149 BC5
Kantabryjskie, Góry 92-93 D4; 110-111 A3-A5
Kanton 130-131 G9, 10
Kańsk 126-127 D11
Kaosiung 130-131 G11
Kapczagajski, Zbiornik 126-127 E9, 10; 130-131 C2
Kaposvár 102-103 E8, 9
Kapsztad 138 I4
Kapua 112-113 D5
Kapuas - rzeka 132 E5
Kara-Kum, Pust. (Pustynia) 116-117 E8-F9; 126-127 F7-F8
Karaczi 128-129 C5
Karaganda 126-127 D9
Karagińska, W. (Wyspa) D18
Karaibskie, Morze 143 H11-H13
Karakorum - góry 116-117 F10; 128-129 B6
Karakorum - ruiny 130-131 B7, 8
Karakumski, Kanał 126-127 F8
Karamay 130-131 B3, 4
Karatau - góry 126-127 E8-E9
Karawanki - góry 102-103 E7
Karbala 128-129 B3
Kardamonowe, G. (Góry) 132 C3
Karditsa 112-113 E8, 9
Karelia - kraina hist. 126-127 C5
Karen 128-129 D8
Kariba, Zb. (Zbiornik) 136 G5, 6
Karimata, Cieśn. (Cieśnina) 132 F4
Karimata, W-y (Wyspy) 132 F4
Karimunjaw, W-y (Wyspy)132 G5
Karlovac 112-113 B5
Karlowe Wary 102-103 C6
Karlskrona 107 D4
Karlsruhe 102-103 D3, 4
Karlstad 107 D3
Karnul 128-129 D6
Karolina Pd. (Południowa) - stan 144 F10-F11
Karolina Pn. (Północna) - stan 144 F10-F11
Karoliny - wyspy 158-159 D3-D6
Kárpathos - wyspa 112-113 G11
Karpaty - góry 92-93 D6-D7; 102-103 D9-F13
Karpaty Mołdawskie - góry 102-103 E13-F13
Karpaty Południowe - góry 92-93 D7; 102-103 F11-F12
Karpaty Wschodnie - góry 102-103 D11-F13
Karpaty Zachodnie - góry 102-103 D8-D10
Karpentaria, Zatoka 157 D3-D4
Karskie, Morze 116-117 B9-B11; 126-127 B8-B11
Karskie Wrota, Cieśn. (Cieśnina) 126-127 C7-B8
Kårstö 106 B4
Kartagena 110-111 D6
Karyntia - kraina hist. 102-103 E6-E7
Kasai - rzeka 136 F4
Kashima 133 D2, 3
Kaskadowe, Góry 149 B2
Kasos - wyspa 112-113 G11
Kaspijskie, Morze 116-117 EF8; 126-127 E6-F7; 92-93 D9-E10
Kassel 102-103 C4
Kastoria 112-113 D8
Kaszan 128-129 B4
Kaszgar 130-131 D1, 2
Kaszgarska, Kotlina 116-117 EF10, 11; 130-131 C3-D4
Kaszmir - kraina hist. 128-129 B6
Katak 128-129 C7
Katalonia - kraina hist. 110-111 B6-A7
Katalońskie, Góry 110-111 B7-A8
Katanga (Shaba) - kraina 136 F5
Katania 112-113 F5
Katar - państwo 118-119 G7
Katerini 112-113 D9
Katha 128-129 C8
Kathijawar, Płw. (Półwysep) 128-129 C6
Katingan - rzeka 132 F5
Katmandu 130-131 F3
Katowice 102-103 C9
Kattegat - cieśnina 92-93 C6; 107 D3
Katun - rzeka 130-131 A4
Kauai - wyspa 144 I A2
Kaukaz - góry 92-93 D9; 116-117 E6-E7; 126-127 E6
Kaula - wyspa 144 I A1
Kawala 112-113 D10
Kawaratti 128-129 D6
Kawasaki 133 C4
Kayan - rzeka 132 E6
Kayseri 128-129 B2
Kazachska SRR 127 I
Kazachskie, Pogórze 126-127 E9
Kazachstan - państwo 118-119 E7-E10
Kazaczie 126-127 B15
Kazanłyk 112-113 C10
Kazań 105 B7
Kazbek - góra 92-93 D9; 105 E6, 7
Kazerun 128-129 BC4
Kazwin 128-129 B3, 4
Kea - wyspa 112-113 F10
Kebnekaise - góra 107 B4
Kecskemét 102-103 E9, 10
Kefalinia - wyspa 112-113 E8
Keila 107 D5
Kemerowo 126-127 D10
Kemi 107 B5, 6
Kemi - rzeka 107 B6
Kemijärvi 107 B6
Kempendiaj 126-127 C13, 14
Kempten 102-103 E5
Kenia - góra 136 E6
Kenia - państwo 138 E6-E7
Kentucky - stan 144 F10
Kercz 105 D5
Kerczeńska, Cieśn. (Cieśnina) 105 ED5
Keresz - rzeka 102-103 E10
Keresz Biały - rzeka 102-103 E10, 11
Keresz Czarny - rzeka 102-103 E11
Keresz Szybki - rzeka 102-103 E10
Kerguelena, W-y (Wyspy) 6-7 N25
Kerinci - góra 116-117 J13; 132 F3
Kerkira 112-113 E7, 8
Kermadec, Rów 6-7 M36-L36
Kermadec, W-y (Wyspy) 157 D7, 8
Kerman 128-129 B4
Kerulen - rzeka 116-117 E13, 14; 130-131 B9
Kesong 133 C2
Khasi, G. (Góry) 128-129 C8
Khon Kaen 132 B3
Khulna 128-129 C7, 8
Kiejdany 107 D5
Kielce 102-103 C10
Kigali 138 F5
Kigoma 138 F6
Kii, Cieśn. (Cieśnina) 133 D3-D4
Kii, Płw. Półwysep 133 D4
Kijowski, Zb. (Zbiornik) 126-127 D5; 102-103 C14, 15
Kijów 102-103 C15
Kikinda 112-113 B8
Kilia 102-103 F14
Kilimandżaro - góra 136 F6, 7
Kilini - góra 112-113 EF9
Killingholme 106 C2
Kilonia 102-103 A5
Kilońska, Zat. (Zatoka) 102-103 A5
Kiloński, Kan. (Kanał) 102-103 A4
Kim Czak 133 B2, 3
Kimberley 138 H5
Kimberley - góry 157 B2
Kina 128-129 C2
Kinabalu - góra 132 D6
Kindu 138 F5
Kineszma 105 B6
King Sejong - st. badawcza 161 C30
Kingston 144 H11; 149 E7
Kingston 158-159 G6, 7
Kingston-upon-Hull 108 E6, 7
Kinnairds, Przyl. (Przylądek) 108 C5, 6
Kinsale Head - pole gazu ziemnego 106 C1
Kinszasa 138 F4
Kioto 133 C4
Kiparisia 112-113 F8
Kirgiska SRR 127 I
Kirgiskie, G. (Góry) 126-127 E9
Kirgistan - państwo 118-119 F9-E9
Kiribati - państwo 158-159 E7-E10
Kirkenes 107 B6, 7
Kirklareli 112-113 D11
Kirkpatricka, Góra 161 A17-16
Kirkuk 128-129 B3
Kirow 105 B7
Kirowsk 107 B7
Kiruna 107 B5
Kisangani 138 E5
Kiskörei, Zb. (Zbiornik) 102-103 E10
Kiskunság - kraina hist. 102-103 E9
Kisłowodzk 105 E6
Kisumu 138 E6
Kiszyniów 102-103 E14
Kitakiusiu 133 D3
Kithira - wyspa 112-113 F9
Kithira, Cieśnina 112-113 GF9
Kitimat 149 A2
Kittilä 107 B6
Kitzbühel 102-103 E6
Kiusiu - wyspa 116-117 F15, 16; 133 D3
Kiustendił 112-113 C9
Kiwu, J. (Jezioro) 136 F5
Kizilirmak - rzeka 105 E4
Kladno 102-103 C6, 7
Klagenfurt 102-103 E7
Klar - rzeka 92-93 B6; 107 C3
Kluczewska Sopka - góra 116-117 D19; 126-127 D17, 18
Kluż-Napoka 102-103 E11
Kłajpeda 105 B2
Kłodzko 102-103 C8
Knin 112-113 B5, 6
Kobdo 130-131 B5
Kobe 133 D3, 4
Koblencja 102-103 C3
Kobryń 102-103 B12
Koburg 102-103 C5
Kocaeli 105 E3
Ko-chi 130-131 E13
Kōchi 133 D3
Koczin 128-129 DE6
Kodjak - wyspa 143 D4, 5
Kohtla-Järve 107 D6
Kojamputtur 128-129 D6
Kokczetaw 126-127 D8, 9
Kokkola 107 C5
Kokosowa, W. (Wyspa) 151 B2
Kolari 107 B5
Kolding 107 D2
Kolhapur 128-129 D6
Kolombo 128-129 E6
Kolonia 102-103 C3
Kolorado - rzeka 143 F8
Kolorado - stan 144 E8
Kolorado, Wyżyna 143 F8-F9; 149 C3-C4
Kolski, Płw. (Półwysep) 92-93 B8
Kolumbia - państwo 152 B3-B4
Kolumbia - rzeka 143 E7, 8; 149 B2, 3
Kolumbia Brytyjska - prowincja 144 D5-D6
Kolumbii, Wyżyna 149 B2-B3
Kołgujew - wyspa 92-93 B9
Kołobrzeg 102-103 A7
Kołomyja 102-103 D12
Kolpino 105 B4
Kołyma - rzeka 116-117 C18; 126-127 C17
Kołymska, Nizina 126-127 C17
Kołymskie, Góry 116-117 C20-C18; 126-127 C17-C18
Kom 128-129 B4
Komárno 102-103 E8, 9
Komodorskie, W-y (Wyspy) 126-127 D18
Komory - państwo 138 G7
Komory - wyspy 136 G7
Komoryn, Przyl. (Przylądek) 116-117 I10; 128-129 E6
Komotini 112-113 D10
Komsomolec - wyspa 126-127 A10, 11
Komsomolsk nad Amurem 126-127 D15
Konakry 138 D1
Kongo - państwo 138 F4-E4
Kongo - rzeka 136 F5; E5; F4
Kongo, Kotlina 136 E4-F5
Kongur - góra 130-131 D1, 2
Konjic 112-113 C6
Konosza 105 A6
Konstanca 102-103 F14
Konstancja 102-103 E4
Konya 128-129 B2
Konżakowski Kamień - góra 126-127 D7
Kopaonik - góry 112-113 C8
Kopenhaga 107 D3
Kopet-dag - góry 128-129 B4
Koralowe, Morze 157 B5-B6
Korčula - wyspa 112-113 C6
Korcza 112-113 D8
Kordowa 110-111 D4
Kordyliera Centralna - góry 92-93 D4; 110-111 B3-B5
Kordyliery - góry 143 C6-G9; 149 A2-D4
Korea Pd. (Południowa) - państwo 118-119 F14
Korea Pn. (Północna) - państwo 118-119 E14-F14
Koreańska, Cieśnina 133 D2-C3
Koreański, Arch. 133 D2
Koreański, Płw. (Półwysep) 116-117 F15; 133 C2
Korfu - wyspa 112-113 E7
Koriackie, G. (Góry) 116-117 C20-C19; 126-127 C18-C19
Korla 130-131 C4
Kornwalijski, Płw. (Półwysep) 108 F4
Koro - wyspa 159 I B2
Koro, Morze 159 I B2-B3
Korolevu 159 I C1
Koror 158-159 D3
Korsyka - wyspa 92-93 D5; 112-113 D2-C2
Korsykańska, Cieśnina 112-113 C2
Koryncka, Zat. (Zatoka) 112-113 E9
Korynt 112-113 EF9
Kos - wyspa 112-113 F11
Koshiki - wyspa 133 D2
Ko-shima - wyspa 133 B4
Kosong 133 C2
Kosovska Mitrovica 112-113 C8
Kosowo - kraina hist. 112-113 C8
Kostaryka - państwo 144 H10
Kostroma 105 B6
Koszalin 102-103 A7, 8
Koszyce 102-103 D10
Kościuszki, G. (Góra) 157 D4, 5
Kota 128-129 C6
Kota Baharu 132 D3
Kota Kinabalu 132 D5, 6
Kotielnyj - wyspa 126-127 B15
Kotka 107 C6
Kotor 112-113 C7
Kotowsk 102-103 E14, 15
Kotłas 126-127 C6
Kowel 102-103 C12
Kowno 102-103 A11
Kowrow 105 B6
Kozani 112-113 D8, 9
Koziatyn 102-103 D14
Kragujevac 112-113 B8
Krajowa 102-103 F11, 12
Krakatau - góra 116-117 J13; 132 G3, 4
Kraków 102-103 C10
Kranj 102-103 E7
Kras - góry 92-93 D6; 102-103 F6-F7
Krasnodar 105 D5, 6
Krasnojarsk 126-127 D11
Krasnojarski, Zb. (Zbiornik) 126-127 D11
Krefeld 102-103 C3
Kremikowci 112-113 C9, 10
Krems 102-103 D7
Kreta - wyspa 92-93 E7; 112-113 G9-G10
Kreteńskie, Morze 112-113 F10-G10
Kristiansand 107 D2
Kristiansund 107 C2
Kriszna - rzeka 128-129 D6
Krk - wyspa 112-113 B5
Krosno 102-103 D10, 11
Królowej Charlotty, W-y (Wyspy) 143 D6, 7
Królowej Elżbiety, W-y (Wyspy) 143 B7-A10
Królowej Maud, Ziemia - kraina 161 B36-B3
Kruševac 112-113 C8
Krym - półwysep 92-93 D8; 105 D4
Krynica 102-103 D10
Krzemieńczucki, Zb. (Zbiornik) 105 D4
Krzemieńczuk 105 D4
Krzywy Róg 105 D4
Ksanthi 112-113 D10
Książęca, W. (Wyspa) 136 E3
Ks. (Księcia) Edwarda, W. (Wyspa) - prowincja 144 E12-E13
Ks. (Księcia) Edwarda, W-y (Wyspy) 6-7 N20, 21
Ks. (Księcia) Walii, Przyl. (Przylądek) 126-127 C21
Ks. (Księcia) Walii, W. (Wyspa) 143 B9, 10
Kuala Lumpur 132 E3
Kuala Terengganu 132 DE3, 4
Kuango - rzeka 136 F4
Kuba - państwo 144 G10-G11
Kuba - wyspa 143 G11, 12
Kubango (Okawango) - rzeka 136 G4
Kubańska, Nizina 105 D5-D6
Kuching 132 E5
Kuczan 128-129 B4
Kudalur 128-129 D6, 7
Kudymkar 126-127 D7
Kujawy - kraina hist. 102-103 B9
Kuku-nor, J. (Jezioro) 130-131 D6, 7
Kulab 128-129 B5, 6
Kumajri 105 E6
Kumamoto 133 D3
Kumanovo 112-113 C8, 9
Kumasi 138 E2
Kumdah 128-129 CD3
Kunduz 128-129 B5, 6
Kungur - góra 116-117 F10
Kunlun - góry 116-117 F10-F12; 130-131 D2-D6
Kunming 130-131 F7
Kunsan 133 C2
Kuopio 107 C6
Kupa - rzeka 102-103 F7
Kupang 132 H7
Kura - rzeka 126-127 F6; 128-129 B3
Kurdystan - kraina hist. 128-129 B3
Kure 133 D3
Kurgan 126-127 D8
Kuria-Muria - wyspa 128-129 D4
Kursk 105 C5
Kuruktag - góry 130-131 C4-C5
Kuryle (Kurylskie Wyspy) 116-117 E17-E18; 126-127 E16-D17
Kurylska, Cieśn. (Cieśnina) 126-127 D17-E17
Kurylskie Wyspy (Kuryle) 116-117 E17-E18; 126-127 E16-D17
Kurytyba 152 E6
Kushiro 133 B5, 6
Kütahya 128-129 B1, 2
Kutaisi 105 E6
Kuwejt 128-129 C3
Kuwejt - państwo 118-119 G6
Kvarner, Zat. (Zatoka) 112-113 B5
Kwangdzu 133 C2
Kwanmo - góra 133 B2
Kwekwe 138 G5
Kweta 128-129 B5
Kwidzyn 102-103 B9
Kyrdżali 112-113 D10
Kyzył 126-127 D11
Kyzył Orda 126-127 E8
Kyzył-Kum, Pust. (Pustynia) 116-117 E9-F9; 126-127 E8

L

La Calera 110-111 I A2
La Chaux-de-Fonds 102-103 E3
La Coruña 110-111 A2
La Hague, Przyl. (Przylądek) 109 C2, 3
La Laguna 110-111 I A2
La Linea 110-111 D4
La Manche - cieśnina 92-93 D4-C4; 109 C2-B4
La Mancha - kraina hist. 110-111 C5
La Oliva 110-111 I A3, 4
La Orotava 110-111 I A2
La Oroya 152 D3
La Paz 152 D4
La Plata 152 F5
La Plata - zatoka 151 F5
La Platy, Niz. (Nizina) 151 F4-D5
La Pérouse'a, Cieśn. (Cieśnina) 116-117 E17; 133 A5
La Rochelle 109 D3
La Ronge 149 A4
La Sila - góra 112-113 E6
La Spezia 112-113 B2, 3
La Unión 110-111 D6
Labrador, Półwysep 143 D12-D13
Laç 112-113 D7
Lachowskie, W-y (Wyspy) 126-127 B15-B16
Lacq 109 F3
Lagos 110-111 D2
Lagos 138 E3
Lahaur 128-129 B6
Lahti 107 C6
Lakeland 159 II B1,2
Lakemba - wyspa 159 I C3
Lakemba, Cieśn. (Cieśnina) 159 I C3-B3
Lakhnau 128-129 C7
Lakkadiwy - wyspy 116-117 H10-I10; 128-129 D6-E6
Laksefjorden - zatoka 107 A6
Lakselv 107 AB5
Lalibela - ruiny 128-129 D2

Lambasa 159 I B2
Lamberta, Lod. (Lodowiec) 161 B7
Lamía 112-113 E9
Lampang 132 B2
Lanai – wyspa 144 I A2
Lancaster 108 D5
Landeck 102-103 E5
Land's End – przylądek 108 F3, 4
Landshut 102-103 D6
Landsort, Głębia 107 D4
Langeland – wyspa 102-103 A5
Langres 109 D6
Langsa 132 E2
Langwedocja – kraina hist. 109 F5-E6
Lansing 144 E10; 149 B6
Lanzarote – wyspa 110-111 I A3, 4
Lanzhou 130-131 D7, 8
Lao Cai 132 A3, 4
Laoag 132 B6, 7
Laohekou 130-131 E9
Laos – państwo 118-119 G12-H12
Laponia – kraina hist. 107 B4-B7
Lapońska, Wyżyna 92-93 B7; 107 B5-B6
L'Aquila 112-113 C4
Lar 128-129 C4
Lárisa 112-113 E9
Larnaka 128-129 B2
Larsena, Lod. (Lodowiec) Szelf. (Szelfowy) 161 C30
Larvik 107 D2, 3
Las Bakoński – góry 102-103 E8-E9
Las Bawarski – góry 102-103 D6
Las Czeski – góry 102-103 D6
Las Heras 152 G3, 4
Las Palmas 110-111 I A3; 138 C1
Las Turyński – góry 102-103 C5
Las Vegas 144 F7; 149 C3
Lashio 128-129 C8
Lastovo – wyspa 112-113 C6
Latakia 128-129 B2
Lau, Wyspy 159 I B3-C3
Laut – wyspa 132 F6
Lautoka 159 I B1
Lawan – wyspa 129 II B2
Le Creusot 109 D5, 6
Le Mans 109 D4
Lecce 112-113 D7
Leeds 108 E6
Leeuwarden 102-103 B2, 3
Leeuwin, Przyl. (Przylądek) 157 D1
Legaspi 132 C7
Legnica 102-103 C8
Leh 128-129 B6
Leicester 108 E6
Leman Bank – pole gazu ziemnego 106 C3
Lena – rzeka
116-117 D13; C15; 126-127 D12; C14; B14
Leningradskaja – st. badawcza 161 B17-C16
Leoben 102-103 E7
León 110-111 A4
Lérida 110-111 B7
Les Baux-de-Provence 109 F6
Lesbos – wyspa 112-113 E10
Leshan 130-131 F7
Leskovac 112-113 C8
Lesotho – państwo 138 H5
Lesozawodsk 133 A3
Leszno 102-103 C8
Leśne, J. (Jezioro) 149 B5
Leuser – góra 132 E2
Leverkusen 102-103 C3
Levkás – wyspa 112-113 E8
Leyte – wyspa 132 C8
Lhasa 130-131 E5
Lhokseumawe 132 D2
L'Hospitalet 110-111 B7
Liangpran – góra 132 E5, 6
Lianyungang 130-131 E10, 11
Liao-he – rzeka 130-131 C11
Liaoyang 130-131 C11
Liaoyuan 133 B1, 2
Liban – państwo 118-119 F5
Liban, Góry 128 I B1-A2
Liberec 102-103 C7
Liberia – państwo 138 E1-E2
Libia – państwo 138 C4-C5
Libijska, Pustynia 136 C5
Libreville 138 E4
Licata 112-113 F4
Liechtenstein – państwo 94-95 D6
Liège 109 B6
Lienz 102-103 E6
Liguria – kraina hist. 112-113 B2
Liguryjskie, Morze 92-93 D5-D6; 112-113 C2
Lille 109 B5
Lille Thorup 106 B4, 5
Lilongwe 138 G6
Lima 152 D3
Limfjorden – cieśnina 107 D2
Limnos – wyspa 112-113 E10
Limoges 109 E4
Limpopo – rzeka 136 H6
Linares 110-111 C4, 5
Lincoln 144 E9; 149 B5
Lincolna, Morze 162 A24-A23
Line, Wyspy 6-7 I1-K2; 158-159 D9-F11
Lingen 106 C4
Lingga, W-y (Wyspy) 132 F4
Linköping 107 D4
Linkou 133 A2, 3
Linosa – wyspa 112-113 G4
Linxia 130-131 D7
Linz 102-103 D7
Liparyjskie, W-y (Wyspy) 92-93 E6; 112-113 E5
Lipawa 105 B2
Lipieck 105 C5, 6
Lipsk 102-103 C6
Lisiczańsk 105 D5
Listera, Góra 161 B17-16
Litawa – rzeka 102-103 E8
Litewska SRR 127 I
Little Rock 144 F9; 149 C5
Litwa – państwo 94-95 C7
Liupanshui 130-131 F7, 8
Liuzhou 130-131 G8
Liverpool 108 E5
Livorno 112-113 C2, 3
Lizbona 110-111 C2
Ljungan – rzeka 107 C4
Llullaillaco – góra 151 E4
Loara – rzeka 92-93 D5; 109 E6; D5; D3
Lobito 138 G4
Locarno 102-103 E4
Loch Coirib, J. (Jezioro) 108 E2
Loch Ness, J. (Jezioro) 108 C4, 5
Lodi 112-113 B2
Lofoty – wyspy 92-93 B6
Logroño 110-111 A5, 6
Loja 152 C3
Lojalności, W-y (Wyspy) 157 B6-C6
Lolland – wyspa 107 E3
Loma – góra 136 E1, 2
Lombardia – kraina hist. 112-113 B2-B3
Lombok – wyspa 116-117 J14; 132 G6
Lombok, Cieśn. (Cieśnina) 132 G5, 6
Lomé 138 E3
Londonderry 108 D3
Londyn 108 F6
Londyński, Basen – kraina 108 F6
Long – wyspa 132 D3
Longjökull – lodowiec 107 I B1-B2
Longreach 159 II C1
Lønsdal 107 B3, 4
Lorca 110-111 D6
Lorient 109 D2
Los Angeles 144 F6, 7; 149 C2
Los Canarios 110-111 I A1, 2
Los Llanos de Ariadne 110-111 I A1, 2
Los Sauces 110-111 I A2
Lišinj – wyspa 112-113 B5
Lot – rzeka 109 E4
Lota, Pust. (Pustynia) 128-129 B4
Lotaryngia – kraina hist. 109 C6-C7
Louisville 144 F10
Lourdes 109 F4
Lozanna 102-103 E3
Luanda 138 F4
Luang Prabang 132 AB3
Lubango 138 G4
Lubbock 149 C4
Lubeka 102-103 B5
Lubelska, Wyżyna 102-103 C11
Lublana 102-103 E7
Lublin 102-103 C11
Lubumbashi 138 G5, 6
Lucerna 102-103 E3, 4
Lüderitz 138 H4
Ludhijana 128-129 B6
Ludwigshafen 102-103 D4
Lugano 102-103 E4
Lugo 110-111 A3
Lugoj 102-103 F10
Luhajja 128-129 D3
Luimneach 108 E2
Luisville 149 C6
Luizjana – stan 144 F9
Lukka 112-113 C3
Luksemburg 109 C6
Luksemburg – państwo 94-95 CD5
Luksor 128-129 C2
Lule – rzeka 107 B5
Luleå 107 B5
Lund 107 D3
Lüneburg 102-103 B5
Luoyang 130-131 DE9
Lusaka 138 G5
Luuq 128-129 E3
Luzhou 130-131 F8
Luzon – wyspa 116-117 H15; 132 B7
Luzon, Cieśn. (Cieśnina) 132 B7
Lwia, Zatoka 92-93 D5; 109 F5-F6
Lwów 102-103 D12
Lyme, Zat. (Zatoka) 108 F5
Lynn Lake 149 A4, 5
Lyon 109 E6

Ł

Łaba – rzeka 92-93 C6; 102-103 B5-C6, 7
Ładoga, J. (Jezioro) 92-93 B8; 105 A4
Łaptiewa D., Cieśn. (Cieśnina) 126-127 B15-B16
Łaptiewów, Morze
116-117 B14-B16; 126-127 B13-B14; 162 B5-B7
Łob-nor – jezioro 130-131 C5
Łom 112-113 C9
Łomonosowa, Grzbiet 162 A24-A4
Łomża 102-103 B10, 11
Łopatina – góra 126-127 DE16
Łopatka, Przyl. (Przylądek) 126-127 D17
Łotewska SRR 127 I
Łotwa – państwo 94-95 C7
Łowecz 112-113 C10
Łódź 102-103 C9
Łuck 102-103 C12
Łuczeniec 102-103 D9
Łudogorie – kraina hist. 112-113 C11
Ługa – rzeka 107 D6
Ługańsk 105 D5
Łupkowska, Przeł. (Przełęcz) 102-103 D10
Łużyce – kraina hist. 102-103 C7
Łyna – rzeka 102-103 A10
Łysica – góra 102-103 C10

M

Maan 128-129 B2
Maastricht 102-103 C2
Macapá 152 B5, 6
Macdonnella, G. (Góry) 157 C3
Macedonia – kraina hist. 112-113 D8-D9
Macedonia – państwo 94-95 D7
Maceió 152 C7
Macerata 112-113 C4
Machaczkała 126-127 E6
Mackay 159 II C2
Mackenzie – góry 143 C6-C7
Mackenzie – rzeka 143 C7
Mackenzie – rzeka 159 II C2
Maćilipatnam 128-129 D7
Madagaskar – państwo 138 H7-G7
Madagaskar – wyspa 136 H7-G7
Madang 158-159 E4
Madeira – rzeka 151 C4
Madera – wyspa 136 B1
Madison 144 E9, 10; 149 B5, 6
Madiun 132 G5
Madras 128-129 D7
Madryt 110-111 B4, 5
Madura – wyspa 132 G5
Maduraj 128-129 E6
Maebashi 133 C4
Magadan 126-127 CD17
Magdeburg 102-103 B5, 6
Magellana, Cieśn. (Cieśnina) 151 H4, 5
Maggiore, J. (Jezioro) 112-113 A2
Magnitaja, G. (Góra) 126-127 D7
Magnitogorsk 126-127 D7, 8
Magnus – pole ropy naftowej 106 A2, 3
Magwe 128-129 CD8
Mahaiatea 159 III B2
Mahajanga 138 G7
Mahakam – rzeka 132 EF6
Mahanadi – rzeka 128-129 C7
Mahón 110-111 BC9
Maine – kraina hist. 109 C3
Maine – stan 144 E12
Maitri – st. badawcza 161 B2-C2
Majkop 105 E6
Majmana 128-129 B5
Majorka – wyspa 92-93 E5; 110-111 C8, 9
Majotta – teryt. zależne 138 G7
Majsur 128-129 D6
Majuro 158-159 D7
Makasar, Cieśnina 132 F6-E7
Makasar (Ujung Pandang) 132 FG6
Makau 130-131 G9
Makau – terytorium zależne 118-119 G13
Makiejewka 105 D5
Makongai – wyspa 159 I B2
Makurazaki 133 D2, 3
Malabo 138 E3
Maladeta – góry 110-111 A7
Málaga 110-111 D4
Malajski, Archipelag 116-117 J13-J15; 132 F4-F6
Malajski, Płw. (Półwysep) 116-117 I12-I13; 132 D2-E3
Malakka, Cieśn. (Cieśnina) 116-117 I12-I13; 132 E3
Melanezja – archipelag 6-7 J35-L35
Malang 132 G5
Malange 138 F4
Malatya 128-129 B2
Malawi – państwo 138 G6
Malawi, J. (Jezioro) (Niasa, J.) 136 G6
Malbork 102-103 B9
Male 128-129 E6
Malea, Przyl. (Przylądek) 112-113 F9
Malediwy – państwo 128-129 E6
Malediwy – wyspy 116-117 I10-J10
Malegaon 128-129 C6
Malezja – państwo 118-119 I12-I13
Malghir, Szott 92-93 E5
Mali – państwo 138 D2-D3
Malin, Przyl. (Przylądek) 108 D3
Malmö 107 D3
Malolo – wyspa 159 I B1
Malpelo – wyspa 151 B2
Malta – państwo 94-95 E6
Malta – wyspa 92-93 E6
Malwiny (Falklandy) – wyspy 151 H4, 5
Malwiny (Falklandy) – teryt. zależne 152 H5, 6
Mł. (Mała) Niz. (Nizina) Węgierska 102-103 E8-E9
Małe Antyle – wyspy 143 H13; 132 G6-G7
Małe Wyspy Sundajskie 132 G6-G7; 116-117 J14-15
Małopolska – kraina hist. 102-103 D10-D11
Małopolska, Wyżyna 102-103 C9-C10
Mł. (Mały) Bełt – cieśnina 107 DE2, 3
Mały Chingan – góry
126-127 D14-E14; 130-131 A12-B12
Mały Kaukaz – góry 92-93 DE9; 102 E6
Mały Nefud – pustynia 128-129 C3
Małyje Karmakuły 126-127 B7
Mamaja 102-103 F14
Mamoudzou 118 J6
Mamry, J. (Jezioro) 102-103 A10, 11
Mamuju 132 F6
Man – wyspa 108 D4
Manado 132 E7
Managua 144 H9, 10
Manaus 152 C4, 5
Manchester 108 E5, 6
Mand – rzeka 129 II A2
Mandalaj 128-129 C8
Mandalgowi 130-131 B8
Mandera 128-129 E3
Mandwi 128-129 C5
Mandżuria – kraina hist. 130-131 B11-B13
Mandżurska, Nizina 116-117 E13
Manfredonia 112-113 D5, 6
Manfredonia, Zat. (Zatoka) 112-113 D6
Mangalur 128-129 D6
Mango – wyspa 159 I B3
Manifold, Przyl. (Przylądek) 159 II C3
Manila 132 B6, 7
Manisa 112-113 E11
Manitoba – prowincja 144 D8-D9
Manitoba, J. (Jezioro) 149 A4, 5
Mannar, Zatoka 128-129 E6
Mannheim 102-103 D4
Manresa 110-111 B7
Mantua 112-113 B3
Manzhouli 130-131 B10, 11
Maputo 138 H6
Mar Del Plata 152 F5
Maraa 159 III B1
Maracaibo 152 AB3
Maragheh 128-129 B3
Marajó, W. (Wyspa) 151 C5, 6
Marambio – st. badawcza 161 C31
Maranhẽo – stan 152 C6
Marañon – rzeka 151 C3
Marburg 102-103 C4
Marche – kraina hist. 112-113 C4
Mariany – wyspy 116-117 H17; 158-159 B4-C4
Mariany Północne – teryt. zależne 158-159 C4
Mariański, Rów 6-7 H32
Marib 128-129 D3
Maribor 102-103 E7, 8
Marica – rzeka 112-113 C10; D11
Marii Byrd, Ziemia – kraina hist. 161 B26-B22
Marion Reef – wyspa 159 II B3
Mariupol 105 D5
Markizy – wyspy 6-7 J3-K4; 158-159 E11-F12
Marmara – wyspa 112-113 D11, 12
Marmara, M. (Morze) 92-93 D7; 112-113 D11-D12
Marmolada – góra 112-113 A3, 4
Marna – rzeka 109 C5
Maroko – państwo 138 C2-B2
Marowa 138 D4
Marrakesz 138 BC1, 2
Marroqui, Przyl. (Przylądek) 92-93 E4; 110-111 D3, 4
Marsala 112-113 F4
Marshalla, Wyspy – państwo 158-159 C6-D7
Marsylia 109 F6, 7
Martaban, Zat. (Zatoka) 128-129 D8
Martin Vaz – wyspa 151 E8
Martwe, M. (Morze) – jezioro 128-129 B2
Martynika – teryt. zależne 152 A4, 5
Marusza – rzeka 92-93 D7; 102-103 E12; EF11
Marw Dasht 128-129 B4
Mary 126-127 F8
Maryland – stan 144 F11
Masan 133 CD2
Masbate – wyspa 132 C7
Maseru 138 I5
Masira – wyspa 128-129 C4
Maskareny – wyspy 6-7 L23-K24
Maskat 128-129 C4
Massachusetts – stan 144 E11
Massaua 128-129 D2, 3
Masyw Centralny – wyżyna 92-93 D5; 109 E5-E6
Mata Utu 158-159 F8
Matagami 149 AB7
Matamoros 149 D5
Matapan, Przyl. (Przylądek) 92-93 E7; 112-113 F9
Mataram 132 G6
Mati 132 D8
Mato Grosso – stan 152 D5
Mato Grosso – wyżyna 151 D5
Mato Grosso do Sul – stan 152 D5
Mátra – góry 102-103 E9-E10
Matsue 133 C3
Matsumoto 133 C4
Matsushima 133 C5
Matsuyama 133 D3
Matterhorn – góra 102-103 EF3
Matuku – wyspa 159 I C2,3
Maui – wyspa 144 I A2
Mauna Kea – góra 149 I A1, 2
Mauna Loa – 149 I A2
Mauretania – państwo 138 D1-D2
Mauritius – wyspa 6-7 L23; 24
Mawson – st. badawcza 161 C7
Mazari Szarif 128-129 B5
Mazatlán 149 D4
Mazowiecka, Nizina 102-103 B10-C11
Mazowsze – kraina hist. 102-103 B9-B11
Mazurskie, Pojezierze 102-103 B9-A11
Mazury – kraina hist. 102-103 B10-B11
Mba 159 I B1
Mbabane 138 H6
Mbandaka 138 E4, 5
Mbengga – wyspa 159 I C2

Mbua 159 I B2
Mbuji-Mayi 138 F5
McClintocka, Góra 161 A17-16
McDonalda, W-y (Wyspy) 6-7 O24, 25
McKinley – góra 143 C5
McMurdo – st. badawcza 161 B17
Medan 132 E2, 3
Medellín 152 B3
Mediolan 112-113 B2
Medyna 128-129 C3
Mekelie 138 D6
Mekka 128-129 C2, 3
Meklemburgia – kraina hist. 102-103 B5-B6
Meklemburska, Zat. (Zatoka) 102-103 A5-A6
Mekong – rzeka 116-117 F12; H13; 132 B3; CD4
Mekran – góry 128-129 C4-C5
Meksyk 144 H8, 9; 149 DE4, 5
Meksyk – państwo 144 G7-J9
Meksykańska, Wyżyna 143 G9-G10; 149 D4-D5
Meksykańska, Zatoka 143 G10-G11; 149 D5-D6
Mela, J. (Jezioro) 107 D4
Melanezja – wyspy 6-7 J33-L35; 157 A5-B7
Melbourne 149 D6, 7
Melbourne 158-159 H4, 5
Melilla 110-111 E5
Melvillea, W. (Wyspa) 157 B2, 3
Memfis – ruiny 128-129 C1, 2
Memoré – rzeka 151 D4
Memphis 144 F9, 10; 149 C6
Men – rzeka 102-103 C5; D4
Mendelejewa, Grzbiet 162 A29-B1
Menderes – rzeka 112-113 F12
Mendocino, Przyl. (Przylądek) 143 EF7
Mendoza 152 F4
Mentawai, W-y (Wyspy)132 F2-F3
Merano 112-113 A3
Merath 128-129 C6
Mergui 128-129 D8
Mergui, Arch. (Archipelag) 128-129 D8
Mérida 110-111 C3, 4
Mérida 144 G10; 149 D5, 6
Meru – góra 136 F6
Mesta – rzeka 112-113 D9
Mesyna 112-113 E5
Mesyńska, Cieśn. (Cieśnina) 92-93 E6; 112-113 EF5
Meszhed 128-129 B4, 5
Metz 109 C7
Mexicali 144 F7; 149 C3
Mezopotamia – kraina hist. 128-129 B3
Mezopotamska, Niz. (Nizina) 116-117 F7
Miami 144 G11; 149 D6, 7
Mianeh 128-129 B3
Mianyang 130-131 E7
Miasto Ho Chi Minha 132 C4
Michigan, J. (Jezioro) 143 E11; 149 B6
Michigan – stan 144 E10
Miczuryńsk 105 C6
Middlesbrough 108 D6
Midway – teryt. zależne 158-159 A8
Midżur – góra 112-113 C9
Miercurea Ciuc 102-103 E12, 13
Mijanwali 128-129 B6
Mikołajów 105 D4
Mikronezja – państwo 158-159 D4-D6
Mikronezja – wyspy 6-7 I31-I34; 158-159 C3-D7
Milet – ruiny 128-129 B1
Milford Haven 106 C1
Milos – wyspa 112-113 F10
Miluza 109 D7
Milwaukee 144 E9, 10; 149 B5, 6
Mina al-Ahmadi 128-129 C3
Mina-Dżabal-Ali 129 II B3
Minami-Tori – wyspa 158-159 B5
Minas Gerais – stan 152 D6
Minas de Riotinto 110-111 D3
Mindanao – wyspa 116-117 I15; 132 D7
Mindoro – wyspa 132 C6, 7
Mindoro, Cieśn. (Cieśnina) 132 C6-C7
Minho – rzeka 110-111 A3; A2
Minikoj – wyspa 128-129 E6
Minja Gonkar – góra 116-117 F13
Minneapolis 144 E9; 149 B5
Minnesota – stan 144 E9
Minorka – wyspa 92-93 D5; 110-111 B9
Minusińsk 126-127 D11
Mińsk 102-103 B13, 14
Miri 132 E5
Miriam Vale 159 II C3
Mirny 126-127 C13
Mirnyj – st. badawcza 161 C10
Missisipi – rzeka 143 F10, 11; 149 C5, 6
Missisipi – stan 144 F9-F10
Missouri – rzeka 143 EF10; 149 B5
Missouri – stan 144 E9
Miszkolc 102-103 D10
Miśnia 102-103 C6
Mitilini 112-113 E11
Miyazaki 133 D3
Mizen, Przyl. (Przylądek) 108 F1, 2
Mizuho – st. badawcza 161 B5
Mjanma (Birma) – państwo 118-119 G11-H11
Mjingjan 128-129 C8
Mjitkina 128-129 C8
Mjøsa, J. (Jezioro) 107 C3
Mladá Boleslav 102-103 C7
Mljet – wyspa 112-113 C6
Mo i Rana 107 B3, 4
Moala – wyspa 159 I C2,3
Mobile 149 C6
Modena 112-113 B3
Mogadiszu 138 E7
Mogocza 126-127 D13, 14
Mogok 128-129 C8
Moguncja 102-103 D3, 4
Mohe 130-131 A11
Mohendżo Daro – ruiny 128-129 C5
Mohylew 102-103 AB14, 15
Mohylów Podolski 102-103 D13, 14
Mokka 128-129 D3, 4
Mokpho 133 D2
Molde 107 C2
Moldoveanu – góra 92-93 D7; 102-103 F12
Molfetta 112-113 D6
Molise – kraina hist. 112-113 D5
Molokai – wyspa 144 I A2
Moluckie, Morze 132 F7-E8
Moluki – wyspy 116-117 I15-J16; 132 E8-G8
Mołdawa – rzeka 102-103 E12, 13
Mołdawia – kraina hist. 102-103 E13-F13
Mołdawia – państwo 94-95 D7
Mołdawska SRR 127 I
Mołodeczno 102-103 A13
Mołodiożnaja – st. badawcza 161 C5
Mombasa 138 F6, 7
Mombetsu 133 B5
Møn – wyspa 107 E3
Monachium 102-103 D5, 6
Monako 109 F7
Monako – państwo 94-95 D5
Mönchengladbach 102-103 C2, 3
Mondego – rzeka 110-111 B2, 3
Mongolia – państwo 118-119 E11-E13
Mongolska, Wyżyna 116-117 E13-E14; 130-131 B8-C9
Mongomery 144 F10
Mongstad 106 A4
Monrovia 138 E1
Mont Blanc – góra 92-93 D5; 109 E7
Mont Cenis, Przeł. (Przełęcz) 109 E7
Mont Pelat – góra 109 E7
Montana 112-113 C9
Montana – stan 144 E7-E8
Montauban 109 E4, 5
Monte Rosa – góra 112-113 B1, 2
Monterrey 144 G9; 149 D5
Montevideo 152 F5, 6
Montgomery 149 C6
Montpelier 144 E11, 12; 149 B7
Montpellier 109 F5, 6
Montreal 144 E11; 149 B7, 8
Montreux 102-103 E3
Montserrat – teryt. zależne 152 A4
Monza 112-113 B2
Morawa – rzeka 102-103 D8
Morawa – rzeka 112-113 B8
Morawa Pd. (Południowa) – rzeka 112-113 C9
Morawa Zach. (Zachodnia) – rzeka 112-113 C8
Morawy – kraina hist. 102-103 D7-D8
Moray Firth – zatoka 108 C5-B5
Morecambe – pole gazu ziemnego 106 C1, 2
Morioka 133 C5
Mormagao 128-129 D6
Mörön 130-131 B7
Moroni 138 G7
Morotai – wyspa 132 E8
Morris Jesup, Przyl. (Przylądek) 162 A22-A19
Morvan – góry 109 D5, 6
Mosjøen 107 B3
Moskwa 105 B5
Moskwa – rzeka 126-127 D5, 6
Mossmorran 106 B2
Most 102-103 C6
Mostar 112-113 C6
Mosul 128-129 B3
Motala 107 D3
Motoczkin Szar, Cieśn. (Cieśnina) 126-127 B7-B8
Mount Everest (Czomolungma) – góra 116-117 G11; 130-131 F4
Mount Isa 158-159 G3, 4
Moult Bay – st. badawcza 162 B30
Moza – rzeka 92-93 C5; 109 C6; B6
Mozambicki, Kanał – cieśnina 136 H6-G7
Mozambik 138 G6, 7
Mozambik – państwo 138 H6-G6
Mozela – rzeka 109 C7; BC7
Mozyrz 102-103 B14
Mt. (Mont) Aigoual – góra 109 E5
Mt. (Mont) Mézenc – góra 109 E6
Mte (Monte) Amiata – góra 112-113 C3
Mte (Monte) Argentario – góra 112-113 C3
Mount Cloolon 159 II C2
Mt. (Mount) Elbert – góra 143 F9; 149 C4
Mt. (Mount) Gannet – góra 149 B4
Mt. (Mount) Logan – góra 143 C5, 6
Mt. (Mount) Mitchel – góra 143 F11; 149 C6
Mt. (Mount) Mohinora – góra 149 D4
Mt. (Mount) Rainier – góra 143 E7; 149 B2, 3
Mt. (Mount) Robson – góra 143 D7, 8; 149 A2, 3
Mt. (Mount) Shasta – góra 143 E7, 8; 149 B2, 3
Mt. (Mount) Sidley – góra 162 B24
Mount Surprise 159 II B1,2
Mt. (Mount) Whitney – góra 143 F8; 149 C3
Muang Khoua 132 A3
Muang Sing 132 A3
Mudanjiang 130-131 BC12, 13
Mugodżary – góry 126-127 E7
Muhammad, Przyl. (Przylądek) 128-129 C2
Muhammad-Kawl 128-129 C2
Mühlhausen 102-103 C5
Mukaczewo 102-103 D11
Mulhacén – góra 92-93 E4; 110-111 D5
Müller, G. (Góry) 132 E5
Mulmejn 128-129 D8
Multan 128-129 C6
Mun – rzeka 132 B3
Muna – wyspa 132 FG7
Munczhon 133 C2
Munku Sardyk – góra 126-127 D11, 12; 130-131 A6, 7
Münster 102-103 C3, 4
Muntenia – kraina hist. 102-103 F12-F13
Mura – rzeka 102-103 E7; E8
Muradabad 128-129 C6, 7
Murat – rzeka 105 F6
Murcja 110-111 C6
Murcja – kraina hist. 110-111 C5-D6
Müritz, J. (Jezioro) 102-103 B6
Murmańsk 126-127 C5
Murom 105 B6
Muroran 133 B5
Murray – rzeka 157 D3, 4
Musajid 129 II B2
Musan 133 B2
Musała – góra 92-93 D7; 112-113 C9
Musgrave, G. (Góry) 157 C2-C3
Musi – rzeka 132 F3
Mutis – góra 132 G7
Muttaburra 159 II C1,2
Muzaffarpur 128-129 C7
Muztag – góra 130-131 D4
Mwanza 138 F6
Mweru, J. (Jezioro) 136 F5, 6
Mykeny – ruiny 112-113 F9

N

Naab – rzeka 102-103 D6
Nachiczewan 128-129 B3
Nachodka 126-127 E15
Nachuge 128-129 D8
Nadbrzeżne, Góry 143 D6-F7; 149 B2-C3
Naddnieprzańska, Nizina 105 C4-D4
Naddnieprzańska, Wyż. (Wyżyna) 105 D3-D4
Nadkaspijska, Nizina 92-93 D9-D10; 116-117 E7-E8
Nadrenia-Palatynat – kraina hist. 102-103 C3-C4
Nadwołżańska, Wyżyna 92-93 C9; 105 C6-C7
Nadzin 133 B3
Nadżran 128-129 D3
Nagano 133 C4
Nagaoka 133 C4
Nagarkoil 128-129 E6
Nagasaki 133 D2
Nagaur 128-129 C6
Nagoja 133 C4
Nagpur 128-129 C6
Nagqu 130-131 E5
Nagykanizsa 102-103 E8
Naha 130-131 F12; 133 I B1
Nairai – wyspa 159 I B2
Nairobi 138 F6, 7
Nakhon Phanom 132 B3
Nakhon Ratczasima 132 BC3
Nakhon Sawan 132 BC2
Naksos – wyspa 112-113 F10
Nakuru 138 EF6
Nalczyk 105 E6
Nam Dinh 132 AB4
Namcza Barwa – góra 130-131 F5, 6
Namib, Pustynia 136 G4-H4
Namibe 138 G3, 4
Namibia – państwo 138 H4-H5
Nampho 133 C1, 2
Namsos 107 C3
Namur 109 B6
Nanchang 130-131 F9, 10
Nancy 109 C7
Nanda Dewi – góra 128-129 B6, 7
Nander 128-129 D6
Nandi 159 I B1
Nanduri 159 I B2
Nanga Parbat – góra 128-129 B6
Nankin 130-131 E10, 11
Nanning 130-131 G8
Nanping 130-131 F10
Nansena, Grzbiet 162 A17-A7
Nanszan – góry 116-117 F12-F13; 130-131 D6-D7
Nantes 109 D3
Nantong 130-131 E11
Nanuku, Cieśn. (Cieśnina) 159 I B3
Nao, Przyl. (Przylądek) 110-111 C7
Narbada – rzeka 128-129 C6
Narbonne 109 F5
Narew – rzeka 102-103 B11; B10
Narjan Mar 126-127 C7
Narodnaja – góra 116-117 C8, 9; 92-93 B11
Narwa 107 D6
Narwik 107 B4
Nasera, Zb. (Zbiornik) 136 C6; 128-129 C2
Nashville 144 F10; 149 C6
Näsi, J. (Jezioro) 107 C5
Nasik 128-129 C6
Nassau 144 G11; 149 D7
Natal 152 C7
Natewa, Zat. (Zatoka) 159 I B2
Natuna, W-y (Wyspy) 132 E4
Nauru – państwo 158-159 E6
Nausori 159 I B2
Naviti – wyspa 159 I B1
Navua 159 I C2
Nawabśah 128-129 C5, 6
Nawakszut 138 D1
Nawarin, Przyl. (Przylądek) 126-127 C19, 20
Nawarra – kraina hist. 110-111 A6
Nawazibu 138 C1
Nawoi 126-127 E8
Nayau – wyspa 159 I C3
Naypyidaw 118, H11, 129 D8, 132 B1
Nazaret 128 I B1
Naze 133 I B1, 2
Nazilli 112-113 EF12
Nazriet 128-129 E2, 3
Ndżamena 138 D4
Neagh, J. (Jezioro) 108 D3
Neapol 112-113 D4, 5
Neapolitańska, Zat. (Zatoka) 112-113 D4, 5
Neblina – góra 151 B4
Nebraska – stan 144 E8-E9
Nébrodi – góry 112-113 F5-E5
Neckar – rzeka 102-103 D4
Negele 128-129 E2
Negew, Pust. (Pustynia) 128 I C1
Negros – wyspa 132 D7
Neijiang 130-131 E8
Nellur 128-129 D7
Nelson – rzeka 143 D10; 149 A5
Nemira – góra 102-103 E13
Nemuro 133 B6
Nepal – państwo 118-119 G10
Neretwa – rzeka 112-113 C7
Nesebyr 112-113 C11, 12
Neubrandenburg 102-103 B6, 7
Neuchâtel 102-103 E3
Neumünster 102-103 A5
Neustrelitz 102-103 B6
Nevada – stan 144 E7
Nevers 109 D5
New Delhi 128-129 C6
New Hampshire – stan 144 E11
New Jersey – stan 144 E11
Newcastle 138 H5, 6
Newcastle 158-159 H5
Newcastle-upon-Tyne 108 D5, 6
Newport 108 F5
Ngau – wyspa 159 I BC2
Ngoc Linh – góra 132 B4
Niagara, Wdp. (Wodospad) 143 E12
Niamey 138 D3
Nias – wyspa 132 E2
Niasa, J. (Jezioro) (Malawi, J.) 136 G6
Nicea 109 F7
Niedźwiedzia, W. (Wyspa) 116-117 B3-B5; 126-127 B3, 4
Niedźwiedzie, W-y (Wyspy) 126-127 B17, 18
Niemcy – państwo 94-95 C5-C6
Niemen – rzeka 92-93 C7; 105 B2
Niemiecka, Nizina 92-93 C5-C6; 102-103 B3-B6
Niewinnomysk 105 E6
Niger – państwo 138 D3-D4
Niger – rzeka 136 D2; E3
Nigeria – państwo 138 DE3-DE4
Niigata 133 C4
Niihama 133 D3
Niihau – wyspa 144 I A1
Nijmegen 102-103 C2
Nikaragua – państwo 144 H10
Nikiel 107 B6, 7
Nikobary – wyspy 116-117 I12; 128-129 E8
Nikolaos 112-113 D9, 10
Nikołajewsk nad Amurem 126-127 D15, 16
Nikopol 105 D4, 5
Nikopol 112-113 C10
Nikozja 128-129 B2
Nikšić 112-113 C7
Nil – rzeka 136 D6; C6
Nil Biały – rzeka 136 D6
Nil Błękitny – rzeka 136 D6
Nîmes 109 F5, 6
Nimrud – ruiny 128-129 B3
Ningbo 130-131 F11
Ninian – pole ropy naftowej 106 A3
Niniwa – ruiny 128-129 B3
Nipigon, J. (Jezioro) 149 B5, 6
Nisz 112-113 C8
Niszapur 128-129 B4
Niterói 152 E6, 7
Nitra 102-103 D9
Nitra – rzeka 102-103 D9
Niue – teryt. zależne 158-159 F9
Nizamabad 128-129 D6
Niżniewartowsk 126-127 C9, 10
Niżny Nowogród 105 B6, 7
Niżny Tagił 126-127 D8
Nobeoka 133 D3
Noirmoutier – wyspa 109 D2
Nojima, Przyl. (Przylądek) 133 D4, 5
Nok Kundi 128-129 C5
Nong Khai 132 B3
Nong'an 133 B1
Nordfjorden – zatoka 107 C1, 2
Nordhausen 102-103 C5
Nordwik 126-127 B13
Norfolk 144 F11; 149 C7
Norfolk – teryt. zależne 158-159 G6
Norfolk – wyspa 157 C6, 7
Normanby – rzeka 159 II B1,2
Normandia – kraina hist. 109 C3-C4
Normandzkie, W-y (Wyspy) 108 G5
Norrköping 107 D4
Nort Cormorant – pole ropy naftowej 106 A2, 3
Northampton 108 E6
Northumberland, W-y (Wyspy) 159 II C2-C3

Norwegia – państwo 94-95 C5-A7
Norweskie, Morze 92-93 B4-B5; 107 C1-B3
Norwich 108 E7
Norylsk 126-127 C10
Norymberga 102-103 D5
Noteć – rzeka 102-103 B9; B8
Noto, Płw. Półwysep 133 C4
Notodden 107 D2, 3
Nottingham 108 E6
Novara 112-113 B2
Novi Pazar 112-113 C7, 8
Nw. (Nowa) Brytania – wyspa 157 A5
Nowa Fundlandia – prowincja 144 D12-E13
Nowa Fundlandia – wyspa 143 DE14, 15; 149 A9
Nowa Gwinea – wyspa 6-7 J31, 32; 157 A3-A4
Nw. (Nowa) Irlandia – wyspa 157 A4, 5
Nowa Kaledonia – teryt. zależne 158-159 G6
Nowa Kaledonia – wyspa 157 C6
Nowa Kastylia – kraina hist. 110-111 C4-B5
Nowa Łazariewska – st. badawcza 161 BC2, 3
Nowa Południowa Walia – stan 158-159 G4-H4
Nw. (Nowa) Syberia – wyspa 126-127 B16, 17
Nowa Szkocja – prowincja 144 E12-E13
Nowa Szwabia – kraina 161 B36-2
Nowa Wieś Spiska 102-103 D10
Nowa Zelandia – państwo 158-159 H6-H7
Nowa Zelandia – wyspy 157 E6-D7
Nowa Ziemia – wyspy 116-117 B7-B9; 126-127 B7-B8
Nowe Hebrydy – wyspy 157 B6-B7
Nowogród Wielki 105 B4
Nowogród Wołyński 102-103 C13, 14
Nowokazalińsk 126-127 E8
Nowokujbyszewsk 105 C7
Nowokuźnieck 126-127 D10
Nowomoskowsk 105 C5, 6
Nowomoskowsk 105 D5
Nowopołock 105 B3
Noworosyjsk 105 E5
Nowosyberyjskie, W-y (Wyspy)
116-117 B15-B18; 126-127 B15-B17
Nowosybirsk 126-127 D9, 10
Nowy Amsterdam – wyspa 6-7 M25, 26
Nowy Brunszwik – prowincja 144 E12
Nowy Jork 144 E11, 12; 149 B7, 8
Nowy Jork – stan 144 E11
Nowy Meksyk – stan 144 F8
Nowy Orlean 144 G10; 149 D5, 6
Nowy Port 126-127 C8, 9
Nowy Sad 112-113 B7
Nowy Sącz 102-103 D10
Nubijska, Pust. (Pustynia) 136 C6-D6
Nuku'alofa 158-159 G8
Nukus 126-127 E8
Nullarbor, Nizina 157 D2-D3
Numea 158-159 G6
Nunavut – prowincja 144 C7-C12
Nuoro 112-113 D2
Nura – rzeka 126-127 DE9
Nuuk 144 C14
Ny Ålesund – st. badawcza 162 B17-B16
Nyala 138 D5
Nyíregyháza 102-103 E10
Nysa – rzeka 102-103 C8
Nysa Łużycka – rzeka 102-103 C7

O

Oahu – wyspa 144 I A2
Oakland 149 C2, 3
Ob – rzeka 116-117 D11; C10; C9; 126-127 D10; C8
Obi – wyspa 132 F8
Obihiro 133 B5
Oblaczaja – góra 133 B3
Obska, Zatoka 116-117 C10-B10; 126-127 C9-B9
Ocha 126-127 D16
Ochock 126-127 D16
Ochockie, Morze 116-117 D17-E18; 126-127 D16-D17
Ochrydzkie, J. (Jezioro) 112-113 D8
Odense 107 D2, 3
Odessa 105 D4
Odin – pole gazu ziemnego 106 B3
Odra – rzeka 92-93 C6; 102-103 B7-C7, 8, 9
Ofanto – rzeka 112-113 D5
Offenbach am Main 102-103 C4
Ogaden – kraina hist. 128-129 E3
Oglio – rzeka 112-113 B2
Ohio – rzeka 143 F11; 149 C6
Ohio – stan 144 E10
Ohrza – rzeka 102-103 C6, 7
Oita 133 D3
Ojmiakon 126-127 C16
Ojos del Salado – góra 151 E4
Oka – rzeka 92-93 C9; 105 C5; B6
Okawango (Kubango) – rzeka 136 G4
Okayama 133 D3
Okha 128-129 C5
Oki, W-y 133 C3
Okinawa, W-y (Wyspy) 130-131 F12, 13; 133 I B1
Oklahoma – stan 144 F9
Oklahoma City 144 F9; 149 C4, 5
Oksford 108 F6
Okushiri – wyspa 133 B4
Ólafsvik 107 I B1
Olaine 107 D5
Olandia – wyspa 92-93 C6; 107 D4
Olbia 112-113 D2
Oldenburg 102-103 B3, 4
Oleniok 126-127 C13
Oléron – wyspa 109 E3
Olga 133 B4
Ölgij 130-131 B5
Olimp – góra 92-93 D7; 112-113 D9
Olimpia 144 E6
Olimpia – ruiny 112-113 F8
Olita 102-103 A12
Olokmińsk 126-127 C13
Olsztyn 102-103 B10
Oltenia – kraina hist. 102-103 F11
Olutorski, Przyl. (Przylądek) 126-127 C18, 19
Olympia 149 B2
Ołomuniec 102-103 D8
Ołowiannaja 126-127 D13
Oma, Przyl. (Przylądek) 133 B5
Omaha 144 E9; 149 B5
Oman – państwo 118-119 H7-G7
Omańska, Zatoka 128-129 C4-C5
Ombrone – rzeka 112-113 C3
Omdurman 138 D5, 6
Omsk 126-127 D9
Omulew – rzeka 102-103 B10
Omuta 133 D3
Öndörchaan 130-131 B9
Onega, J. (Jezioro) 92-93 B8
Ono – wyspa 159 I C2
Onon – rzeka 126-127 D13; 130-131 A9
Ontario – prowincja 144 D9-D10
Ontario, J. (Jezioro) 143 E12; 149 B7
Opatija 112-113 B4, 5
Opole 102-103 C9
Oradea 102-103 E11
Orał 126-127 D7
Oran 138 B2, 3
Oranje – rzeka 136 H4
Orcadas – st. badawcza 161 B-C32
Orchon – rzeka 130-131 B7
Ordos – wyżyna 130-131 D8-D9
Örebro 107 D3
Oregon – stan 144 E6-E7
Orenburg 126-127 D7
Orense 110-111 A3
Orfańska, Zat. (Zatoka) 112-113 D9, 10
Orgiejów 102-103 E14
Orihuela 110-111 C6
Orinoko – rzeka 151 B4
Orinoko, Nizina 151 B3-B4
Oristano 112-113 E2
Orizaba – góra 143 H10; 149 E5
Orkady – wyspy 92-93 C4, 5; 108 B5
Orkady Pd. (Południowe) – wyspy 6-7 P13, 14
Orlando 149 D6, 7
Orlean 109 CD4, 5
Orleania – kraina hist. 109 D4-D5
Ormuz, Cieśn. (Cieśnina) 128-129 C4
Ornsköldsvik 107 C4
Orohena – góra 159 III B1,2
Orsk 126-127 D7, 8
Orsza 105 C4
Orszowa 102-103 F10
Ortles – góra 112-113 A3
Oruro 152 D4
Orvieto 112-113 C3, 4
Orzeł 105 C5
Osaka 133 D4
Oseberg – pole gazu ziemnego 106 A3
Oshima – wyspa 133 B4
Osijek 112-113 B7
Oskemen 126-127 D10
Oslo 107 D3
Oslofjorden – zatoka 107 D3
Osnabrück 102-103 B4
Ostenda 109 B5
Östersund 107 C3, 4
Ostia 112-113 D4
Ostiglia 112-113 B3
Ostrawa 102-103 D9
Ostróg 102-103 C13
Ostrów Wielkopolski 102-103 C8, 9
Osumi, W-y (Wyspy) 133 D3
Otaru 133 B5
Otranto 112-113 D7
Otranto, Cieśnina 112-113 D7-E7
Ottawa 144 E10, 11; 149 B7
Ou – rzeka 132 A3
Ouessant 109 C1
Oulu 107 B6
Oulu – rzeka 107 C6
Oulu, J. (Jezioro) 107 C6
Ovalau – wyspa 159 I B2
Oviedo 110-111 A3, 4
Owcze, W-y (Wyspy) 92-93 B4
Owernia – kraina hist. 109 E5
Oxelösund 107 D4

P

Pacyficzno-Antarktyczny, Grzbiet 161 D22-C19
Pad – rzeka 92-93 D5, 6; 112-113 B1; B2; B3
Padang 132 F2, 3
Padańska, Nizina 92-93 D5-D6; 112-113 B2-B4
Paderborn 102-103 C4
Padwa 112-113 B3, 4
Pag – wyspa 112-113 B5
Pagai, W-y (Wyspy)132 F2, 3
Pagalu – wyspa 136 F3
Pago Pago 158-159 F8,9
Päijänne, J. (Jezioro) 107 C6
Paitou – kraina hist. 109 D3
Pájara 110-111 I A3, 4
Pakanbaru 132 E3
Pakistan – państwo 118-119 G8-F9
Pakokku 128-129 C8
Palagruža – wyspa 112-113 C6
Palanpur 128-129 C6
Palau – państwo 158-159 D3
Palau, W-y (Wyspy) 116-117 I16
Palawan – wyspa 116-117 IH14; 132 D6-C6
Palembang 132 F3, 4
Palencia 110-111 B4
Palermo 112-113 E4
Palikir 158-159 D6
Palk, Cieśn. (Cieśnina) 128-129 E6-D7
Palma – wyspa 110-111 I A2
Palma de Mallorca 110-111 C8
Palmas 152 CD6
Palmer – st. badawcza 161 C30
Palmyra – ruiny 128-129 B2
Palmyra – wyspa 158-159 D9
Palopo 132 F6, 7
Palos, Przyl. (Przylądek) 110-111 D6
Palos de la Frontera 110-111 D3
Palu 132 F7
Palana 126-127 D18
Pamir – góry 116-117 F10
Pampa – region 151 F4-F5
Pampeluna 110-111 A5, 6
Panama 144 I11
Panama – państwo 144 I10-I11
Panamska, Zat. (Zatoka) 151 B2, 3
Panamski, Kan. (Kanał) 151 AB2, 3
Panay – wyspa 132 C7
Pančevo 112-113 B8
Pandżim 128-129 D6
Pangkalpinang 132 F4
Panshi 133 B2
Paola 112-113 E5, 6
Papeete 158-159 F11
Papenoo 159 III A2
Papenoo – rzeka 159 III B2
Papua Nowa Gwinea – państwo 158-159 E4
Papuk – góry 102-103 F8
Pará – stan 152 C5-C6
Paracelskie, W-y (Wyspy) 116-117 H14; 132 B5
Paragwaj – państwo 152 E4-E5
Paraiba – stan 152 C7
Paramaribo 152 B5, 6
Paraná 152 F4, 5
Parana – rzeka 151 E5; E4, 5
Parana – stan 152 E5-E6
Pardubice 102-103 C7, 8
Parepare 132 F6
Pariñas, Przyl. (Przylądek) 151 C2
Parma 112-113 B2, 3
Parnas – góry 112-113 E9
Parnawa 107 D5
Paros – wyspa 112-113 F10
Parryego, W-y (Wyspy) 143 B7-B10
Partyzańsk 133 B3
Paryski, Basen – kraina 109 C4-C5
Paryż 109 C5
Pasawa 102-103 D6
Pascani 102-103 E13
Pasmo Stanowe – góry
116-117 D15-D16; 126-127 D14-D15
Pasni 128-129 C5
Passero, Przyl. (Przylądek) 112-113 F5
Pasto 152 B3
Patagonia – region 151 H3-GF4
Patan 130-131 F4
Patkaj – góry 128-129 C8
Patna 130-131 F3, 4
Patras 112-113 E8
Patraska, Zat. (Zatoka) 112-113 E8
Pau 109 F3
Pawłodar 126-127 D9
Pazardżik 112-113 C9, 10
Peace – rzeka 143 D8; 149 A3
Pecz 102-103 EF9
Peczora – rzeka 92-93 B10
Peć 112-113 C8
Pegu 128-129 D8
Pejpus, J. (Jezioro) 92-93 C7; 105 B3
Pekin 130-131 C9, 10
Pektu-san – góra 133 B2
Peleng – wyspa 132 F7
Pelješac – wyspa 112-113 C6
Peloponez – półwysep 92-93 E7; 112-113 E8-F9
Pematangsiantar 132 E2, 3
Pembroke 106 C1, 2
Peña Nevada – góra 149 D5
Peñalara – góra 110-111 B5
Peñarroya – góra 110-111 B6
Peñarroya-Pueblonuevo 110-111 C4
Peñas, Przyl. (Przylądek) 110-111 A3, 4
Pendżab – kraina hist. 128-129 B6
Pennińskie, Góry 92-93 C4; 108 D5-E6
Pensylwania – stan 144 E11
Penza 105 C7
Perdu – góra 110-111 A6, 7
Pergamon – ruiny 128-129 B1
Périgueux 109 E4
Perm 126-127 D7
Pernambuco – stan 152 C6-C7
Pernik 112-113 C9
Perpignan 109 F5
Persepolis – ruiny 128-129 C4
Perska, Zat. (Zatoka) 116-117 G7-G8; 128-129 C4
Perth 158-159 H1
Peru – państwo 152 C3-D3
Perugia 112-113 C4
Peruwiański, Basen 6-7 K7-K9
Pesaro 112-113 C4
Pescara 112-113 C5
Peskadory – wyspy 130-131 G10-G11
Peszawar 128-129 B5, 6
Petermanna, Góra 162 B22-B21
Petersburg 105 AB4
Petra – ruiny 128-129 B2
Petricz 112-113 D9
Petropawłowsk Kamczacki 126-127 D17
Petroszany 102-103 F11
Petrozawodzk 126-127 C5
Pewek 126-127 C18
Phan Rang 132 C4, 5
Phan Thiet 132 C4
Phnom Penh 132 C3, 4
Phoenix 144 F7, 8; 149 C3, 4
Phohang 133 C2, 3
Phongsali 132 A3
Phou Bia – góra 132 B3
Phuket 132 D2
Piacenza 112-113 B2
Piandż – rzeka 128-129 B6
Piaoziero, J. (Jezioro) 107 B7
Piatigorsk 105 E6
Piatra-Neamt 102-103 E13
Piaui – stan 152 C6
Piawa – rzeka 112-113 A4
Pic de'Anie – góra 109 F3
Pico de Aneto – góra 92-93 D5; 110-111 A7
Pico de las Nieves – góra 110-111 I AB3
Pico de Teide – góra 136 C1; 110-111 I A2
Pieczenga 107 B7
Pielinen, J. (Jezioro) 107 C6
Piemont – kraina hist. 112-113 B1
Pierre 144 E9; 149 B5
Pieszczany 102-103 D8, 9
Pietarsaari 107 C5
Pik Lenina – góra 126-127 F9
Pikardia – kraina hist. 109 C4-B5
Pilica – rzeka 102-103 C10
Pilos 112-113 F8
Pilzno 102-103 D6
Piła 102-103 B8
Pinang 132 D2
Pindos – góry 92-93 E7; 112-113 D8-E8
Pingxiang 130-131 F9, 10
Pingxiang 130-131 G8
Pińsk 102-103 B12
Piombino 112-113 C2, 3
Piotra I, W. (Wyspa) 161 C27
Piotra Wielkiego, Zatoka 133 B3
Piotrków Trybunalski 102-103 C9
Piper – pole gazu ziemnego 106 B2, 3
Pirdop 112-113 C10
Pireneje – góry
92-93 D4-D5; 109 F3-F5; 110-111 A6-A8
Pireus 112-113 E9
Pirgos 112-113 F8
Pirin – góry 112-113 D9
Pirot 112-113 C9
Pistoia 112-113 B3
Pitcairn – teryt. zależne 158-159 G13
Pitesti 102-103 F12
Pithio 112-113 D11
Pittsburgh 149 C6, 7
Piura 152 C2
Piza 112-113 C3
Pizzo 112-113 E5, 6
Pjongjang 133 C1, 2
Placid – pole gazu ziemnego 106 C3
Plauen 102-103 C5, 6
Plewen 112-113 C10
Ploče 112-113 C6
Ploeszti 102-103 F13
Plymouth 108 F5
Płock 102-103 B9, 10
Płowdiw 112-113 C10
Płycz – rzeka 102-103 B14
Pobieda – góra 116-117 C17, 18; 126-127 C16
Poczdam 102-103 B6
Podgorica 112-113 C7
Podkamienna Tunguzka – rzeka 126-127 CD11
Podlasie – kraina hist. 102-103 B11
Podole – wyżyna 92-93 D7; 102-103 D11-D14
Pogórze Kazaskie 116-117 E10-E11
Pohaj, Zat. (Zatok a) 130-131 D10-D11
Poinsett, Przyl. (Przylądek) 161 C12
Pointe Noire 138 F3, 4
Poitiers 109 D3, 4
Pojang, J. (Jezioro) 130-131 F9, 10
Polarny, Płaskowyż 161 A32-A11
Polesie – nizina 92-93 C7-C8; 102-103 B12-B14
Polesie Wołyńskie – nizina 102-103 C12-C13
Polesie Żytomierskie – nizina 102-103 C14
Polinezja – wyspy
6-7 H1-L4, I36-K36; 158-159 B8-G12
Polinezja Francuska – teryt. zależne 158-159 F11-G12
Pollino – góra 112-113 E6
Polska – państwo 94-95 C6-C7
Polska, Nizina 92-93 C6-C7; 102-103 B7-B11
Połabska, Nizina 102-103 C6-C7
Połtawa 105 D4
Południowa, W. (Wyspa) 157 E5, 6
Południowoantylski, Basen 161 D32-D34
Południowoatlantycki, Grzbiet 6-7 J16-O17
Południowochińskie, Góry
116-117 G13-G14; 130-131 G8-F11
Południowochińskie, Morze
116-117 I13-G14; 133 D4-B6
Południowopacyficzny, Basen 6-7 L3-N5

Południowo-Wschodni, Przyl. (Przylądek) 157 E4
Pd.-Zach. (Południowo-Zachodnie), W-y (Wyspy) 132 G8
Południowy, Kanał 109 F4, 5
Południowy, Ocean 6-7 P1-36; 163
Południowy, Przyl. (Przylądek) 157 E6
Pomorska, Zat. (Zatoka) 102-103 A7
Pomorskie, Pojezierze 102-103 B7-A8
Pomorze – kraina hist. 102-103 B7-A8
Pompeje – ruiny 112-113 D5
Poniewież 107 D5, 6
Pontevedra 110-111 A2
Pontianak 132 E4
Pontyjskie, Góry 116-117 E6-E7; 105 E4-E6
Popocatépetl – góra 143 H9, 10; 149 D5
Poprad – rzeka 102-103 D10
Pori 107 C5
Porsangen – zatoka 107 A6
Port Augusta 157 D3, 4, H3
Port-Au-Prince 144 H11; 149 E7
Port Blair 128-129 D8
Port Elizabeth 138 I5
Port Harcourt 138 E3
Port Hedland 158-159 FG1
Port Moresby 158-159 E4, 5
Port Said 138 B6
Port Sudan 138 D6
Port Vila 158-159 F6
Portland 144 E6, 7; 149 B2
Portland 149 B8
Porto 110-111 B2
Porto Alegre 152 EF5, 6
Porto Novo 138 E3
Porto-Vecchio 112-113 D2
Porto Velho 152 C4
Portoryko – teryt. zależne 144 H11
Portoryko – wyspa 143 H13; 149 E8
Portsmouth 108 F6
Portugalia – państwo 94-95 E4-D4
Porvoo 107 C6
Postojna 102-103 F7
Potenza 112-113 D5, 6
Potosí 152 E4
Poznań 102-103 B8
Północna, W. (Wyspa) 157 D7, 8
Północne, Morze 92-93 C5; 106 B3-B4
Północnoamerykański, Basen 6-7 F11-F13
Północnoatlantycki, Grzbiet 6-7 D15-I14
Północnofryzyjskie, W-y (Wyspy) 102-103 A4
Północnopacyficzny, Basen 6-7 F2-H4
Północnosyberyjska, Nizina 126-127 B10-B14
Północno-Zachodni, Basen 6-7 E33-F34
Północny, Kanał – cieśnina 108 D3-D4
Północny, Przyl. (Przylądek) 92-93 B7, 8; 107 A6
Północny, Przyl. (Przylądek) 157 D7
Praga 102-103 C7
Pratas, W-y (Wyspy) 130-131 G10
Prato 112-113 C3
Prespa, J. (Jezioro) 112-113 D8
Preston 108 E5
Preszów 102-103 D10
Pretoria 138 H5, 6
Préweza 112-113 E8
Prilep 112-113 D8
Prince Rupert 144 D5; 149 A1
Princess Elizabeth – st. badawcza 161 B2-4
Prisztina 112-113 C8
Prizren 112-113 C8
Prokletije – góry 112-113 C7-C8
Prome 128-129 D8
Proserpine 159 II C2
Prosna – rzeka 102-103 BC8, 9
Providence 144 E11, 12; 149 B7, 8
Prowansja – kraina hist. 109 F6-F7
Prowidienija 126-127 C20
Prut – rzeka 92-93 D7; 102-103 D12; E13; F14
Prypeć – rzeka
92-93 C7; 102-103 C12; B13; B14; C14
Przemyśl 102-103 D11
Przylądkowe, G. (Góry) 136 I4-I5
Psilioritis – góra 112-113 G10
Pskowskie, J. (Jezioro) 107 D6
Psków 105 B3
Puebla 144 G9; 149 E5
Pueblo 149 C4
Puerto Montt 152 G3
Puerto Princesa 132 D6, 7
Puerto del Rosario 110-111 I A4
Puigmal – góra 109 F5
Pukhan – rzeka 133 C2
Pula 112-113 B4
Pulog – góra 132 B7
Puna 128-129 D6
Punaauia 159 III B1
Punaruu – rzeka 159 III B1
Puncak Jaya – góra 157 A3
Puno 152 D3, 4
Punta Arenas 152 H3
Pusan 133 C2
Puszkin 105 B3, 4
Putao 128-129 C8
Puting, Przyl. (Przylądek) 132 F5
Puy de Dôme – góra 109 E5
Puy de Sancy – góra 109 E5
Pyhäselkä, J. (Jezioro) 107 C6, 7

Q

Qamdo 130-131 E6
Qiemo 130-131 D4
Qingdao 130-131 D11
Qiqihar 130-131 B11, 12
Quebec 144 E11; 149 B7
Quebec – prowincja 144 D11-D12
Queensland – stan 158-159 F4-G5
Quelimane 138 G6, 7
Quezon City 132 B7
Qui Nhon 132 C4, 5
Quimper 109 C1
Quito 152 BC2, 3

R

Raahe 107 C5
Rab – wyspa 112-113 B5
Raba – rzeka 102-103 E8
Rabat 138 B1, 2
Race, Przyl. (Przylądek) 143 E14, 15; 149 B9
Racibórz 102-103 CD8, 9
Radom 102-103 C10
Radomir 112-113 C9
Radowce 102-103 E12, 13
Radźkot 128-129 C6
Radźszahi 128-129 C7
Radżang – rzeka 132 E5
Ragusa 112-113 F5
Rajpur 128-129 C7
Raleigh 144 F11
Rambi – wyspa 159 I B2,3
Ramelau – góra 132 G8
Rańći 128-129 C7
Rangpur 128-129 C7
Rangun 128-129 D8
Ranong 132 CD2, 3
Rantekombola – góra 132 F6, 7
Rapallo 112-113 B2
Ras Daszan – góra 136 D6
Ras Tanura 129 II B2
Rathenow 102-103 B5, 6
Ratyzbona 102-103 D5
Rauma 107 C5
Rawalpindi 128-129 B6
Rawenna 112-113 B4
Raya – góra 132 F5
Razgrad 112-113 C10, 11
Ré – wyspa 109 D3
Rebun – wyspa 133 A5
Recife 152 C7
Recklinghausen 102-103 C3
Red – rzeka 143 F10
Reggio di Calabria 112-113 E5, 6
Reggio nell'Emilia 112-113 B3
Regina 144 D8; 149 A4
Reims 109 C6
Ren – rzeka 92-93 D5 C5; 102-103 E4, D4, C2
Reni 102-103 F14
Reniferowe, J. (Jezioro) 149 A4
Rennes 109 C3
Reno 144 E6, 7; 149 C3
Reno – rzeka 112-113 B3
Republika Południowej Afryki – państwo 138 HI4-I5
Republika Środkowoafrykańska – państwo 138 E4-E5
Resistencia 152 E4, 5
Reţiţa 102-103 F10
Reszt 128-129 B3, 4
Réthimno 112-113 G10
Reunion – wyspa 6-7 L23
Reus 110-111 B7
Revilla Gigedo, W-y (Wyspy) 143 GH8, 9; 149 E3, 4
Rewa – rzeka 159 I B2
Rewolucji Październikowej, W. (Wyspa) B10, 11
Reykjavik 107 I B1
Rezaije 128-129 B3
Rhimjar Khan 128-129 C6
Rhode Island – stan 144 E11
Riau, W-y (Wyspy) 132 E3, 4
Riazań 105 C5, 6
Richards Bay 138 H6
Richmond 144 F10, 11; 149 C7
Ridżan 138 C2
Riesa 102-103 C6
Rieti 112-113 C4
Rif – góry 92-93 E4
Rihand – rzeka 130-131 G3
Rijeka 112-113 B5
Riła – góry 112-113 D9-C9
Rimini 112-113 B4
Rîmnicu Srat 102-103 F13
Rîmnicu Vîlcea 102-103 F11, 12
Ringgold, W-y (Wyspy) 159 I A3-B3
Rio Branco 152 C4
Rio Bravo del Norte (Rio Grande) – rzeka
143 FG9; 149 CD4
Rio de Janeiro 152 E6, 7
Rio de Janeiro – stan 152 E6
Rio Grande 152 F5, 6
Rio Grande (Rio Bravo del Norte) – rzeka
143 FG9; 149 CD4
Rio Grande do Norte – stan 152 C7
Rio Grande do Sul – stan 152 E5-F5
Rio Negro – rzeka 151 BC4
Rishiri – wyspa 133 A5
Riukiu, Wyspy
116-117 G15-G16; 130-131 F11-E12; 133 I B1-A1
Rize 105 E6
Rjukan 107 CD2
Roca, Przyl. (Przylądek) 92-93 E3, 4; 110-111 C2
Rocas – wyspa 151 C7
Rochefort 109 DE3
Rockall – wyspa 92-93 C3
Rockhampton 158-159 G5
Rodan – rzeka 92-93 D5; 109 D7; E6
Rodanu, Rów – kraina 109 E6
Rodopy – góry 92-93 D7; 112-113 D9-D10
Rodos 112-113 F12
Rodos – wyspa 92-93 E7; 112-113 F11
Roman 102-103 E13
Rondônia – stan 152 D4
Roniu – góra 159 III B2
Rønne 102-103 A7
Ronne, Lodowiec Szelfowy 161 B30-A29
Roraima – stan 152 B4-B5
Rosario 152 F4
Rosenheim 102-103 E6
Rosiori de Vede 102-103 F12
Rosja – państwo 94-95 C8-C12; 118-119 C8-C14
Rossa, Lodowiec Szelfowy 161 A19-B19
Rossa, Morze 161 B19-B18
Rostock 102-103 A6
Rostów nad Donem 105 D5, 6
Rosyjska FSRR 127 I
Rothera – st. badawcza 161 C29, 30
Rotterdam 102-103 C2
Roubaix 109 B5
Rouen 109 C4
Rovaniemi 107 B5, 6
Rožňava 102-103 D9, 10
Roztocze – wyżyna 102-103 CD11
Równe 102-103 C13
Równiny Centralne 143 E10-F11; 149 B5-C6
Rtanj – góra 112-113 C8
Rudawy – góry 102-103 C6
Rudnaja Pristań 133 B4
Rudolfa, J. (Jezioro) (Turkana, J.) 136 E6
Rugia – wyspa 102-103 A6, 7
Ruhra – rzeka 102-103 C3, 4
Ruhry, Z. (Zagłębie) 102-103 C3
Rumunia – państwo 94-95 D7
Ruoqiang 130-131 D4
Rurkela 128-129 C7
Ruse 112-113 C11
Russkaja – st. badawcza 161 B23
Rustawi 105 E6, 7
Ruwenzori – góra 136 E5
Rwanda – państwo 138 F6
Rybacki, Płw. (Półwysep) 107 B7
Rybińsk 105 B5, 6
Rybiński, Zb. (Zbiornik) 126-127 D5; 105 B5
Rybnica 102-103 E14
Ryga 105 B2, 3
Ryska, Zatoka 107 D5
Rz. (Rzeka) Czerwona – rzeka
116-117 G13; 130-131 G7
Rzeka Żółta (Huang-he) – rzeka
116-117 F14; 130-131 E6, 7; D9
Rzeszów 102-103 C11
Rzeżyca 107 D6
Rzym 112-113 D4
Rżew 105 B4

S

Saalfeld 102-103 C5
Saara – kraina hist. 102-103 D3
Saarbrücken 102-103 D3
Saary, Zagłębie 109 C7
Šaba – ruiny 128-129 D3
Šabac 112-113 B7
Sabadell 110-111 B8
Sabaudia – kraina hist. 109 E7
Sabha 138 C4
Sabja 128-129 D3
Sachalin – wyspa 116-117 E17; 126-127 E16
Sacramento 144 F6; 149 C2, 3
Sada 128-129 D3
Sadija 128-129 C8
Sado – wyspa 133 C4
Safadża 128-129 C2
Safakis 138 B4
Sagami, Zat. (Zatoka) 133 CD4
Sagar 128-129 C6
Sagra – góra 110-111 D5
Sagunto 110-111 C6, 7
Sahara – pustynia 136 C1-C5
Sahara Zachodnia – państwo 138 C1
Sahel – kraina 136 D2-D5
Saimaa, J. (Jezioro) 107 C6
St (Saint)-Brieuc 109 C2
St. (Saint) Kitts i Nevis – państwo 152 A4, 5
St (Saint)-Étienne 109 E5, 6
St. (Saint) John 149 B8
St. (Saint) John's 144 E13, 14; 149 B9
Saint Lawrence 159 II C2
Saint Louis 144 F9, 10; 149 C5, 6
St. (Saint) Lucia – państwo 152 A4, 5
St (Saint)-Malo 109 C3
St (Saint)-Malo, Zat. (Zatoka) 109 C2, 3
St (Saint)-Nazaire 109 D2
St. (Saint) Paul 144 E9; 149 B5
St. (Saint) Paul – wyspa 6-7 M25
St (Saint)-Pierre 149 B9
Saint Pierre i Miquelon – teryt. zależne 144 E13
St (Saint)-Pierre i Miquelon – wyspy 149 B9
St (Saint)-Quentin 109 C5
St. (Saint) Vincent i Grenadyny – państwo 152 A4
Sainte Marie, Przyl. (Przylądek) 136 H7
Sajama – góra 151 D4
Sajany – góry 116-117 D11-D13; 126-127 D11
Sajda 128 I B1
Sajhut 128-129 D4
Sajnszand 130-131 C8
Sakarya 105 E4
Sakarya – rzeka 105 E4
Sakata 133 C4
Sakishima, W-y (Wyspy) 130-131 G11-G12
Saksonia – kraina hist. 102-103 C6
Sala y Gómez – wyspa 6-7 L7, 8
Salala 128-129 D4
Salamanka 110-111 B3, 4
Salechard 126-127 C8, 9
Salem 144 E6, 7; 149 B2
Salentyński, Płw. (Półwysep) 112-113 D6-E7
Salerno 112-113 D5
Salgótarján 102-103 D9, 10
Salomona, W-y (Wyspy) 157 A5-A6
Salomona, W-y (Wyspy) – państwo 158-159 E5-F6
Saloniki 112-113 D9
Salonta 102-103 E10
Salt Lake City 144 E7, 8; 149 B3, 4
Salta 152 E4
Saluin – rzeka 116-117 F12; G12; 130-131 E5; G6
Salvador 152 D7
Salwador – państwo 144 H9-H10
Salzach – rzeka 102-103 E6; DE6
Salzburg 102-103 E6
Salzgitter 102-103 B5
Salzwedel 102-103 B5
Sama de Langreo 110-111 A4
Samar – wyspa 132 C8
Samara 126-127 D7
Samaria – kraina hist. 128 I B1
Samarinda 132 F6
Samarkanda 126-127 F8
Samarra 128-129 B3
Samarski, Zb. (Zbiornik) 92-93 C9, 10; 105 C7
Sambalpur 128-129 C7
Sambor 102-103 D11
Samburg 126-127 C9, 10
Samczhok 133 C2, 3
Samoa Amerykańskie – teryt. zależne 158-159 F8, 9
Samoa – państwo 158-159 F8
Samoa – wyspy 158-159 F8
Samos – wyspa 112-113 F11
Samosz – rzeka 102-103 DE11
Samoszu, Wyż. (Wyżyna) 102-103 E11
Samotraka – wyspa 112-113 D10
Sampit 132 F5
Samsun 128-129 A2
San Ambrosio – wyspa 151 E3
San Antonio 144 G8, 9; 149 CD4, 5
San Bernardino 149 C3
San Carlos De Bariloche 152 G3, 4
San Cristóbal 152 B3, 4
San Diego 144 F6, 7; 149 C2, 3
San Félix – wyspa 151 E2
San Fernando 132 B6, 7
San Francisco 144 F6; 149 C2
San Jorge, Zat. (Zatoka) 151 G4
San José 144 I10; 149 C2
San Juan 144 H12
San Luis Potosí 144 G8, 9; 149 D4
San Marino 112-113 C4
San Marino – państwo 94-95 D6
San Matias, Zat. (Zatoka) 151 G4, 5
San Remo 112-113 C1, 2
San Salvador 144 H9, 10
San Sebastian 110-111 A5
San Sebastian de la Gomera 110-111 I AB2
San Severo 112-113 D5
San Valentin – góra 151 G3
Sana 128-129 D3
Sanandadż 128-129 B3
Sandakan 132 D6
Sandomierska, Kotlina 102-103 C10-C11
Sandwich Pd. (Południowy) – wyspy 6-7 O14, 15
Sangihe, W-y (Wyspy) 132 E8
Sangli 128-129 D6
St. (Sankt) Gallen 102-103 E4
St. (Sankt) Moritz 102-103 E4
St. (Sankt) Pölten 102-103 D7
Sanae IV – st. badawcza 161 B36
Sanok 102-103 D11
Santa Catarina – stan 152 E5-E6
Santa Cruz 152 D4, 5
St. (Santa) Cruz, W-y (Wyspy) 157 B6
Santa Cruz de la Palma 110-111 I A2
Santa Cruz de Tenerife 110-111 I A2, 3
Santa Fe 144 F8; 149 C4
Santa Fe 152 F4, 5
Santa Lucia de Tirajana I 110-111 B3
Santa Maria 152 E5
Santa Maria di Leuca, Przyl. (Przylądek) 112-113 E7
Santa Marta 152 A3
Santander 110-111 A4, 5
Santar Chajata – góry 126-127 C15-C16
Santarém 110-111 C2
Santarém 152 C5
Santiago 152 F3
Santiago de Compostela 110-111 A2
Säntis – góra 102-103 E4
Santo Domingo 144 H11, 12; 149 E8
Santoryn (Thira) – wyspa 112-113 F10
Santos 152 E6
São Francisco – rzeka 151 C6, 7
São Luís 152 C6
São Paulo 152 E5, 6
São Paulo – stan 152 E5-E6
São Tomé 138 E3
Saona – rzeka 109 D6

Sapporo 133 B5
Saragossa 110-111 B6
Sarajewo 112-113 C7
Sarańsk 105 C7
Saratowski, Zb. (Zbiornik) 105 C7
Saratów 105 C6, 7
Sarawan 128-129 C5
Sardynia – wyspa 92-93 E5; 112-113 E2-D2
Sarema – wyspa 92-93 C7; 107 D5
Sargassowe, Morze 143 F13-G12, 13
Sari 128-129 B4
Saria – wyspa 112-113 G11
Sarpsborg 107 D3
Sary Iszyk Otrau, Pust. (Pustynia) 126-127 E9
Sasebo 133 D2
Saskatchewan – prowincja 144 D7-D8
Saskatchewan – rzeka 143 D9
Saskatoon 144 D8; 149 A4
Sassari 112-113 D2
Sassnitz 102-103 A6, 7
Sata, Przyl. (Przylądek) 133 D2, 3
Satpura – góry 128-129 C6
Satu Mare 102-103 E11
Sauhadż 128-129 C1, 2
Sault Ste (Saint) Marie 149 B6
Savannah 149 C6, 7
Savona 112-113 B2
Savusavu 159 I B2
Sawa – rzeka 92-93 D6; 102-103 EF7; F8; F9, 10
Sawannakhet 132 B3, 4
Sawu, W-y (Wyspy) 132 H7
Schouwen – wyspa 109 B5
Schwanera, G. (Góry) 132 F5
Schwarzwald – góry 102-103 E3-D4
Schwechat 102-103 D8
Schwedt 102-103 B6, 7
Schweinfurt 102-103 C5
Schwerin 102-103 B5
Scilly, W-y (Wyspy) 108 G3
Scotia, Morze 161 C33
Scott – st. badawcza 161 B17
Scotta, W. (Wyspa) 161 C19
Seattle 144 E6; 149 B2
Segedyn 102-103 E10
Segovia 110-111 B4, 5
Segre – rzeka 110-111 B7
Segura – rzeka 110-111 C6
Seikan, Tunel 133 B4, 5
Seila 128-129 D3
Sekwana – rzeka 92-93 D5; 109 C5; C4
Sekwany, Zatoka 109 C3
Selam 128-129 D6
Selatan, Przyl. (Przylądek) 132 F5
Selayar – wyspa 132 G7
Sele – rzeka 112-113 D5
Selenga – rzeka 126-127 E12; D12; 130-131 B7
Selenica 112-113 D7, 8
Sellafield 108 D5
Semani – rzeka 112-113 D7
Semarang 132 G4, 5
Semej 126-127 D9
Semeru – góra 116-117 J14
Semmering, Przel. (Przełęcz) 102-103 E7
Semnan 128-129 B4
Sendai 133 C5
Senegal – państwo 138 D1
Senegal – rzeka 136 D1
Senj 112-113 B5
Sept-Żles 149 A8
Seram – wyspa 116-117 J15; 132 F8
Serbia – kraina hist. 112-113 B7-C8
Seres 112-113 D9
Seret – rzeka 102-103 D12
Seret – rzeka 105 D3; 102-103 D12; E13; F13
Sergipe – stan 152 D7
Seszele – państwo 138 G7-F7
Seszele – wyspy 6-7 J23
Sète 109 F5
Setúbal 110-111 C2
Seul 133 C2
Severn – rzeka 108 F5
Sewan, J. (Jezioro) 128-129 A3
Sewastopol 105 E4
Sewenny – góry 109 F5-E5
Sewilla 110-111 D3
Sfintu Gheorghe 102-103 F12
Shaba (Katanga) – kraina 136 F5
Shache 130-131 D2
Shantou 130-131 G10
Shaoyang 130-131 F8, 9
Sheffield 108 E6
Shell Haven 106 C3
Shenyang 130-131 C11
Shijazhuang 130-131 D9, 10
Shimonoseki 133 D2, 3
Shiono, Przyl. (Przylądek) 133 D4
Shiping 130-131 G7
Shiquanhe 130-131 E3
Shizuoka 133 C4
Shreveport 149 C5
Shrewsbury 108 E5
Shuangcheng 133 A2
Siberut – wyspa 132 F2
Sibi 128-129 C5
Sibolga 132 E2
Sibu 132 E5
Sichote Aliń – góry 116-117 E16; 126-127 D15-E15
Si-ciang – rzeka 130-131 G8, 9
Sidi-bu-l-Abbas 110-111 E6
Siedlce 102-103 B10, 11
Siedmiogród – kraina hist. 102-103 E11-E12
Siegen 102-103 C4
Siena 112-113 C3
Siergijew 105 B5
Sierow 126-127 CD8
Sierpuchow 105 BC5
Sierra Leone – państwo 138 E1
Sierra Madre Wsch. (Wschodnia) – góry 149 D4-D5
Sierra Madre Zachodnia – góry 149 D4
Sierra Morena – góry 110-111 C3-C5
Sierra Nevada – góry 110-111 D5
Siewierodonieck 105 D5, 6
Siewierodwińsk 126-127 C5
Sighisoara 102-103 E
Siglufjördur 107 I A2
Signy I – st. badawcza 161 DC32
Sikoku – wyspa 116-117 F16; 133 D3
Sil – rzeka 110-111 A3
Silistra 112-113 BC11
Siljan, J. (Jezioro) 107 C3, 4
Simeulue – wyspa 132 E2
Simplon, Przeł. (Przełęcz) 102-103 E4
Sinczhang 133 B2
Sindi 107 D5, 6
Sines 110-111 CD2
Singapur 132 E3, 4
Singapur – państwo 132 E3, 4
Singatoka 159 I C1
Sinop 105 E5
Sint Eustatius – teryt. zależne 152 A4
Sint Maarten – teryt. zależne 152 A4
Sinyidzu 133 B1, 2
Sionna – rzeka 108 E2
Siping 130-131 C11, 12
Siple, Mt. (Mount) - góra 161 B24
Sipora – wyspa 132 F2
Sirino – góra 112-113 D5
Siros – wyspa 112-113 F10
Sisak 112-113 B6
Sitia 112-113 G11
Sittwe 128-129 C8
Sivas 128-129 B2
Sjó – rzeka 102-103 E9
Skagerrak – cieśnina 92-93 C5; 107 D2-D3
Skaliste, Góry 143 D7-F9; 149 A2-C4
Skandynawski, Półwysep 92-93 C6-B7
Skandynawskie, Góry 92-93 C5-B7; 107 C2-B5
Skellefte – rzeka 107 B4
Skellefteå 107 C4, 5
Skiros – wyspa 112-113 E10
Skopje 112-113 D8
Skoworodino 126-127 D14
Skye – wyspa 108 C3
Slavonski Brod 112-113 B6
Slawonia – kraina hist. 112-113 B6-B7
Sliwen 112-113 C11
Słowacja – państwo 94-95 D6-D7
Słowenia – państwo 94-95 D6
Słowiańsk 105 D5
Słucz – rzeka 102-103 C13
Słupsk 102-103 A8
Smallwood, Zb. (Zbiornik) 149 A8, 9
Smocze, G. (Góry) 136 I5-H6
Smoleńsk 105 BC4
Smoleńsko-Moskiewska, Grzęda – wyżyna 105 C4-B5
Smolikas – góra 112-113 DE8
Snøhetta – góra 107 C2
Snorre – pole ropy naftowej 106 A3
Snowdon – góra 108 E4, 5
Sobradinho, Zb. (Zbiornik) 151 C6
Socza – rzeka 102-103 E6
Soczi 105 E5
Södertälje 107 D4
Sofia 112-113 C9
Sognefjorden – zatoka 107 C1, 2
Sokotra – wyspa 116-117 H8; 128-129 D4
Soligorsk 102-103 B13
Solingen 102-103 C3
Solo – rzeka 132 G5
Soława – rzeka 102-103 C5
Somalia – państwo 138 E7-D8
Somalijska, Wyżyna 136 E7-D7; 128-129 D3-E3, 4
Somalijski, Płw. (Półwysep) 128-129 E3; 136 E7-D8
Sombor 112-113 B7
Somerset – wyspa 143 B10, 11
Somma – rzeka 109 C5
Somosomo, Cieśn. (Cieśnina) 159 I B2-B3
Somport, Przeł. (Przełęcz) 109 F3
Sondrio 112-113 A2, 3
Songkhla 132 D3
Songnim 133 C2
Sopron 102-103 E8
Sorak-san – góra 133 C2
Soria 110-111 B5
Soroki 102-103 D13, 14
Sørøy – wyspa 107 A5
Sorsele 107 B4
Sortawala 107 C6, 7
Sosan 133 C2
Southampton 108 F5, 6
Southampton – wyspa 143 C11, 12
Southend-on-Sea 108 F7
Sovata 102-103 E12
Sowieck 102-103 A10, 11
Sowiecka Gawań 126-127 E15, 16
Soya, Przyl. (Przylądek) 133 A5
Sparta 112-113 F9
Spartly, W-y (Wyspy) 132 D5
Spassk-Dalnyj 133 B3
Spitsbergen, Zach. (Zachodni) – wyspa 126-127 B2-B3
Spittal 102-103 E6
Split 112-113 C6
Splügen, Przeł. (Przełęcz) 102-103 E4
Spokane 149 B3
Spokojny, Ocean 6-7 F4-O6; D34-O36; 164-165
Sporady – wyspy 112-113 F11
Sporady Północne – wyspy 112-113 E9-E10
Sprewa – rzeka 102-103 C6, 7
Springfield 144 F10; 149 C5, 6
Springfield 149 C5
Sri Lanka – państwo 118-119 I10
Stambuł 128-129 A1, 2; 105 E3, 4
Stanley 152 H5
Stanley'a, Wdp. (Wodospad) 136 F5
Stanlow 106 C2
Stanowe, Góry 116-117 D14; 126-127 D13
Stany Zjednoczone – państwo 144 E7-F9
Stara Kastylia – kraina hist. 110-111 B4-A5
Stara Płanina (Bałkany) – góry 112-113 C9-C11
Stara Zagora 112-113 C10
Stary Oskol 105 C5
Stassfurt 102-103 C5
Statfjord – pole gazu ziemnego 106 A3
Station Nord – st. badawcza 162 A22-A20
Stavanger 107 D2
Stawropol 105 D6
Stawropolska, Wyżyna 105 D6-E7
Steep, Przyl. (Przylądek) 157 C1
Steinkjer 107 C3
Stendal 102-103 B5
Step Głodowy – pustynia 126-127 E8-E9
Steward – wyspa 157 E6, 7
Steyr 102-103 DE7
Stoke-on-Trent 108 E5
Stor, J. (Jezioro) 107 C3
Stora Lule, J. (Jezioro) 107 B4
Stralsund 102-103 A6
Strandża – góry 112-113 C11-D11
Strasburg 109 C7
Strefa Gazy – region 128 I C1
Stromboli – góra 92-93 E6; 112-113 E5
Struma – rzeka 112-113 D9
Stryj 102-103 D12
Strzeleckiego, G. (Góra) 157 C3
Stuttgart 102-103 D4
Styr – rzeka 102-103 C12
Suazi – państwo 138 H6
Subotica 112-113 A7, 8
Suche Bator 130-131 AB7, 8
Suchona – rzeka 92-93 BC9; 105 A6
Suchumi 105 E6
Sucre 152 D4
Sudan – kraina 136 D2-D5
Sudan – państwo 138 D5-D6
Sudan Południowy – państwo 138 E5-E6
Sudbury 144 E10; 149 B6, 7
Sudety – góry 92-93 C6; 102-103 C7-C8
Sueska, Zat. (Zatoka) 128-129 C2
Sueski, Kanał 136 B6; 116-117 F6; 128-129 B2
Suez 138 B6
Suhar 128-129 C4
Suhl 102-103 C5
Sukkur 128-129 C5, 6
Sula, W-y (Wyspy) 132 F7, 8
Sulawesi (Celebes) – wyspa 132 F6-F7
Sulejmańskie, Góry 116-117 G9-F9, 10; 128-129 C5-B6
Sulina 102-103 F14
Sullom Voe 106 A2
Sulmona 112-113 CD4, 5
Sulu, Arch. (Archipelag) 132 E6-D7
Sulu, Morze 116-117 I14-I15; 132 D6-D7
Sumatra – wyspa 116-117 I12-J13; 132 E2-G3
Sumba – wyspa 116-117 K14; 132 GH6
Sumbawa – wyspa 116-117 J14; 132 G6
Sumi, Cieśn. (Cieśnina) 133 D3
Sumy 105 C4
Sund – cieśnina 107 D3
Sunda, Cieśn. (Cieśnina) 132 G3
Sunderland 108 D6
Sundsvall 107 C4
Sungari – rzeka 116-117 E15; 130-131 B12
Suntar 126-127 C13
Suntar Chajata – góry 116-117 C16-C17
Sur 128-129 C4
Surabaja 132 G5
Surakarta 132 G5
Surat 128-129 C6
Surat Thani 132 D2, 3
Surendranagar 128-129 C5, 6
Surgut 126-127 C9
Surinam – państwo 152 B5
Suva 158-159 F7
Suwałki 102-103 A11
Suwon 133 C2
Suza – ruiny 128-129 B3
Suzu, Przyl. (Przylądek) 133 C4
Suzuka 133 D4
Svalbard – wyspy 116-117 B4-B6; 126-127 B2-A5
Swain Reefs – wyspa 159 II C3
Swansea 108 F4
Syberia – kraina 126-127 C9-C16
Sybin 102-103 F11, 12
Sycylia – wyspa 92-93 E6; 112-113 F4-F5
Syczuańska, Kotlina 130-131 E7-E8
Sydney 158-159 H5
Syhot 102-103 E11, 12
Syktywkar 126-127 C6, 7
Symferopol 105 D4
Synaj, Płw. (Półwysep) 116-117 G6; 128-129 B2-C2
Syowa – st. badawcza 161 B4
Syrakuzy 112-113 F5
Syr-daria – rzeka 116-117 E9; 126-127 E8
Syria – państwo 118-119 F5-F6
Syryjska, Pust. (Pustynia) 128-129 B2
Syzrań 105 C7
Szafuza 102-103 E4
Szampania – kraina hist. 109 C5-C6
Szanghaj 130-131 E11
Szantarskie, W-y (Wyspy) 126-127 D15, 16
Szardża 128-129 C4
Szari – rzeka 136 D4
Szawle 105 B2
Százhalombatta 102-103 E9
Szczara – rzeka 102-103 B12
Szczecin 102-103 B7
Szczyt Zwycięstwa – góra 116-117 E10, 11; 126-127 E9, 10
Székesfehérvár 102-103 E9
Szelichowa, Zat. 126-127 C17-D17
Szetlandy – wyspy 92-93 C4, 5; 108 B6-A6
Szihezi 130-131 C4
Sziraz 128-129 C4
Sziwta – ruiny 128 I C1
Szkocja – kraina hist. 108 C4-D5
Szkockie, M. (Morze) 108 C3-B4
Szkoderskie, J. (Jezioro) 112-113 C7
Szkodra 112-113 C7
Szlezwik-Holsztyn – kraina hist. 102-103 A4-B5
Szolnok 102-103 E10
Szombathely 102-103 E8
Sztokholm 107 D4
Szu 126-127 E9
Szu – rzeka 126-127 E9
Szumadia – kraina hist. 112-113 B8-C8
Szumawa – góry 102-103 D6
Szumen 112-113 C11
Szwabska, Wyżyna 102-103 D4-D5
Szwajcaria – państwo 94-95 D5
Szwecja – państwo 94-95 C6-B7
Szybenik 112-113 C5
Szylka – rzeka 130-131 A10
Szyłka – rzeka 126-127 D13
Szymkent 126-127 E8

Ś

Śiliguri 128-129 C7
Śilong 128-129 C8
Śiwalik – góry 128-129 B6-C6
Śląsk – kraina hist. 102-103 C7-C9
Śląska, Niz. (Nizina) 102-103 C7-C8
Śląska, Wyżyna 102-103 C9-C8
Śniardwy, J. (Jezioro) 102-103 B10, 11
Śnieżka – góra 102-103 C7, 8
Śnieżne, G. (Góry) 157 A2-A3
Śolapur 128-129 D6
Śri Dżajawardanapura Kotte 128-129 E7
Śrinagar 128-129 B6
Środkowe, Góry 126-127 C18-D17
Środkowoindyjski, Basen 6-7 J25-K26
Środkowoindyjski, Grzbiet 6-7 M25-J25
Środkowoirlandzka, Nizina 108 E2-E3
Środkowopacyficzny, Basen 6-7 H35-I36
Środkoworosyjska, Wyżyna 92-93 C8; 105 C5
Środkowosyberyjska, Wyżyna 116-117 C12-C14; 126-127 C11-C13
Śródlądowy, Kanał 102-103 B4
Śródziemne, Morze 92-93 E4-E7; 136 B3-B6
Świecie 102-103 B8, 9
Św. (Święta) Helena – teryt. zależne 138 G2
Św. (Świętego) Bernarda, Mała Przeł. (Przełęcz) 102-103 F3
Św. (Świętego) Bernarda, Wielka Przeł. (Przełęcz) 102-103 EF3
Św. (Świętego) Gotharda, Przeł. (Przełęcz) 102-103 E4
Św. (Świętego) Jerzego, Kanał – cieśnina 92-93 C4;
108 F3-E4
Św. (Świętego) Mateusza, Przyl. (Przylądek) 92-93 D4
Świętego Piotra i Pawła, W-y (Wyspy) 6-7 J14, 15
Św. (Świętego) Tomasza, W. (Wyspa) 136 F3
Św. (Świętego) Wawrzyńca, Rzeka 143 E12, 13; 149 B8
Św. (Świętego) Wawrzyńca, Zat. (Zatoka) 143 E13-D14; 149 B8-B9
Św. (Świętego) Wincentego, Przyl. (Przylądek) 110-111 D2
Św. (Świętej) Heleny, W. (Wyspa) 6-7 K17
Świnoujście 102-103 B7

T

Tabor 102-103 D7
Tabuk 128-129 C2
Tacheng 130-131 B3, 4
Tacloban 132 C8
Tacoma 149 B2, 3
Tadżycka SRR 127 I
Tadżykistan – państwo 118-119 F8-F9
Tag – rzeka 92-93 E4; 110-111 B5, C2; C4
Taganrog 105 D5
Taganroska, Zat. (Zatoka) 105 D5
Tagliamento – rzeka 112-113 AB4
Taharuu – rzeka 159 III B2
Tahat – góra 136 C3
Tahiti – wyspa 159 III B2

Tainan 130-131 G10, 11
Taiyuan 130-131 D9
Taizz 128-129 D3
Tajlandia – państwo 118-119 H11-H12
Tajlandzka, Zatoka 116-117 H13-I13; 132 C3
Tajma 128-129 C2
Tajmyr, J. (Jezioro) 126-127 B12
Tajmyr, Płw. (Półwysep)
116-117 B11-B13; 126-127 B10-A12
Tajpej 130-131 G11
Tajszet 126-127 D11
Tajuña – rzeka 110-111 B5
Tajwan – państwo 118-119 G14
Tajwan – wyspa 116-117 G15; 130-131 G11
Tajwańska, Cieśn. (Cieśnina) 130-131 G10-F11
Tajzhong 130-131 G10, 11
Tak 132 B2
Takamatsu 133 D3
Takaoka 133 C4
Takla Makan, Pust. (Pustynia)
116-117 F10-F11; 130-131 C3-D4
Talaud, W-y (Wyspy) 132 E8
Talbota, Przyl. (Przylądek) 157 B2
Tallahassee 144 G10; 149 CD6
Tallinn 105 B2, 3
Tałdykorghan 126-127 E9
Tamanghist 138 C3
Tambow 105 C6
Tamiza – rzeka 92-93 C4; 108 F6
Tampa 144 G10; 149 D6
Tampere 107 C5
Tampico 144 G9; 149 D5
Tana, J. (Jezioro) 136 D6
Tanega – wyspa 133 D3
Tanganika, J. (Jezioro) 136 F5, 6
Tanger 110-111 E3, 4
Tangla, G. (Góry) 130-131 E4-E5
Tangla, Przełęcz 130-131 E5
Tangshan 130-131 CD10
Tanimbar, W-y (Wyspy) 116-117 J6
Tannu-Oła – góry 126-127 D11; 130-131 A5-A6
Tanzania – państwo 138 F6-G6
Tapajós – rzeka 151 C5
Tarakan 132 E6
Tarbagataj – góry 126-127 E10; 130-131 B3-B4
Tarbes 109 F4
Tarencka, Zat. (Zatoka) 112-113 D6-E6
Tarent 112-113 D6
Tarim 128-129 D3
Tarnobrzeg 102-103 C10, 11
Tarnopol 102-103 D12, 13
Tarnów 102-103 C10
Tarragona 110-111 B7
Tartu 105 B3
Tarym – rzeka 126-127 E10; 130-131 C4
Tasil – góry 136 C3
Tasmana, Morze 157 D5-E6
Tasmania – stan 158-159 I4, 5
Tasmania – wyspa 157 E4, 5
Taszkent 126-127 E8
Tatabánya 102-103 E9
Tatarska, Cieśn. (Cieśnina) 126-127 D16-E16
Tatry – góry 102-103 D9-D10
Taukar 128-129 D2
Taungdżi 128-129 C8
Taurus – góry 116-117 F6-F7; 128-129 B2-B3
Taurus Środkowy – góry 105 F4-F5
Tautira 159 III B2
Taveuni – wyspa 159 I B2,3
Tavoj 128-129 D8
Tavua 159 I B1,2
Tawau 132 E6
Taz – rzeka 126-127 C10
Tbilisi 105 E6
Teahupoo 159 III B2
Tebriz 128-129 B3
Teby 112-113 E9
Teby – ruiny 128-129 C2
Tecuci 102-103 F13
Tedong – rzeka 133 BC2
Tedzon 133 C2
Tedżen 126-127 F8
Tedżen – rzeka 126-127 F8
Teesport 106 C2
Tegu 133 C2
Tegucigalpa 144 H10
Teheran 128-129 B3, 4
Tekirdağ 112-113 D11
Teksas – stan 144 F8-F9
Tel Awiw-Jafa 128-129 B2
Teleki – góra 136 E6
Teleno – góra 110-111 A3
Temesz – rzeka 102-103 F10
Tenda, Przeł. (Przełęcz) 112-113 B1
Teneryfa – wyspa 110-111 I A2
Tengiz, J. (Jezioro) 126-127 D8
Teniente Rodolfo Marsh – st. badawcza 161 C30
Tennant Creek 158-159 FG2, 3
Tennessee – rzeka 143 F11
Tennessee – stan 144 F10
Teplice 102-103 C6, 7
Teramo 112-113 C4
Teresina 152 C6
Termajska, Zat. (Zatoka) 112-113 DE9
Termoli 112-113 C5
Ternej 133 AB4
Terni 112-113 C4
Terrassa 110-111 B7
Terytoria Północno-Zachodnie – prowincja 144 C5-C8
Terytorium Północne – stan 158-159 F2-G3
Tesalia – kraina hist. 112-113 E8-E9
Teterow 102-103 B6
Tetuan 138 B2
Tetufera – góra 159 III B2
Texel – wyspa 102-103 B2
Thana 128-129 CD6
Thar, Pust. (Pustynia) 116-117 G10; 128-129 C6
Thasos – wyspa 112-113 D10
The Lynd Junction 159 II B1
The Wash – zatoka 108 E7
Theddlethorpe 106 C2, 3
Thimphu 128-129 C7, 8
Thionville 109 C7
Thira (Santoryn) – wyspa 112-113 F10
Thithia – wyspa 159 I B3
Thjórsá 107 I B2
Thomson – rzeka 159 II C1
Thorshöfn 107 I A2, 3
Thun 102-103 E3
Thunder Bay 149 B5, 6
Thurso 108 B5
Thurstona, W. (Wyspa) 161 CB27, 26
Tianjin 130-131 D10
Tiarei 159 III B2
Tiatia – góra 133 B6
Tibesti – góry 136 C4
Tien-Szan – góry 116-117 E10-E12; 130-131 C1-C5
Tijuana 144 F7; 149 C3
Tiksi 126-127 B14, 15
Tilburg 102-103 C2
Tilos – wyspa 112-113 F11
Timan – góry 126-127 C6-C7
Timbuktu 138 D2
Timok – rzeka 112-113 C9
Timor – wyspa 116-117 J15; 132 G8
Timor, Morze 157 B2; 116-117 K15
Timor Wschodni – państwo 118-119 J14-J15
Tinaca, Przyl. (Przylądek) 132 D7, 8
Tinajo 110-111 I A4
Tinos – wyspa 112-113 F10
Tirać Mir – góra 128-129 B6
Tirana 112-113 D7, 8
Tire 112-113 E11
Tirgoviste 102-103 F12
Tirgu Jiu 102-103 F11
Tirgu Mures 102-103 E12
Tirso – rzeka 112-113 D2
Tiruććirappalli 128-129 D6, 7
Tiszántúl – góry 102-103 E10-E11
Titicaca, J. (Jezioro) 151 D3, 4
Titov vrh – góra 112-113 CD8
Titovo 102-103 E7
Tiumeń 126-127 D8
Tivoli 112-113 D4
Toaca – góra 102-103 E12, 13
Toamasina 138 G7
Toba, J. (Jezioro) 132 E2
Tobi – wyspa 133 C4
Tobolsk 126-127 D8, 9
Tobol – rzeka 116-117 D9; 92-93 C11
Tobruk 138 B5
Tocantins – rzeka 151 CD6
Tocantins – stan 152 D5, 6-C6
Tödi – góra 102-103 E4
Togliatti 105 C7
Togo – państwo 138 D3-E3
Tokaj 102-103 D10
Tokara, Cieśn. (Cieśnina) 133 D2-E3
Tokara, W-y (Wyspy) 130-131 F12-F13; 133 E2, 3
Tokat 105 E5
Tokelau – teryt. zależne 158-159 E8
Tokio 133 C5
Toledańskie, G. (Góry) 110-111 C4-C5
Toledo 110-111 C4
Toledo 144 E10
Tolo, Zat. (Zatoka) 132 F7
Tomakomai 133 B5
Tomini, Zatoka 132 EF7
Tomsk 126-127 D10
Tonga – państwo 158-159 F8
Tonga, Rów 6-7 L36-K36
Tonghua 133 B2
Tonkińska, Zatoka 132 B4
Tonle Sap, J. (Jezioro) 132 C3, 4
Topeka 144 F9; 149 C5
Topoziero, J. (Jezioro) 107 B7
Tor – pole ropy i gazu 106 B3
Tormes – rzeka 110-111 B4
Torne – rzeka 92-93 B7; 107 B5
Torne, J. (Jezioro) 107 B5
Tornio 107 B5
Toronto 144 E10, 11; 149 B7
Torre Cerredo – góra 110-111 A4
Torreón 144 G8; 149 D4
Tortellas – góra 110-111 C8
Tortosa 110-111 B7
Tortosa, Przyl. (Przylądek) 110-111 B7
Toruń 102-103 B9
Tosa, Zat. (Zatoka) 133 D3
Toskania – kraina hist. 112-113 C3
Toskańskie, W-y (Wyspy) 112-113 C2-C3
Totoya – wyspa 159 I C3
Tottori 133 C3
Toungoo 128-129 D8
Tours 109 D4
Towarzystwa, W-y (Wyspy)
6-7 K2-L3; 158-159 F10-F11
Townsville 158-159 F4, 5
Toyama 133 C4
Toyama, Zat. (Zatoka) 133 C4
Toyota 133 CD4
Trabzon 128-129 A2, 3
Tracja – kraina hist. 112-113 D10-D11
Trackie, M. (Morze) 112-113 D10
Trail 149 B3
Transantarktyczne, Góry 161 A30-B16
Transhimalaje – góry
116-117 F11-F12; 130-131 E3-E5
Transylwańska, Wyż. (Wyżyna) 102-103 E12
Trapani 112-113 E4
Trazymeńskie, J. (Jezioro) 112-113 C3, 4
Trelleborg 107 D3
Tremiti, W-y (Wyspy) 112-113 C5
Trenton 144 E11; 149 B7
Trepča 112-113 C8
Treviso 112-113 B4
Trewir 102-103 D3
Triest 112-113 B4
Triglav – góra 102-103 E6
Trikala 112-113 E8
Trinkomali 128-129 E7
Tripolis 112-113 F9
Tristan da Cunha, W-y (Wyspy) 6-7 M16, 17
Triwandrum 128-129 E6
Trnava 102-103 D8
Troglav – góra 112-113 B6
Trois Fourches, Przyl. (Przylądek) 110-111 E5
Troja – ruiny 112-113 E11
Troll – pole gazu ziemnego 106 A3
Troll – st. badawcza 161 B1
Trollhättan 107 D3
Tromsø 107 B4
Trondheim 107 C3
Trondheimsfjorden – zatoka 107 C2
Troyes 109 C6
Trujillo 152 C2, 3
Trydent 102-103 E5
Trynidad i Tobago – państwo 152 A4, 5
Trynidad Pd. (Południowy) – wyspa 151 E7
Trypolis 138 B4
Trypolis 128-129 B2
Tsugaru, Cieśn. (Cieśnina) 133 B5
Tsumeb 138 G4, 5
Tuamotu, Wyspy 6-7 K3-L4; 158-159 F11-G12
Tuapse 105 E5
Tubkal – góra 136 B2
Tubuai, W-y (Wyspy) 158-159 G10, 11
Tucson 149 C3
Tucumán 152 E4
Tughghurt 138 B3
Tukangbesi, W-y (Wyspy) 132 G7, 8
Tulcza 102-103 F14
Tulon 109 F7
Tulsa 149 C5
Tuluza 109 F4
Tuła 105 C5
Tuman – rzeka 133 B2, 3
Tundża – rzeka 112-113 C11
Tunezja – państwo 138 B3-B4
Tungting, J. (Jezioro) 130-131 F9
Tunis 138 B3, 4
Tunja 152 B3
Turańska, Nizina 116-117 E8-D9; 126-127 E8
Turbat 128-129 C5
Turcja – państwo 118-119 F4-F6
Turda 102-103 E11, 12
Turfan 130-131 C4, 5
Turfańska, Kotlina 126-127 E10-E11; 130-131 C4-C5
Turgajska Brama – kraina 126-127 D8
Turia – rzeka 102-103 C12
Turia – rzeka 110-111 C6
Turkana, J. (Jezioro) (Rudolfa, J.) 136 E6
Turkmenabat 126-127 F8
Turkmenbaszy 126-127 E7
Turkmenistan – państwo 118-119 E7-F8
Turkmeńska SRR 127 I
Turks i Caicos – teryt. zależne 144 G11, 12
Turks i Caicos, W-y (Wyspy) 149 D7, 8
Turku 107 C5
Turuchańsk 126-127 C10, 11
Turyn 112-113 B1, 2
Tutikorim 128-129 E6
Tuttlingen 102-103 E4
Tuvalu – państwo 158-159 E7
Tuwa – kraina hist. 126-127 D11
Tuz, J. (Jezioro) 128-129 B2
Tuzla 112-113 B7
Twer 105 B5
Tyber – rzeka 112-113 C4
Tybetańska, Wyżyna
116-117 F11-F12; 130-131 E3-E5
Tybinga 102-103 D4
Tygrys – rzeka 116-117 F7; 128-129 B3
Tynda 126-127 D14
Tyraspol 102-103 E14, 15
Tyrreńskie, Morze 92-93 D6-E6; 112-113 D3-E5

U

Ubangi – rzeka 136 E4, 5
Ubeda 110-111 C5
Ubon Ratczathani 132 B3, 4
Uchta 126-127 C7
Uciura, Zat. (Zatoka) 133 B5
Udajpur 128-129 C6
Uddjaur, J. (Jezioro) 107 B4
Udine 112-113 A4
Udździajn 128-129 C6
Uele – rzeka 136 E5
Uelen 126-127 C20
Uelzen 102-103 B5
Ufa 126-127 D7
Uganda – państwo 138 E6
Uji – wyspa 133 D2
Ujung Pandang (Makasar) 132 FG6
Ukajali – rzeka 151 C3
Ukraina – państwo 94-95 D7-D8
Ukraińska SRR 127 I
Ulaangom 130-131 B5, 6
Uliastaj 130-131 B6
Uljanowsk 105 C7
Ullyng – wyspa 133 C3
Ulm 102-103 D4
Ulsan 133 C2, 3
Ułan Bator 130-131 B8
Ułan Ude 126-127 D12, 13
Ume – rzeka 107 C4
Umeå 107 C5
Una – rzeka 112-113 B6
Unajza 128-129 C3
Undu, Przyl. (Przylądek) 159 I B3
Uppsala 107 D4
Ur – ruiny 128-129 B3
Ural – góry 116-117 D8-C9; 126-127 D7-C8
Ural – rzeka 92-93 C10; 116-117 DE8
Urbión – góra 110-111 B5
Urgencz 126-127 E8
Urmia, J. (Jezioro) 128-129 B3
Urugwaj – państwo 152 F5
Urugwaj – rzeka 151 FE5
Uruk – ruiny 128-129 B3
Urumczi 130-131 C4
Ussuri – rzeka 126-127 E15; 130-131 B13
Ussuryjsk 130-131 C13
Ustica – wyspa 112-113 E4
Ust'-Ilimsk 126-127 D12
Ust'-Ilimski, Zb. (Zbiornik) 126-127 D12
Ust-Kamczack 126-127 D18
Ust'-Kut 126-127 D12
Ust-Maja 126-127 C15
Ust Ordyński 126-127 D12
Ustiurt – wyżyna 126-127 E7
Uście n. (nad) Ł. (Łabą) 102-103 C7
Utah – stan 144 F7-F8
Utrecht 102-103 B2
Utsunomiya 133 C4, 5
Uusikaupunki 107 C4, 5
Uwały Północne – wyżyna 92-93 C9-B10
Uws-nuur, J. (Jezioro) 130-131 A5, 6
Uzbecka SRR 127 I
Uzbekistan – państwo 118-119 E7-F8
Uznam – wyspa 102-103 A6, 7
Użhorod 102-103 D11

V

Vaal – rzeka 136 H5
Vaasa 107 C5
Vaduz 102-103 E4
Vaiaku 158-159 E7
Vairao 159 III B2
Valdivia 152 F3
Valence 109 E6
Valencia 152 A3, 4
Valenciennes
Vali di Comacchio – jezioro 112-113 B4
Valjevo 112-113 B7
Valladolid 110-111 B4
Vallecas 110-111 B5
Valletta 112-113 G5
Valli di Comacchio – jezioro 102-103 F6
Valmiera 107 D5, 6
Valparaíso 152 F3
Valverde 110-111 I B2
Vancouver 144 D6; 149 AB3
Vancouver – wyspa 143 E6, 7; 149 A1, 2
Vanua Levu – wyspa 159 I B2
Vanua Mbalavu – wyspa 159 I B3
Vanua Vatu – wyspa 159 I C3
Vanuatu – państwo 158-159 F6
Varanger, Płw. (Półwysep) 107 A6-A7
Varangerfjorden – zatoka 107 A6-B7
Varaždin 112-113 A6
Vardø 107 A7
Varese 112-113 B2
Vareš 112-113 B7
Västerås 107 D4
Vatnajökull – lodowiec 107 I B2
Vatneyri 107 I A1
Vatoa – wyspa 159 I C3
Vatra Dornei 102-103 E12
Vatu-i-Ra, Cieśn. (Cieśnina) 159 I B2
Vatulele – wyspa 159 I C1
Vedea – rzeka 102-103 FG12
Vejle 107 D2
Veles 112-113 D8, 9
Vénus, Przyl. (Przylądek) 159 III A1,2
Veracruz 149 E5
Vermont – stan 144 E11
Vernon – góry 112-113 D8
Vesterålen – wyspy 92-93 B6-A6; 107 B3-B4
Vestfjorden – zatoka 107 B3-B4
Veszprém 102-103 E8, 9
Viareggio 112-113 C2, 3
Vicenza 112-113 B3
Vichy 109 D5
Victoria 144 E6; 149 B2
Vienne 109 E6
Vienne – rzeka 109 D4
Vierzon 109 D5

Vigo 110-111 A2
Viking – pole gazu ziemnego 106 C3
Vila Real 110-111 B3
Villach 102-103 E6
Vinh 132 B4
Vinkovci 112-113 B7
Vinsona, Masyw – góry 161 B28-B29
Virovitica 112-113 B6
Vis – wyspa 112-113 C6
Visby 107 D4
Viseu 110-111 B2, 3
Viti Levu – wyspa 159 I B1,2
Vitoria 110-111 A5
Vitória 152 DE7
Vjosa – rzeka 112-113 D8
Vlissingen 109 B5
Vlorë 112-113 D7
Volturno – rzeka 112-113 D5
Vrbas – rzeka 112-113 B6
Vršac 112-113 B8

W

Waco 149 C5
Wadi Halfa 138 C6
Wadodra 128-129 C6
Wadżda 138 B2
Wag – rzeka 102-103 D9
Wagadugu 138 D2
Wailotua 159 I B2
Waingapu 132 GH7
Wajgacz – wyspa 126-127 B7, 8
Wakasa, Zat. (Zatoka) 133 C4
Wakaya – wyspa 159 I B2
Wakayama 133 D4
Wake – teryt. zależne 158-159 C6
Wakkanai 133 A5
Walcheren 109 B5
Walencja 110-111 C6, 7
Walencja – kraina hist. 110-111 C6-B6
Walencka, Zatoka 110-111 C7
Walia – kraina hist. 108 F5-E5
Wallis i Futuna – teryt. zależne 158-159 F7,8
Walvis Bay 138 H4
Wałbrzych 102-103 C8
Wałdaj – góry 92-93 C8
Wałdaj – wyżyna 105 B4
Wan 128-129 B3
Wan, J. (Jezioro) 128-129 B3; 105 F6
Wanawara 126-127 C12
Wandea – kraina hist. 109 D3
Wanxian 130-131 E8, 9
Waranasi 128-129 C7
Warangal 128-129 D6, 7
Wardar – rzeka 112-113 D9
Warmia – kraina hist. 102-103 A9-B10
Warna 112-113 C11, 12
Warnemünde 102-103 A5
Warszawa 102-103 B10
Warta – rzeka 102-103 C9; B8; B7
Waszyngton 144 F11; 149 C7
Waszyngton – stan 144 E6-E7
Wattów, M. (Morze) 102-103 B2
Watykan – państwo 94-95 D6
Wau 138 E5
Waya – wyspa 159 I B1
Weddella, Morze 161 C32-B33
Weiden 102-103 D5, 6
Weifang 130-131 D10, 11
Weimar 102-103 C5
Weipa 158-159 F3, 4
Welebit – góry 112-113 B5
Wellington 158-159 I7, 8
Wels 102-103 D6
Welur 128-129 D6
Wełtawa – rzeka 102-103 D7
Wenecja 112-113 B4
Wenecja – kraina hist. 112-113 B4
Wenecka, Zatoka 112-113 B4
Wener, J. (Jezioro) 92-93 C6; 107 D3
Wenezuela – państwo 152 B4
Wenzhou 130-131 F11
Werona 112-113 B3
Werra – rzeka 102-103 C5
Wersal 109 C4, 5
Westerland 102-103 A4
Westfalia – kraina hist. 102-103 B3-C4
Wetar – wyspa 132 G8
Wetter, J. (Jezioro) 92-93 C6; 107 D3
Wewn. (Wewnętrzne) M. (Morze) Japońskie 133 D3
Wezera – rzeka 102-103 C4; B4
Wezuwiusz – góra 92-93 D6; 112-113 D5
Węgry – państwo 94-95 D6-D7
Whitegate 106 C1
Whitehorse 144 C5
Whitsunday – wyspa 159 II C2
Wiatka – rzeka 126-127 D7
Wichita 149 C5
Wichita Falls 149 C5
Wick 108 B5
Wicklow, G. (Góry) 108 E3
Widin 112-113 BC9
Widżajawada 128-129 D7
Wiedeń 102-103 D7, 8
Wielikaja – rzeka 107 D6
Wielka Brytania – państwo 94-95 C4
Wielka Brytania – wyspa 92-93 C4, 5
Wielka Kotlina 143 E8-F8; 149 B3-C3
Wielka Nizina Węgierska
92-93 D6-D7; 102-103 E9-D11
Wielka Pustynia Słona 143 E8; 149 B3
Wlk. (Wielka) Pustynia Słona 116-117 F8; 128-129 B4
Wielka Rafa Koralowa 157 B4-C5
Wielka Tama 128-129 C2
Wielka Zatoka Australijska 157 D2-D3
Wielkanocna, W. (Wyspa) 6-7 L7, 8; 158-159 G14, 15
Wielki Basen Artezyjski – kraina 157 C4
Wlk. (Wielki) Bełt – cieśnina 107 D3
Wielki Chingan – góry
116-117 E14-D15; 130-131 C10-B11
Wielki Erg Wschodni – pustynia 136 C3-B4
Wielki Erg Zachodni – pustynia 136 C2-B3
Wielki, Kanał 116-117 F14; 130-131 E10
Wielki Mur Chiński 130-131 D8
Wielki Nefud – pustynia 116-117 G6-G7; 128-129 C3
Wielki Syrt – wyżyna 105 C7
Wielki Szott 92-93 E5, 6
Wielkie Antyle – wyspy 6-7 G9-H11; 143 G11-H13
Wielkie Góry Wododziałowe 157 B4-D4
Wlk. (Wielkie) Niedźwiedzie, J. (Jezioro) 143 C8, 9
Wlk. (Wielkie) Niewolnicze, J. (Jezioro) 143 C8, 9
Wielkie Równiny 143 D8-F10; 149 A3-C4
Wlk. (Wielkie) Słone, J. (Jezioro) 143 E8; 149 B3
Wlk. (Wielka) Syrta, Zat. (Zatoka) 136 B4
Wielki Mur [Chang Cheng] – st. badawcza 161 C31
Wielkie Łuki 105 B4
Wielkie Tyrnowo 112-113 C10, 11
Wielkie Wyspy Sundajskie 116-117 J13-15; 132 F3-F7
Wielkopolska – kraina hist. 102-103 B7-B9
Wielkopolska, Niz. (Nizina) 102-103 C7-C9
Wiener Neustadt 102-103 E7, 8
Wientian 132 B3
Wieprz – rzeka 102-103 C11
Wierchojańsk 126-127 C15
Wierchojańskie, Góry
116-117 B16-C16; 126-127 B14-C15
Wiesbaden 102-103 C3, 4
Wietnam – państwo 118-119 G12-H12
Wight – wyspa 108 F6
Wiktoria – stan 158-159 H4
Wiktorii, J. (Jezioro) 136 F6
Wiktorii, Wdp. (Wodospad) 136 G5
Wiktorii, Wyspa 143 B8-B9
Wiktorii, Ziemia – kraina 161 B17-16
Wilejka 102-103 A13
Wilhelmshaven 102-103 B3, 4
Wilia – rzeka 105 C3; 102-103 A13
Wilkesa, Ziemia – kraina 161 B14-11
Wilkickiego, Cieśn. (Cieśnina) 126-127 B11-B13
Wilno 102-103 A12
Wilsona, Przyl. (Przylądek) 157 D4
Wiluj – rzeka 126-127 C12; C14
Wilujsk 126-127 C14
Windawa 107 D5
Windhaja – góry 128-129 C6
Windhuk 138 H4
Winnica 102-103 D14
Winnipeg 144 D8, 9; 149 A4, 5
Winnipeg, J. (Jezioro) 143 D10; 149 A5
Winnipegosis, J. (Jezioro) 149 A4
Winterthur 102-103 E4
Wirginia – stan 144 F10-F11
Wirginia Zachodnia – stan 144 F10
Wisconsin – stan 144 E9-E10
Wisła – rzeka 92-93 C6; 102-103 C9; C10; AB9
Wisłok – rzeka 102-103 D10
Wiśakhapatnam 128-129 D7
Wiślany, Zalew 102-103 A9-A10
Witebsk 105 B3
Witim – rzeka 126-127 D13
Wittenberga 102-103 C6
Wittenberge 102-103 B5, 6
Wkra – rzeka 102-103 B10
Władykaukaz 105 E6, 7
Władywostok 126-127 E15
Włochy – państwo 94-95 D5-D6
Włocławek 102-103 B9
Włodzimierz 105 B6
Wniebowstąpienia, W. (Wyspa) 6-7 J16, 17
Wogezy – góry 109 C7
Wojwodina – kraina hist. 112-113 B8
Wolfen 102-103 C6
Wolfsburg 102-103 B5
Wolos 112-113 E9
Wolta Czarna – rzeka 136 DE2
Wolta, Zb. (Zbiornik) 136 E3
Wolverhampton 108 E5
Wołga – rzeka 92-93 C8; D9; 105 B4, 5; B6; C7; D7
Wołgodońsk 105 D6
Wołgograd 105 D6
Wołgogradzki, Zb. (Zbiornik) 105 C7
Wołogda 105 B6
Wołoska, Nizina 92-93 D7; 102-103 F11-F13
Wołyńska, Wyżyna 92-93 C7; 102-103 C12-D13
Wołżski 105 D6, 7
Wonsan 133 C2
Woodroffe – góra 157 C2, 3
Workuta 126-127 C8
Woroneż 105 C5, 6
Wostok – st. badawcza 157 I B12-11
Wraca 112-113 C9
Wrangla, W. (Wyspa) 116-117 BC21; 126-127 B19
Wrath, Przyl. (Przylądek) 108 B4
Wrocław 102-103 C8
Wschodnioafrykańska, Wyżyna 136 E6-F6
Wschodniochińskie, Morze 116-117 F15-G15;
130-131 E11-F12
Wschodnioeuropejska, Nizina
92-93 B8-C9; 126-127 C6-D6
Wschodniofryzyjskie, W-y (Wyspy) 102-103 B3
Wschodniokoreańska, Zat. (Zatoka) 133 C2
Wschodniopacyficzne, Wzniesienie 6-7 J7-O6
Wschodnioserbskie, Góry 112-113 B8-C9
Wschodniosyberyjskie, Morze
116-117 B18-B21; 126-127 B17-B19; 162 B1-B2
Wuhan 130-131 E9
Wuhu 130-131 E10
Wuntho 128-129 C8
Wuppertal 102-103 C3
Würzburg 102-103 D4, 5
Wuzhou 130-131 G9
Wyborg 105 A3, 4
Wybrzeże Kości Słoniowej – państwo 138 E2
Wyczegda – rzeka 92-93 B9
Wyoming – stan 144 E7-E8
Wyspy Dziewicze Stanów Zjednoczonych –
– teryt. zależne 152 A4
Wyspy Świętego Tomasza i Książęca – państwo
138 E2, 3

X

Xaafuun 128-129 D4
Xiamen 130-131 FG10
Xi'an 130-131 E8, 9
Xichang 130-131 F7
Xigazê 130-131 F4, 5
Xingu – rzeka 151 C5
Xining 130-131 D7
Xinxiang 130-131 D9
Xuzhou 130-131 E10

Y

Ya'an 130-131 F7
Yabuli 133 B2
Yaiza 110-111 I A4
Yaizu 133 D4
Yaku – wyspa 133 D3
Yamagata 133 C4, 5
Yamaguchi 133 D3
Yan'an 130-131 D8, 9
Yandua – wyspa 159 I B2
Yangasa Levu – wyspa 159 I C3
Yanji 133 B2
Yantai 130-131 D11
Yaren 158-159 E6
Yasawa – wyspa 159 I B1
Yasawa, W-y (Wyspy) 159 I B1
Ye 128-129 D8
Yecheng 130-131 D2
Yellowknife 144 C6, 7
Yibin 130-131 F7
Yichang 130-131 E9
Yichun 130-131 B12, 13
Yinchuan 130-131 D7, 8
Yingkou 130-131 C11
Yining 130-131 C3
Yitulihe 130-131 A11
Ymi 128-129 E3
Yogyakarta 132 G4, 5
Yonne – rzeka 109 D5; C5
York 108 DE6
Yubari 133 B5
Yulin 130-131 D8, 9
Yumen 130-131 D6
Yushu 133 A2
Yutian 130-131 D3

Z

Zabol 128-129 B5
Zach. (Zachodni) Brzeg Jordanu – region
128 I BC1
Zachodnioaustralijski, Basen 6-7 K27-L28
Zachodniofryzyjskie, W-y (Wyspy) 102-103 B2-B3
Zachodnioindyjski, Grzbiet 6-7 N22-L23
Zachodniosyberyjska, Nizina
116-117 C10-D11; 126-127 C9-D10
Zadar 112-113 B5
Zagros – góry 116-117 F7-G8; 128-129 B3-C4
Zagrzeb 112-113 B6
Zagyva – rzeka 102-103 E10
Zahedan 128-129 C4, 5
Zaječar 112-113 C8, 9
Zajsan, J. (Jezioro) 126-127 E10
Zákinthos – wyspa 112-113 F8
Zakopane 102-103 D9, 10
Zala – rzeka 102-103 E8
Zalaegerszeg 102-103 E8
Zambezi – rzeka 136 G5; G6
Zambia – państwo 138 G5-G6
Zamboanga 132 D7
Zamora 110-111 B4
Zamość 102-103 C11
Zanzibar 138 F7
Zanzibar – wyspa 136 F6, 7
Zaozhuang 130-131 D10
Zaporoże 105 D5
Zaranj 128-129 B5
Zard Kuh – góra 128-129 B3, 4
Zatokowa, Nizina 143 G10-F11; 149 D5-C6
Zb. (Zbiornik) Smallwood 149 A8, 9
Zeebrugge 106 C3
Zegrzyńskie, J. (Jezioro) 102-103 B10
Zelandia – wyspa 92-93 C6; 102-103 A6
Zenica 112-113 B6
Žep – góra 112-113 B7
Zhangjiakou 130-131 C9, 10
Zhangye 130-131 D7
Zhanjiang 130-131 G9
Zhaotong 130-131 F7, 8
Zhengzhou 130-131 E9
Zhongshan – st. badawcza 161 BC8
Zibo 130-131 D10
Zielona Góra 102-103 BC7
Zielonego Przylądka, Basen 6-7 H14-I15
Zielonego Przylądka, W-y (Wyspy) 6-7 H14-15
Zielony, Przyl. (Przylądek) 136 D1
Ziemia Arnhema – półwysep 157 B3
Ziemia Baffina – wyspa 143 B11-C13
Ziemia Franciszka Józefa – wyspy
116-117 B7-B10; 126-127 B6-A8
Ziemia Ognista – wyspa 151 H4, 5
Ziemia Pn.-Wsch. (Północno-Wschodnia) – wyspa
126-127 B4-B5
Ziemia Północna – wyspy
116-117 A12-B13; 126-127 A11-B12
Zigong 130-131 F7, 8
Zimbabwe – państwo 138 G5-G6
Zinder 138 D3, 4
Zjedn. (Zjednoczone) Emiraty Arabskie – państwo
118-119 G7
Zlín 102-103 D8
Złatoust 126-127 D7, 8
Złoczów 102-103 D12
Znojmo 102-103 D8
Zonguldak 105 E4
Zrenjanin 112-113 B8
Zugspitze – góra 102-103 E5
Zurych 102-103 E4
Zwickau 102-103 C5, 6
Zwolle 102-103 B2, 3

Ż

Żangaozen 126-127 E7
Żar n. (nad) Hronem 102-103 D9
Żelazna Brama – przełom rzeki 102-103 F11
Żełanija, Przyl. (Przylądek) 126-127 B8, 9
Żezkazghan 126-127 E8, 9
Żłobin 102-103 B14
Żółte, Morze 116-117 F15; 130-131 D11-E11
Żygańsk 126-127 C13, 14
Żylina 102-103 D9
Żyronda – ujście rzeki 109 E3
Żytomierz 102-103 C14

2-3 Planeta Ziemia

ŚWIAT

4-5 Krajobrazy	1:100 000 000
6-7 Ukształtowanie powierzchni	1:100 000 000
Przekrój wzdłuż równika	
8-9 Klimaty Ziemi	1:100 000 000
10 Temperatura powietrza w styczniu	1:300 000 000
Temperatura powietrza w lipcu	1:300 000 000
Opady roczne	1:300 000 000
11 Ciśnienie atmosferyczne w styczniu	1:300 000 000
Ciśnienie atmosferyczne w lipcu	1:300 000 000
Pory opadów	1:300 000 000
12 Oceany	1:220 000 000
Leśnictwo	1:220 000 000
13 Ochrona przyrody	1:220 000 000
Degradacja środowiska	1:220 000 000
14 Produkcja roślinna I	1:220 000 000
Produkcja roślinna II	1:220 000 000
15 Produkcja zwierzęca	1:220 000 000
Zatrudnienie. Produktywność	1:220 000 000
16-17 Geologia.	
Surowce mineralne	1:100 000 000
17 Tektonika płyt litosfery	1:300 000 000
18 Ropa naftowa i gaz ziemny	1:220 000 000
Węgiel kamienny i brunatny, uran	1:220 000 000
19 Metale	1:220 000 000
19 Hutnictwo	1:220 000 000
20-21 Zróżnicowanie społeczno-gospodarcze	1:100 000 000
20 Transport	1:300 000 000
21 Energetyka	1:300 000 000

22-23 Liczba ludności i przyrost naturalny
Produkt krajowy brutto

22 Urbanizacja	1:300 000 000
24 Wyżywienie	1:220 000 000
Długość życia	1:220 000 000
25 Analfabetyzm. Studenci	1:220 000 000
AIDS	1:220 000 000
26 Rasy	1:220 000 000
Języki rodzime	1:220 000 000
27 Wyznania	1:220 000 000
Zaludnienie	1:220 000 000
28 Internet	1:220 000 000
Telefony	1:220 000 000
29 Turystyka	1:220 000 000
Strefy czasowe	1:220 000 000
30-31 Podział polityczny	1:100 000 000
30 Organizacje polityczne	1:300 000 000
31 Konflikty po 1945 r. Zbrojenia	1:300 000 000

32-33 Świat – eksport towarów
Świat – import towarów

32 Organizacje gospodarcze na świecie	1:300 000 000
Organizacje gospodarcze w Europie	1:40 000 000

POLSKA

34 Polacy za granicą	1:210 000 000
Stosunki dyplomatyczne	1:210 000 000
35 Handel zagraniczny Polski	1:210 000 000
36-37 Województwa i powiaty	1:2 500 000
37 Zmiany terytorialne województw	
1946 r.	1:8 000 000
1950 r.	1:8 000 000
1975 r.	1:8 000 000
38-39 Ukształtowanie powierzchni	1:2 500 000
39 Pasy rzeźby	1:6 000 000
Różnice wysokości	1:6 000 000
40 Zlewiska i dorzecza	1:5 000 000
Wody podziemne	1:8 000 000
Wody mineralne i termalne	1:8 000 000
41 Klimat	1:35 000 000
Temperatura powietrza w styczniu	1:12 000 000
Temperatura powietrza w lipcu	1:12 000 000
Opady roczne	1:12 000 000
Pokrywa śnieżna	1:12 000 000
Burze i gradobicia	1:12 000 000
Rekordy meteorologiczne	1:12 000 000
42 Rzeźba	1:5 000 000
Zasięgi zlodowaceń	1:15 000 000
Gleby	1:5 000 000
43 Tektonika	1:5 000 000

43 Surowce mineralne	1:5 000 00
44 Drzewostany	1:4 000 00
Zasięgi wybranych gatunków drzew	1:8 000 00
Lesistość	1:8 000 00
45 Obszary chronione	1:4 000 00
Parki narodowe	
Białowieski Park Narodowy	1:150 00
46 Przepływ związków siarki w powietrzu	1:8 000 0C
Przepływ tlenków azotu w powietrzu	1:8 000 0C
Oczyszczalnie ścieków	1:8 000 0C
Ścieki przemysłowe i komunalne	1:8 000 0C
Odpady komunalne	1:8 000 0C
Odpady przemysłowe	1:8 000 0C
47 Zanieczyszczenie środowiska	1:4 000 0C
Górnośląski Okręg Przemysłowy	1:500 0C
48-49 Gospodarka	1:2 500 0C
49 Ośrodki przemysłowe	1:8 000 0C
50 Transport kolejowy	1:5 000 0C
Drogi wodne	1:15 000 0C
Transport drogowy	1:5 000 0C
51 Międzynarodowe połączenia lotnicze	
dostępne z Polski	1:40 000 0C
Krajowe połączenia lotnicze	1:12 000 0C
Przemysł wydobywczy	1:5 000 0C
52 Elektrownie, rafinerie	1:8 000 0C

Huty metali. 1:8 000 000
52 Wytwórnie środków transportu 1:8 000 000
Fabryki maszyn, urządzeń
i wyrobów precyzyjnych. 1:8 000 000
Zakłady chemiczne I 1:8 000 000
Zakłady chemiczne II. 1:8 000 000
53 Cementownie, huty szkła
i zakłady ceramiczne. 1:8 000 000
Fabryki mebli, celulozy i papieru. 1:8 000 000
Zakłady włókiennicze i odzieżowe 1:8 000 000
Zakłady mięsne, rybne
i przetwórstwa mlecznego. 1:8 000 000
Cukrownie i zakłady wyrobów cukierniczych 1:8 000 000
Browary, fabryki papierosów. 1:8 000 000
54 Rolnicza przydatność gleb 1:5 000 000
Okres wegetacji roślin. 1:12 000 000
Zatrudnienie w rolnictwie. 1:12 000 000
Nawozy sztuczne i wapniowe 1:12 000 000
Zakłady mięsne, rybne
Plony (przeciętne roczne w kwintalach z jednego hektara)
w latach 1947–2009
Inwestycje w rolnictwie i PKB tworzony przez rolnictwo
w latach 1946–2009 (udział % w cenach stałych)
55 4 zboża 1:12 000 000
Pszenica 1:12 000 000
Żyto 1:12 000 000
Jęczmień 1:12 000 000
Owies. 1:12 000 000
Warzywa i owoce. 1:12 000 000
Ziemniaki 1:12 000 000
Buraki cukrowe 1:12 000 000
Bydło 1:12 000 000
Trzoda chlewna. 1:12 000 000
Żywiec 1:12 000 000
Mleko. 1:12 000 000
56 Największe firmy wg przychodów. 1:4 000 000
Największe spółki giełdowe 1:8 000 000
Banki
57 Walory przyrodnicze 1:4 000 000
Obiekty z listy UNESCO 1:8 000 000
Turystyka zagraniczna 1:40 000 000
58-59 Kultura ludowa. 1:2 500 000
60-61 Architektura sakralna. 1:2 500 000
62-63 Zamki, Pałace, Dwory 1:2 500 000
64-65 Systemy obronne. 1:2 500 000
66-67 Technika 1:2 500 000
68-69 Obiekty podziemne 1:2 500 000
70-71 Imprezy cykliczne 1:2 500 000
72 Druga Rzeczpospolita – narodowości ok. 1930 r. . . . 1:11 000 000
Przemieszczenia ludności w latach 1939–1945. . . . 1:11 000 000

72 Przemieszczenia ludności
w latach 1945–1959. . . . . 1:11 000 000
Ludność ziem zachodnich
i północnych, 1950 r. 1:8 000 000
73 Gęstość zaludnienia w 1946 r. 1:4 000 000
Bilans ludności w latach 1946–1989
74 Gęstość zaludnienia i miasta 1:5 000 000
Urbanizacja 1:15 000 000
Mniejszości narodowe
i grupy etnograficzne. 1:5 000 000
Dialekty polskie 1:15 000 000
75 Zmiany w zaludnieniu
miast i wsi w latach 2000–2010. . . . . 1:8 000 000
Ruch naturalny ludności 1:8 000 000
Migracje krajowe i zagraniczne. 1:8 000 000
76 Produkt krajowy brutto. 1:12 000 000
Dochody 1:12 000 000
Zarobki i inflacja
Budżety gospodarstw domowych –
– dochody i wydatki. 1:12 000 000
Budżety gospodarstw domowych –
– oszczędności 1:12 000 000
Centra usług rynkowych 1:12 000 000
Działalność gospodarcza 1:12 000 000
Bezrobocie. 1:12 000 000
Bezrobocie młodzieży 1:12 000 000
Warunki mieszkaniowe 1:12 000 000
Motoryzacja 1:12 000 000
Komputeryzacja
77 Służba zdrowia 1:12 000 000
Przeciętna długość życia
Główne przyczyny zgonów 1:12 000 000
Czytelnictwo
Książki – nakłady i tytuły
Gazety i czasopisma
Kultura 1:12 000 000
Szkoły wyższe 1:12 000 000
Wyznania religijne
Kościół Rzymskokatolicki 1:12 000 000
Wybory do Sejmu 9 X 2001 r. 1:12 000 000
Wybory prezydenckie 5 X 2010 r. 1:12 000 000
78-79 Pomorze. 1:1 000 000
80-81 Warmia, Mazury i Suwalszczyzna 1:1 000 000
82-83 Wielkopolska i Kujawy. 1:1 000 000
84-85 Mazowsze i Podlasie. 1:1 000 000
86-87 Śląsk 1:1 000 000
86 Kotlina Kłodzka 1:500 000
86-87 Okolice Wałbrzycha. 1:500 000
88-89 Małopolska 1:1 000 000
89 Bieszczady. 1:500 000

EUROPA

90-91 Krajobrazy 1:20 000 000
91 Opady roczne 1:60 000 000
Gleby 1:60 000 000
Potencjalna roślinność naturalna 1:60 000 000
92-93 Ukształtowanie powierzchni 1:20 000 000
93 Temperatura powietrza w styczniu 1:60 000 000

93 Temperatura powietrza w lipcu 1:60 000 000
Geologia – tektonika 1:60 000 000
94-95 Podział polityczny 1:20 000 000
95 Zaludnienie 1:60 000 000
Języki rodzime. 1:60 000 000
Wyznania 1:60 000 000

EUROPA (CIĄG DALSZY)

96-97	Gospodarka	1:20 000 000
97	Transport	1:40 000 000
	Energetyka	1:40 000 000
	Turystyka	1:40 000 000
98-99	Rolnictwo	1:20 000 000
99	Główne uprawy żywieniowe	1:40 000 000
	Inne uprawy	1:40 000 000
	Hodowla	1:40 000 000
100	Komunikacja	1:35 000 000
	Telekomunikacja	1:80 000 000
	Migracje	1:55 000 000
	Zmiany polityczne w Europie po 1989 r.	1:55 000 000
101	Integracja europejska	1:40 000 000
	Produkt krajowy brutto	1:40 000 000
	Bezrobocie	1:40 000 000
	Rolnictwo	1:40 000 000
102-103	Kraje Europy Środkowej	1:5 000 000
104	Charakterystyka hydrologiczna Morza Bałtyckiego	1:14 000 000
104	Zanieczyszczenie Morza Bałtyckiego	1:14 000 000
	Zanieczyszczenie wód	1:50 000 000
	Zanieczyszczenie powietrza	1:50 000 000
105	Kraje Europy Wschodniej	1:10 000 000
106	Morze Północne. Przemysł naftowy	1:8 000 000
	Rotterdam – Europort	1:300 000
107	Skandynawia	1:8 000 000
	Islandia	1:8 000 000
108	Wielka Brytania	1:5 000 000
	Posiadłości brytyjskie w 1920 r.	
109	Francja	1:5 000 000
	Posiadłości francuskie w 1920 r.	
110-111	Półwysep Iberyjski	1 : 5 000 000
110	Wyspy Kanaryjskie	1 : 3 000 000
111	Hiszpania i Portugalia – – odkrywanie świata	1 : 300 000 000
	Turystyka w basenie Morza Śródziemnego	1 : 25 000 000
112-113	Kraje Europy Południowej	1 : 5 000 000
112	Rzym i Watykan	1 : 65 000

AZJA

114-115	Krajobrazy	1 : 40 000 000
115	Opady roczne	1 : 120 000 000
	Ciśnienie atmosferyczne w styczniu	1 : 120 000 000
	Ciśnienie atmosferyczne w lipcu	1 : 120 000 000
116-117	Ukształtowanie powierzchni	1 : 40 000 000
117	Temperatura powietrza w styczniu	1 : 120 000 000
	Temperatura powietrza w lipcu	1 : 120 000 000
	Geologia – tektonika	1 : 120 000 000
118-119	Podział polityczny	1 : 40 000 000
119	Zaludnienie	1 : 120 000 000
	Języki rodzime	1 : 120 000 000
	Wyznania	1 : 120 000 000
120-121	Gospodarka	1 : 40 000 000
121	Transport	1 : 95 000 000
	Energetyka	1 : 95 000 000
	Turystyka	1 : 95 000 000
122-123	Rolnictwo	1 : 40 000 000
123	Główne uprawy żywieniowe	1 : 95 000 000
	Inne uprawy	1 : 95 000 000
	Hodowla	1 : 95 000 000
124	Potencjalna roślinność naturalna	1 : 80 000 000
124	Gleby	1 : 80 000 000
125	Degradacja środowiska	1 : 80 000 000
	Zmiany powierzchni Jeziora Aralskiego	1 : 5 000 000
	Sztuczne nabrzeża w Zatoce Tokijskiej	1 : 500 000
126-127	Kraje Azji Północnej	1 : 22 000 000
127	ZSRR w 1990 r.	1 : 100 000 000
128-129	Kraje Azji Południowo-Zachodniej	1 : 20 000 000
128	Izrael i Liban	1 : 5 000 000
129	Zatoka Perska	1 : 10 000 000
130-131	Chiny	1 : 20 000 000
130	Konflikty po II wojnie światowej	1 : 60 000 000
131	Hong Kong – specjalny Region Administracyjny Chin	1 : 500 000
	Narody Chin	1 : 40 000 000
	Liczebność mniejszości narodowych	
132	Kraje Azji Południowo-Wschodniej	1 : 20 000 000
	Gospodarka	1 : 40 000 000
133	Japonia, Korea Północna, Korea Południowa	1 : 10 000 000
	Wyspy Riukiu	1 : 10 000 000
	Gospodarka	1 : 20 000 000
	Energetyka	1 : 20 000 000

AFRYKA

134	Krajobrazy	1 : 40 000 000
	Potencjalna roślinność naturalna	1 : 120 000 000
135	Opady roczne	1 : 90 000 000
	Gleby	1 : 90 000 000
	Uprawy	1 : 90 000 000
	Hodowla	1 : 90 000 000
136	Ukształtowanie powierzchni	1 : 40 000 000
	Geologia – tektonika	1 : 120 000 000
137	Temperatura powietrza w styczniu	1 : 90 000 000
	Temperatura powietrza w lipcu	1 : 90 000 000
	Ciśnienie atmosferyczne w styczniu	1 : 90 000 000
	Ciśnienie atmosferyczne w lipcu	1 : 90 000 000
138	Podział polityczny	1 : 40 000 000
	Zadłużenie	1 : 120 000 000
139	Zaludnienie	1 : 90 000 000
	Języki rodzime	1 : 90 000 000
	Wyznania	1 : 90 000 000
	Rozwój handlu niewolnikami (XVI-XIX w.)	1 : 90 000 000
140	Gospodarka	1 : 40 000 000
	Energetyka	1 : 120 000 000
141	Rolnictwo	1 : 40 000 000

AMERYKA PÓŁNOCNA

142 Krajobrazy . . . . 1 : 40 000 000
Temperatura powietrza w styczniu . . . . 1 : 120 000 000
Temperatura powietrza w lipcu . . . . 1 : 120 000 000
Opady roczne . . . . 1 : 120 000 000
143 Ukształtowanie powierzchni . . . . 1 : 40 000 000
Geologia – tektonika . . . . 1 : 120 000 000
Potencjalna roślinność naturalna . . . . 1 : 120 000 000
144 Podział polityczny . . . . 1 : 40 000 000
Hawaje . . . . 1 : 20 000 000
145 Powstawanie państw . . . . 1 : 90 000 000
Migracje . . . . 1 : 90 000 000
Indianie . . . . 1 : 90 000 000
Zaludnienie . . . . 1 : 90 000 000
146 Gospodarka . . . . 1 : 40 000 000

146 Transport . . . . 1 : 120 000 000
Energetyka . . . . 1 : 120 000 000
147 Rolnictwo . . . . 1 : 40 000 000
Uprawy . . . . 1 : 120 000 000
Hodowla . . . . 1 : 120 000 000
148 Gleby . . . . 1 : 90 000 000
Rezerwaty biosfery UNESCO . . . . 1 : 90 000 000
Klęski żywiołowe . . . . 1 : 90 000 000
Finanse . . . . 1 : 90 000 000
149 Stany Zjednoczone . . . . 1 : 30 000 000
Hawaje . . . . 1 : 30 000 000
Przemysły zaawansowanych
technologii . . . . 1 : 55 000 000
Dolina Krzemowa . . . . 1 : 1 000 000

AMERYKA POŁUDNIOWA

150 Krajobrazy . . . . 1 : 40 000 000
Temperatura powietrza w styczniu . . . . 1 : 120 000 000
Temperatura powietrza w lipcu . . . . 1 : 120 000 000
Opady roczne . . . . 1 : 120 000 000
151 Ukształtowanie powierzchni . . . . 1 : 40 000 000
Geologia – tektonika . . . . 1 : 120 000 000
Potencjalna roślinność naturalna . . . . 1 : 120 000 000
152 Podział polityczny . . . . 1 : 40 000 000
Zadłużenie, Sytuacja polityczna . . . . 1 : 100 000 000
153 Zaludnienie . . . . 1 : 110 000 000

153 Migracje . . . . 1 : 110 000 000
Turystyka . . . . 1 : 110 000 000
Transport . . . . 1 : 110 000 000
Uprawy . . . . 1 : 110 000 000
Hodowla . . . . 1 : 110 000 000
154 Gospodarka . . . . 1 : 40 000 000
Energetyka . . . . 1 : 100 000 000
155 Rolnictwo . . . . 1 : 40 000 000
Gleby . . . . 1 : 100 000 000

AUSTRALIA

156 Krajobrazy . . . . 1 : 40 000 000
Temperatura powietrza w styczniu . . . . 1 : 90 000 000
Temperatura powietrza w lipcu . . . . 1 : 90 000 000
Opady roczne . . . . 1 : 90 000 000
Geologia – tektonika . . . . 1 : 90 000 000
157 Ukształtowanie powierzchni . . . . 1 : 40 000 000
Potencjalna roślinność naturalna . . . . 1 : 90 000 000
Gleby . . . . 1 : 90 000 000
Kolonizacje . . . . 1 : 90 000 000
Zaludnienie . . . . 1 : 90 000 000

158-159 Podział polityczny . . . . 1 : 50 000 000
158 Uprawy . . . . 1 : 90 000 000
Hodowla . . . . 1 : 90 000 000
159 Tahiti . . . . 1 : 1 000 000
Fidżi . . . . 1 : 5 000 000
Wielka Rafa Koralowa . . . . 1 : 10 000 000
Energetyka . . . . 1 : 90 000 000
160 Gospodarka . . . . 1 : 40 000 000
Rolnictwo . . . . 1 : 40 000 000

OCEANY

161 Południowy i Antarktyda . . . . 1 : 40 000 000
162 Arktyczny i Arktyka . . . . 1 : 30 000 000
163 Indyjski i Południowy . . . . 1 : 30 000 000

164-165 Spokojny . . . . 1 : 60 000 000
164 Atlantycki . . . . 1 : 60 000 000

167-169 Odwzorowanie kartograficzne
170-174 Symbole państw i terytoriów zależnych
175-182 Skorowidz nazw – Polska

183-195 Skorowidz nazw – Świat
186-189 Spis treści

Wydawca: **Demart SA**
02-495 Warszawa
ul. Poczty Gdańskiej 22a
tel. 22 662 62 63; faks 22 824 97 51
www.demart.com.pl
e-mail: info@demart.com.pl

Dział zamówień
Sprzedaż hurtowa: tel. 22 498 01 77/78; faks 22 753 03 57
e-mail: biuro.handlowe@demart.com.pl

Sprzedaż detaliczna: www.demart.com.pl

Redakcja atlasu: Marzena Wieczorek, Beata Byer, Adam Zakrzewski

Opracowanie i redakcja map: Grzegorz Ajdacki, Beata Byer, Anna Chodoła, Małgorzata Chruślińska (s. 47), Barbara Gawrysiak, Jacek Gawrysiak, Jan Goleń (s. 20, 157), dr Bogdan Horodyski (s. 4-5, 22-23, 90-91, 114-115, 134, 142, 150, 156, 157), Bogusława Karlicka, dr Bożena Kicińska (s. 10, 11, 41, 115, 137), Danuta Koperska-Puskarz (s. 86, 87, 89), dr Jolanta Korycka-Skorupa (s. 30, 32, 48-49, 157), Anna Kosonoga, Jolanta Kowalczyk, Katarzyna Kowalczyk, dr Paweł Kowalski (s. 18-19, 32-33, 35), Dariusz Kozak (s. 21, 97, 121, 133, 140, 146, 149, 154, 159), dr Tomasz Krzywicki (s. 42, 43, 156), Kamila Kuna, Anna Kuklińska (s. 28, 148, 149), Renata Laskowska, Łukasz Mędrzycki, Hubert Mroczkiewicz, Elżbieta Olczak, dr Krzysztof Olszewski (s. 10, 11, 41, 115, 137), Piotr Ostaszewski, dr Wiesław Ostrowski (s. 39, 45, 48-49, 51, 52-53, 54, 64-68, 70, 71, 78-89), dr Wojciech Ozimkowski, Janusz Puskarz (s. 86, 87, 89), Marianna Rychlicka (s. 28, 132, 133), Paweł Smyk, Katarzyna Stalęga, dr Jerzy Siwek (s. 13, 24, 42), Jarosław Talacha, Anna Trochimiuk (s. 100, 139, 145, 153), Agnieszka Wędrychowska, Marzena Wieczorek, Katarzyna Wlazło, Piotr Wójcik, Adam Zakrzewski, Bożenna Zaraś (s. 97, 121, 131, 146, 153)
Kartografika Waldemar Wieczorek (s. 86, 87, 89)
Cartographia Kft., Budapest

Opracowanie i redakcja map konturowych: Beata Bohdanowicz, Marzena Wieczorek

Aktualizacja danych Jolanta Kowalczyk, Katarzyna Kowalczyk, Piotr Ostaszewski, Wojciech Wacławik

Skład, łamanie i przygotowanie do druku: Piotr Wójcik, Adam Zakrzewski

Projekt graficzny i projekt okładki: Krzysztof Stefaniuk

ISBN: 978-83-7427-782-2

Wydanie 2013 r.